Aargau · Heimatkunde für jedermann

Max Schibli · Josef Geissmann · Ulrich Weber

AARGAU

Heimatkunde für jedermann

Erarbeitet aufgrund der im
Lehrmittelverlag des Kantons Aargau
erschienenen Handreichungen
für die Lehrer der Mittelstufe

AT Verlag Aarau · Stuttgart

Zum Geleit

Der Kanton Aargau schickt sich an, den 175. Jahrestag seines Bestehens zu feiern. Die Gratulanten stehen an und wünschen dem Jubilar und der aargauischen Bevölkerung ein schönes Jubiläum und für die Zukunft alles Gute.

Seine Glückwünsche hat der AT Verlag umgemünzt in die Herausgabe einer umfassenden «Aargauer Heimatkunde für jedermann». Es ist ein Werk, das sich an alle richtet, die vom Aargau im Jubiläumsjahr etwas mehr wissen möchten. In leichtverständlicher Weise wird der Leser über das Werden des Kantons informiert. Er erhält dabei Einblick in die kulturelle und wirtschaftliche Entwicklung und in politische Zusammenhänge.

Das Buch, das auf einem Heimatkunde-Lehrmittel von Max Schibli und Josef Geissmann aufbaut und das im Einvernehmen mit dem Kantonalen Lehrmittelverlag von Dr. Ulrich Weber geschrieben wurde, ist nicht zuletzt ein geglückter Versuch, auf die Schönheiten des Kantons aufmerksam zu machen und dem Aargauer seine Heimat wieder etwas näherzubringen. Mit den vielen farbigen Illustrationen über das aargauische Brauchtum und mit den aktuellen Aufnahmen aus der Gegenwart wird das Buch, dem zusätzlich die Wappen sämtlicher aargauischer Gemeinden beigegeben sind, eine Fundgrube für jeden, der den Aargau besser kennenlernen will.

Aarau, 2. Mai 1978

Dr. Arthur Schmid,
Landammann des Kantons Aargau

Die drei Autoren

Max Schibli, Aarau, geb. 1915 in Windisch, aufgewachsen in Ennetbaden, seit 1944 Methodiklehrer am Lehrerseminar Aarau, wiederholt Mitglied von Fachkommissionen im Lehrmittelwesen und Autor von Unterrichtsbüchern.

Josef Geissmann, Wettingen, geb. 1925 in Hägglingen, seit 1953 Methodiklehrer am Lehrerseminar Wettingen, ab 1978 Hauptlehrer für Didaktik an der Lehramtsschule des Kantons Aargau in Windisch.

Ulrich Weber, Aarau, geb. 1940 daselbst, juristische Studien in Basel und Bern, Doktorarbeit über ein presserechtliches Thema, seit 1969 Redaktor am Aargauer Tagblatt, Aarauer Einwohnerratspräsident 1978/79.

Inhaltsverzeichnis

I. Landschaft und Natur
(Geologischer und biologischer Teil)

1. Wie unsere Landschaft entstanden ist

  a) Erdaltertum 11
  b) Erdmittelalter 11
  c) Erdneuzeit 12

2. Die Landschaft heute

  a) Der Tafeljura 16
  b) Der Kettenjura 17
  c) Das Mittelland 19

3. Bodenschätze 22

4. Wasser

  a) Die Flüsse im Aargau 24
  b) Grundwasser 26
  c) Quellen 27
  d) Trinkwasser 28
  e) Mineral- und Heilquellen . . . 28

5. Klima

  a) Winde 30
  b) Niederschläge 30
  c) Nebel 30
  d) Temperatur 31

6. Natur

  a) Von Natur aus ein Waldland . . 31
  b) Die Verarmung der Landschaft . 31
  c) Typisch für den Aargau 32
  d) Natur- und Landschaftsschutz . . 33

II. Geschichte

1. Alles ist relativ 35
2. Steinzeit 35
  a) Die Altsteinzeit 35
  b) Mittlere Steinzeit
    und Jungsteinzeit 37

3. Die Bronze- und die Eisenzeit 38
4. Die Helvetier 40
5. Die Römer 44
6. Die Alemannen 51
7. Das Mittelalter

  a) Vom Bund der Eidgenossen bis
    zur Eroberung des Aargaus . . . 57
  b) Rittertum im Aargau 58
  c) Die mittelalterliche Stadt 61
  d) Die Klöster 66

*8. Der Aargau als eidgenössisches
Untertanenland* 68

9. Die Helvetik 73

10. Ab 1803

  a) Die Mediation (1803–1813) . . . 78
  b) Die Restauration (1814–1830) . . 79
  c) Die Regeneration (1830–1848) . 81
  d) Nach 1848 82

III. Der Aargau heute
(Eine Art Bestandesaufnahme)

1. Kanton, Bezirke und Gemeinden . . . 84
2. Bevölkerung 86
3. Landwirtschaft

  a) Aargauer Bauern einst und heute 90
  b) Warum eigentlich «Rüebliland»? 94
  c) Bauernhausformen im Aargau . 95

4. Forstwirtschaft 98
5. Der Rebbau 100
6. Industrie und Gewerbe 104

7. Energieversorgung 109

8. Entsorgung

   a) Abwasserreinigung 114
   b) Kehrichtbeseitigung 116

9. Strassenverkehr

   a) Strassennetz 119
   b) Motorisierung 122

10. Öffentlicher Verkehr

   a) Bahn, Bus und Postauto 123
   b) Schiffahrt 130

11. Schulwesen

   Übersicht nach Altersstufen 132
   Die aargauische Volksschule 132
   Die Mittelschulen 135
   Berufsschulen 136
   Schulbehörden 137
   Hochschule im Aargau? 137

12. Spital- und Altersheimwesen 138

13. Militär und Zivilschutz

   a) Militär 142
   b) Zivilschutz 145

14. Kultur

   a) Warum eigentlich «Kulturkanton»? 146
   b) Kulturelle Institutionen
      des Aargaus 147

15. Brauchtum und Feste 149

16. Mundart 152

17. Aargauer Rezepte 154

18. Wie der Aargau regiert wird

   a) Die Aufgliederung des Kantons . 154
   b) Volk und Behörden 155
   c) Kirche und Staat 165
   d) Die aargauische Verfassung . . . 165

IV. Lebendiger Aargau

(Von Region zu Region)

1. Das Aaretal

   Das Einzugsgebiet der Aare 167
   Die Aare vom Quellgebiet bis
   zum Aargau 167
   Die «Vierländerecke» bei Murgenthal 168
   Burg und Städtchen Aarburg . . . 169
   Ruine Wartburg/Sälischlössli . . . 170
   Der Boowald –
   der grösste Wald des Aargaus . . . 171
   Von Aarburg bis Aarau 172
   Schuhzentrum am Rande
   des Aargaus 173
   Wie ein Schuh entsteht 173
   Erlinsbach:
   Ein Name – drei Gemeinden 174
   Hauptort Aarau – Primus inter pares 174
   Aaraus grosse Zeit 175
   Kleines Zentrum einer grossen Region 176
   Glockengiessen –
   ein seltener Industriezweig 177
   Maienzug – nicht im Mai 178
   Von Aarau bis Brugg 179
   Das Küttiger Völklein 180
   Viel und wenig Wasser 180
   Schinznach-Bad:
   Geruch nach faulen Eiern 180
   Erinnerung an den Biber 181
   Schwerpunkt der Zementindustrie . 181
   Wie Zement in Wildegg
   hergestellt wird (Nassverfahren) . . 181
   Schenkenbergertal –
   ein prächtiges Seitental 183
   Habsburg – ein Name mit Klang . . 184
   Brugg – der Name sagt einiges . . . 184
   Das Prophetenstädtchen 186
   Königsfelden – Vom Kloster zur Klinik 186
   Das untere Aaretal 187
   Hügelstadt Klingnau 189
   Zentrum der Holzverarbeitung . . 190
   Stausee als Vogelparadies 190

Atomforschung und Nutzung
der Atomkraft 190
Energiegewinnung im Kernkraftwerk 191
Das stille Surbtal 192
Die Alpenrosen von Schneisingen . 193
Sagenumwobene Ruine Tegerfelden 193
Die Juden in Endingen und Lengnau 193

2. *Von der Wigger bis zur Bünz*
Die Gewässer der Südtäler 196
Was Grenzen bewirken 196
Die Thutstadt Zofingen 197
Zofingen wollte lieber zu Bern . . 198
Schon seit langem umfahren 198
Mittelpunkt des Wiggertals 198
Das Strassenkreuz Oftringen . . . 200
Das Arbeitszentrum für Behinderte
in Strengelbach 200
Zwillinge im Wiggertal 201
Die Täler der Suhre und Wyne . . . 201
Wynen- und Suhrentalbahn (WSB) 202
Bahn bis nach Sursee? 203
Schwerpunkt im oberen Wynental . 203
Das «Stumpenland» 204
Wie eine Zigarre entsteht 205
«Böhler» und «Strigel» 205
Das Wanderparadies des Ruedertals 205
Wo das Wynen- und Suhrental enden 206
Wichtige Betriebe für die Lebens-
mittelversorgung 207
Geographische Mitte bei Lenzburg . 208
Unübersehbare Zeugenberge . . . 208
Burg und Stadt Lenzburg 209
Drehscheibe Lenzburg 210
Die Konservenfabrik 211
Die Strafanstalt Lenzburg 211
Die Visitenstube des Aargaus . . . 212
Gefährdete Schönheit 212
Schiffe und Boote 213
Das Wasserschloss Hallwil 214

3. *Das Reusstal und das obere Bünztal*
Das Wasser der Innerschweiz . . . 215
Moränenlandschaften 215

Der Finger, der in die
Innerschweiz zeigt 215
Das Freiamt und seine Grenze . . . 216
Das Kloster Muri und
sein altes Osterspiel 217
Sins – die grösste Gemeinde
des Kantons 219
Beinwil mit dem Schloss Horben . . 219
Obstsaft aus Äpfeln und Birnen . . 220
Wie Süssmost in der Freiämter Mosterei
hergestellt wird 221
Wohlen – ehemals «Klein-Paris» . . 221
Versorgung mit Brot- und
Futtergetreide 222
Roggenstroharbeiten aus Rottenschwil 223
Torfstich in Boswil 223
Die Reussebene oberhalb Bremgartens 224
Naturschutzgebiete im oberen Reusstal 225
Bremgarten in der Reussschlinge . . 226
Das St. Josefsheim 227
Die Bremgarten-Dietikon-Bahn (BD) 227
Mutschellen –
bevorzugtes Wohngebiet der Zürcher 228
Das Taumoos in Niederrohrdorf . . 229
Mellingen und die vierfache
Endmoräne 229
Das grösste Tanklager der Schweiz . 230
Monotoner Stausee bei
Windisch-Gebenstorf? 230
Das Birrfeld: Von der Kornkammer
zum Verteilzentrum 230
Pestalozzi im Aargau 231
Der Flugplatz Birrfeld 232

4. *Das Limmattal*
Ein Fluss ändert seinen Namen . . . 233
Kloster Fahr – aargauische Exklave . 234
Zürcher Gras – Aargauer Milch . . 234
Noch ein See: Der Egelsee 236
Spreitenbach und
sein Einkaufszentrum 236
Der Rangier- und Verschiebebahnhof
Limmattal 237

Würenloser Muschelsandstein . . . 237
Das Strassendorf Neuenhof 238
Wettingen –
die grösste Gemeinde des Kantons . 238
Das Kloster Wettingen 239
Baden – Zentrum des Aargaus
im Osten 240
Woher kommt das Thermalwasser? . 241
Das erste Theater der Schweiz . . . 242
Die Weltfirma BBC 242
Das Spannungsverhältnis
Baden–Aarau 243
Ennetbaden mit der Goldwand . . 243
«Der Garten des Aargaus» 243
Turgi hat mit dem Thurgau zu tun . 244

5. *Das Rheintal*

Hochrhein im Aargau 244
Von Kaiserstuhl bis zur Aaremündung 245
Rheinstädtchen in Dreiecksform . . 245
Stille Seitentäler des Rheintals . . . 246
Zurzach – vom Messe- zum Badeort 246
Die Zurzacher Messe 246
Die Sodafabrik 247
Junges Thermalbad und Mineralquelle 248
Koblenz: Zusammenfluss und Zoll . 248
Die Zollorganisation im Aargau . . 249
Von der Aaremündung zur Sissle . . 249
Das Gipsbergwerk in Full Reuenthal 250
Die Laufenburger Seitentäler . . . 250
Laufenburg und sein kleiner Rheinfall 252
Der Salm 253
Frick und das Fricktal 254
Das grösste Tonwerk des Aargaus . 254

Pestsarg –
Erinnerung an schreckliche Zeiten . 254
Ehre für ein Juradorf 254
Eisenerz im Fricktal 255
Fricktaler Kirschen 256
Sisslerfeld –
Zentrum der Chemie-Industrie . . 257
Die längste gedeckte Holzbrücke
Europas 258
Zwei bis drei Kirchen pro Dorf . . 258
Von Wegenstetten bis Möhlin . . . 259
Wüstungen im Rheinbogen 259
Rheinfelden –
Stadt der Salinen und Solbäder . . . 260
Die Salzgewinnung im Rheintal . . 261
Wie Bier hergestellt wird 262
Schiffahrt oberhalb Basels 264
Kaiseraugst –
am Ausgang des Aargaus 264

Die Gemeindewappen

Allgemeines 269
Die Gemeindewappen in Farbe 273
Heimatkundliche Angaben zu den
einzelnen Gemeinden 300

Die Gemeinden in Zahlen 324
Gemeinderegister 331
Schlussbetrachtung 333
Wie dieses Buch entstanden ist . . . 336
Literaturverzeichnis 337

I. Landschaft und Natur

(Geologischer und biologischer Teil)

1. Wie unsere Landschaft entstanden ist

Die uns vertraute Landschaft, und das gilt selbstverständlich nicht nur für den Aargau, ist noch ein junges Gebilde. Wer die Geologie unseres Kantons nachzeichnen will, kann mit ruhigem Gewissen das *Sternzeitalter* und die *Erdurzeit* (Archaikum), die mit Abstand längsten Zeitabschnitte der Erdgeschichte, überspringen und erst beim *Erdaltertum* einsetzen; man dringt dann immer noch nahezu 600 Millionen Jahre in die Vergangenheit ein!

a) Erdaltertum (Paläozoikum): 560 bis 200 Millionen Jahre v. Chr.

In diesem Zeitalter muss das *Urgestein* entstanden sein, dessen Gneise und Granite zwischen dem Schwarzwald und den Alpen heute eine gewaltige Schale formen, auf welcher die jüngeren, durch Ablagerungen gebildeten Gesteinsschichten liegen. Dieses älteste Gestein unseres Landes, der Gneis, kommt deshalb im Aargau nur gerade im Rheintal vor; hier stösst man auch auf das sogenannte «Rotliegende», rotgefärbte Trümmergesteine auf dem Gneis, Rückstände der Verwitterung und Auslaugung.

Lebewesen, Pflanzen: Alle wirbellosen Tierstämme müssen schon vorgekommen sein sowie Urkrebse; später Panzerfische, Knorpelfische. Erste Landpflanzen auf Festlandgebiet, Schachtelhalme, Farne, Nadelhölzer. Gegen Ende dieses Zeitalters Reptilien und Insekten und schliesslich Amphibien.

b) Erdmittelalter (Mesozoikum): 200 bis 60 Millionen Jahre v. Chr.

Die *meisten Gesteine unseres Landes* stammen aus dem Erdmittelalter; sie haben sich allerdings erst viel später zu den Gebirgen des Juras und der Alpen gehoben und geformt. Das Erdmittelalter wird *in die drei Abschnitte Trias, Jura und Kreide* aufgegliedert. In dieser Zeit haben sich *von unten nach oben* folgende Gesteinsschichten durch Ablagerung gebildet:

Trias

Buntsandstein

Zu Beginn dieser Epoche war unser Gebiet eine flache, heisse *Sandwüste*. Einströmendes *Meerwasser* führte dann aber zur Verfestigung des roten Sandes.

Vorkommen: Rheinfelden, Zeiningen, Zuzgen; wurde beispielsweise beim Bau des Basler Münsters verwendet.

Muschelkalk

Der Boden sank noch mehr und wurde vom *Triasmeer* überflutet; darauf lagerten sich *Kalke, Dolomite, Mergel und Tone* ab. Wo das Wasser eindampfte, hinterliess es mächtige Lager von *Steinsalz* und *Gips*. Darauf setzten sich wieder Ton und Mergel ab und schützten das Salz vor der Auslaugung durch das neuerdings sich ausbreitende *Meer*. Aus diesem schlugen sich schliesslich mächtige Kalkmassen, der *Hauptmuschelkalk*, nieder.

Vorkommen: Steppberg–Looberg–Heuberg–Wandflue–Felsenau; Strihen–Würz–Linnerberg–Wülpelsberg–Lägeren. Salz- und Gipsausbeutungen im Rheintal. Das Kloster Königsfelden etwa wurde aus Muschelkalkstein erbaut, den man aus einem Steinbruch östlich von Hausen (nicht mehr in Betrieb) gewann.

Keuper

Die Tiefe des Meeres nahm ab *(Flachmeer).*
Erneut wurden *Gips* und *bunte Mergel* ausgeschieden. In den sumpfigen Niederungen entwickelte sich eine reiche Pflanzenwelt.

Vorkommen: Schupfart, Frick (tonige Mergel für Ziegelei), Gipsgruben am Bänkerjoch
und an der Lägeren.

Neue Funde im Jahre 1977 in Frick bestätigen
uns, dass in dieser Zeit (ca. 195 Millionen Jahre
v. Chr.) pflanzenfressende Saurier *(Plateosaurier)*
bei uns gelebt haben. Sie ertranken wohl in den
einfliessenden Meeresfluten, und ihre Überreste
(Knochenteile) wurden durch die Strömung zu-
sammengetragen, z. B. in Frick.

Jura

Weil die Gesteinsschichten dieser Zeitepoche
zuallererst in unserem Juragebirge studiert worden sind, wurden sie nach ihm benannt. Dieser
Begriff ist aber *verwirrend,* und es ist deutlich fest-
zuhalten: Solche Jura-Gesteinsschichten kommen *fast in allen Erdteilen* vor; umgekehrt besteht
unser Jura-Gebirge keineswegs nur aus Schichten dieser Jura-Zeit, sondern auch aus Gesteinen
früherer und späterer Zeitepochen (Trias und
Tertiär).

Zur Jura-Zeit war das ganze Gebiet, von
Afrika bis nach Skandinavien, von Spanien bis
Asien, von einem *Weltmeer* überdeckt. Es war
die Zeit der Krebse, Ammonshörner, Schnek-
ken, Muscheln, Seesterne, Belemniten (Don-
nerkeile), Schwämme und Korallen, von welchen uns *Versteinerungen* erhalten geblieben sind.

Die Jura-Zeit ergab, entsprechend ihren Pha-
sen, *folgende Schichten* von einer Gesamtmächtig-
keit von etwa 500 bis 800 Metern:

Lias (unterer oder schwarzer Jura): *Dunkle
Mergel* und *Kalke* setzten sich im Meer ab.

Vorkommen: Tongrube nördlich der Staffelegg. Mergel mit Einschlüssen von Insekten in
der Reuss-Schlucht unterhalb Mülligens.

Dogger (mittlerer oder brauner Jura): *Tone,
Mergel* und *Kalksteine* sonderten sich ab, die
wegen ihres hohen Eisengehalts braun gefärbt
sind. Auf den ältesten Schichten der *Opalinustone*
bildeten sich saftige, rutschige Wiesen. Die
Hauptrogensteine sind mit ihren runden Körnlein
die härtesten Kalke. Die oberste Schicht ist
besonders eisenreich.

Vorkommen: Opalinuston ist Rohmaterial
für Ziegeleien, auch Verwendung für Erddäm-
me. Hauptrogenstein: südliche Tafeljuraberge
(Tiersteinberg, Chornberg, Marchwald, Bürer-
horn, Acheberg) und Kettenjura (Geissflue,
Wasserflue, Gisliflue). Eisenoolith: bei Herznach.

Malm (oberer oder weisser Jura): In dieser
Zeit haben sich die *mächtigsten Schichten* unseres
Landes aus dem Meer abgesetzt, die heute ganze
Berge bilden. Es lassen sich graue *Kalke* und
Mergel von verschiedener Zusammensetzung
unterscheiden.

Vorkommen: Stadtfelsen   von   Aarau,
Schlucht bei Brugg, Villiger Geissberg, Chestenberg, Lägeren. Die Schichten tragen je nach
Gehalt verschiedene Namen, die auf ihr Vorkommen schliessen lassen; von unten nach oben:
Birmenstorfer (versteinerungsreicher Kalk),
Effinger (bestes Rohmaterial für Zementherstellung), Geissberger, Wangener, Badener, Wettinger Schichten.

Kreide

Am Ende der Jurazeit wurde unser Gebiet infolge einer Trockenperiode, möglicherweise
auch durch Hebung des Meeresbodens, zum
Festland. Ablagerungen aus dieser Zeit gibt es
bei uns deshalb *keine.* Die Kalklandschaft war
jedoch der Verwitterung ausgesetzt, wurde stark
verändert. Lösungsrückstände wie Quarz, Ton,
Bohnerz (zum Beispiel auf dem Hungerberg bei
Aarau oder bei Brugg) sammelten sich an.

Lebewesen und Pflanzen (wieder möglich):
fliegende Reptilien, erste Vögel, Schmetterlin-
ge, Kleinpferdchen von Fuchsgrösse. Blüten-
pflanzen, Gräser, Weide, Eiche, Pappel.

c) Erdneuzeit (Känozoikum): 60 Millionen Jahre v. Chr. bis heute

Die Erdneuzeit wird eingeteilt in die
viele Millionen Jahre umfassende *Tertiärzeit,* in welcher *Alpen, Jura und die grossen Täler entstanden* sind, und die kaum
eine Million Jahre dauernde *Quartärzeit,*
das Zeitalter der *Vergletscherungen und
Zwischeneiszeiten,* das vor allem das Mittelland geprägt hat.

Tertiär

Zu Beginn der Tertiärzeit war unsere Gegend eine flache, heisse Wüste. Dann aber entstand grosse Bewegung. Von Süden her setzte die Gebirgsbildung, durch Hebung und Zusammenschiebung der Erdrinde, ein, während sich anderseits das Festland absenkte und wieder mit Wasser auffüllte (Binnenmeer). In der Mulde zwischen Schwarzwald und werdenden Alpen wurde wieder vielfältiges Material ausgeschieden; einmal waren es Meeres-(Salzwasser-), dann Süsswasserablagerungen; die Gesamtheit dieser Ablagerungen nennt man *Molasse*.

Grob unterscheidet man:

Untere Süsswassermolasse: Sie besteht aus olivgrünen bis hellgrauen *Sandsteinen* und verschiedenfarbigen *Mergelzwischenlagen*.

Vorkommen: Murgenthal (hier bis zu 1 000 m mächtig), Strigel, Gönert bei Aarau (erdölhaltiger Sandstein), Chrüzliberg bei Baden.

Lebewesen und Pflanzen: grosser Tier- und Pflanzenreichtum; Elefanten, Nashorn, Affen, Schlangen; immergrüne Pflanzen: Palme, Lorbeer, Feigen- und Zimtbaum.

Meeresmolasse: Das Meer vermochte sich wieder auszubreiten. Die Schalen der üppigen Muschelfauna wurden durch die Brandung zu Sand zerrieben, der später zu festem *Muschelsandstein* erhärtete.

Vorkommen: Würenlos, Mägenwil, Dottikon, Staufberg, Lenzburg, Staffelbach.

Obere Süsswassermolasse: Das Salzwasser wurde durch das Süsswasser verdrängt, der Meeresgrund hob sich und verlandete zu einer sumpfigen Niederung; *Süsswasserkalk, Sand* und *Mergel* setzten sich ab. Mit der weiteren Hebung vermochte das Wasser abzufliessen; es bildeten sich *eigentliche Flüsse:* Die Flüsse unseres Landes sind also älter als Alpen und Jura.

Vorkommen: Sandstein am Bözberg, Siggenberg, im Studenland, am Lindenberg, Reinacher Homberg, im Ruedertal (mit Braunkohlennestern).

Die Bildung von Alpen und Jura

Gegen Ende des Tertiärs müssen die Alpenbildung und die Entstehung des Juras in die entscheidende Endphase getreten sein: Die gewaltigen Schubkräfte von Süden und die Druckkräfte von unten her bewirkten die Aufstockung, Faltung und Überlagerung der verschiedenen Schichten. Die Städte Mailand und Luzern haben sich durch die Alpenfaltung um ungefähr 500 km angenähert! Die Strecke Aarau–Frick wurde nur um etwa 5 km verkürzt; die Jurafaltung war verhältnismässig bescheiden.

Das Juragebirge ist letztlich als eine vom Hauptstamm abgezweigte Faltenschar der Alpen zu betrachten. Der Kettenjura ist also eigentlich alpin, das Mittelland ein gewaltiges Alpental. Die Tafeljura-Bildung verlief mehr oder weniger gleichförmig. Bei der Formung des Kettenjuras hingegen wurden zusammengedrängte Schichten abgebrochen und auf den Südrand des Tafeljuras aufgeschoben. Bei all diesen Überschiebungen und Faltungen erstaunt daher nicht, dass die Schichten oft nicht mehr in logischer Reihenfolge beobachtet werden können; zudem wurden die zuoberst auftretenden Schichten während und nach der Auffaltung grossenteils abgetragen. Man nimmt an, dass die Juraberge nur noch etwa einen Viertel ihrer ursprünglichen Höhe aufweisen; ohne diese immense Abtragung und Verwitterung besässe der Aargau heute zumindest einige Zweitausender mit ständigem Schnee an der Nordhalde!

Quartär

Gletscher kamen und gingen

Dieses Zeitalter umfasst die verschiedenen *Eis-* und *Zwischeneiszeiten*, in denen bei uns vorübergehend arktische Verhältnisse herrschten. Über die Zeit vom Ende des Tertiärs bis zur ersten Vergletscherung weiss man wenig. Neben der «Modellierung» der Alpen- und Juragebirge dürfte aber der gewaltige Einbruch der oberrheinischen Tiefebene in diese Zeitspanne fallen. Er bewirkte wesentliche Änderungen in der Entwässerung unseres Gebietes. Der Aargau dürfte erst um diese Zeit zum Sammelbecken aller Gewässer der Nordschweiz geworden sein, was er seither geblieben ist.

Zu Beginn der Eiszeit muss die Molasselandschaft des Mittellandes eine *Hochfläche* gewesen sein. Durch die Gletscher wurden aus dieser Molasse *Berg- und Tallandschaften* herausgeformt, die den heutigen Geländeformen weitgehend entsprechen. Die auffälligsten Ablagerungen der Gletscher sind die Findlinge oder erratischen Blöcke und die Stirn- und Seitenmoränen.

Erste Eiszeit (Günz): Die Alpengletscher drangen bis zum Schwarzwald (also auch über den Jura!) vor und lagerten den sogenannten *älteren Deckenschotter* ab; zum Teil löcherige Nagelfluh.

Vorkommen: Stieren-, Heiters-, Siggenberg, bei Böbikon, Olsberg.

Zwischeneiszeit: Nach dem Rückgang des Gletschers gruben sich die Flüsse 40 bis 60 m tief in den Schotter der immer noch weiten Täler ein und spülten diesen grossenteils wieder weg.

Zweite Eiszeit (Mindel): Die wiederum bis zum Rhein vordringenden, aber weniger mächtigen Gletscher hinterliessen den *jüngeren Deckenschotter.*

Vorkommen: Gebenstorferhorn, Bruggerberg, Chrüzliberg (Tüfels-Chäller), Böhler.

Zwischeneiszeit: Diese dauerte sehr lange. Bäche und Flüsse spülten den grössten Teil auch des jüngeren Deckenschotters weg und schnit-

ten Rinnen in die darunter liegende Molasse. Es entstanden 200 bis 300 m tiefe Täler, deren Sohlen noch 30 bis 60 m unter den heutigen Talböden lagen. In dieser Zeit ist das Mündungsgebiet von Aare, Reuss und Limmat entstanden, ja wurde das schweizerische Mittelland recht eigentlich modelliert.

Dritte Eiszeit (Riss): Der tiefsten Einkerbung folgte die *grösste Vergletscherung.* Die Gletscher aus dem Rhone-, Aare-, Reuss- und Rheingebiet vereinigten sich. *Das ganze Gebiet des Aargaus,* mit Ausnahme von Rheinfelden-Kaiseraugst, war vergletschert. Die Landschaft wurde mit *Hochterrassenschotter* aufgefüllt.

Die Schweiz zur Zeit der grössten Vergletscherung (Riss)

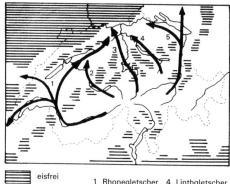

▤ eisfrei	1 Rhonegletscher 4 Linthgletscher
☐ eisbedeckt	2 Aaregletscher 5 Rheingletscher
	3 Reussgletscher

Vorkommen: Hochterrassen Möhlinerfeld, Strick zwischen Leuggern und Leibstadt, Ruck-

Eiszeitliche Schotter auf dem Molasse-Untergrund und die entsprechenden Talsohlen:

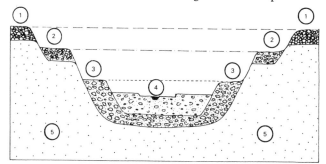

1 Ältere Deckenschotter (1. Eiszeit) z. B. auf dem Stierenberg, Heitersberg, Siggenberg

2 Jüngere Deckenschotter (2. Eiszeit) z. B. Chrüzliberg (Teufelskeller), Bruggerberg, Gebenstorferhorn

3 Hochterrassenschotter (3. Eiszeit) z. B. Ruckfeld, Strick bei Leuggern, Möhlinerfeld

4 Niederterrassenschotter (4. Eiszeit) z. B. Flusstäler im Mittelland, unteres Aaretal, Rheintal

5 Molasse

feld zwischen Würenlingen, Endingen, Tegerfelden und Döttingen. Rhonematerial am Aarauer Hungerberg und auf der Staffelegg.

Zwischeneiszeit: Nach dieser grossen Aufschotterung (Findlinge hoch oben in den Jurabergen veranschaulichen es) folgte eine umfangreiche *Ausräumungszeit.* Durch Windverfrachtungen bildeten sich Lösslager, z.B. bei Aarau.

Vierte Eiszeit (Würm): Diese Zeit brachte wohl die *geringste Vergletscherung,* und doch spielt sie im Landschaftsbild des Aargaus die *grösste Rolle.* Die Gletscher drangen nur noch bis in die Mittellandtäler vor und hinterliessen ihre End- oder Stirnmoränen bei Staffelbach, Zetzwil, Seon, Othmarsingen, Mellingen und Killwangen. Unterhalb der Stirnmoränen lagerten sich die *Niederterrassenschotter* ab. Sie bildeten die weiten und flachen, grundwasserreichen Talböden im Mittelland, im unteren Aare- und im Rheintal.

Nacheiszeit (Alluvium): Mit dem Rückzug der Gletscher bildeten sich in den südlichen Tälern die von Moränenmassen gestauten Seen, der Hallwiler-, Baldegger- und Sempachersee. Andere, südlich von Gontenschwil, Zetzwil und Staffelbach verlandeten. Die grösseren Flüsse, Aare, Reuss, Limmat und Rhein, brachen sich Bahn durch die Moränenwälle hindurch und spülten

sogar in die Niederterrassenschotter breite Rinnen. Andere Flüsse hingegen hatten zu wenig Stosskraft, um den Moränenschutt aus den Tälern hinauszuspülen. Die Zungenbecken innerhalb der Endmoränenwälle waren deshalb teilweise sumpfige Niederungen, die später durch die Technik nutzbar gemacht wurden.

Seit Ende der letzten Eiszeit hat sich der Gesamtcharakter unseres Landes wenig geändert. Die Nacheiszeit (Alluvium) ist ja auch, verglichen mit den vier Eiszeiten (Diluvium), eine kurze Zeitspanne. Das Diluvium umfasst mehrere 100 000 Jahre, das Alluvium die Zeit von 12 000 v. Chr. bis heute. Das veranschaulicht auch deutlich, welchen winzigen Stellenwert die Zeit unserer modernen Zivilisation und Technik im Gesamtbild der Erdgeschichte einnimmt. Wie unsere allerfrühesten Vorfahren leben wir wahrscheinlich auch wieder zwischen zwei Eiszeiten (das Wort Nacheiszeit ist insofern missverständlich) und hier vermutlich immer noch am Anfang dieser vorläufig letzten Zwischeneiszeit.

Zeitvergleiche

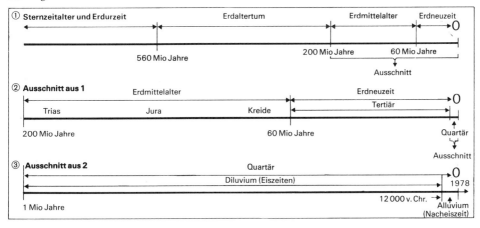

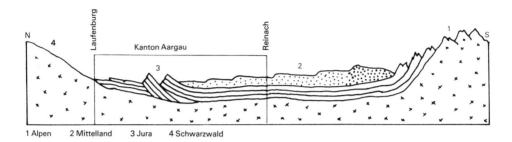

1 Alpen   2 Mittelland   3 Jura   4 Schwarzwald

2. Die Landschaft heute

Die Gesteine im Aargau

Das Kapitel über die Entstehung der Landschaft zusammenfassend und vereinfachend, kann man sagen: Der Aargau besteht aus dem *Molassegebiet des Mittellandes* und dem *Kalkgebirge des Juras*. Der Jura wird im Süden aus den letzten Ketten des *Faltenjuras* und im Norden aus dem *Tafeljura* gebildet. Einzig bei Laufenburg tritt der *Schwarz-*

Die Gesteine im Aargau

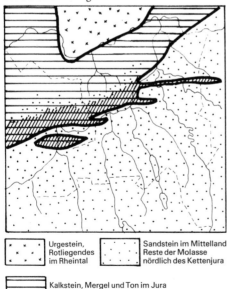

Urgestein, Rotliegendes im Rheintal	Sandstein im Mittelland Reste der Molasse nördlich des Kettenjura

Kalkstein, Mergel und Ton im Jura
Tafeljura
Kettenjura

waldgranit (Gneis) zutage und an einigen Stellen der Rheintalfurche das Abtragungsgestein des Urschwarzwaldes, das sogenannte *Rotliegende* (Mumpf, Wallbach, Rheinfelden).

Tafeljura

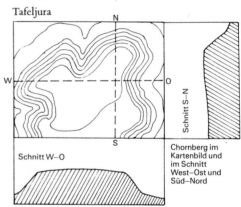

Chornberg im Kartenbild und im Schnitt West–Ost und Süd–Nord

a) Der Tafeljura

Der Name bringt zum Ausdruck, dass die Berge des Tafeljuras in der Regel oben flach, einer Tafel (Tisch) ähnlich sind.

Der Tafeljura lässt sich allerdings nicht so einfach erklären, wie das Bild einzelner Berge vielleicht vermuten lässt. Nicht alle Tafeljuraberge sind oben flach. Durch sogenannte Verwerfungen wurden bei der Bildung des Tafeljuras in einzelnen Gebieten die Gesteinsschichten steil nach oben gedrückt, so dass Grate wie im Kettenjura entstan-

Tafeljuraberge

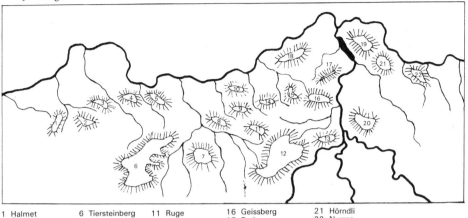

1 Halmet	6 Tiersteinberg	11 Ruge	16 Geissberg	21 Hörndli
2 Önsberg	7 Chornberg	12 Bözberg	17 Rotberg	22 Nurren
3 Sunneberg	8 Frickberg	13 Bruggerberg	18 Wandflue	
4 Chriesiberg	9 Schinberg	14 Cheisacher	19 Acheberg	
5 Mumpferflue	10 Heuberg	15 Bürerhorn	20 Siggenberg (Iberig)	

den (Rotberg bei Villigen, Burghalden bei Mönthal, Sunneberg bei Zeiningen). Dabei offenbart das Fricktal recht eindrücklich die verschieden alten Gesteinsschichten: den Hauptmuschelkalk längs des Rheins, den Hauptrogenstein auf Chorn- und Tiersteinberg, die harten Malmkalke auf dem Bözberg. Die Nagelfluh, die man auf den Kalkschichten des Teljuras findet, stammt vom Schwarzwald. Sie bildete sich zu einer Zeit, als die Rheintalfurche noch nicht bestand und die Schwarzwaldflüsse einer Urdonau, am Nordrand des heutigen Kettenjuras, zuflossen.

Namen wie Chornberg und Chriesiberg deuten an, wie verschiedene Tafeljuraberge bewirtschaftet werden. Sind die Tafeln mit tiefgründigem Tonboden oder mit verwittertem Moränenschutt (aus den ersten drei Eiszeiten) überdeckt, so kann gut *Acker-* und *Obstbau* betrieben werden. Der landwirtschaftlich nutzbare Boden wird teils von den Dörfern in den Tälern, teils von Ein-

zelhöfen oder Weilern aus, die auf den Tafeln liegen, bewirtschaftet. Eigentliche dörfliche Siedlungen gibt es aber im Aargau auf diesen Tafeln, mit Ausnahme des Bözberges, nicht; ganz im Gegensatz zum Kanton Baselland, wo zahlreiche Dörfer auf den Höhen liegen (etwa Anwil, Wenslingen, Rünenberg). Die Bözberg-Gemeinden sind infolge der Wasserarmut auf der Tafel auf Fremdwasserbezug angewiesen; sie waren früher gegenüber Bränden nahezu machtlos.

Die steilen Berghänge des Tafeljuras sind in der Regel mit Wald bedeckt. An den Südhängen stösst man bis auf eine Höhe von 550 Metern über Meer (Mandach) auch auf Reben.

b) Der Kettenjura

Mit der letzten Alpenauffaltung vor 15 bis 5 Millionen Jahren wurden durch gewaltige Schubkräfte von Süden her und durch die Prellbockwirkung von Schwarzwald und Tafeljura die Kalk-

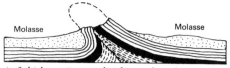

Aufschiebung: Lägeren bei der Hochwacht
(nach A. Heim, Geologie der Schweiz)

Faltung der Kalkschichten am Ostende der Lägeren

steinschichten nach oben gefaltet oder an Bruchstellen nach oben geschoben. Im Aargau wurden die Schichten vom Tafeljura abgerissen und teilweise auf dessen Südrand geschoben. So kommt es häufig vor, dass jüngere Gesteine von älteren überdeckt sind.

Einzig an der Lägeren, und hier in der Gipsgrube Oberehrendingen, ist die Auffaltung in ihrem Kern noch deutlich zu erkennen. Von den oberen Falten-

schichten sind als Südschenkel die Lägeren und als Teil des Nordschenkels der Geissberg und der Steinbuck erhalten geblieben. Im Osten läuft die Lägeren und mit ihr der Faltenjura unter der Molassedecke des Mittellandes aus.

Die Gelehrten sprechen von *fünf verschiedenen Juraketten* im Aargau, die sehr kompliziert verlaufen, stellenweise zusammenstossen oder sich verzweigen. Man kann sich aber auch mit der Auftei-

Kettenjuraberge im Aargau

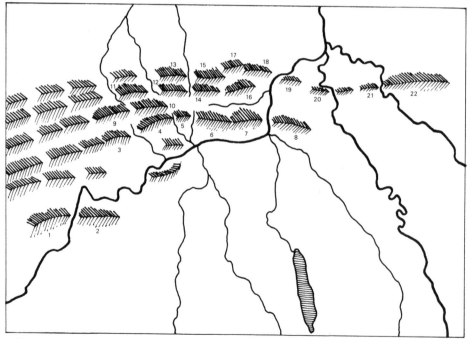

1 Born	5 Achenberg	9 Geissflue	13 Densbürer Strihen	17 Zeiher Homberg	21 Schlossberg
2 Engelberg	6 Küttiger Homberg	10 Wasserflue	14 Hard	18 Linnerberg	22 Lägeren
3 Gugen	7 Gisliflue	11 Burg	15 Auf Würz	19 Wülpelsberg	
4 Egg	8 Chestenberg	12 Asper Strihen	16 Grund	20 Eiteberg	

lung in eine nördliche und in eine südliche Jurakette begnügen. Die *Nordkette* beginnt im Westen mit der Geissflue und endet mit der Lägeren; den Anfang der *Südkette* macht die Egg, den Abschluss der Chestenberg. Beide Ketten spalten sich in Seitenketten.

Im Kettenjura reihen sich die Berge aneinander wie die Glieder einer Kette; daher auch der Name. Zwischen den Bergen stösst man verschiedentlich auf tiefe Einschnitte. Wo eine Auffaltung bis auf den Kern durch ein Quertal durchsägt wird, spricht man von einer *Klus* (bei Aarburg zwischen Born und Engelberg; Baden mit den beiden Engpässen Lägeren-Schlossberg und Geissberg-Martinsberg; weniger deutlich die Klusen von Wildegg und Aarau, weil hier die Falten zum Teil zusammengefallen und abgetragen sind). Bei *Halbklusen* beschränkt sich der Einschnitt auf die oberen Schichten (Gugen-Egg bei Erlinsbach, Egg-Acheberg und Acheberg-Homberg bei Küttigen). Die meisten Klusen sind gleichzeitig mit der Auffaltung des Juras entstanden. Schon bestehende Flüsse bestimmten die Lage der Quertalkerben zwischen den sich auffaltenden Gesteinsschichten.

Die Kettenjuraberge sind im oberen Teil der Nord- und Südseite bewaldet;

Kettenjuraberg im Höhenlinienbild und in Schnitten West-Ost und Süd-Nord

weiter unten weisen sie am Schattenhang Weideland auf und am Sonnenhang Trockenwiesen und Rebberge.

c) Das Mittelland

Das aargauische Mittelland besteht aus Ablagerungen der Tertiärzeit, also aus *Sandsteinen* und *Mergeln* der *Molasse;* bei dieser wiederum unterscheidet man zwischen der Meeres- und der Süsswassermolasse. Diese Mittellandmolasse wurde, im Gegensatz zum Jura- und zum Alpengestein, zur Zeit der gewaltigen Schubkräfte von Süden her, nur *gehoben und geschoben, nicht gefaltet.* Die Molasse des Mittellandes überdeckt den nach Osten absinkenden Jura im Gebiet östlich des Bözberges. Aus ihr heraus ragen Ausläufer der Jurakette wie langgestreckte Inseln: etwa der Chestenberg, der Eiteberg und die Lägeren.

Das Mittelland wurde recht eigentlich durch die eiszeitlichen Gletscher geformt. Die Berge sind dabei gleichsam als stehengebliebene Schichtmassen zu betrachten.

Die Gletscher der letzten Eiszeit drangen weniger weit vor als diejenigen der zweitletzten (und grössten) Eiszeit. Auffallenderweise sind die Bergrücken nördlich der letzten Vergletscherung und im westlichen Kantonsteil stärker gegliedert als die übrigen Mittellandberge. Sie weisen zahlreiche Seitentälchen auf, deren Bäche Schwemmkegel im Haupttal abgelagert haben (Beispiel: Schornig zwischen Suhren- und Wynental). Bei den Mittellandbergen mit weniger Gliederung (Heitersberg, Lindenberg) gelang es den Bächen nicht, sich ungehindert im Sandstein einzugraben und Tälchen zu bilden; sie stiessen an die Seitenmoränen und nahmen bis

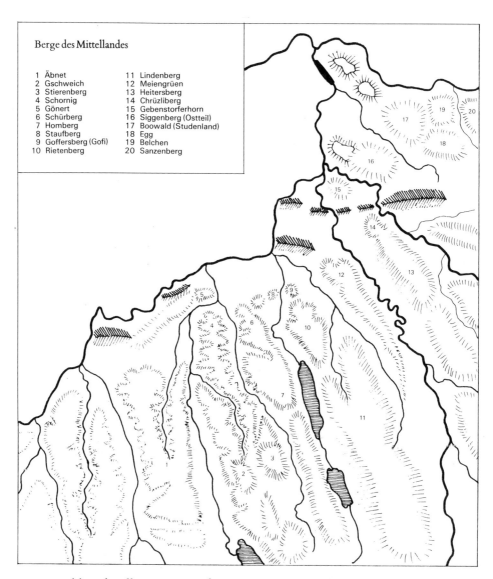

Berge des Mittellandes

1	Äbnet	11	Lindenberg
2	Gschweich	12	Meiengrüen
3	Stierenberg	13	Heitersberg
4	Schornig	14	Chrüzliberg
5	Gönert	15	Gebenstorferhorn
6	Schürberg	16	Siggenberg (Ostteil)
7	Homberg	17	Boowald (Studenland)
8	Staufberg	18	Egg
9	Goffersberg (Gofi)	19	Belchen
10	Rietenberg	20	Sanzenberg

zur Durchbruchstelle einen Lauf entlang der Moräne (Wissenbach bei Boswil, Rüeribach bei Muri).

Schotter und Moränen

Das Bild des Mittellandes wurde also auch entscheidend geprägt durch die *Moränen*. In der letzten Eiszeit gelangten die Gletscher nur noch bis in die Seitentäler der Aare. Wo die Gletscherzunge während langer Zeit an derselben Stelle stehen blieb, konnte sich eine *Stirn- oder Endmoräne* bilden. An der Seite des Gletschers blieb die *Seitenmoräne* liegen. Ein-

Mittellandberg nördlich der letzten Vergletscherung
(Schornig)

Mittellandberg im Gletschergebiet der letzten Eiszeit
(Lindenberg)

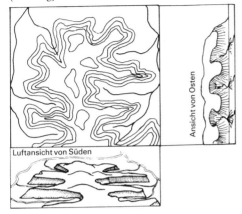

Luftansicht von Süden

Ansicht von Osten

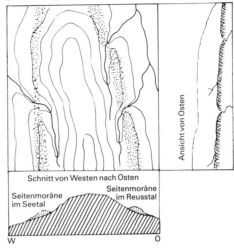

Schnitt von Westen nach Osten

Seitenmoräne
im Seetal

Seitenmoräne
im Reusstal

W   O

drücklich sind die Stirn- und Seitenmoränen im Suhren-, Wynen-, See-, Bünz-, Reuss-, Limmat- und Surbtal. Die Stirnmoräne im Suhrental zwischen Staffelbach und Kirchleerau ist 40 Meter hoch.

Die ungeheuren Schottermassen, welche die Gletscherflüsse aus dem Alpengebiet in unsere Gegend brachten, bildeten gute Anreicherungsgebiete für

Quellwasser (zum Beispiel Studenland, Siggenberg, Bruggerberg, Gebenstorferhorn). Vor allem dem Schotter der letzten Eiszeit (Niederterrassenschotter) verdankt der Aargau sein reiches Grundwasservorkommen, aber auch seine Bedeutung als Baumaterial-Lieferant (Kies und Sand).

Geologische Mittelland-Profile (nach Baeschlin/Mühlberg)

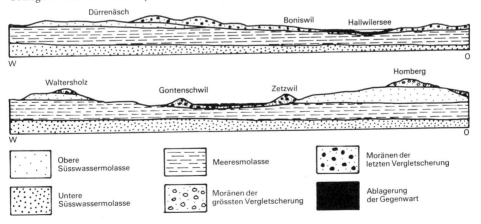

Dürrenäsch   Boniswil   Hallwilersee

W   O

Waltersholz   Gontenschwil   Zetzwil   Homberg

W   O

| | Obere Süsswassermolasse | | Meeresmolasse | | Moränen der letzten Vergletscherung |
| | Untere Süsswassermolasse | | Moränen der grössten Vergletscherung | | Ablagerung der Gegenwart |

Der höchste und der tiefste Punkt im Aargau

Der höchste Punkt des Aargaus liegt auf dem Geissfluegrat, auf 908 Meter. Der Geissfluegipfel ist noch etwas höher, auf 963 Meter, aber er gehört nicht mehr zum Aargau, sondern gemeinsam den beiden Kantonen Baselland und Solothurn. Die nächsthöheren Erhebungen im Aargau sind der Stierenberg (872 m), der Strihen (867 m), der Wasserfluegrat (866 m), die Lägeren (859 m) und der Lindenberg (855 m). Den tiefsten Punkt des Kantons sucht man logischerweise auf dem Rheinspiegel, dort, wo der Fluss den Aargau verlässt, also bei Kaiseraugst. Er befindet sich auf 261 Meter über Meer.

3. Bodenschätze

Der Aargau als reichster Kanton der Schweiz

Der wertvollste Rohstoff der Schweiz ist ihre Landschaft, sagt man, und man meint damit ihre Vielgestaltigkeit und Schönheit, die gleichsam den «Unterbau» für unseren gesamten Fremdenverkehr darstellt. Im übrigen aber wird die Schweiz als ausgesprochen rohstoffarmes Land betrachtet. In bezug auf unsern Kanton sind dazu allerdings wesentliche Vorbehalte anzubringen. Der Aargau ist nämlich *der an Bodenschätzen reichste Kanton der Schweiz,* und eine bedeutende Industrie baut sich auf diesen Schätzen auf.

Wichtigste Bodenschätze wie Kohle oder heute vielmehr Erdöl sind zwar auch im Aargau nur in kleinen Mengen vorhanden, die sich nicht als abbauwürdig erwiesen haben, und Goldwäscher an der Aare oder an der Wigger kamen nie über den Traum vom grossen Reichtum hinaus. Aber die *Gesteinsschichten des Juras* und die *schotterreichen Böden der Flusstäler des Mittellandes* bieten nach wie vor Fundgruben im wörtlichen Sinne; Rentabilitätsüberlegungen haben allerdings zu Konzentrationen geführt. Heute gehört der Aargau, neben den Kantonen Baselland und Waadt, zu den *Salzkantonen;* vor allem aber ist er *der Zementkanton* der Schweiz. Schon in früheren Zeiten, bevor die Zementindustrie dominierend wurde, spielte der Aargau für das Baugewerbe eine wesentliche Rolle: Seine Steine wurden unmittelbar für den Gebäudebau verwertet. So besteht beispielsweise das Basler Münster aus rotem Buntsandstein, und die Zürcher Helmhausbrücke ist aus aargauischen Granitblöcken gebaut.

Die Karte auf Seite 23 und die untenstehende Zusammenstellung vermitteln einen Überblick über die Bedeutung und die heutigen Schwerpunkte unserer Bodengewinnung.

Kalkstein, Mergel (toniges Kalkgestein)
Reiche Lager in Tafel- und Kettenjura. Stillgelegte Steinbrüche, in denen früher Bruchsteine für Mauerwerk zugehauen wurde, zum Beispiel Oberholz bei Aarau, Hertenstein bei Baden. Heute vereinzelt noch Steinbrüche (Homberg bei Küttigen), die Gesteinsmaterial für den Bau von Naturstrassen liefern. Am wichtigsten sind die grossen Steinbrüche, die das Rohmaterial für die Herstellung von Zement, hydraulischem Kalk und Soda liefern: Wildegg, Villiger Geissberg, Rekingen, Mellikon.

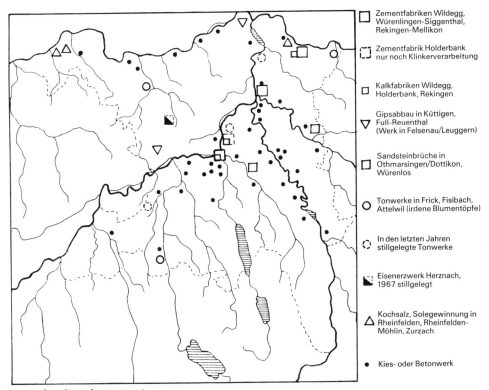

Die Bodenschätze des Kantons Aargau

Legend:

☐ Zementfabriken Wildegg, Würenlingen-Siggenthal, Rekingen-Mellikon

⌐⌐ Zementfabrik Holderbank nur noch Klinkerverarbeitung

☐ Kalkfabriken Wildegg, Holderbank, Rekingen

▽ Gipsabbau in Küttigen, Full-Reuenthal (Werk in Felsenau/Leuggern)

☐ Sandsteinbrüche in Othmarsingen/Dottikon, Würenlos

○ Tonwerke in Frick, Fisibach, Attelwil (irdene Blumentöpfe)

⌐⌐ In den letzten Jahren stillgelegte Tonwerke

◣ Eisenerzwerk Herznach, 1967 stillgelegt

△ Kochsalz, Solegewinnung in Rheinfelden, Rheinfelden-Möhlin, Zurzach

• Kies- oder Betonwerk

Gips (Anhydrit)

Abbau über Tag bei Küttigen für das Zementwerk Wildegg; früher Gipsgruben zur Gewinnung von Dünger (Rohgips zerkleinert in Gipsstampfen oder Gipsmühlen, zum Beispiel in der Tiefenwag bei Ehrendingen). Abbau unter Tage im Gips-Bergwerk in Full-Reuenthal/Felsenau.

Kochsalz

Vorkommen im Rheintal, von Rekingen bis Kaiseraugst. Solegewinnung: Rheinfelden für Solbäder, Rheinfelden-Möhlin für Koch- und Industriesalz, Zurzach für Sodafabrik.

Sandstein (Meeresmolasse)

Früher grosse Steinbrüche im Mittelland, in Staffelbach, Lenzburg, Mägenwil; heute noch bescheidener Abbau in Othmarsingen und Würenlos. Verwendung des Muschelsandsteins für Tür- und Fensterumrahmungen, Mahlsteine, Ofenplatten, künstlerischen Schmuck. – Jurasandstein aus Oberhofen für Naturmauerwerk.

Lehm und Ton

Vorkommen im Mittelland (eiszeitliche Ablagerungen) und im Jura (Meeresablagerung: dunkelgrauer Opalinuston). Ton entsteht durch Verwitterung von kristallinem Gestein; Lehm ist durch Kalk oder Sand verunreinigter Ton. Verarbeitung in Ziegeleien oder Tonwerken: vor 70 Jahren etwa 30 Ziegeleien im Aargau, heute noch deren 3: Attelwil, Fisibach, Frick.

Eisenerz

Grösste Vorkommen im Raum Wölflinswil-Herznach. Bohnerz- und Braunerzfunde früher wichtig; Eisengewinnung schon durch die Römer; Schliessung des Wölflinswiler Flözes im 18. Jahrhundert, des Herznacher Bergwerks, nach verschiedenen Anläufen und Stillegungen, erst im Jahre 1967.

Kies und Sand

Kieswerke überall in unseren weiten und flachen Talböden, hauptsächlich im Niederterrassenschotter der letzten Eiszeit; interessante Unterschiede bei den Kieselsteinen in Form und Grösse, je nach Herkunft.

4. Wasser

a) Die Flüsse im Aargau

Mit Recht hat der Kanton Aargau mit den Wellen ein «Wasserzeichen» in seinem Wappen. Im Aargau sammeln sich die Wasser fast der ganzen Schweiz. Bei Koblenz (lateinisch Confluens = Zusammenfluss) fliessen *Rhein* und *Aare* zusammen. Sie entwässern mit ihren Zuflüssen etwa *drei Viertel der Oberfläche der Schweiz*. Das Einzugsgebiet der Aare reicht fast bis auf zwei Kilometer an den Genfersee heran; mit der Orbe und deren Zufluss Jongnenaz erhält die Aare sogar Wasser aus Frankreich. Zum Stromgebiet des Rheins gehören Vorarlberg, Linzgau, Hegau, Schwarzwald, also österreichische und deutsche Gebiete, sowie das Fürstentum Liechtenstein. Genf und Basel-Stadt sind die einzigen schweizerischen Kantone, welche kein Wasser in den Aargau liefern.

Die Aare – Hauptfluss der Schweiz

Beim Zusammenfluss ist das Einzugsgebiet der Aare grösser als dasjenige des Rheins, und die Aare scheint mächtiger

zu sein, was auch in den mittleren Durchflussmengen vor der Vereinigung zum Ausdruck kommt. Man ist deshalb geneigt zu sagen, die Aare und nicht der Rhein sei der Hauptfluss der Schweiz. Dennoch ist es wohl richtig, dass die vereinigten Wasser weiterhin Rhein heissen, denn dieser Fluss ist es ja, der seinen Lauf und sein Wesen beibehält. Die Aare steht jedenfalls in bezug auf ihre Länge (Aare 295 Kilometer, Themse 336 Kilometer lang) und auf Wasserführung (Aare bei Stilli 552 m³, Seine bei Paris 175 m³) den Weltflüssen nicht nach. Aus manchem majestätischen Strom des Auslandes würde ein kleiner Fluss, wenn er das Gefälle unserer Gewässer besässe. Gerade dieses Gefälle macht die Aare und damit unsere Landschaft so vielgestaltig. Zahlreich sind bei uns die Stromschnellen und Flussverengungen, meistens Stellen, die frühere Bewohner unserer Gegend zur Besiedlung einluden.

Im Aargau kann man von *vier Hauptflüssen* sprechen; zu Aare und Rhein gesellen sich *Reuss* und *Limmat*. Sie unterscheiden sich von den übrigen Gewässern dadurch, dass sie ihren Ursprung in den Alpen haben. Wigger, Suhre, Aabach haben ihren alpinen oder voralpinen Lauf verloren, andere nie einen solchen besessen.

Das Wasser als landschaftsformende Kraft

Im Aargau hatten sich früher einmal alle Gletscher der Alpennordseite vereinigt, was ebenfalls die zentrale Stellung des Kantons im Landschaftsgebilde der Schweiz zum Ausdruck bringt. Diese Zeit prägte unsere Landschaft, aber auch nachher «wirkten» die Flüsse, je nach Geschwindigkeit, Wassermenge und

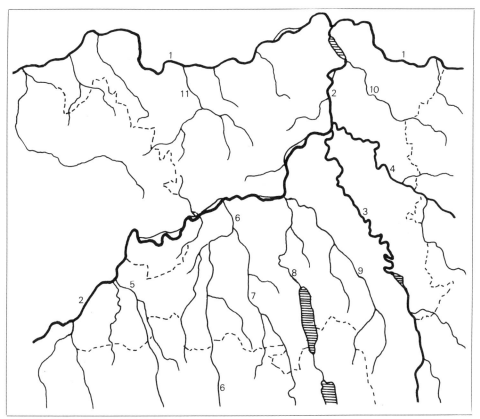

Die Gewässer im Aargau

	Einzugs-gebiet in km²	Durchfluss-menge Mittel Lt./Sek.	Durchfluss-menge Maximum Lt./Sek.	Durchfluss-menge Minimum Lt./Sek.	Länge in km Schweiz	Länge in km Aargau	Gefälle in m im Aargau (Eintritt bis Mündung)
1 Rhein					375	70	335–261
Rekingen	14718	435000	2250000	120000			
Rheinfelden	34550	1016000	3670000	315000			
2 Aare					295	51	400–310
Brugg	11773	306000	1050000	100000			
Stilli	17625	552000	2000000	138000			
3 Reuss (Mellingen)	3382	140000	650000	29000	160	57	405–329
4 Limmat (Baden)	2176	100000	590000	26000	140	20	391–328
5 Wigger (Zofingen)	380	5120	64000	320	40	10	449–390
6 Suhre (Suhr)	248	3190	26000	210	35	22	480–360
7 Wyne (Unterkulm)	120	1280	35000	40	30	23	607–385
8 Aabach (Seengen)	180	2310	7400	230	30	15	449–350
9 Bünz (Wohlen)	121	1300	19000	120	28	28	832–350
10 Surb	67	1000			17	13	440–320
11 Sissle	129	2000			19	19	645–286

Bodenbeschaffenheit. In sanft abfallendem Gelände bildeten sich Schlaufen, an deren Aussenseite der Fluss das Gestein abtrug (Steilufer) und an deren Innenseite sich Geschiebematerial ablagerte (Flachufer).

Steil- und Flachufer

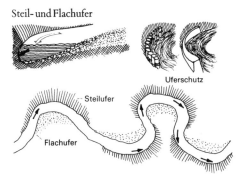

Bei starkem Gefälle verlief der Fluss gerade und vermochte sich in Hindernisse einzufressen (Tobel- oder Talbildung), bei hartem Gestein entstanden Wasserfälle und Schluchten. In den grossen Tälern des Aargaus haben sich die Flüsse in die Schotterebenen eingefressen, manchmal zur Rinne verengt, manchmal zu Auenlandschaften ausgeweitet. In Ebenen mit lehmigem Boden ist das Flussbett weniger eingetieft, so dass bei Hochwasser Überschwemmungsgefahr besteht oder bestand (Reusstal). Bei der Vereinigung grösserer Flüsse bilden sich Inseln, weil die Wasserstauung die Ablagerung von Geschiebe zu Kiesbänken und Flachinseln bewirkt (Beispiel: Zusammenfluss von Aare, Reuss und Limmat oder von Aare und Rhein).

Früher waren die Bäche und Flüsse, gerade auch im Aargau, viel lebendiger. Noch vor wenigen Jahrzehnten wurden die Auenwälder entlang der Hauptflüsse bei Hochwasser regelmässig über-

schwemmt. Inzwischen sind zahlreiche Flüsse durch Geradeführung und Vertiefung des Bettes, durch Errichtung von Seitendämmen und Seitenkanälen korrigiert worden, was für die Natur allerdings eher von Nachteil war. Immer noch ist der Kanton aber ein an Flüssen und Bächen reicher Kanton.

b) Grundwasser

Die Bäche und Flüsse der eiszeitlichen Gletscher brachten ungeheure Geschiebemassen in die Ablaufgebiete. So sind die Talböden im Aargau teilweise bis 50 Meter tief mit Kies bedeckt. In diesem wasserdurchlässigen Schotter, vor allem in Gebieten *unterhalb* der Stirnmoränen, sammelt sich Grundwasser an, das sich in langsam fliessender Strömung durch die Kiesmassen drängt oder als unterirdischer See lagert. Das trifft vor allem auf das Aare- und das Rheintal und den angrenzenden Bereich der südlichen und östlichen Zuflusstäler zu. Keine günstige Reservoirwirkung haben hingegen diejenigen Talsohlen, die einst durch die Stauwirkung der Wallmoränen zu Seebecken wurden (oberes Reusstal, Seetal, oberes Wynen- und Suhrental). Der einstige Seebodengrund stellt hier ein für die Grundwasseranreicherung wenig durchlässiges Ablagematerial dar.

Grundwasser ist versickertes und auf natürliche Weise gereinigtes Regen- und Oberflächenwasser (Wasser aus Bächen und Flüssen). Es wird durch die sandreichen Kiesschichten filtriert, löst Mineralsalze auf und wird dadurch geschmacklich gut und kräftig.

Der Aargau ist *reich an Grundwasservorkommen*. Durch die starke Zunahme des Trink- und Brauchwasserbedarfes hat sich der Grundwasserspiegel jedoch bis zu zehn Metern gesenkt, so dass in Trockenzeiten der Entzug aus den Grundwasserfassungen eingeschränkt werden muss. Im Jahre 1800 rechnete man noch mit einem Wasserbedarf von zehn Litern pro Person und Tag, heute mit 500 Litern pro Person und Tag!

Grundwasser im Aargau

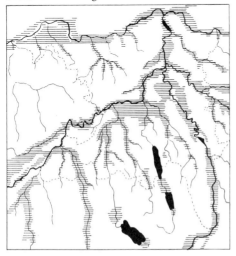

Grund-wasser-ströme	Grösste Mächtig-keit	Anzahl der Fas-sungen	Konzessionen für öffentliche Wasserversorgung	
Wigger-tal	15 bis 20 m	ca. 40	Zofingen	10 000
			Oftringen	5 000
Suhrental	10 bis 20 m	ca. 25	Buchs	9 700
			Aarau	9 000
			Oberentfelden	5 500
			Suhr	5 500
Wynental	5 m	ca. 10	Reinach	3 800
			Gränichen	3 500
Seetal	5 m	ca. 10	Niederlenz	3 000
Bünztal	5 bis 10 m	ca. 15	Villmergen	4 600
			Muri	4 100
Reusstal	5 bis 10 m	ca. 40	Niederrohrdorf	5 000
			Windisch	4 000
Limmat-tal	10 bis 30 m	ca. 15	Baden	22 400
			Wettingen	12 000
			Spreitenbach	4 000
			Obersiggenthal	4 000
Aaretal	15 bis 25 m	ca. 70	Lenzburg	18 600
			Aarau	15 000
			Rothrist	6 900
			Brugg	5 200
			Möriken-Wildegg	5 000
			Rupperswil	5 000
			Döttingen	4 000
Rheintal	10 bis 15 m	ca. 45	Rheinfelden	7 900
			Zurzach	4 000
			Stein	3 250

c) Quellen

Der Aargau ist schliesslich auch sehr quellenreich. Bei uns kann man verschiedene Arten von Quellen unterscheiden:

Grundwasserquellen

In der Regel muss das Grundwasser aus dem Schotter gepumpt, d.h. durch den Filterbrunnen künstlich aus dem Boden gezogen und in den Sammelbrunnen geleitet werden. Von dort aus wird es ins Reservoir gepumpt und gelangt hierauf zum Verbraucher.

Gelegentlich tritt das Grundwasser jedoch aus eigener Kraft an die Oberfläche, etwa bei Geländeeinschnitten. Dann sprechen wir von einer Grundwasserquelle (zum Beispiel bei Roggwil/Murgenthal, Mülligen/Windisch, Birmenstorf [Lindmühle], Baden [Aue]).

Grundwasserquellen bei Mülligen und Birmenstorf

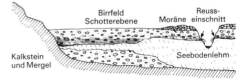

Schotterquellen

Die durchlässigen Deckenschotter der ersten und zweiten Eiszeit und der Hochterrassenschotter der Zeit zwischen der zweiten und dritten Eiszeit erweisen sich als ausgezeichnete Wassersammler und Quellbildner. Hier können die

Schotterquellen im Mittelland (Schotter auf Sandstein)

Quellen an Abhängen in der Brunnenstube gefasst werden. Ergiebig und regelmässig im Erguss sind zum Beispiel die Schotterquellen bei Brugg und Böttstein mit je über 1000 l/min.

Kluftquellen (Schichtquellen)

Wasser sammelt sich in Klüften und Hohlräumen im Jurakalkgestein oder in der Molasse des Mittellandes an. Diese Quellen weisen starke Ergussschwankungen auf (zum Beispiel Stampfelbachquelle am Villiger Geissberg: zwischen 10 und 3000 l/min; Guggerbrunnen in Schinznach-Dorf: bis 3000 l/min, versiegt in Trockenzeiten).

Kluftquelle im Tafeljura

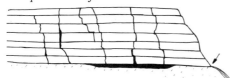

Schuttquellen

Im Jura gibt es an Hängen, die mit Bergschutt bedeckt sind, die sogenannten Gehängeschuttquellen. Sie sind starken Schwankungen im Erguss unterworfen.

Schuttquelle im Kettenjura

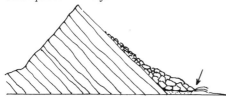

d) Trinkwasser

Entsprechend dem reichen Grundwasservorkommen im Aargau sieht die Trinkwasserversorgung ganz anders aus als in andern Kantonen. Während gesamtschweizerisch nur 44 Prozent des Wassers aus dem Grundwasser gewonnen werden, sind es im Aargau 85 Prozent; die restlichen 15 Prozent sind Quellwasser. Gesamtschweizerisch macht das Quellwasser 28 Prozent aus,

und nochmals 28 Prozent entfallen auf die Aufbereitung von See- und Flusswasser.

Innerhalb des Kantons ergibt sich allerdings ein sehr unterschiedliches Bild; viele Gemeinden stützen sich ganz oder überwiegend auf das Grundwasser, andere halten sich an das Quellwasser, und wieder andere profitieren von beiden Versorgungsarten. In den Mutschellen-Gemeinden Rudolfstetten-Friedlisberg, Widen und Berikon schliesslich trinkt man aufbereitetes Zürichseewasser. Der Wasserbedarf ist von Gemeinde zu Gemeinde sehr verschieden, je nachdem, ob Industrie- und Gewerbeunternehmen oder landwirtschaftliche Betriebe überwiegen.

e) Mineral- und Heilquellen

Fliesst das Wasser in den Muschelkalkschichten, so werden die darin vorhandenen Mineralien, vor allem Gips und Steinsalz, zum Teil aufgelöst. Diese *Muschelkalkquellen* weisen im Erguss nur geringe Schwankungen auf, was auf grosse Einzugsgebiete schliessen lässt. Die Temperatur dieses Wassers ist höher als bei andern Schichtquellen. Warmwasserquellen, deren Temperatur höher als bei 25 Grad Celsius liegt, werden als *Thermen* bezeichnet. Sie sind *Heilquellen,* die zu Badekuren benützt werden. Man vermutet, dass die Erwärmung des Wassers von einem vulkanischen Stock her erfolgt, der unter dem östlichen Teil des Juras liegt.

Die Thermen von *Baden* und *Schinznach* treten an jenen Stellen aus, wo Aare und Limmat die tiefsten Kerne der Jurafalte angeschnitten haben. Die 1955 neu erschlossene Therme von *Zurzach* ist bei einer Bohrung in 430 Meter Tiefe gefasst worden. Bei einer Bohrung in *Kaiseraugst* ist man ebenfalls auf Thermalwasser gestossen; bis heute ist aber auf eine Ausnützung verzichtet worden. Das Solbad *Rheinfelden* nimmt eine Sonderstellung unter den Heilbädern ein. Seit 1942 wird nämlich die heraufgepumpte Sole nicht mehr zur Salzgewinnung, sondern für den Kurbetrieb verwendet. Jährlich werden ca. 2,5 Millio-

Tabelle der wichtigsten Muschelkalkquellen:

	l/min	Temperatur	Trockenrückstand pro Liter
Erlinsbach, St. Laurenzen	400	16 °C	0,5 g
Oberhof	1000	13 °C	1,0 g
Küttigen	600– 900	14 °C	0,8 g
Schinznach-Dorf (Warmbach)	1200–1500	13 °C	0,7 g
Schinznach-Bad	700	34 °C	3,1 g
Baden	600– 900	48 °C	4,5 g
Zurzach (Bohrung)	1720	40 °C	1,0 g

Heilbäder im Aargau

Ort/chemische Klassifikation	In erster Linie geeignet bei:
Baden (388 m) Therme, 47 °C. Schwefelhaltiges Natrium-Kalzium-Chlorid-Sulfat mit Lithium, Fluorid und Borsäure. Säuerling.	Erkrankungen des Stütz- und Bewegungsapparates (Rheuma, Nervenentzündungen, Bewegungsstörungen nach Unfällen, stoffwechselbedingte Störungen usw.).
Rheinfelden (280 m) Sole mit Lithium, Strontium, Bromid und Borsäure. Kalzium-Magnesium-Sulfat-Quelle mit Strontium. Kalzium-Hydrogenkarbonat-Quelle, akratische Konzentration.	Erkrankungen des Stütz- und Bewegungsapparates, der Atemorgane, Frauenkrankheiten.
Schinznach-Bad (350 m) Therme, 31 °C. Schwefelhaltiges Kalzium-Natrium-Sulfat-Chlorid, fluoridhaltig.	Erkrankungen des Stütz- und Bewegungsapparates, Hautkrankheiten.
Zurzach (344 m) Therme, 40 °C. Natrium-Sulfat-Hydrogenkarbonat-Chlorid mit Lithium und Fluorid.	Erkrankungen des Stütz- und Bewegungsapparates.

nen Liter gefördert; in einem Liter sind etwa 300 Gramm Salz aufgelöst.

Zahlreich sind die Quellen im Aargau, die Mineralien in aufgelöster Form enthalten. Wo ein bestimmtes Mineral oder mehrere Mineralien in stärkerem Masse den Gehalt des Wassers bestimmen, spricht man von *Mineralwasser*. Es gibt im Handel allerdings Mineralwasser, das diesen Namen zu Unrecht trägt; sei es, dass sein Trockenrückstand weniger als ein Gramm pro Liter beträgt, sei es, dass es sich nicht durch einen hervortretenden Anteil eines Minerals (zum Beispiel Eisen, Gips, Salz) auszeichnet.

Im Aargau werden Mineralwasser aus Rheinfelden, Zurzach, Mellingen (Schenkenbergerquelle) in den Handel gebracht. Früher hatten das Bitterwasser von Birmenstorf und das Jodwasser von Wildegg eine gewisse Bedeutung als Medizinalwasser.

5. Klima

Der Aargau fällt nicht aus dem Rahmen

Es fällt schwer, nach den verschiedenen extremen Wetterperioden der letzten Jahre etwas Allgemeingültiges über das Klima im Aargau zu sagen. Eines ist jedenfalls sicher: Vor der Eiszeit und wahrscheinlich auch zwischen den Vergletscherungen war es bei uns wesentlich wärmer.

Das Klima der Nordschweiz ist jedenfalls recht einheitlich; der Aargau fällt nicht aus dem Rahmen. Kleine Unterschiede ergeben sich je nach Höhenlage, Bodenerhebungen, Verteilung des Gewässernetzes, Richtung der Bergkämme, Lage gegenüber den Sonnenstrahlen und dem Wind.

a) *Winde*

Unter den Winden herrscht der West- und Südwestwind vor. Er wird durch die Täler oft entscheidend kanalisiert, weshalb er beispielsweise im untern Aaretal eher als Südwind empfunden wird. In vielen Gegenden leiten sich von bestimmten Winden oft zutreffende Wetterregeln ab. Allgemein gilt wohl der Westwind als der eher milde Regenwind, der Ostwind als kalte und trockene Bise, die allerdings oft zu Schönwetterphasen verhilft. Natürlich macht sich auch im Aargau, glücklicherweise meist in abgeschwächter Form, der warme Föhn aus den Alpen bemerkbar. Viele Leute wissen dann wenigstens, warum sie Kopfweh haben. Sonst aber herrscht wenig Südwind bei uns; auch Nordwinde sind selten.

b) *Niederschläge*

Im Aargau fällt pro Jahr jeweils etwa ein Meter Niederschlag. Die vorhandenen Statistiken geben ein uneinheitliches Bild darüber, welche Gegenden des Kantons besonders niederschlagsanfällig sind: wohl am ehesten die Rheintalfurche zwischen Stein und Waldshut, der südwestliche Teil des Kantons und die Kettenjura-Höhen, hingegen weniger das Reusstal, das untere Aaretal und das Tafeljuragebiet. Mit andern Regionen der Schweiz verglichen, hat der Aargau jedenfalls reichlich Regen (die Stadt Basel beispielsweise hat nur eine mittlere Jahresniederschlagsmenge von 800 Millimetern, gegenüber 1000 bei uns, weshalb der Aargau eindeutig zu den «grünen» Kantonen gehört. Weil die Niederschlagsmenge aber doch nicht extrem hoch ist, eignet sich der Kanton – abgesehen von schlechten

Ausnahmejahren – für den Getreideanbau; er war in der alten Zeit denn auch als Kornkammer bekannt. Rund 130 Tage des Jahres können als *Regentage* bezeichnet werden (Tage mit mindestens einem Millimeter Niederschlag). Wie in anderen Landesgegenden auch, entfällt die meiste Niederschlagsmenge auf die Sommermonate Juni, Juli und August, während die Monate März und April, bisweilen auch der Dezember, im Durchschnitt am trockensten sind. *Heiter* ist es im Aargau höchstens etwa an 50 Tagen (als heiter gelten Tage, an welchen die Wolken höchstens 20 Prozent des Himmels bedecken). Als trübe Tage hingegen (über 80 Prozent des Himmels bedeckt) werden bei uns zwischen 130 und 180 Tage im Jahr registriert.

c) *Der Nebel*

Ausgesprochen freundlich ist das Wetter im Aargau also nicht, und eine Besonderheit hat der Aargau leider auch aufzuweisen: den Nebel. Zwar weist der ganze Mittellandstreifen zwischen Neuenburger- und Bodensee relativ häufig Nebel auf, aber das Aaretal im Aargau ist dabei doch eindeutig eines der nebelreichsten Gebiete der Schweiz. Besonders im Spätherbst liegt das breite Tal entlang der Aare, oft auch das angrenzende Gebiet gegen Süden, in dickem Nebel, der sich auch am Nachmittag nicht auflöst, wenn die übrige Schweiz «sonnig und mild» meldet. Nebel ist zu umschreiben als eine Ansammlung von kalter, mit Wasser übersättigter Luft, die, wenn der Wind fehlt, einfach der tiefsten Stelle zufliesst. Beznau im unteren Aaretal zählt jährlich etwa 70, die Kantonshauptstadt Aarau im Jahresmittel 63, Baden 50 und Muri sogar nur 44 Nebeltage. Der Nebel hat zwar auch seine schönen Seiten: Wer an einem solchen Tag eine Jurahöhe erklimmt, wird oft überwältigt sein von den sich bietenden Naturerlebnissen. Da kann es geschehen, dass das ganze Mittelland in einem Nebelmeer versunken ist und man über dieser in den Tälern steckenden «Watte» die Alpen im strahlenden Sonnenlicht erblicken kann. Oft bildet die erste Jurakette die scharfe Nebelgrenze; der den Belchentunnel oder einen der Juraübergänge passierende Autofahrer trifft dann im Baselbiet oder im Fricktal bereits wieder blauen Himmel an. Manchmal muss man allerdings schon auf die Rigi gehen, um dem hartnäckigen Nebel, der vielen Leuten aufs Gemüt drückt, entfliehen zu können.

d) Temperatur

Die durchschnittliche *Jahrestemperatur* hat sich, über viele Jahre gemessen, zwischen 8 und 9 Grad Celsius eingependelt. Die höchsten Monatsdurchschnitte liegen überall im Aargau bei etwas mehr als 17 Grad im Juli, die tiefsten bei 0 bis –1 Grad im Dezember, Januar oder Februar. Hier repräsentiert der Aargau jedenfalls wieder braven Durchschnitt und gehört glücklicherweise nicht zu jenen Gebieten der Schweiz, die durch sibirische Kältephasen im Winter oder durch unerträgliche Hitzeperioden im Sommer von sich reden machen.

6. Natur

Unsere Naturlandschaft hat durch die verschiedenen Klimaschwankungen über Jahrtausende hinweg *bedeutende Veränderungen* erfahren. Wiederholt verdrängten die verschiedenen Gletscher die Pflanzenwelt, die unser Gebiet aber schliesslich wieder zurückerobern konnte, dabei jedoch nie mehr die Üppigkeit und Vielfalt früherer Jahrtausende erreichte.

a) Von Natur aus ein Waldland

Die heutige Pflanzendecke ist also ein Produkt der letzten 10 000 bis 15 000 Jahre. Schon bald stellten sich die verschiedenen Baumarten ein, unter denen die Buche in unserer Gegend wohl seit ungefähr 3000 bis 4000 Jahren eine beherrschende Rolle spielt. Unser Land ist von Natur aus ein *Waldland*. Ohne menschlichen Einfluss wären *Jura und Mittelland* von *Laubwald* bedeckt, die *Alpen und die höheren Juragebiete im Westen unseres Landes* teilweise von *Nadelwald*.

Unsere «Urahnen» waren darum eigentliche *Waldbewohner;* sie lebten allerdings in gegenüber heute weit lockereren Wäldern, die viele freie Flächen boten. Grössere, zusammenhängende Flächen, eben *Wiesen,* gewannen sie jedoch erst durch ausgedehnte Rodungen. Unsere Wiesen und Weiden sind also ehemaliges Waldgebiet und würden sich ohne Unterhalt wieder bewalden.

b) Verarmung der Landschaft

Der Aargau gilt noch immer als *Wasserkanton.* Diese Bezeichnung hatte allerdings früher, und zwar noch vor wenigen Jahrzehnten, viel grössere Berechtigung als heute, gehörten doch viele langgezogene Auenwälder entlang der Flüsse, überhaupt viele Nass- und Feuchtgebiete, zum typischen Landschaftsbild des Kantons. Das Spektrum der aargauischen Landschaft reichte über viele Zwischenstufen von der sumpfigen Fluss- bis zur trockenen Berglandschaft; zu nennen sind die *fliessenden* (Quellen, Bäche, Flüsse) und die *stehenden Gewässer* (Altläufe, Tümpel, Weiher, Kleinseen und Seen), die Verlandungszonen (Sümpfe, Riede, Moore), die verschiedenen *Wiesen-, Hecken- und Waldlandschaften.* Es gibt dabei zahlreiche Übergangsformen.

Die erst zu Beginn dieses Jahrhunderts entstandene *Lehre von den Pflanzengesellschaften* geht von der Erkenntnis aus, dass an bestimmten Orten, je nach Klima, Luftfeuchtigkeit, Bodenbeschaffenheit, Licht und Lage immer wieder etwa die gleichen Pflanzenansammlungen, immer wieder ähnliche Kombinationen anzutreffen sind. Lebewesen können nicht beliebig auf andere Lebensräume ausweichen. Leider sind nun aber viele dieser wertvollen Pflanzengesellschaften in einem zum Teil nicht wiedergutzumachenden Ausmass durch menschliche Einwirkungen gefährdet, verdrängt oder gar zerstört worden.

Die *Verarmung unserer Pflanzenwelt* geht etwa auf folgende *Ursachen* zurück:

- Beanspruchung der freien Landschaft durch den Menschen (Besiedlung, Industrie, industrieller Abbau, Strassenbauten)
- Flusskorrektionen, Entsumpfungen (wegen Überschwemmungen, Kraftwerkbauten usw.)
- Absinken des Grundwasserspiegels (verstärkter Wasserverbrauch)
- Intensivierung der Landwirtschaft (Mechanisierung, Ausgleichung des Bodens, stärkere Ausnutzung, massive Anwendung von Dünger, Giftmitteln)
- Gewässerverschmutzung

Gewiss dürfen die positiven Seiten (z.B. bei Entsumpfungen) nicht übersehen werden. Die *Landschaftsverarmung* ist aber doch schon in besorgniserregendem Masse fortgeschritten. Davon sind in erster Linie die *Feucht- und Nassgebiete* betroffen, also die ehemals so grosse Welt der Moore, Gräben, Teiche und Tümpel, die eine selten reiche Tier- und Pflanzenfülle beherbergt. Viele der «korrigierten» Wasserlandschaften des Kantons sind öd und spannungsarm geworden; ausser der Reuss hat der Aargau kaum noch eigentliche fliessende Gewässer, sondern vielmehr träge Stauflüsse.

Zu einer Zeit, da erst wenige Leute das Ausmass der Bedrohung unserer Landschaft erkannten, schlug der 1965 leider allzu jung verstorbene Aargauer Naturwissenschafter Dr. Hans Ulrich Stauffer Alarm. Er zeigte auf, dass von den nachgewiesenen 1300 wild wachsenden Gefässpflanzen, die noch vor 100 Jahren in unserem Kanton vorkamen, bereits 30 Prozent ausgerottet oder auf kleine Reste zurückgedrängt worden waren. Erfreulicherweise ist seither einiges für die Rettung typischer Gebiete des Wasserkantons Aargau getan worden, doch nimmt sich das Erreichte gegenüber dem Zerstörten immer noch bescheiden aus.

c) Typisch für den Aargau

So sind denn heute für den Aargau weniger die verbliebenen Feucht- oder Nassgebiete des Mittellandes als vielmehr die *Pflanzengesellschaften des Juras* mit ihren verschiedenen Buchenwäldern und die *Magerwiesen* typisch geworden; auch sind die vielen stillgelegten *Kiesgruben* im Kanton, die oft Zufluchtsstätten für bedrohte Pflanzen und Tiere (Laichstätten der Lurche) geworden sind und deren Auffüllung deshalb

Silvester-Feuer Staufen: Feuer werden an Silvester im Aargau verschiedenenorts angezündet. Das traditionellste und grösste leuchtet jeweils auf dem Staufberg. Staufens Schuljugend sammelt, vor einen grossen Wagen gespannt, dafür am frühen Morgen mit dem Ruf «Strauwelle Stuude...» Brennmaterial im Dorf.

Bärzeli-Treiben in Hallwil: Zu den ursprünglichsten und –wegen der heidnisch-nachempfundenen Masken – «dämonischsten» Aargauer Bräuchen zählt das Hallwiler Bärzeli-Treiben am Berchtoldstag (2. Januar). Unsere Bilder zeigen den Straumann, Tannenrisig, Stechpalmig und Lumpig. Die beiden «Grünen» symbolisieren das Leben.

Füdlibürger-Verbrennung in Baden: Erst wenn am Schmutzigen Donnerstag der «Füdlibürger», Badens Symbol für Spiessbürgerlichkeit und menschliche Schwächen, öffentlich auf dem Scheiterhaufen seine Untaten gesühnt hat, beginnt in der Limmattaler Bäderstadt die Fasnacht. Anderenorts verbrennt man eine Puppe zum Fasnachtsabschluss.

Ättirüedi in Zurzach: Ähnlich wie die Klingnauer Räbeheegel am Schmutzigen Donnerstag, zieht in Zurzach am Aschermittwoch der «Ättirüedi» durch den Marktflecken; er beschenkt die Kinder. An den Brunnen wirft er seine Gaben oft in den Trog und peitscht dann, wenn die Kinder danach zu fischen versuchen, das Wasser.

Palmen-Segnung: Auch im Aargau ist es in den katholischen Gebieten Brauch, am Palmsonntag «Palmen» zur Kirche zu tragen. Fast jedes Dorf hat seine eigene Palmenform. Das Bild links zeigt «Palmen» im oberen Fricktal. Im unteren Fricktal, im Freiamt und im Reusstal sind es lange Stangen mit äpfelverzierten Kränzen (rechts).

Eieraufleset: Der im Aargau manchenorts eingeschlafene, manchenorts aber auch wieder «erwach-
te» Eierleset-Brauch ist ein Relikt aus vorchristlicher Zeit. Es symbolisiert den Kampf zwischen
Frühling und Winter. In Dintikon (Bild) allerdings soll der Wettlauf zwischen dem «Aufleser» und
dem «Läufer» seinen Ursprung im Kampf um eine Dorfschöne haben.

Pfingstsprützlig: Ein Stück heidnisches Fruchtbarkeitsritual hat sich in Sulz und Gansingen im «Pfeischtsprützlig» erhalten. Eine in Buchenlaub gehüllte Gestalt zieht, begleitet von der Schuljugend und Schellengeläut, von Brunnen zu Brunnen und peitscht wild das Wasser.

Bittgänge zur Achenberg-Kapelle: Bis vor etwa fünfzehn Jahren zogen die Gläubigen aus sechs Aare- und Surbtalgemeinden jeweils am Cantate-Sonntag in einer Bittprozession zur Achenberg-Kapelle. Heute feiert man nur noch gelegentlich Messen vor der Loretto-Kapelle, die wahrscheinlich schon im 11. Jahrhundert gebaut und 1660 vergrössert wurde.

gar nicht so zwingend erscheint, Merkmale der Aargauer Landschaft geworden.

Auch im *Jura* wird man allerdings selten scharfe Grenzen zwischen den einzelnen Waldtypen erkennen können. Immerhin ist hier die *«Verfichtung»*, d.h. der künstliche Anbau der Rottanne, noch nicht so weit fortgeschritten wie im *Mittelland*. Bei allem Verständnis für die Holzverwertungsindustrie ist doch festzustellen, dass Wälder mit dominierender Fichte, also *Nadelwälder*, das ganze Jahr hindurch eher düster und eintönig wirken und nur einen spärlichen Bodenwuchs zulassen. Der *Laubwald* hingegen ist durch seinen jahreszeitlichen Wechsel schön und erlebnisreich, und der stärkere Lichteinfall und der durch das Fallaub entstehende Humus begünstigen das Aufkommen von Krautpflanzen und jungen Bäumen.

Im Jura kann man aber heute noch verschiedene *Waldtypen* erkennen (eine Aufzählung der dazugehörenden Pflanzen würde den Rahmen dieses Buches leider sprengen):

Vor allem an den *Nordhängen des Falten- und des Tafeljuras* findet man den *typischen Buchenwald*. Hier ist die Buche fast alleinherrschend; neben wenigen Sträuchern treten schattenliebende Pflanzen auf. Wo *Nordhänge steil werden und grober Hangschutt auftritt*, tritt die Buche zurück, und Sommerlinde, Ahorn und Esche nehmen überhand. Diesen Waldtyp nennt man *Linden-Buchen-Wald*. Die oberste *Hangpartie*, unmittelbar unter dem Felsabsturz des Grates (Schutthalden!), prägt jedoch der *Hirschzungen-Ahornwald*: Die Buche wird vollends verdrängt, zu den obengenannten Holzarten stossen vor allem die Hasel und zahlreiche Farne, unter ihnen eben die Hirschzunge. An besonders stark besonnten Stellen, etwa in Gipfelnähe, haben sich auch *Föhrenbestände* gebildet.

Typisch für den (ebenen oder nur leicht geneigten) *Hangfuss an der Nordseite eines Kettenjuraberges sind die kühlen und feuchten Bärlauchwiesen* mit ihrem kräftigen Geruch.

An den *mässig steilen Südhängen des Juras*, wo die Sonneneinstrahlung stark ist, herrscht der *Seggen-Buchen-Wald* vor: die Buche dominiert, Esche, Ahornarten, Mehlbeere kommen hinzu. Der Buchenwald der *Südseite* macht einen lichten, warmen Eindruck, während der Wald der *Nordseite* eher kühl und streng wirkt.

Den *Eichen-Hagenbuchen-Wald* schliesslich trifft man vorwiegend im *Mittelland* und am *Jurasüdfuss* an.

Bei den *Wiesen* unterscheidet man hauptsächlich zwischen *Fett- und Mager-(Trocken-)Wiesen*. Hier erfolgt das Ausleseprinzip recht eigentlich durch den Menschen: Pflanzen auf einer *Fettwiese* müssen regelmässigen Schnitt, Beweidung und Düngung ertragen können; es sind darum eher die *Mittellandwiesen* hiezu zu zählen; *Magerwiesen* liegen hingegen, wie der Name sagt, auf mageren Böden, werden kaum gedüngt und in der Regel nur einmal jährlich gemäht. Die Magerwiesen weisen einen viel grösseren Artenreichtum als die Fettwiesen auf, viele anspruchsvolle, lichtbedürftige und wärmeliebende Arten, die bei intensiver Nutzung nicht gedeihen könnten. Verschiedene seltene und daher geschützte Pflanzen haben in den Magerwiesen unseres *Juras* ihre letzten Zufluchtsorte gefunden. Im Aargauer Jura kommen einige bekannte Orchideenarten vor.

d) Natur- und Landschaftsschutz

Glücklicherweise bemüht man sich in den letzten Jahren im Aargau wie in der gesamten Schweiz vermehrt – und durch die gewandelte «Volksmeinung» gestärkt – um einen wirksamen Naturschutz. Aufgrund eines Bundesgesetzes von 1966 werden heute Landschaften von nationaler Bedeutung in ein Inventar aufgenommen, womit sie in entscheidendem Masse geschützt sind. Zu den 65 Objekten der ersten Serie, die der Bund 1977 erfasste, gehörten aus dem Aargau das Gebiet der *Lägeren,* des *Reusstals* und des *Hallwilersees.* Ähnliche, aber umfangreichere Inventare wurden auch auf kantonaler Stufe erstellt. Für einige Gebiete bestehen bereits kantonale Landschaftsschutzverordnungen. «Schon» 1969 ermöglichte das Aargauer Stimmvolk durch Annahme eines Gesetzes, dass ein nicht unwesentlicher Teil des *Reusstaler Naturparadieses* vor der Zerstörung bewahrt blieb. Der *Klingnauer Stausee* ist dank den Bemühungen der Naturschützer eine Rast- und Überwinterungsstätte von internationaler Bedeutung für Wasserwild geworden.

Bereits lang ist das Verzeichnis der Aargauer Naturreservate, wobei der Schutz dieser Gebiete allerdings dort auf wackligen Füssen steht, wo das betreffende Land nicht im Besitze initiativer Organisationen ist. Die einzelnen Gemeinden haben im weiteren die Möglichkeit, kommunale Schutzverordnungen zu erlassen, wovon bisher noch nicht häufig Gebrauch gemacht worden ist.

Es gäbe noch einige Gesetzeserlasse auf diesem Gebiete zu nennen; auch die Vorschriften auf dem Gebiete des Tier- und Pflanzenschutzes, der Forstpolizei, der Jagd, der Fischerei sowie die Bemühungen der Raumplanung gehören hierher. Alle diese Bestrebungen zur Erhaltung der vielgestaltigen Landschaft, unserer Tier- und Pflanzenwelt sind aber letztlich nur dann von Erfolg gekrönt, wenn sie von uns allen auch aktiv unterstützt werden.

II. Geschichte

1. Alles ist relativ

Den Kanton Aargau gibt es erst seit 175 Jahren. Das ist, gemessen an der ganzen Erdgeschichte, ein winziger Geschichtsabschnitt. Ein Zeitvergleich veranschaulicht dies: Nähme man an, die Erd- und die Menschheitsgeschichte entsprächen einem Jahr, dann hätte man dem *Sternzeitalter* und der *Erdurzeit* (Archaikum), gegen deren Ende die ersten Lebewesen, Algen und Urtierchen, auftauchen, mindestens 300 Tage zuzuweisen. Auf das *Erdaltertum* (Paläozoikum) würden weitere 40 Tage entfallen, auf das *Erdmittelalter* (Mesozoikum) 15 Tage und auf die *Erdneuzeit* (Känozoikum) noch 5 Tage. Der Zeitabschnitt, in welchem die ersten Menschen auf dieser Erde nachgewiesen sind, hätte sich mit ganzen zwei Stunden zu begnügen, die Zeit nach Christus mit 20 Sekunden, die Eidgenossenschaft mit 7 Sekunden und der Aargau schliesslich mit knapp 2 Sekunden.

Wenn der Kanton Aargau auch eindeutig zu den jüngeren Schweizer Kantonen gehört, weist er doch eine reiche und lange Vorgeschichte auf. Die Rolle, die das Gebiet des heutigen Kantons bei der Erforschung der Anfänge der Menschheitsgeschichte spielt, ist allerdings bescheiden.

2. Steinzeit

a) Die Altsteinzeit (Paläolithikum)

Die *Erdneuzeit* (Känozoikum), die vor ungefähr 60 Millionen Jahren einsetzte, wird von der Wissenschaft in den langen Abschnitt des *Tertiärs* und ins wesentlich kürzere *Quartär* aufgegliedert. Letzteres wiederum setzt sich zusammen aus dem *Diluvium* (etwa eine Million Jahre bis 12 000 v. Chr.), das vier oder fünf *Eiszeiten* und die entsprechenden *Zwischeneiszeiten* umfasst, und aus dem *Alluvium,* der *Nacheiszeit* (12 000 v. Chr. bis heute). Losgelöst von dieser Einteilung, bezeichnet man den Zeitabschnitt der ersten menschlichen Zeugnisse, die *Altsteinzeit;* sie dauert bis ca. 8000 v. Chr.

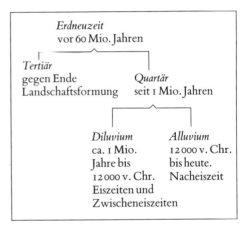

Der älteste Fund in der Schweiz im Kanton Baselland

Im Jahre 1974 entdeckte ein Mittelschüler, der an einem schulfreien Nachmittag auf der Rheintalterrasse südlich von *Pratteln BL* nach Fossilien suchte, einen seltsamen, offensichtlich bearbeiteten gelblich-braunen Stein. Heute nimmt man an, dass es sich hier um den bisher ältesten Fund in der Schweiz, der auf die Existenz von Menschen hindeutet, handelt. Wissenschafter datieren diesen Pratteler Faustkeil, der seinem Besitzer als Schneide- und Schabgerät gedient haben mochte, in die Zeit vor 350000 bis 450000 Jahren, also noch mitten ins Diluvium. Funde im Ausland aus dieser Zeit zeigen, dass sich die damaligen Menschen vor allem durch grosse, kräftige Gebisse, schmale, niedere Stirnen und kräftige Knochenwülste über den Augen von «uns» unterschieden haben mögen. Die berühmten Neandertaler, die ihren Namen nach dem Neandertal bei Düsseldorf erhalten haben, belebten unsere Gegend wesentlich später (ca. 130000 Jahre v. Chr.).

Leben rund um die Höhlen

Die ersten Menschen in unserem Lande dürften, familien- oder auch sippenweise, vorwiegend in den geräumigen Höhlen des Alpengebiets gehaust haben. Ob sie auch schon in tieferen Gegenden, im Mittelland oder im Jura, aufgetaucht sind, wird man kaum jemals erfahren, weil ihre Spuren zweifellos durch die Moränen und das Flussgeschiebe der letzten Eiszeit zugedeckt worden wären. Sicheres über die ersten Menschen im heutigen aargauischen Gebiet wissen wir erst aus der Zeit, da sich die Gletscher zum (vorläufig) letzten Mal in die Alpen zurückzogen und das Klima wieder freundlicher wurde. Nun tauchen auch in tieferen Regionen Menschen auf. Wohnplätze aus der Zeit um ca. 10000 v. Chr. hat man in der Umgebung von Olten, etwa im Müliloch unterhalb des Sälischlösslis, sowie im nordwestlichen Zipfel des Aargaus entdeckt: Beim *Bönistein,* der sich in einer Einsattelung zwischen Mumpf und Zeiningen befindet, handelt es sich um einen sieben Meter hohen und etwa dreissig Meter breiten Felsklotz, bei welchem man auf Feuersteinwerkzeuge, Knochen und Zähne des Rentiers, des Rhinozeros und vieler Nager stiess. Noch bedeutender sind die Funde in der sogenannten *«Eremitage»* südlich von Rheinfelden, wo die Überreste einer Siedlung, zwei übereinanderliegende Steinsetzungen, Kohle von Herdfeuern, Knochen, Zähne, viele grosse und winzige Werkzeuge und Instrumentchen gefunden werden konnten. Wahrscheinlich stammt auch die sogenannte «Gleichaufshöhle» auf dem *Oensberg* unweit Magdens aus der Altsteinzeit.

Die «ersten Aargauer» waren Jäger

Die steinzeitlichen Epochen haben ihren Namen wegen der Verwendung des Steins als Rohmaterial für die Herstellung der Werkzeuge erhalten. Die ersten «Bewohner des Aargaus» waren Jäger, die mit Waffen, eben aus diesem harten Stein, Horn, Knochen und Holz, aber bereits auch mit menschlicher List (Fallgruben, Treibjagd gegen Felsabstürze) Rentiere, Wildpferde, Höhlenbären und Mammuttiere erlegten. Tiergemalde aus dieser Zeit, die auf ein schon erstaunliches Kunstverständnis hindeuten, untermauern die Bedeutung der Jagd. Das Tierfleisch war neben den

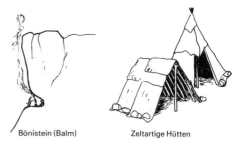

Bönistein (Balm)   Zeltartige Hütten

Beeren des Waldes die Hauptnahrung dieser Menschen, die mit Vorliebe natürliche, schützende Wohnstellen (Höhlen, Felsvorsprünge) suchten, aber auch schon zeltartige Hütten aus Ästen und Tierfellen bauten, im übrigen aber ein Nomadenleben führten.

b) Mittlere Steinzeit (Mesolithikum) und Jungsteinzeit (Neolithikum)

Die einzelnen Kulturen der Steinzeit lassen sich nicht klar trennen. In der *Mittelsteinzeit* (um ca. 8000 bis 3000 v. Chr.), in welcher Zeit man erstaunlich wenige Funde von Menschen gemacht hat, muss sich allmählich der Übergang vom nomadisierenden Jägertum der Altsteinzeit zur Sesshaftigkeit der *Jungsteinzeit* (3000 bis 1800 v. Chr.) vollzogen haben. Den *Höhlenbewohnern* folgten die *Pfahlbauer*. Diese Siedlungsart dürfte sich im Laufe einer lang andauernden Trockenperiode ergeben haben, durch welche sich der Urwald lichtete, die Seespiegel zurückgingen und

Seeufer-Siedlung
1 Seeniveau zur Besiedlungszeit
2 Früheres und späteres Seeniveau

Wohnhaus mit Prügelweg und Palisade

an den Ufern waldfreie Streifen entstanden. Nach heutiger Meinung waren diese Holzbauten selten im Wasser draussen, sondern in der Regel am Seeufer, im weichen Ablagerungs- oder Moorboden errichtet worden. Weil die Seespiegel später aber wieder anstiegen, wurden die Bauten dann eben im Wasser gefunden. Man muss jedoch von der romantischen Vorstellung vom Pfahlbauerdörfchen im See abkommen und sollte besser von Ufersiedlungen sprechen.

Ufersiedlungen am Hallwilersee

Das Hallwilerseeufer dürfte in dieser Zeit von verschiedenen Dörfchen belebt worden sein, weit weniger dicht allerdings als andere Schweizer Seeränder, denn der steil abfallende Seeboden auf der Westseite und die weichen Seekreideschichten am Ostufer waren nicht gerade günstig für solche Bauwerke. Immerhin hat man Holzbauten in bescheidenem Rahmen unweit des Landungsstegs der «Seerose» und, etwas eindrücklicher, südlich davon, in der Nähe des heutigen «Erlenhölzli» entdeckt; Spuren stellte man auch bei Aesch und Birrwil fest. Ein steinzeitlicher Pfahl- oder Rostbau fand sich im weiteren im Sumpfgebiet des Bünzermooses.

Die ersten Bauern

Die Menschen der jüngeren Steinzeit waren Ackerbauern, Viehzüchter, Fischer, ja sogar Bäcker in einem; der Speisezettel erweiterte sich entsprechend. Sie verfertigten ihre Kleider aus Tierfellen oder aus Flachs, den sie auf einfachen Webstühlen verarbeitet hatten; Stoffe vermochte man bereits bunt zu färben. Die Frauen stellten mit flin-

Image labels (from Wohnhaus illustration):
- Schilfdach
- Seitenständer
- Dachpfette
- Lehmbelag auf Boden und geflochtener Wand
- Firstständer
- Querholz
- Schwelle
- Herdstelle
- Rundhölzer
- Eichenbretter
- Reisig- oder Rindenunterlage
- Sicherungspfosten
- Untergrund: Torf oder Seekreide

ken Händen, noch ohne Töpferscheibe, Haushaltgeschirr und Schmuckstücke aus Lehm her. Ihre Männer hatten die Technik der Steinbearbeitung gegenüber der Höhlenzeit wesentlich verbes-

Bestattungsarten der Urzeit

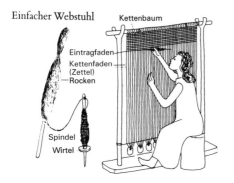

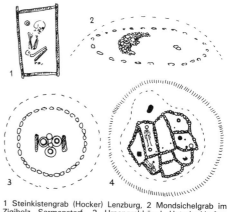

1 Steinkistengrab (Hocker) Lenzburg, 2 Mondsichelgrab im Zigiholz Sarmenstorf, 3 Urnengrabhügel Unterlunkhofen, 4 Grabhügel Fornholz Seon mit Grabkammern

sert und verstanden zu schleifen, zu polieren und zu bohren. Entsprechend handlicher, schärfer und gebrauchstüchtiger waren ihre Werkzeuge und Waffen.

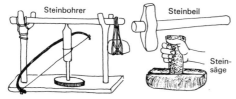

Verschieden bestattet

Höhensiedlungen gab es allerdings auch in dieser Zeit; sie sind etwa belegt in Untersiggenthal, Mönthal, Suhr und Obererlinsbach. Bekannt aus der Jungsteinzeit sind die Grabhügel im Zigiholz bei *Sarmenstorf* und vor allem die zahlreichen steinernen Kistengräber aus dem Schlossberg von *Lenzburg,* auf welche die Bagger im Jahre 1959 beim Aushub für den Bau eines Wasserreservoirs stiessen. Diese bedeutende Fundstätte eines Friedhofs aus der ersten Hälfte des 3. Jahrtausends vor Christus gab den Wis-

senschaftern die seltene Gelegenheit, anhand der Skelette die damalige Bevölkerung zu untersuchen. Ein wesentlicher Unterschied zu heute zeigte sich in erster Linie darin, dass das Durchschnittsalter der Menschen in jener Zeit nur etwa 20 Jahre betragen haben muss. Die Funde beweisen, dass in der Jungsteinzeit beide Bestattungsarten, die Körperbestattung (Lenzburg) und die Kremation (Sarmenstorf), nebeneinander vorgekommen sind.

3. Die Bronze- und die Eisenzeit

Die Menschen der *Bronzezeit* (1800 bis 800 v. Chr.) lebten, ähnlich wie die Jungsteinzeit-Menschen, an Seen wie auf Höhen. Durch das trockene Klima waren die Seen aber noch stärker gesunken, weshalb sich die Leute veranlasst sahen, ihre Dörflein noch weiter draussen, am neuen Ufer, aufzustellen. Die bedeutendste aargauische Fundstelle aus dieser Zeit ist die Ufersiedlung Riesen am Hallwilersee in der Nähe des Schlos-

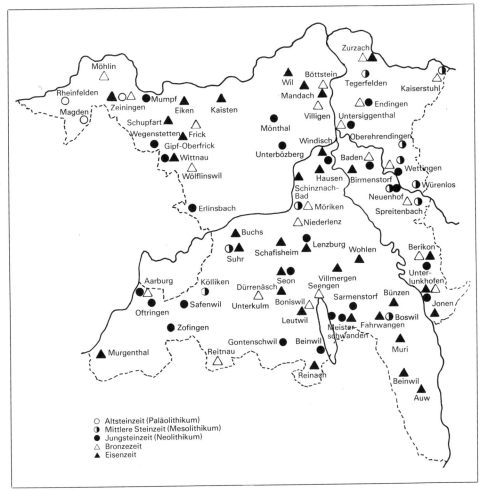

Wichtigste Siedlungs- und Fundstellen der prähistorischen Zeit

ses Hallwil. Die Bewohner dieses Moordörfleins konnten sich allerdings nicht lange ihres See-Idylls erfreuen, denn mit der einsetzenden Klimaverschlechterung stieg der Seespiegel wieder; trotz wiederholten Aufbauten drang das Wasser mit der Zeit immer wieder in die Hütten ein. Gegenüber den früheren Ufersiedlungsbauten handelte es sich hier schon um solidere Blockhäuser, denn mit den Beilen aus harter Bronze, die reisende Händler den Siedlern gebracht haben mögen, liess sich das Holz ganz anders bearbeiten als mit dem Steinwerkzeug.

Während der Bronzezeit muss es im Aargau auch noch viele andere Siedlungen gegeben haben, doch sind wenig Spuren von Wohnstätten festzustellen. Viele Bronzefunde stammen vielmehr aus Gräbern oder aus Depots, wie sie Händler dieser Zeit an verborgenen Stellen oder tief im Boden erstellten, wenn sie zwecks Risikoverteilung nicht gleich ihre gesamte Ware auf ihre Reisen mitnehmen wollten.

Höhensiedlungen und Befestigungen

Die *Eisenzeit,* die Epoche also, in welcher neben die Bronze das Eisen als neues Metall trat, wird in die *Hallstattzeit* (800 bis 400 v.Chr.) und die *La-Tène-Zeit* (400 bis um Christi Geburt) aufgegliedert. Diese Namen ergaben sich durch bedeutende Fundstellen: im oberösterreichischen Hallstatt entdeckte man ein riesiges Gräberfeld, in La Tène am Ostende des Neuenburgersees stiess man auf eine ehemalige «Militärstation.»

Die Klimaverschlechterung in dieser Zeit brachte das Ende der Ufer- und Moorbauten. Die Hallstattleute und nach ihnen die *Kelten,* die um ca. 400 v.Chr. von Norden her ins Mittelland einwanderten, siedelten sich vermehrt

Befestigte keltische
Siedlung mit Wehrgang

1 Beil, 2 Schere, 3 Zange, 4 Lanzenspitze, 5 Münze, 6 Bronzegefäss, 7 Helm, 8 Schild, 9 verrostetes Schwert

auf *Höhenzügen* an, wobei sie ihre kleinen *Holzhäuser* recht eigentlich befestigten und sich damit besser gegen nomadisierende fremde Sippen wehren konnten. Bekannt sind die Höhensiedlungen auf dem *Chestenberg* und die «Festung» auf dem *Wittnauer Horn,* in welcher rund 400 Menschen Platz gefunden haben mochten. Die Wittnauer Festung dürfte in urgeschichtlicher Zeit dreimal aufgebaut worden sein, zum erstenmal in der späten Bronzezeit um 1000 v. Chr. Der Aargau wird in dieser Zeit schon *gleichmässig bevölkert* gewesen sein, was viele Grabfunde belegen. Auf Wohnstätten der Eisenzeit ist man bisher allerdings nicht gestossen.

4. Die Helvetier

Unsere Autos fahren mit dem CH-Schild herum; diese Abkürzung bedeutet «Confoederatio Helvetica» (helvetische Vereinigung) und ist noch heute der offizielle Name unseres Landes; die beiden Wörter stehen auch auf unsern Geldstücken, die zudem von einer stattlichen Dame, namens Helvetia, geziert sind. Das Wort «Helvetia» finden wir auch auf den schweizerischen Briefmarken. Diese äusseren Zeichen erinnern uns täglich an die Helvetier, unsere Vorfahren. Mit ihnen tritt das aargauische Gebiet auch erst in die eigentliche Geschichte ein. Die Helvetier sind die ersten Bewohner unseres Gebiets, von denen wir, durch die Römer und die Griechen, schriftliche Kunde haben.

Von den Germanen bedrängt

Die Helvetier waren ein Stamm der Kelten und wohnten zunächst im heutigen Süddeutschland. Hier wurden sie aber immer mehr von den von Norden her eindringenden Germanen eingeengt. Für die Helvetier stellte sich die grosse Frage, ob sie sich der germanischen Völkerwanderung anschliessen sollten. Einerseits hatten sie Bedenken, ihre wohlgebauten Siedlungen nach-

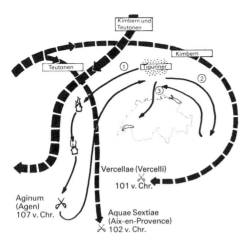

Kimbern und Teutonen

Teutonen

① Tiguriner

Kimbern

②

③

Aginum
(Agen)
107 v. Chr.

Vercellae (Vercelli)
101 v. Chr.

Aquae Sextiae
(Aix-en-Provence)
102 v. Chr.

drängenden Völkern zu überlassen und die Äcker aufzugeben, anderseits lockte sie die Aussicht auf ein fruchtbareres, wärmeres Land. Zudem fühlten sich die Helvetier als Verbündete der nach Süden ziehenden Germanen in der grossen Völkergemeinschaft geborgen und stark. Das mag denn auch den Ausschlag gegeben haben, dass sich zumindest einige Stämme der Helvetier, unter ihnen die Tiguriner, der ersten Wanderung der Germanen (Kimbern und Teutonen) ab 107 v. Chr. anschlossen. Einige Jahre zogen sie plündernd und raubend in Gallien (im heutigen Frankreich) umher. Bei Agen (Aginum) wurde ein römisches Heer geschlagen; die Gefangenen mussten gefesselt unter einem Jochgalgen aus Speeren durchgehen, was für

die Römer eine grosse Schmach bedeutete (Nr. 1 auf der Skizze).

In ihrem Übermut zogen die Helvetier später wieder nach Süden (Nr. 2). Die Tiguriner unter *Divico* schlossen sich dem Germanenzug an, der über den Brennerpass in Oberitalien einfiel. Andere Stämme folgten dem Rhonelauf nach Süden. Aber der Widerstand der Römer hatte sich verstärkt. In zwei Schlachten, bei Aquae Sextiae (Aix-en-Provence) und bei Vercellae (Vercelli, Oberitalien), siegten die Römer. Die Tiguriner wollten sich hierauf in ihre alten Siedlungen nördlich des Rheins zurückziehen (Nr. 3). Doch diese waren von Norden her durch germanische Stämme besetzt worden, weshalb die Helvetier in das Land zwischen Rhein und Alpen auswichen, wo sie neue Hüt-

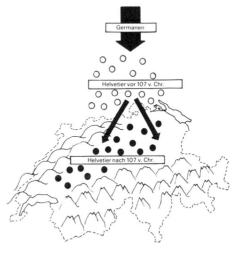

Germanen

Helvetier vor 107 v. Chr.

Helvetier nach 107 v. Chr.

ten bauten. Die Tiguriner dürften dabei das führende Volk unter den Helvetiern gewesen sein, und ihr wichtigster Ort, Aventicum (Avenches), wurde gleichsam helvetische Hauptstadt.

Der grosse Auszug

Der ersten Wanderung folgte keine 50 Jahre später der *zweite Auszug*. Die Helvetier fühlten sich im Gebiet zwischen Alpen und Rhein immer mehr eingeengt, dauernd zermürbten die Germanen sie mit Überfällen von Norden her, und durch die Schilderungen der alten Stammesgenossen lebte die Erinnerung an das südliche, fruchtbare Land Galliens fort. Noch einmal wurde beschlossen, wegzuziehen, wobei sich die Vorbereitungen hiezu über mehrere Jahre erstreckten. Vierrädrige Planwagen wurden gezimmert, Fleisch wurde geräuchert, Fett in Töpfen verwahrt, Korn in Säcke gefüllt; Hauptorganisator dürfte *Orgetorix,* ein reicher Helvetier, gewesen sein. Kurz bevor die Wanderung beginnen sollte, wurde bekannt, dass Orgetorix im geheimen die Stellung eines Diktators anstrebe und schon verschiedene Massnahmen in dieser Richtung getroffen habe. Er wurde gefangengenommen und in den Kerker geworfen, doch gelang es ihm, sich mit Hilfe seiner Gefolgsleute und Sklaven zu befreien, und ein Bruderkrieg drohte unter den Helvetiern zu entbrennen. Da verbreitete sich die Nachricht, Orgetorix sei gestorben, doch blieb unerklärlich, ob er ermordet worden war oder ob er sich selbst getötet hatte.

Begegnungen mit Cäsar

Erneut wurde nun Divico, inzwischen ein alter Mann, zum Anführer gewählt. Vor dem Wegzug befahl er, sämtliche Wohnhütten und Speicher anzuzünden, damit sich keiner nach dem verwüsteten Land zurücksehnen sollte. Jede Sippe wanderte allein bis vor die Stadt Genava (Genf), wo sich gegen

400 000 Helvetier, darunter 90 000 Waffenträger, vor der Rhonebrücke vereinigten. Hier verhandelte Divico mit dem römischen Feldherrn Julius Cäsar, der zu dieser Zeit die Provinz Gallien befehligte, über den Durchmarsch. Cäsar verzögerte diese «Genfer Konferenz» bewusst und sicherte sich in der Zwischenzeit Verstärkung durch weitere Legionen aus Rom; die Rhonebrücken liess er abbrechen.

Die Helvetier sahen sich gezwungen, auf der rechten Rhoneseite und mühsam über den Jura weiter nach Westen vorzudringen. Das Heer der Römer begleitete sie auf der linken Flanke. 20 Tage lang übersetzten die Helvetier mit Flössen und Schiffen Leute und Karren über die Saône, welches Manöver der Stamm der Tiguriner am östlichen Flussufer deckte. Diese Situation nützte Cäsar aus und metzelte die Tiguriner, die vom Hauptharst durch den Fluss getrennt waren, bis auf wenige Reste nieder. Auf einer rasch erstellten Schiffsbrücke überschritt er dann mit seinen Legionen den Fluss. Der greise Divico, beeindruckt und eingeschüchtert, erklärte hierauf Cäsar, die Helvetier seien bereit, ihre Hütten dort zu errichten, wo er es befehle. Cäsar blieb aber hart und verlangte Geiseln und Schadenersatz für frühere Verwüstungen. Stolz brach Divico die Verhandlungen ab und liess den Marsch fortsetzen. Zwei Wochen lang folgten ihm die Römer. Als bekannt wurde, dass sie einen andern Weg gewählt hatten, weil sie in der Stadt Bibracte ihre Vorräte ergänzen wollten, liess Divico an einem strategisch günstigen Ort eine Wagenburg erstellen, und die helvetischen Waffenträger fielen den Römern in die Flanke.

Auszug und Rückkehr der Helvetier

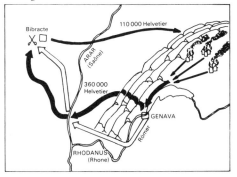

Niederlage bei Bibracte (58 v. Chr.)

Cäsar war vom unerwarteten Angriff und vom Kampfesmut der Helvetier überrascht, und das Kriegsglück schien sich Divico zuzuwenden. Die bessere Bewaffnung und Kampfschulung der Römer brachte aber bald eine Wende. Divico und seine Krieger wurden immer mehr gegen das Lager zurückgetrieben, wo schliesslich auch die Frauen gegen die nachdrängenden Legionäre zu den Waffen griffen.

Nach einer blutigen Schlacht wurde das Lager schliesslich durch die Römer erstürmt. Im Schutze der Dunkelheit gelang es den Helvetiern, aus der römischen Umklammerung auszubrechen. Aber Cäsar liess sie nicht entkommen. Als die helvetischen Stammesführer die Nutzlosigkeit weiteren Blutvergiessens eingesehen hatten, liessen sie sich nochmals auf Verhandlungen mit Cäsar ein. Dieser gab sich unerbittlich, aber nicht unmenschlich, und befahl ihnen, zurück in ihre alte Heimat zu ziehen. Die Rückkehr in die verbrannten Siedlungen war bitter; kaum ein Drittel der Ausgezogenen sah die Heimat wieder: Nur etwa 110 000 Helvetier kamen nach wochen-langem Marsch in das ursprüngliche Land zurück.

Wie die Helvetier in unserem Land lebten

Die Helvetier wurden von einem griechischen Zeitgenossen, nicht unbedingt respektvoll, als grosse, kräftige Gestalten beschrieben, mit blondem Haar, das ihnen weit über den Rücken hinab hing oder zu einem Knoten verschlungen war. Die Männer hätten mächtige Schnurrbärte getragen, die wie eine Art Trinksieb über den Mund hingen. Gekleidet waren sie in lange Hosen, was den Römern komisch vorkommen musste, und in Ärmeljacken und Kragenmäntel. Sie galten als schlagfertig, mit Worten wie mit Waffen, streitsüchtig und todesmutig. Im Kampf trugen sie mannshohe Schilde, lange Schwerter und Lanzen, wobei sie am liebsten zu Pferde kämpften. Die Römer hatten allen Respekt vor ihnen. Krieg und Jagd bildeten die Lieblings-beschäftigung der Vornehmen, doch das

Gallischer Krieger mit Halsring, Schmalschild und Schwert (Abbildung nach einem römischen Lampenschild in Vindonissa). Die Helvetier müssen ähnlich ausgesehen haben.

Volk zeichnete sich ebenso durch grossen Fleiss und Kunstfertigkeit aus. Vieh-
zucht und Ackerbau waren entwickelt:
Man kannte zweihändige Sensen und
Sicheln, hielt Rinder, Schweine, Schafe
und Ziegen, Hunde, Gänse und Hühner; Pferde zogen grosse Karren. Das
Schmiedehandwerk stand schon in hoher Blüte. Waffen, Werkzeuge und
Schmuckstücke lassen einen hohen
Stand der Eisenbearbeitung erkennen.
Das Volk, das sich offenbar in Priester-
kasten, Adelige und Hörige aufglieder-
te, wohnte in einfachen, runden Holz-
hütten, meistens in dorfartigen Siedlungen, die, wohl wegen der ständig eindringenden Germanen, mit Wall und
Graben umgeben waren. Cäsar berichtet, dass die Helvetier bei ihrem Auszug
zwölf grössere befestigte Plätze (Oppida) und etwa 400 Weiler zurückliessen.
Drei dieser Oppida (Einzahl: Oppi-
dum) sind im Aargau zu suchen: in
Windisch, Augst und Zurzach.

5. Die Römer

Cäsar betrachtete die nach der
Schlacht von Bibracte in die Heimat im
schweizerischen Mittelland zurückge-
schickten Helvetier gleichsam als
Schutzwall gegen die nach Süden drängenden Germanen am Rhein. Damit
sich die Helvetier aber unter römischer
Herrschaft doch wohl fühlten und nicht
mit gefährlichen Feinden paktierten, erhielten sie die bevorzugte Stellung von
Bundesgenossen (foederati); sie waren
also keine Sklaven der Römer.

Während die Helvetier ihre zerstörten Siedlungen wieder aufbauten, errichteten die Römer ihre Städte und Vil-

len, bauten Strassen und Wasserleitungen. Die römische Besetzung hatte für
die Helvetier manche Vorteile: Im
Schosse des mächtigen römischen Welt-
reiches fanden sie Schutz gegen die Germanen, hatten teil am weltweiten Handel im römischen Mittelmeerimperium,
lernten eine fortgeschrittene römische
Landwirtschaft, ja überhaupt den hohen
Lebensstandard der Römer kennen. Die
kulturelle und technische Überlegen-
heit des Südvolkes erklärt auch, warum
sich das zahlenmässig weit stärkere Volk
der Helvetier der Minderheit der Römer
angepasst hat. Römische Lebensweise
und helvetische Eigenart vermischten
sich.

400 Jahre römische Besetzung

Anfänglich dürften die Römer unser
Gebiet mehr als Basis für die Eroberung
Germaniens betrachtet haben, doch
nach der entscheidenden Niederlage der
Römer im Teutoburgerwald (9 n. Chr.)
wurde die Rheinlinie vielmehr die äusserste Verteidigungslinie des Römischen
Reiches. Während den rund 400 Jahren
der römischen Herrschaft in der
Schweiz änderte sich die Lage immer
wieder. Manchmal waren die Römer an
der «Aussenfront» durch Machtkämpfe
im Stammland so geschwächt, dass sich
die Helvetier, allerdings stets erfolglos,
gegen sie aufzulehnen versuchten oder
andere Völker das Gebiet streitig machten; manchmal verlief das Leben in Helvetien durchaus friedlich. 259/260 n.
Chr. fielen die Alemannen über den Rhein
ein und plünderten und brandschatz-
ten in unserem Gebiet. Zwar konnten
sie von den Römern wieder zurückge-
worfen werden, aber diese sahen sich
anschliessend veranlasst, die Grenze ent-

lang des Rheins mit Kastellen und Wachttürmen besser zu befestigen. Noch einige Zeit vermochten sich die Römer in unserem Lande zu halten. Dann aber setzte die grosse Völkerwanderung ein, und die Germanen brachen in das Römische Reich ein. Ungefähr um 400 n. Chr. zogen sich die römischen Truppen in unserem Gebiete unter ihrem Führer Stilicho nach Italien zurück, wo sie das von den Goten besetzte Mailand befreiten. Die Legionen kehrten nicht mehr an den Rhein zurück, und das Land stand den Alemannen offen.

Zahlreiche Fundstellen in unserem Kanton untermauern die starke Präsenz der Römer in diesem Gebiet und ihren grossen Einfluss auf die Lebensweise unserer Vorfahren. Besonders hervorzuheben sind das Legionslager in *Windisch* (Vindonissa), fünf spätrömische Kastelle *(Baden, Brugg/Altenburg, Kaiseraugst, Windisch, Zurzach)* und sechs dorfähnliche Siedlungen *(Baden, Laufenburg, Lenzburg, Münchwilen, Windisch, Zurzach)*. Daneben wurden an zahlreichen Orten Überreste von Landhäusern, Warten, Gräberfeldern und Einzelgräbern entdeckt.

Römische Anlagen im Aargau

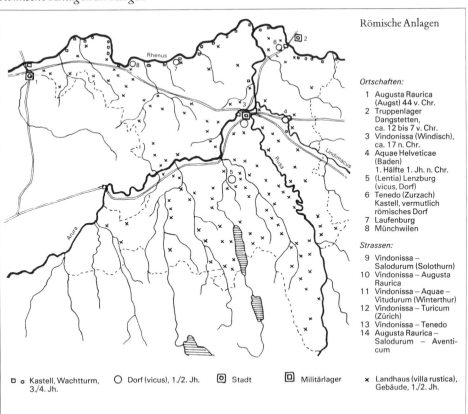

Römische Anlagen

Ortschaften:

1 Augusta Raurica
   (Augst) 44 v. Chr.
2 Truppenlager
   Dangstetten,
   ca. 12 bis 7 v. Chr.
3 Vindonissa (Windisch),
   ca. 17 n. Chr.
4 Aquae Helveticae
   (Baden)
   1. Hälfte 1. Jh. n. Chr.
5 (Lentia) Lenzburg
   (vicus, Dorf)
6 Tenedo (Zurzach)
   Kastell, vermutlich
   römisches Dorf
7 Laufenburg
8 Münchwilen

Strassen:

9 Vindonissa –
   Salodurum (Solothurn)
10 Vindonissa – Augusta
   Raurica
11 Vindonissa – Aquae –
   Vitudurum (Winterthur)
12 Vindonissa – Turicum
   (Zürich)
13 Vindonissa – Tenedo
14 Augusta Raurica –
   Salodurum – Aventicum

□ ◌ Kastell, Wachtturm,   ◯ Dorf (vicus), 1./2. Jh.   ◙ Stadt   ◙ Militärlager   ✗ Landhaus (villa rustica),
3./4. Jh.   Gebäude, 1./2. Jh.

Die grosse Zeit Vindonissas

Eine wichtige Rolle dürfte zunächst die militärische Anlage und spätere Stadtgemeinde Augusta Raurica, das heutige *Augst BL,* gespielt haben. Später, wahrscheinlich im ersten Jahrhundert n. Chr., brach die grosse Zeit Vindonissas an. Die Römer erspürten mit ausserordentlichem Geschick die günstige geographische Lage dieses Ortes im Schutze der Juraketten, in der Nähe des Zusammenflusses wichtiger Flüsse. Vindonissa wurde zum bedeutenden Knotenpunkt verschiedener Strassenzüge.

Vindonissa war ein grosses Legionslager. Hier hielten sich die XIII. (13.), später die XXI. (21.) und die XI. (11.) Legion auf. Das weiss man deshalb so genau, weil die Römer ihre in legionseigenen Ziegeleien gebrannten Ziegel mit einem Legionsstempel versahen. Eine Legion setzte sich aus zehn Kohorten zu 500 Mann zusammen; nur die erste Kohorte wies 1000 Mann auf. Eine Kohorte bestand aus drei Manipeln, welche sich wiederum aus zwei Centurien zu 80 Mann zusammensetzten. Eine Legion

umfasste, Hilfs- und Reitertruppen, Knechte und Veteranen eingeschlossen, etwa 11 000 Mann, und so viele Leute dürften denn auch im Standlager Vindonissa untergebracht gewesen sein.

Römischer Soldat   Signumträger

1 Kurzärmelige Tunica	8 Wurfspiess mit langer
2 Mantel, über der rechten	Eisenspitze
Schulter zusammengehalten	9 Schwert
3 Wadenlange Hose	Signum: metallenes Feld-
4 Metallbeschlagener	zeichen, das in der Schlacht
Ledergurt	mitgetragen wurde.
5 Genagelte Lederschuhe,	Es war nicht nur Zeichen
im Lager Schnürsandalen	für einen bestimmten
6 Helm mit Nacken- und	Verband, sondern es
Wangenschutz	diente auch zur Befehls-
7 Halbzylindrischer Schild	übermittlung.

Legende zur nachfolgenden Übersichts-Skizze:

1 Vicus: Dorf auf der Ost-, Süd- und Westseite des Lagers mit Tempeln und Wohnungen für Einheimische und zugewanderte Römer.
2 Strasse nach Aquae Helveticae (Baden).
3 Osttor.
4 Doppelgraben und Wall.
5 Westtor.
6 Via praetoria: Lagerstrasse, welche geradewegs auf das Hauptgebäude des Lagers, das Praetorium zuführte.
7 Praetorium: In diesem Bau lag die Hauptwache, waren die Schreibstuben. Hier wurde auch Gericht gehalten. Zudem gackerten im Gehegen die heiligen Hühner, die durch Art des Fressens und Gackerns Glück oder Unglück anzeigten.
8 Intervallum: Freier Raum von ca. 30 Metern Breite zwischen Lagermauer und Kasernen. Grund für den Abstand: Feindliche Brandpfeile erreichten die Häuser weniger leicht. Die Legionäre konnten bei einem Überfall ungehindert an die Mauer stürmen. Hier war der Lagerplatz für die Wache. Gefangene wurden vorübergehend im Intervallum gelagert, ebenso wie die Kriegsbeute.

9 Kasernen der Hilfstruppen (zweitrangige Auxiliarkohorten): lange, einstöckige Holzbauten.
10 Kasernen der Reiterei (ala) mit Stallungen.
11 Kasernen der Legionäre.
12 Fahnenheiligtum: Altar mit Räuchergaben, Aufbewahrungsort der geheiligten Legionszeichen. Standbilder der Kaiser und der Lagergötter; im Unterraum Lagerkasse.
13 Via principalis: Hauptstrasse von vier Metern Breite mit eingemauertem Wasserabzugskanal. Gedeckte Laubengänge.
14 Therme.
15 Sporthalle.
16 Wohnungen der höheren Offiziere.
17 Speicher für Korn; am steilen Nordhang war kein Angriff zu erwarten; günstig die Nähe des Aareflusshafens.
18 Müllplatz: Fast zweitausend Jahre später sehr wichtig geworden für die Geschichtsforschung. Hier machte man die meisten Funde, die römische Lebensweise erklärten.
19 Lazarett und Pferdespital.
20 Fabrica und Werkstätten der Handwerker.
21 Geschützturm.
22 Magazin.
23 Forum: Marktplatz.
24 Amphitheater.
25 Kalkbrennofen.
26 Gräber.

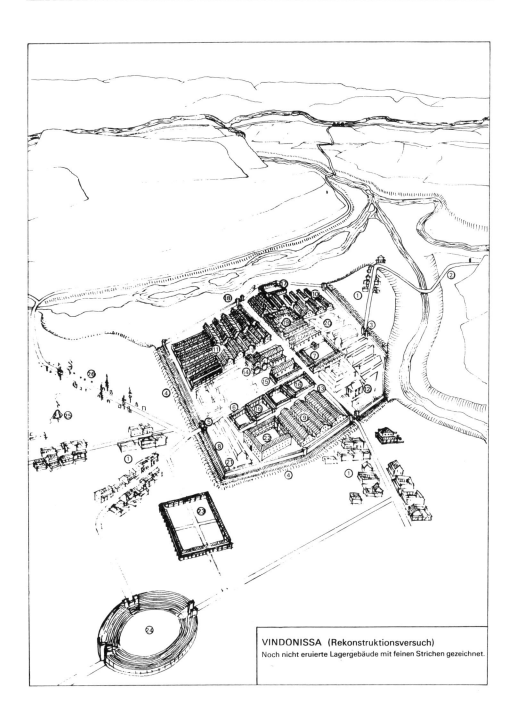

VINDONISSA (Rekonstruktionsversuch)
Noch nicht eruierte Lagergebäude mit feinen Strichen gezeichnet.

Kastelle und Warten entlang des Rheins

Nach dem Alemanneneinfall, bei welchem viele offene Siedlungen zerstört wurden, befestigten die Römer die Grenzlinie am Rhein durch den Bau von Kastellen und Wachttürmen. So wurde *Zurzach* (Tenedo) zum Doppelkastell ausgebaut; das aargauische *Kaiseraugst* (Castrum Rauracense) wurde ebenfalls befestigt und als Standort einer Legion bestimmt. Wachttürme entstanden bei *Rheinfelden, Wallbach, Koblenz und Rümikon.* Auch auf dem *Horn bei Wittnau* und auf der *Mandacheregg* stand eine Warte. Bei Tag gingen die Meldungen mit Rauch-, bei Nacht mit Feuerzeichen ins Standlager Vindonissa, welches seine dominierende Rolle allerdings allmählich verlor. Zusätzlich zu dieser Grenzbefestigung errichteten die Römer eine rückwärtige Auffanglinie mit den Kastellen *Solothurn, Olten, Altenburg/Brugg, Baden, Zürich.*

Das Militärlager Vindonissa war zu dieser Zeit schon zerfallen; die Soldaten waren im Kastell Altenburg einquartiert.

Die fortgeschrittene «Infrastruktur» der Römer

Berühmt sind auch die «Römerstrassen». Rasche Verbindungen von einem Standlager zu den Kastellen und Warten waren eben wichtig für das Heer, aber auch der Handel und die «Post» zwischen den Ortschaften waren auf gute Strassen angewiesen. Die Römer kannten normierte Strassen. In Felspartien waren sie 1,5 Meter breit (so etwa am *Bözberg,* wo tiefe Rad- und Nabenspuren festzustellen sind); das Normalmass betrug jedoch 2,5 bis 3 Meter, und einzelne Strassenstücke erreichten eine Breite von 14 Metern.

Strasse im Felsgestein

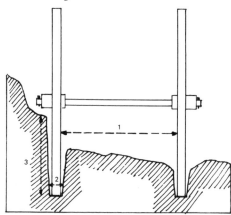

Durch Bremsen entstandenes Karrengeleise im Juragestein (Bözberg): 1 Radspur (1 m), 2 Fahrrinne (minimal 8 cm breit), 3 seitliche Höhe (maximal 65 cm).

Nach jeder Meile (milia = 1000 Doppelschritte, ungefähr 1,5 Kilometer) war ein bis zu 3 Meter hoher Stein gesetzt. Er gab die Distanz bis zur Hauptstadt (Aventicum) an; zugleich verriet der eingemeisselte Kaisername die Zeit der Erstellung.

Römisches Hauptstrassennetz

1 Genava (Genf)	12 Basilea (Basel)
2 Noviodunum (Nyon)	13 Vindonissa (Windisch)
3 Lousonna (Lausanne)	14 Tenedo (Zurzach)
4 Viviscus (Vevey)	15 Aquae (Baden)
5 Octodurus (Martigny)	16 Turicum (Zürich)
6 Urba (Orbe)	17 Vitudurum (Winterthur)
7 Eburodurum (Yverdon)	18 Ad Fines (Pfyn)
8 Aventicum (Avenches)	19 Arbor Felix (Arbon)
9 Petinesca (Pieterlen)	20 Magia (Maienfeld)
10 Salodurum (Solothurn)	21 Curia (Chur)
11 Augusta Raurica (Augst)	

Ohne Zweifel genoss der heutige Ort *Baden* schon damals einen guten Ruf als willkommener Kur- und Vergnügungsplatz (Aquae Helveticae). Die Römer badeten nach einer bestimmten Reihenfolge im heissen, im lauwarmen und im kalten Bad und liessen sich dazwischen massieren und trockenreiben. Sie kannten im weitesten Sinne eine Zentralheizung, wobei allerdings nur das Bad und die entsprechenden Nachbarräume geheizt wurden.

Heizung

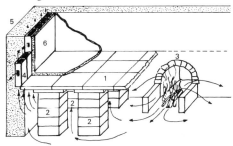

1 Fussboden
2 Tragsäulen für den Fussboden, etwa einen Meter hoch
3 Kanal für die Zuführung der heissen Luft, die von einem Holzfeuer in einem Nebenraum erwärmt war
4 Röhrenziegel hinter Mörtelverputz (6), durch welche die warme Luft nach oben stieg und die Wände erwärmte. Die Röhrenziegel waren auch durch seitliche Löcher untereinander verbunden.
5 Aussenmauern

Auch die römischen Wasserleitungen waren für die damalige Zeit technische Meisterleistungen. So führte eine Wasserleitung von Augusta Raurica das Wasser aus der Ergolz nach Liestal. Die Druckleitungen waren aus Holz oder Blei (ca. 4,5 cm Durchmesser); in den Haushöfen konnten sogar Springbrunnen dank diesen Leitungen gespeist werden. Die Leitungen waren wie heute im Strassenbett verlegt, wo auch die Abwasserkanäle lagen.

Gutshöfe mit landwirtschaftlichem Betrieb, häufig von pensionierten Soldaten geführt, waren in schöner landschaftlicher Lage über das ganze Gebiet verstreut. Zwei Einrichtungen zeugen insbesondere vom technischen Geschick und vom Erfindergeist der Römer: das Bad und die Heizung. Das Baden gehörte für jeden Römer zur Selbstverständlichkeit: Der Soldat im Legionsbad, der Stadtbürger in den Thermen, der Villenbesitzer im Bad seines Hauses.

Wie die Römer bei uns lebten

Manches mag den Helvetiern an den Römern ungewohnt vorgekommen sein, so etwa ihre Kleidung, die sich doch wesentlich von der ihrigen unterschied, oder etwa ihre Art, die Mahlzeiten halb liegend, halb sitzend einzunehmen.

Bevorzugte Speisen der Römer waren Fische, Fleisch mit scharfen Saucen, Eier, Gemüse, Käse und Obst zum Nachtisch. Dass sie auch bei uns auf die Austern, die rasch verderblichen Scha-

lentiere aus dem Meer, nicht verzichteten, zeigt, wie vorzüglich die Verbindung vom Meer zum Hinterland klapp-
te. Als Getränke liebten die Römer
Wein mit Wasser verdünnt, Milch und
Posca (sirupähnlich). Von den Römern
wurden in unserer Gegend die Pfirsiche,
die Pflaumen und die Kastanien eingeführt, und wahrscheinlich haben sie bei
uns mit dem Weinbau begonnen.

Kleidung

1 Haupt- und Grundgewand: Tunica, 2 Toga: grosses Tuch-
stück, kunstvoll umgeschlungen, nur ausserhalb des Hauses
getragen, 3 Mantel – anstelle der Toga – mit einer Fibel (Span-
ge) auf der Schulter zusammengehalten, 4 Sandalen, bis an
die Waden geschnürt, 5 Stola: langes gegürtetes Oberkleid mit
ganz- oder halblangen Ärmeln, 6 Haarnetz, 7 Spiegel aus
Bronzeblech

Den Römern bedeutete das Theater,
und hier vor allem der Vorläufer unseres
heutigen Zirkus, viel. Das Amphitheater von Vindonissa ist teilweise erhalten
geblieben und vermittelt einen Eindruck von seiner ursprünglichen Grösse.
Hier wurden allerdings keine Thea-
terstücke aufgeführt. Es diente vielmehr
für sportliche Wettspiele und vor allem
für eigentliche Wettkämpfe zwischen
Menschen oder zwischen Mensch und
Tier. Diese Kämpfe waren oft ausserordentlich grausam; so unterschieden sich

die Gladiatoren, zumeist Sklaven, Verbrecher oder Kriegsgefangene, jeweils
nach Ausrüstung und Bewaffnung voneinander, was von Anfang an zu unglei-
chen Kämpfen führte. Das Amphitheater von Vindonissa bot 10 000 Personen
Platz. Ursprünglich war es ein Holzbau,
der aber ums Jahr 46 n. Chr. abbrannte
und durch einen Steinbau ersetzt wurde.

Tonkrüge, Gläser und Schreibtafeln

Die Römer waren Meister im Handwerklichen wie im Technischen. Sie
bauten schon eigentliche Fabrikbetriebe
auf (fabrica), in denen Handwerker an
einem Produkt nur noch Teilarbeit lei-
steten. Auch in unserer Gegend dürften
beispielsweise Ziegel aus Ton für die
Dachbedeckung geformt und gebrannt
worden sein; Töpfer stellten hohe Ton-
krüge (Amphoren) und andere Tonwa-
ren her, Glasbläser fertigten matt-grün-
liches Trinkgeschirr und Fensterglas an,
Steinmetze bearbeiteten den Stein (in
unserer Gegend Jura-Kalkstein), be-
schrifteten Meilen- und Grabsteine und
formten Statuen; Schreiner zimmerten
Möbel und kleinere Holzgeräte und
stellten Schreibtafeln her. Weitere
Handwerke waren etwa dasjenige des
Schmieds, Schwertfegers, Schildma-
chers, Kürschners, Drechslers oder des
Schiffers.

Eine Vielzahl von Göttern

Wie andere Völker des Altertums
verehrten die Römer nicht einen einzigen Gott, sondern personifizierten seeli-
sche und geistige Kräfte des Menschen,
wandelten sie in einen Gott um und setzten sie über sich. Dabei gab es ganz be-

stimmte Reihenfolgen. Auch die Kaiser, lebende und verstorbene, wurden als Symbol der Reichseinheit verehrt. Über ihnen standen die orientalischen Gottheiten, die Hausgötter, die Naturgötter (Quellnymphen, Flussgötter, Waldgott Silvanus, Bacchus), Genius loci (Lokalgeist) und zuoberst die hohen Götter (Jupiter, Juno, Minerva, Merkur, Sol, Mars, Venus). Ganz bewusst liessen die Römer in den von ihnen besetzten Gebieten Gottheiten der Bewohner mit ihren eigenen verschmelzen. In Wettingen muss ein Tempel gestanden haben, welcher, wie eine aufgefundene Inschrift belegt, der ägyptischen Göttin Isis geweiht war. Das zeigt aber auch, wie sehr sich die verschiedenen Religionen gegenseitig verwässerten, was wohl auch den Boden für das Christentum vorbereitete.

Mit den Römern dürften im dritten oder erst im vierten Jahrhundert die ersten christlichen Glaubensboten in das Land zwischen Alpen und Rhein gekommen sein.

Mancher Schüler, der heute lateinische Verben büffeln muss, wird es kaum glauben: in dieser Zeit war die lateinische Sprache gleichsam offizielle Landessprache; und noch viele Wörter unserer heutigen Sprache haben ihren Ursprung im Lateinisch-Römischen (allerdings weit weniger als die romanischen Sprachen), z. B.:

caesar	Kaiser	murus	Mauer
carrus	Karren	nux	Nuss
caseus	Käse	pondus	Pfund
cista	Kiste	plastrum	Pflaster
corbis	Korb	saccus	Sack
fructus	Frucht	vinum	Wein

Die Namen unserer Monate gehen ebenfalls auf die römische Sprache zurück.

6. Die Alemannen

Die Alemannen lösten die Römer in unserem Gebiete ab. Sie sind unsere direkten Vorfahren. Ihre Lebensweise ist in der unseren in manchem (Siedlungsarten, Sprache, Flurnamen, Ortsnamen u.a.) erhalten.

Nach dem Rückzug der römischen Truppen aus unserem Gebiet ums Jahr 400 n. Chr. brachen germanische Stämme ungehemmt über den Rhein und die Donau herein; die germanische Völkerwanderung veränderte die politische Landschaft wesentlich: Die Burgunder drangen vom Westen, die Alemannen vom Norden her ins schweizerische Mittelland ein. Die Besiedelung vollzog sich dabei nicht plötzlich und massenweise; es war viel eher ein allmähliches langsames Durchdringen, das Jahrzehnte dauerte. Während einige Germanenstämme sich ganz im römischen Volkstum verloren, bestimmten die Alemannen eindeutig die Kultur des besetzten Landes. Anfänglich dürfte die alte Bevölkerung da und dort noch für eine gewisse Dauer für sich allein gelebt haben, und auch einige hier bereits vorhandene Christengemeinden konnten unter der Herrschaft der heidnischen Alemannen weiterbestehen, doch allmählich setzten sich die Alemannen durch, rissen wohl auch den meisten Grundbesitz an sich und liessen die unterworfene Bevölkerung in Knechtschaft arbeiten. Die Alemannen übernahmen zwar auch teilweise römische Bräuche und Namen (z.B. den Weinbau oder Flussnamen wie Rhenus/Rhein, Arura/Aare, Lindimacus/Limmat), aber im ganzen hielten sie zäh an ihrer Sprache und ihren Gewohnheiten fest.

So hartnäckig die Alemannen lange
Zeit die Römer bedrängt hatten und damit schliesslich auch zum Ziele kamen,
so wenig mochten sie sich nachher gegenüber ihren germanischen Nachbarn
zu behaupten. Es gelang ihnen nicht,
ihre Kräfte zum Aufbau eines eigenen
Staatswesens zu sammeln. Schon nach
wenigen Jahren alemannischer Besiedlung wurde das Gebiet wieder von anderen germanischen Stämmen besetzt, die
das Stammland der Alemannen auf-
teilten, um sie zu schwächen. So war
der Alemannenstamm im ersten Drittel
des 6. Jahrhunderts unter die drei Staaten der Franken, Burgunder und Ostgo-
ten aufgeteilt, bevor diese im Jahre 536
zum Frankenreich zusammenschmol-
zen. Als 843 das Reich Karls des Grossen
mit dem Teilungsvertrag von Verdun
zerfiel, kam die Westschweiz und damit
sogar noch der Frickgau zum Königreich Burgund, während der heutige
Aargau zwischen Aare und Reuss an die
Ostfranken fiel und damit innerhalb des
Deutschen Reiches aufging. Ums Jahr
900 gehörte wieder das ganze Gebiet des
heutigen Aargaus den Burgundern,
welche das Ostfrankengebiet erobert
hatten. Eine wesentliche Änderung ergab sich erst wieder etwa 100 Jahre später, als sich das Königreich Burgund mit
dem Deutschen Reich vereinigte.

Zum ersten Mal vom Aargau die Rede

Die Germanenstämme gliederten ihr
Land in Gaue auf, welche vorwiegend
im Militär- und Rechtswesen ihre Bedeutung hatten. Die Leitung eines Gau-
es übertrugen die Germanenkönige einem Gaugrafen. Die Gaue waren in
Hundertschaften gegliedert, was ursprünglich wohl zahlenmässig verstan-

den werden muss (Zahl der Krieger);
später erhielten sie jedoch räumliche Bedeutung und wurden Unterbezirke des
Gaus. Ihr Vorsteher war der Hunno oder
Zentenar.

Im Jahre 778 wird der Aargau von einem Schreiber des Königs Karl des
Grossen erstmals urkundlich erwähnt.
Der Aar-Gau muss aber damals wesentlich grösser gewesen sein als der heutige
Kanton. Er umfasste das ganze Gebiet
zwischen Brienzer- und Thunersee,
Aare und Reuss. Eckpunkte dieses Aargaus waren, nach heutigen geographi-
schen Begriffen, etwa Luzern, Interla-
ken, Biel und Brugg. Später zerfiel dieser Grossgau Aargau unter anderem in
den Oberaargau (im heutigen Kanton
Bern) und den Unteraargau. Andere
Gaue in frühmittelalterlicher Zeit, die
sich wenigstens als Bezeichnung teilweise bis heute erhalten haben, waren
etwa der Zürichgau, der Thurgau (das
aargauische Turgi war damals Eckpunkt
dieses Gaus und hat auch den Namen aus
dieser Zeit), der Frickgau (der also nicht
mehr zum Aargau gehörte) und der
Augstgau. Mit dem heutigen Aargau
hatte der alemannische Aar-Gau also
nicht viel gemeinsam.

Die Alemannen bei uns

Es gibt in unserem Kanton zahlreiche
Funde von Gräbern und Gräberfeldern
sowie Spuren alemannischer Besiedlung. Vor allem aber erinnern uns auf
Schritt und Tritt Ortsbezeichnungen an
unsere Vorfahren. Die Alemannen nahmen, als sie sich bleibend niederliessen,
ausgedehnte Rodungen bei uns vor.
Darauf deuten heutige Namensformen
wie Rüti, Grüt, aber auch Schwand oder
Schwendi. Vor allem aber gehen unsere

Dorfnamen auf die einzelnen Familienverbände zurück. Die Alemannen kannten nur eine Siedlungsform, den Weiler. In meist abgelegenen Rodungsgebieten standen wenige Häuser, Hütten, Speicher in losen Gruppen beisammen. Eigentliche Dörfer bildeten sich erst in späteren Jahrhunderten.

Einige typische alemannische Ortsnamen:
Endsilbe *-ingen*: Bezeichnung für Personengruppe. Die Nachkommen des Baldo waren die Baldinga, später Baldinger; der Ort ihrer Niederlassung hiess darum Baldingen. -ingen-Dörfer sind demnach Ortschaften, wo ursprünglich eine ganze Sippe gehaust hatte (z.B. Endingen, Hägglingen, Küngoldingen, Mellingen).
Endung *-ikon* (-ken, -igkofen, -ikofen): Bezeichnung für Siedlung. Der Hof des Tinto hiess Tintinchova; daraus wurde später Dintikon. Alle Dörfer mit dieser Endung gehen demnach auf Einzelhöfe zurück. -ikofen und -ken oder -gen sind längere oder kürzere Abwandlungen davon (Beispiele: Dottikon, Hendschiken, Oeschgen, Wislikofen).
Endung *-wil*: Wilare = Weiler. Aus Petiwilare wurde Bettwil. -wil-Dorfnamen gehen nicht auf eine Sippe, sondern auf eine Persönlichkeit zurück. Das gleiche gilt für Ortsnamen mit der Zusammensetzung -bach, -stetten oder -au (Beispiele: Ammerswil, Eggenwil, Niederwil, Safenwil, Fislisbach, Rudolfstetten, Reitnau).

Wie die Alemannen wohnten . . .

Im Gegensatz zu den Römern bauten die Alemannen ihre Häuser vorwiegend aus Holz als Ständerbauten (Ständer = senkrechte Pfosten) oder Riegelbauten (Riegel = waagrechte Verstrebung).
Ein alemannischer Hof bestand aus verschiedenen Einzelgebäuden, Zumeist waren drei Haustypen zu finden: das Grosshaus als Wohn- und Schlafstätte, das eingetiefte Haus als Webstube, die Hütte häufig als Speicher. Die Dä-

Alemannischer Ständerbau: Mehrzweckbau (Dreisässenhaus), bestehend aus Wohnteil, Tenn und Stall. Hauseingang beim Tenn.

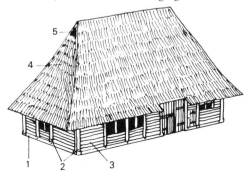

1 Schwelle, 2 Ständer, 3 Bohlenwand, 4 Strohdach mit Rauchloch auf der Ostseite (5)

Alemannisches Fachwerkhaus mit Strohdach. Einzweckbau (Wohnhaus).

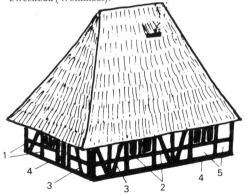

1 Ständer, 2 Riegel, 3 Streben, 4 Schwellen, 5 Gefache (lehmverstrichenes Flechtwerk)

cher waren je nach Gegend mit Stroh, Schindeln, Steinplatten oder Kuhdung gedeckt. Der Innenraum war nicht unterteilt, höchstens durch eine Pfostenreihe gegliedert. Der Rauch der Herdstelle schwärzte Balken und Pfosten und entwich durch eine Dachluke. Rauch und Russ hatten auf das Gebälk auch Schutzwirkung; sie wirkten wie ein Imprägnierungsmittel. Als Schlafstellen dienten einfachste Laub- und Strohlager.

Die Hofstatt war von einem schulterho-
hen Zaun, dem Etter, umgeben, einem
mit Weiden durchflochtenen Stecken-
hag.

Alemannischer Hof, bestehend aus Einzelgebäuden:

1 Wohnhaus, 2 Backhaus, 3 Webhaus, 4 Scheune, 5 Stall, 6
Schopf, 7 Brunnen, 8 Gemüsegarten, 9 Flachsgarten, 10
Umzäunung (Etter)

... arbeiteten und Krieg führten

Die Alemannen betrieben wilde Feld-
graswirtschaft. Grossvieh und Schweine
wurden auf die Weide getrieben. In
manchen Weilern holte ein Hirte morgens die Kühe und Rinder aller Bauern
ab und führte sie auf das Allmend-Wies-
land. Der Getreidebau spielte noch eine
untergeordnete Rolle. In den ersten
Jahrhunderten der Landnahme durch
die Alemannen wurde er jedenfalls noch
nicht in Form der Dreifelderwirtschaft
betrieben. Da genügend Land zur Verfügung stand, konnten die Anbauflä-
chen ja fast beliebig gewechselt werden.
Zur allgemeinen Nutzung stand auch
der Wald offen: Holz zum Bauen, Hei-
zen und Kochen durfte dort geschlagen
werden. Den Wald-Weideplatz liebten
ganz besonders die Schweine.

Der Germanen – und die Alemannen
gehörten ja auch zu ihnen – wurden
vom Römer Tacitus als etwas rohe Menschen mit trotzig blickenden blauen Augen, rötlichem Haar und hohem Kör-

perwuchs beschrieben. Im Krieg hätten
sie sich zum stürmischen Angriff geeignet, aber keine grosse Ausdauer bei
Strapazen und Mühseligkeiten gezeigt.
Durch Boden und Klima seien sie gewöhnt gewesen, Frost und Hunger aus-
zuhalten, während sie Durst und Hitze
schlecht ertragen hätten. Tacitus, dessen
nicht gerade schmeichelnde Beschrei-
bung mit Vorsicht aufzunehmen ist, erwähnt weiter, dass die Germanen viel
Zeit auf der Jagd, aber noch mehr im
Nichtstun verbracht hätten. In friedlichen Zeiten hätten sich gerade die tap-
fersten Kriegshelden einfach dem Essen,
Trinken und Schlafen hingegeben, und
die Sorge für Haus, Herd und Feld sei
den Frauen, den Greisen und den
Schwächsten der Familie zugefallen.

Kleidung und Essen

Gräberfunde lassen erkennen, dass die
Hauptkleidungsstücke der Alemannen
eine gewobene Tunika (1) und lange
Hosen (2) waren. Darüber trug der Alemanne einen wollenen fuss- oder knie-
langen Mantel (3). Im Winter wurden
diese Kleider durch Fellstücke ergänzt.
Die Füsse steckten in Bundschuhen (4)
oder Schnürsandalen. Die Frauen trugen ein bis zum Boden reichendes Ge-
wand, das mit einem Gürtel zusammengehalten wurde. Als Waffen wurden ein
Speer (5), ein Schwert und Kurzschwert
(6), ein Schild (7), ein Schildbuckel (8)
und ein Helm (9) getragen.

Die Alemannen hatten einen ausge-
prägten Sinn für schmückende Zutaten
bei ihrer Kleidung. Viele Gräber erhielten Schmuckbeigaben.

Hauptnahrungsmittel war wohl das
Brot. Daneben kannten die Alemannen
einzelne Gemüsearten wie Rüben,

Kohl, Erbsen, Hirse und Bohnen. Wie wir auch vom römischen Geschichts-schreiber Tacitus wissen, kannten die Alemannen bereits die Bierbrauerei, da-neben liebten sie aber auch den Met, den sie aus Honig und Wasser herstellten und mit einem Kräuterzusatz versahen. Aber auch Most aus Äpfeln und Schle-hen bereiteten sie zu.

Einige Runen

Diese Runen hatten neben dem Laut-wert folgende Bedeutung:

f	Vieh, Fahrhabe	w	Wonne	b	Birkenreis
u	Ur, Auerochse	h	Hagel	e	Pferd
th	Riese	n	Not	m	Mensch
a	Ase, Seelen-	i	Eis	ng	Ing (Frucht-
	gottheit	j	(gutes Jahr)		barkeitsgott)
r	Ritt, Wagen	p	Fruchtbaum	o	Erbbesitz
k	Geschwür,	z	Elch	d	Tag
	Krankheit	s	Sonne		
g	Gabe	t	Gott		

Die Alemannen ritzten ihre Runen meistens auf Buchenstäbchen ein. Von diesem Buchenstab ist denn auch unser Wort für die heutigen Lautzeichen, der «Buchstabe», abgeleitet.

Bewaffnter Alemanne (nach H. Witzig)

Warum reden wir von Buchstaben?

Die Runen waren die ältesten Schrift-zeichen der Germanen. Eine Rune hatte sowohl eine Lautbedeutung (z.B. f) als auch einen Begriffswert (z.B. Vieh). Diesen Runen wurde Zauberkraft zuge-schrieben, weshalb sie in viele Gegen-stände, vor allem auch in Waffen geritzt wurden.

Fürio, Hilfio, Mordio

In der Sippe fühlten sich die Aleman-nen geborgen; die Blutsverwandtschaft gab ihnen einen starken Zusammenhalt. Während Jahrhunderten wurde der Sip-pe das Recht auf Selbsthilfe im Falle ei-nes Verbrechens zugestanden. So wurde ein Mörder nicht vor ein öffentliches Gericht gestellt, sondern durch die be-troffene Sippe verfolgt und meistens auch getötet. Diese Blutrache überdau-erte oft Jahre und Generationen. Wurde der Verbrecher selbst nicht gefangen, musste ein anderes Sippenmitglied für ihn büssen. Später wurde die Blutrache nicht mehr so streng ausgeübt, und die Sippe des Mörders konnte beispielswei-se bei Totschlag den Täter mit einem Wer-Geld loskaufen, z.B. forderte man mindestens 27 Pferde, für eine getötete Frau sogar das Doppelte! Selbsthilfe war aber auch bei anderen Verbrechen oder Vergehen als Mord üblich und möglich. Ein Dieb oder Brandstifter z.B. konnte vom Geschädigten, sofern er ihn bei der Tat ertappte, sofort abgeurteilt werden. Um Zeugen für die Tat zu erhalten, musste er aber Nachbarn oder Verwandte mit lautem Geschrei herbeirufen; auf diese Weise erklären sich heute noch gängige Ausdrücke wie «Zeter, Hilfio, Mordio, Fürio» (auch «Diebio» dürfte gerufen worden sein).

Wenn zwei Alemannen einen Streit (= Sache) hatten, tagte die Hundertschaft unter dem Vorsitz des Gaugrafen im Freien. «Sacher» und «Widersacher» trugen ihr Anliegen vor, worauf der «Umstand» (die Männer, die ringsum standen) dem einen oder dem andern recht gab.

Unsere Wochentage und die germanischen Götter

Die Germanen unterschieden zwischen guten und bösen Göttern. Die guten, die Asen, lebten in Asgard, dem himmlischen Reich, die bösen beherrschten die Unterwelt, welche Hal genannt wurde; daraus lässt sich die «Hölle» ableiten. Bei den guten Göttern war Wodan der wichtigste, der im Göttersaal Walhalla sass und oft mit seinem Gefolge durch die Lüfte zog, um gegen die bösen Mächte (Loki) zu streiten. Dann erlebten die Menschen Gewitterstürme. Wodans Tag war der Mittwoch (englisch Wednesday), an welchem man nach germanischer Auffassung nichts Neues unternehmen sollte; dieser Aberglaube hat sich als Bauernregel bis

heute in gewissen Gegenden erhalten. Wodan zur Seite standen Freya, die Göttin der Liebe, der Freundschaft, des Hausstandes und der Fruchtbarkeit, weshalb an ihrem Wochentag, am Freitag, früher oft geheiratet wurde. Vom Wettergott Donar leitet sich der Donnerstag, vom Kriegsgott Ziu der Dienstag (Mundart: Ziistig) ab.

Wetterstürme deuteten den Germanen an, dass die guten Götter gegen die bösen kämpften. Mit dem Sieg der Asen begann jedesmal der Frühling, was mit Freudenfeuern gefeiert wurde; Fasnachtsfeuer und Feste zu Beginn des Frühlings («Böögg») dürften hier ihren Ursprung haben.

Die Germanen ahnten hinter all den Naturerscheinungen göttliche Wesen und Geister. Alles war von Göttern und Geistern belebt. Auch Riesen, Zwerge, Elfen, Kobolde und Nymphen gehörten zu ihrer Wirklichkeit; diesen Wesen begegnen wir heute noch in den Märchen und Sagen. Eine wichtige Rolle im Denken der Germanen spielte die Eberesche Iggdrasil, die sie sich an einem Weiher mit klarem Wasser dachten. In ihrem Wipfel sass ein Adler und blickte zur Sonne, während an ihrer Wurzel ein Drache nagte. Am Rande des Weihers sassen die drei Nornen. Die eine spann Lebensfäden, die zweite verknüpfte sie miteinander, und die dritte schnitt sie wieder durch, wo und wie es ihr gefiel. Es ist möglich, dass die Kinderverse «Rite, rite Rössli, z Bade stoht es Schlössli» ihren Ursprung im Bild der Nornen haben. Nach einer andern Version geht dieser Spruch aber sogar auf einen römischen Tempel in Baden zurück, in welchem ein Bild der drei Matronen verehrt wurde.

7. Das Mittelalter

*a) Vom Bund der Eidgenossen bis zur
Eroberung des Aargaus*

Im 11. Jahrhundert vereinigte sich das
Königreich Burgund mit dem Deutschen Reich, dem unser heutiges Kantonsgebiet nun für lange Zeit angehörte.
Während der nächsten Jahrhunderte bemühten sich die deutschen Könige,
erfolglos zwar, das «Heilige Römische
Reich» und damit die politische Einheit
des Abendlandes wiederherzustellen.
Innerhalb des Reiches kämpften viele
Grafengeschlechter um wachsenden
Einfluss und Macht. In unserer Gegend
bekannte Grafengeschlechter waren die
Zähringer, die *Lenzburger*, die *Kyburger*,
die *Habsburger*, die *Homberger* und die
Froburger, welche sich ihren Herrschaftsbereich unter anderem durch Stadtgründungen sicherten.

Graf Rudolf von Habsburg

Der Stammsitz des Habsburger Geschlechts war das Schloss Altenburg an
der Aare bei Brugg; 1020 wurde die
«Habichtsburg» (Habsburg) auf dem
Wülpelsberg gebaut. Die Stammlande
der Habsburger umfassten Besitzungen
im Aargau, im Zürichgau, im Breisgau
und im Elsass. Als mit den Kyburgern
eine der mächtigsten Dynastien im
schweizerischen Mittelland ausstarb,
erbten die Habsburger weitere Gebiete
(Thurgau, Baden, Lenzburg) dazu. Von
den Froburgern (ob Olten) erwarben
sie Zofingen, womit das ganze heutige
Kantonsgebiet habsburgisch geworden
war. Nach dem Sieg über den Böhmenkönig Ottokar gewannen die Habsburger die Herzogtümer Österreich, Steiermark und Krain. Das Geschlecht wurde

fortan Habsburg-Österreich genannt,
welche Wortverbindung heute noch
geläufig ist. 1273 wurde Graf Rudolf
von Habsburg deutscher König, womit
das seit 1250 bestehende Interregnum
(die königlose Zeit) endete. Rudolf von
Habsburg wurde von seinen Untertanen sehr geachtet, weil er sich mutig für
den Landfrieden einsetzte, unerschrocken Raubritter bekämpfte und sein
Reich mit sicherer Hand, List und Tapferkeit zusammenhielt und erweiterte.

König Albrecht und Königsfelden

Nach Rudolfs Tod im Jahre 1291 kam
es zu einer allgemeinen Auflehnung gegen die Habsburger, was unter anderem
auch im Bund der drei Waldstätte seinen
Ausdruck fand. Rudolfs Sohn Albrecht
vermochte sich aber gegen seine Feinde
durchzusetzen und wurde 1298 deutscher König. Er wohnte oft auf dem
Schloss Stein zu Baden. Am 1. Mai 1308
ritt er seiner Gemahlin Elisabeth entgegen, die von einer Badekur in Rheinfelden über den Bözberg zurückkehrte.
Nach der Überquerung der Reuss wurde Albrecht von seinem Neffen Johann
und gedungenen Mordgesellen überfallen und ermordet. Die Witwe des Königs liess an der Mordstelle eine Kapelle,
später (1310) das Kloster Königsfelden
(daher auch der Name) errichten. Nach
der Überlieferung bezeichnet der Altar
der Klosterkirche genau den Ort, an
dem der Mord geschah.

*Aargauische Truppen im Kampf gegen die
Eidgenossen*

Das Deutsche Reich zerfiel in der Folge immer mehr in einzelne Fürstentümer, die sich gegenseitig aufrieben oder
sich der selbstbewusster werdenden Un-

tertanen nicht zu erwehren vermochten.
1315 unterlagen die Habsburger am
Morgarten den Eidgenossen, die hierauf
einen neuen Bund schlossen. Dieser erweiterte sich in der Folge durch die Bei-
tritte von Luzern (1332), Zürich (1351),
Bern (1353), Glarus und Zug (beide
1364). Luzernisches Übergreifen auf das
noch habsburgische Entlebuch führte
1386 zum Sempacherkrieg, aus dem die
Eidgenossen wiederum erfolgreich her-
vorgingen. Wie schon bei Morgarten
kämpften auf seiten der Österreicher
unter Leopold III. Ritter und Stadtbürger aus dem Aargau gegen die Eidgenossen. Wie Chroniken berichten, fielen bei Sempach unter anderen die
Schultheissen von Aarau, Zofingen,
Mellingen, Bremgarten, Rheinfelden,
der Bannerträger von Baden und viele
weitere Bürger. Die Sage berichtet von
Heldentaten: Winkelried opferte für die
Eidgenossen sein Leben; auf österreichischer Seite ist die Tat von Niklaus Thut,
dem Schultheissen von Zofingen, bekannt: von den Feinden bedrängt, unmittelbar vor seinem Schlachtentod, soll
er das Bannertuch in den Mund gestopft
und die Stange mit den Zähnen festge-
halten haben, wodurch das Stadtbanner
keine Beute der Gegner wurde.

Die Eroberung des Aargaus 1415

Im Konzil zu Konstanz, welches die
Einheit der abendländischen Christen-
heit wieder herstellte, war ein neuer
Papst gewählt worden. Einer der Ge-
genpäpste wollte sich jedoch dem Kon-
zilsbeschluss nicht fügen und fand Unterstützung beim österreichischen Herzog Friedrich IV. Darauf sprach der
deutsche König Sigismund über diesen
die Reichsacht aus und forderte dessen

Nachbarn auf, seine Ländereien zu besetzen.

Die Aufforderung erging auch an die
Eidgenossen. Die Berner zogen als erste
aus und eroberten innerhalb von zwei
Wochen 17 Städte und Schlösser längs
der Aare von der Murg bis zur Reuss.
Der Widerstand der österreichischen
Besatzungen war gering. Die Luzerner
und die Zürcher eroberten gemeinsam
Mellingen. Vor Bremgarten stiessen
auch die übrigen Orte (Uri, Schwyz,
Unterwalden, Zug, Glarus) dazu. Am
hartnäckigsten wurde die Stadt Baden
vom Grafen von Mansperg verteidigt.
Als die Stadt schliesslich fiel, schleiften
die Eidgenossen das Schloss Stein, aus
dem ihnen so starker Widerstand erwachsen war. Fortan regierten Landvögte im Namen der Eidgenossen das
aargauische Untertanenland.

b) Rittertum im Aargau

Die Ritter gingen aus dem berittenen
Kriegerstand des 10. Jahrhunderts hervor; die Begriffe Reiter und Ritter gehören also zusammen. Dabei ist zwischen den Adeligen und Abkömmlin-
gen aus Fürstenhäusern einerseits und
den unfreien Dienstleuten mit Heeres-
verpflichtung und Landlehen anderseits
zu unterscheiden. Das Rittertum der
Hochblüte (1000 bis 1300) war ein Stand
mit hohen ethischen Prinzipien. Im Alltag und besonders bei Hof galten strenge
Sitten und Regeln; das Wort Höflich-
keit hat hier seinen Ursprung.

Wie die Ritter lebten

Der Tageslauf eines Ritters war auch
durch seine Ideale (Gottesdienst, Hof-
dienst usw.) geprägt. Der Tag begann
mit der Messfeier, nach dem Frühstück

verteilte der Ritter die Arbeiten, übte sein Richteramt aus und kontrollierte die Feldarbeit. Nachmittags ging man auf die Jagd, und nach dem Abendessen vergnügte man sich im Bad, beim Spielen, Tanzen oder Musizieren.

Die Ritter trugen Kniehosen und enganliegende Strümpfe; weil *ein* Strumpf Hose genannt wurde, nennt man heute noch unser «zweibeiniges» Kleidungsstück ein *Paar* Hosen; dazu trug man ärmellose Fest- oder strapazierfähige Kapuzenmäntel. Die Frauen trugen lange Röcke mit Schleppen, Kopftücher und schmuckverzierte Gürtel. Die Farben der Kleidung spielten eine grosse Rolle. Weiss symbolisierte Hoffnung, Grün Aufleben einer Liebe, Rot Kampfeslust und Liebesglut, Blau Treue und Schwarz den Tod; die meisten dieser Farben haben bis heute, jedenfalls im westlichen Kulturkreis, diese Bedeutung behalten.

Die Ritterzeit der Hochblüte kannte den Krebspanzer noch nicht. Diese «typische» Vorstellung eines Ritters trifft erst für das 14. Jahrhundert zu. Vorher war der Harnisch, ein schmiegsames Eisengewand («in Harnisch bringen» = reizen, in Wut bringen), Hauptbestandteil der Rüstung.

Die Waffen des Ritters waren, je nach Stand, das Schwert, der Speer oder die Lanze, der Bogen, die Armbrust, der Schild, im äussersten Notfall der Dolch und die Streitaxt. Die neben dem Morgenstern und der Hellebarde urtypische Waffe der Eidgenossen, die Armbrust, hat weder mit dem Arm noch mit der Brust etwas zu tun, sondern ist eine Verballhornung des lateinischen «Arcubalista» (Bogenwurfmaschine). Die Waffen

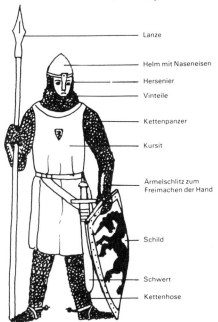

Lanze
Helm mit Naseneisen
Hersenier
Vinteile
Kettenpanzer
Kursit
Ärmelschlitz zum Freimachen der Hand
Schild
Schwert
Kettenhose

Ritterrüstung 11.Jahrhundert
(aus: Wir erleben Geschichte)

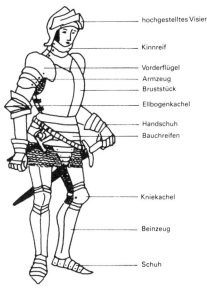

hochgestelltes Visier
Kinnreif
Vorderflügel
Armzeug
Bruststück
Ellbogenkachel
Handschuh
Bauchreifen
Kniekachel
Beinzeug
Schuh

Ritterrüstung 15.Jahrhundert (Krebspanzer)

und die Rüstung des Ritters wogen zusammen gegen einen Zentner. Die Ritter kennzeichneten ihre Ausrüstung, ihre Waffen, vor allem ihre Schilde mit einfachen Figuren oder kontrastreichen Farben. Das mittelhochdeutsche Wort für Waffen lautete «Wapen», woraus sich die neue Wortbedeutung «Wappen» herausbildete.

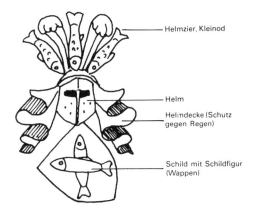

Helmzier, Kleinod

Helm

Helmdecke (Schutz gegen Regen)

Schild mit Schildfigur (Wappen)

Diese Abzeichen vererbten sich und wurden allgemein in Schildform weitergegeben.

Ritterschlag und Hofnachrichten

Die Ritter wurden streng erzogen. Der Ritterschlag, die Schwertleite, stand am Ende eines dreimal siebenjährigen Erziehungsprozesses. Bis zum 7. Lebensjahr bestimmte das Spiel den Alltag des Kindes, bis zum 14. Lebensjahr

Bergfried (am Beispiel des Turmes von Kaiserstuhl) (nach W. Merz)

1 Verlies: feucht, modrig, ohne Licht, Schmutz, Kot, Kröten, Schlangen
2 Eingang
3 Eingangs- und Kampfraum Verliesloch (Angstloch)
4 Küche und Schlafstätte für Knechte

5 Kemenate mit offenem Kamin
6 Festsaal und Aufenthaltsort der Männer
7 Wächterwohnung
8 Warenaufzug
9 Tretrad

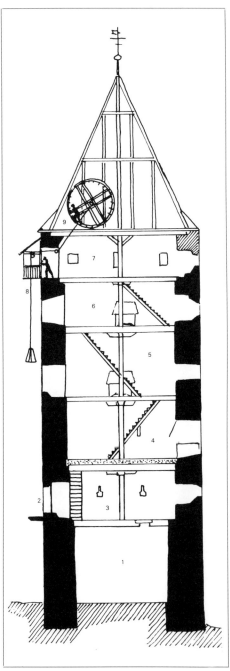

erfolgte die Unterweisung als Edelkna-
be oder Page, meist bei befreundeten
Rittersleuten, und bis zum 21. Lebensjahr nannte man den angehenden Ritter
Knappe, der von einem Meisterknap-
pen geführt wurde. Nach einem feierlichen Zeremoniell wurde der Jüngling
anschliessend durch drei Schläge mit der
flachen Schwertklinge auf die Schulter
zum Ritter geschlagen, ein heute etwa
noch in England übliches Zeremoniell.

Wenige Leute konnten in der Ritterzeit lesen und schreiben. Darum spielte
der fahrende Sänger eine grosse Rolle.
Er brachte Neuigkeiten von Hof zu Hof
und sang Helden- und Minnelieder. Die
Dichtung der Zeit äusserte sich vor allem in diesen Minneliedern, in denen die
Frauen verehrt wurden. In der Manessi-
schen Handschrift, die im 13. Jahrhundert wahrscheinlich in Zürich (Ratsherr
und Ritter Maness) entstanden ist, findet
man Minnelieder von 140 Dichtern,
darunter von fünf Minnesängern aus
dem Aargau: Steinmar, Walter von
Klingen, Hesso von Rinach, Graf Werner von Homberg und Heinrich von
Dettingen (Döttingen).

Die Mahlzeiten waren schon, jedenfalls bei begüterten Rittern, sehr reich-
haltig und wickelten sich nach bestimmten Tischregeln ab. Die Tischplatte
wurde auf zwei Böcke gestellt; wenn
das Mahl beendet war, hob man die Tafel auf; dieser Ausdruck ist heute noch
gebräuchlich.

Burgen und Ruinen im Kanton Aargau

Der Aargau ist ein an Burgen und
Ruinen überaus reicher Kanton. Man
kann zwischen Höhenburgen (Beispiele: Lenzburg, Schenkenberg, Tierstein), Wasserburgen (Beispiel: Hallwil) und Stadtburgen (Beispiele: Turm
Rore Aarau, Landvogteischloss Baden)
unterscheiden.

Die Lenzburg als Beispiel

An einer Burganlage wurde oft jahrelang gearbeitet, die Lenzburg beispielsweise entstand in einem Zeitraum von
400 bis 500 Jahren. Folgende Entwicklung lässt sich verfolgen:

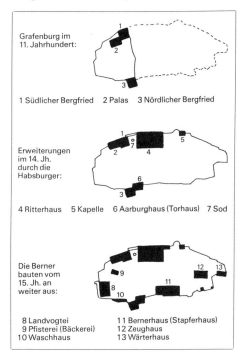

Grafenburg im 11. Jahrhundert:

1 Südlicher Bergfried   2 Palas   3 Nördlicher Bergfried

Erweiterungen im 14. Jh. durch die Habsburger:

4 Ritterhaus   5 Kapelle   6 Aarburghaus (Torhaus)   7 Sod

Die Berner bauten vom 15. Jh. an weiter aus:

8 Landvogtei   11 Bernerhaus (Stapferhaus)
9 Pfisterei (Bäckerei)   12 Zeughaus
10 Waschhaus   13 Wärterhaus

c) Die mittelalterliche Stadt

Die meisten Städte, auch diejenigen
des Aargaus, gehen ins Mittelalter zurück. Jede Stadt hat dabei ihre ganz besondere Gründungsgeschichte, und Gemeinsames lässt sich wenig erkennen.
Könige und Fürsten errichteten die
Städte, weil sie damit ihre Verteidigungsanlagen verstärken und ihre Herr-

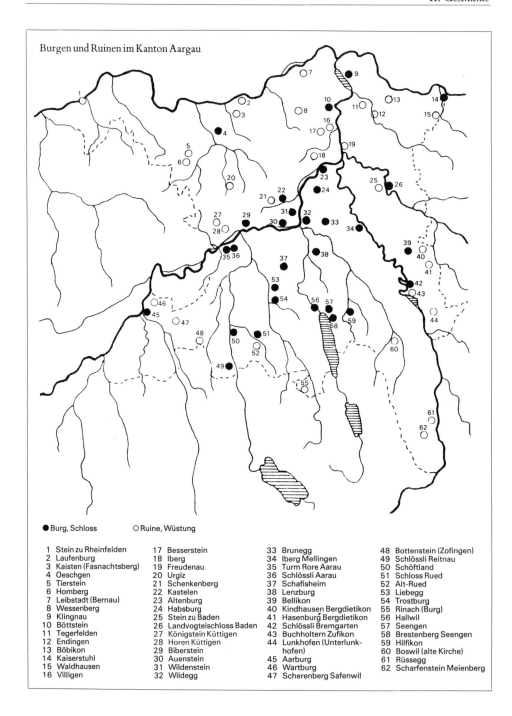

Burgen und Ruinen im Kanton Aargau

● Burg, Schloss   ○ Ruine, Wüstung

1 Stein zu Rheinfelden	17 Besserstein	33 Brunegg	48 Bottenstein (Zofingen)
2 Laufenburg	18 Iberg	34 Iberg Mellingen	49 Schlössli Reitnau
3 Kaisten (Fasnachtsberg)	19 Freudenau	35 Turm Rore Aarau	50 Schöftland
4 Oeschgen	20 Urgiz	36 Schlössli Aarau	51 Schloss Rued
5 Tierstein	21 Schenkenberg	37 Schafisheim	52 Alt-Rued
6 Homberg	22 Kastelen	38 Lenzburg	53 Liebegg
7 Leibstadt (Bernau)	23 Altenburg	39 Bellikon	54 Trostburg
8 Wessenberg	24 Habsburg	40 Kindhausen Bergdietikon	55 Rinach (Burg)
9 Klingnau	25 Stein zu Baden	41 Hasenburg Bergdietikon	56 Hallwil
10 Böttstein	26 Landvogteischloss Baden	42 Schlössli Bremgarten	57 Seengen
11 Tegerfelden	27 Königstein Küttigen	43 Buchholtern Zufikon	58 Brestenberg Seengen
12 Endingen	28 Horen Küttigen	44 Lunkhofen (Unterlunk-	59 Hilfikon
13 Böbikon	29 Biberstein	hofen)	60 Boswil (alte Kirche)
14 Kaiserstuhl	30 Auenstein	45 Aarburg	61 Rüssegg
15 Waldhausen	31 Wildenstein	46 Wartburg	62 Scharfenstein Meienberg
16 Villigen	32 Wildegg	47 Scherenberg Safenwil	

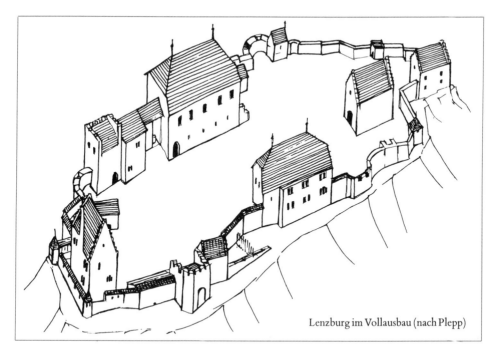

Lenzburg im Vollausbau (nach Plepp)

schaft konsolidieren, Verkehrswcge schützen, Fluss- und Seehäfen sichern konnten; mit der Erhebung von Zöllen und Gebühren in den Städten bot sich ihnen eine weitere Einnahmequelle an. Mit dem Stadtrecht waren weitere Rechte, etwa das Marktrecht, das Befestigungsrecht und die Gerichtsbarkeit, gekoppelt.

Aus dem Leben in der mittelalterlichen Stadt

Das Leben in der mittelalterlichen Stadt zeigt in manchen Bereichen (Verteidigung, Feuerwehr, Seuchenbekämpfung, Handwerk, Markt, Wasserversorgung) auf eindrückliche Weise soziales Zusammen- und Aufeinanderangewiesensein.

Einige Institutionen und Benennungen haben sich bis in unsere Zeit erhalten. Die hygienischen Kenntnisse dürften noch nicht gross gewesen sein, wurde doch beispielsweise der Unrat aus Küche und Werkstatt auf die Strasse hinausgeworfen, weshalb leicht Seuchen aufkommen konnten. Der Häuserzusammenbau erhöhte die Gefahr von Feuersbrünsten.

Den täglichen Einkauf besorgten die Stadtleute «am Laden»; Handwerker legten ihre Produkte auf den hinuntergeklappten Fensterladen im Erdgeschoss aus (daher auch der heutige Ausdruck). Daneben kannte man einen Wochenmarkt, der durch eine Marktordnung streng geregelt war, und mehrere Tage dauernde Jahrmärkte oder Messen. Meist gab es einen Pfingst- und einen Martinimarkt (11. November). Zu den Alltagsprodukten kamen bei diesen Grossmärkten vor allem fremdländisches Tuch, Lederwaren und Pferde. An

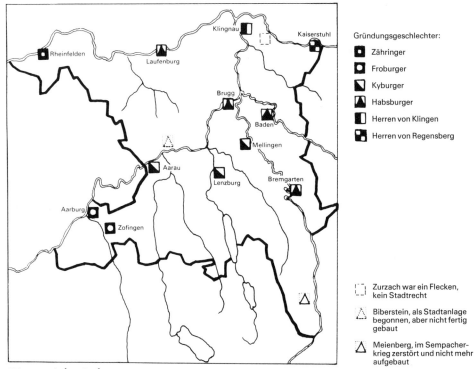

Gründungsgeschlechter:

- Zähringer
- Froburger
- Kyburger
- Habsburger
- Herren von Klingen
- Herren von Regensberg

Zurzach war ein Flecken, kein Stadtrecht

Biberstein, als Stadtanlage begonnen, aber nicht fertig gebaut

Meienberg, im Sempacher-krieg zerstört und nicht mehr aufgebaut

Die aargauischen Städte

Jahrmärkten tauchten auch fahrende Leute, Gaukler, Bettler und «schlechte Weiber» auf. Berühmt war *Zurzachs Verenenmesse.*

Handwerker einer Stadt schlossen sich zu Zünften oder Bruderschaften (religiös begründet) zusammen und bauten eigene Häuser für gesellige Zusammenkünfte und für Sitzungen. Sie regelten das Handwerkswesen einer Stadt. In *Baden* beispielsweise gab es bei etwa 1500 Einwohnern 150 Handwerker und 40 Wirte. Als Bruderschaften der Stadt Baden sind bekannt: die Schuhmacher (auch die Gerber, Kürschner, Sattler usw. gehörten dazu), die Hufschmiede (inklusive Kessler,

Schlosser, Spengler, Schwertfeger, Wagner, Tischler, Zimmerleute, Maurer, Steinmetze usw.), die Pfister (Bäcker und Müller), die Metzger sowie die Schneider und Weber (auch Färber und Hutmacher dabei).

Die Vorfahren von Stadtammann, Gemeinderat und Einwohnerrat

Das Stadtoberhaupt hiess im Mittelalter Schultheiss; dieser war der Vertreter des Stadtherrn (König, Fürst) und entsprach dem heutigen Stadtammann. Der kleine Rat (sechs alte und sechs neue Räte) ist dem heutigen Gemeinderat, der grosse Rat der 40 den Einwohnerräten ähnlich. Als Stadtämter kannte man etwa den Stadtschreiber, den Werkmeister, den Brunnenmeister, Stadtknechte (Tor- und Nachtwächter), den Leutpriester, Kapläne, Fleisch-, Brot- und Fischschauer; Ämter und Namen also, die sich teilweise bis heute erhalten haben. Die Städte hatten zumeist eigene Gerichte. Blutsbalken im Stadtwappen deuteten an, dass man berechtigt war, über Leben und Tod (Blut) zu entscheiden. Im allgemeinen wurde sehr streng bestraft (viele Körperstrafen). Gefäng-nisstrafen gab es nicht; der Verdächtige blieb im Kerker bloss bis zur Aburteilung. Geständnisse wurden den Angeklagten oft mit grausamen Foltern abgerungen, aber auch auf das sogenannte Gottesurteil (z. B. Feuer- oder Wasserprobe) wurde abgestellt. Die Redewendung «über einem den Stab brechen» kommt daher, dass der Vorsitzende einer Gerichtssitzung bei der Verurteilung über dem Kopf des Angeklagten einen weissen Stab zerbrach.

Die mittelalterliche Stadt Baden

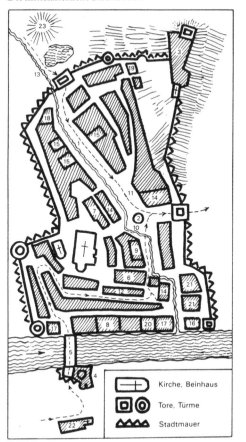

Wichtigste Bauten (Steinhäuser!) und Anlagen:

1 Hauptgasse (Weite Gasse)
2 Brunnen
3 Burg
4 niedere Feste
5 Brücke
6 Rathaus
7 Spital
8 Kornhaus mit Kellerei
9 Salzhaus
10 Fischmarkt mit Brunnen
11 Gerichtsplatz
12 Zeughaus
13 Stadtbach: Reinigung der Strassen und der Familienwäsche, Wasser für Feuerlöschen. Da Bäche zeitweise versiegten, legte man vor der Stadt Weiher als Wassersammler ($\sim\!\!\sim$) an.

Handwerksbetriebe und übrige Bauten:

14 Zunfthäuser und Herbergen: Unterkünfte mit Stallungen (für Krämer, Kaufleute, Fuhrleute). Speiseraum war auch Schlafraum (Stroh, Laubsäcke)
15 Bäckereien, gleiche Handwerksbetriebe zumeist in der gleichen Gasse (Schmiedgasse, Metzgergasse, Pfistergasse...)
16 Färberei: Gewoben wurde auf dem Land, gefärbt und gehandelt in der Stadt. Färber brauchten Wasser (Lage!)
17 Gerbereien: Am Rande der Stadt (Gestank) und am Wasser (Arbeitsvorgang)
18 Badestube
19 Bauernhäuser mit Scheunen, Miststock
20 Sägerei
21 Mühlen

Ausserhalb der Stadt:

22 Siechenhaus
23 Galgenhügel

Kirche, Beinhaus

Tore, Türme

Stadtmauer

Feuer und Aussatz

Besondere Gefahren der Städte waren die Brände und ansteckende Krankheiten. Eine der wichtigsten Aufgaben des Nachtwächters war die Beobachtung der Stadt auf mögliche Feuerherde hin. 1396 brannte die ganze Stadt *Zofingen*, und das Unglück wiederholte sich 30, 60 und 70 Jahre später.

Grausam wütete in Städten und Dörfern oftmals der Aussatz (Lepra), eine ansteckende Krankheit, die sich mit weissen Flecken und Knollen auf der Haut anzeigte. Wer aussätzig war, wurde nach einer Untersuchung aus der Gemeinschaft der Gesunden ausgeschlossen, oftmals sogar nach einem Gottesdienst, und hatte sich in das Siechenhaus zu begeben. Das kam sozusagen einem Todesurteil gleich.

Noch gefährlicher als der Aussatz war die Pest, der «Schwarze Tod», die ganze Bevölkerungen von Städten und Dörfern in kurzer Zeit dahinraffte.

d) Die Klöster

Leute, die ihr Leben ganz in den Dienst Gottes stellen wollten, fanden im Kloster (Claustrum = Schloss, Riegel) Aufnahme. Ihr Leben war geprägt durch die Grundregel des heiligen Benedikt («ora et labora – bete und arbeite!»). Die ersten Klöster waren Einsiedeleien gewesen, weitab vom Getriebe der Welt (griechisch monachos = Einsiedler, Mönch). Der Mönch legte drei Gelübde, auf die Armut (Besitzlosigkeit), die Ehelosigkeit (Keuschheit) und den Gehorsam, ab.

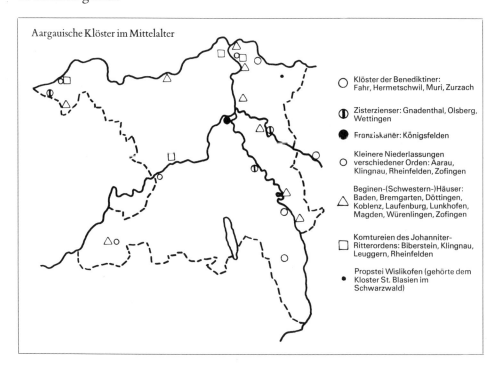

Aargauische Klöster im Mittelalter

○ Klöster der Benediktiner: Fahr, Hermetschwil, Muri, Zurzach

◐ Zisterzienser: Gnadenthal, Olsberg, Wettingen

● Franziskaner: Königsfelden

○ Kleinere Niederlassungen verschiedener Orden: Aarau, Klingnau, Rheinfelden, Zofingen

△ Beginen-(Schwestern-)Häuser: Baden, Bremgarten, Döttingen, Koblenz, Laufenburg, Lunkhofen, Magden, Würenlingen, Zofingen

□ Komtureien des Johanniter-Ritterordens: Biberstein, Klingnau, Leuggern, Rheinfelden

• Propstei Wislikofen (gehörte dem Kloster St. Blasien im Schwarzwald)

Aargauische Klöster im Mittelalter

Die Klöster waren für das Geistesleben des Mittelalters von entscheidender Bedeutung. Ordensangehörige erteilten Schulunterricht, schrieben von Hand Bücher (berühmt: *Wettinger Graduale*), bauten Bibliotheken auf und entwickelten eine rege Tätigkeit auf dem Gebiete der Geschichtsschreibung, der Dichtung und der Musikpflege. Neben dieser Kulturpflege war man um den Dienst am Nächsten bemüht (eigentliche Für-sorge); Klöster nahmen aber auch massgebenden Einfluss auf die Landwirtschaft und das Handwerk. Das *Kloster Wettingen* beispielsweise besass grosse Ländereien und landwirtschaftlich nutzbaren Boden in über 50 Ortschaften. Hörige oder freie Bauern standen im Klosterdienst und lieferten ihre Zehnten ab. Entsprechende Aufzeichnungen hat man beispielsweise im *Kloster Muri* (Acta Murensia) gefunden.

Orden des Mittelalters

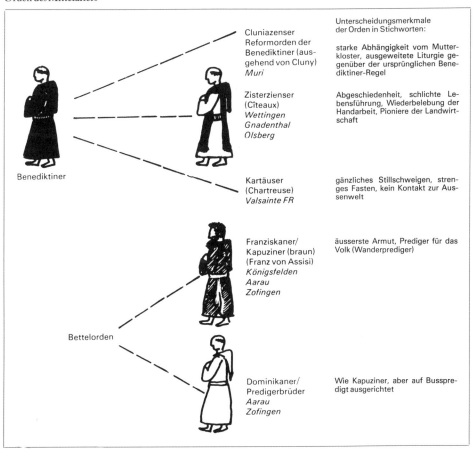

Cluniazenser
Reformorden der Benediktiner (ausgehend von Cluny)
Muri

Zisterzienser (Cîteaux)
Wettingen
Gnadenthal
Olsberg

Kartäuser (Chartreuse)
Valsainte FR

Franziskaner/ Kapuziner (braun) (Franz von Assisi)
Königsfelden
Aarau
Zofingen

Dominikaner/ Predigerbrüder
Aarau
Zofingen

Benediktiner

Bettelorden

Unterscheidungsmerkmale der Orden in Stichworten:

starke Abhängigkeit vom Mutterkloster, ausgeweitete Liturgie gegenüber der ursprünglichen Benediktiner-Regel

Abgeschiedenheit, schlichte Lebensführung, Wiederbelebung der Handarbeit, Pioniere der Landwirtschaft

gänzliches Stillschweigen, strenges Fasten, kein Kontakt zur Aussenwelt

äusserste Armut, Prediger für das Volk (Wanderprediger)

Wie Kapuziner, aber auf Busspredigt ausgerichtet

8. Der Aargau als eidgenössisches Untertanenland

Fast vier Jahrhunderte lang – ab 1415 bis Ende des 18. Jahrhunderts – war das Gebiet des heutigen Aargaus Untertanenland. Die siegreichen Eidgenossen hatten dabei mit ihrer Grenzziehung das Territorium des heutigen Kantons in jene Teile aufgegliedert, die mit ihrer besonderen Prägung noch heute das politische Bild des Aargaus bestimmen. Der Berner Aargau, für welches Gebiet Bern allein verantwortlich war, umfasste nach dem Übergreifen Berns über die Aare (1460) die heutigen Bezirke Aarau, Brugg, Kulm, Lenzburg und Zofingen. Die Grafschaft Baden (die Bezirke Baden und Zurzach) war Gemeine Herrschaft der acht alten Orte. Die Freien Ämter (die Bezirke Bremgarten und Muri) standen unter denselben Orten ohne Bern und (bis 1531) ohne Uri. Das Fricktal hingegen blieb bis 1802 habsburgisch-österreichisch und «erlebte» noch die Kaiserin Maria Theresia und ihren Sohn Josef II. Noch heute fällt auf, dass man im Fricktal häufig auf Wirtshäuser mit der Bezeichnung «Adler» stösst, während im Berner Aargau weit mehr «Bären» anzutreffen sind; auch dies geht noch auf die Untertanenzeit zurück.

Die Eroberung des Aargaus durch die Eidgenossen gilt – von aargauischer Warte aus – nicht als Ruhmesblatt in der Geschichte unseres Kantons. Von einigen Ausnahmen abgesehen war der Widerstand der einzelnen Städte und Burgen äusserst schwach. Aber die Interessen des zahlreichen Adels, der vielen kleinen Städte und des Landvolks in unserem Gebiet waren viel zu zersplittert,

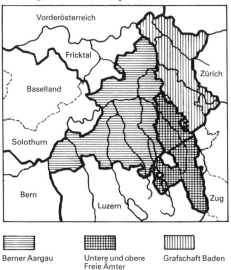

Der Aargau 2. Hälfte des 15. Jahrhunderts bis 1798

Vorderösterreich

Fricktal

Zürich

Baselland

Solothurn

Bern

Luzern

Zug

Berner Aargau   Untere und obere   Grafschaft Baden
                    Freie Ämter

als dass der Aargau als Einheit den Eroberern hätte entgegentreten können. Auch sah man sich von aussen, von Habsburg-Österreich, völlig verlassen und wollte unnötiges Blutvergiessen vermeiden.

Landvögte im Aargau

Der Aargau wurde nun in Landvogteien aufgeteilt, deren Ausgestaltung im einzelnen recht verschieden war. Die Berner Landvögte gewährten ihren Untertanen etwas grössere Selbständigkeit als die andern, doch allgemein versuchte man, aus dem betreffenden Gebiet etwas «herauszuholen». Landvogteisitze der Berner waren etwa *Aarburg, Lenzburg, Schenkenberg, Kastelen, Biberstein* und später *Wildenstein*. Zentren der Gemeinen Herrschaften waren *Baden* und *Bremgarten*, wobei die beteiligten Orte die Landvögte abwechselnd auf zwei Jahre bestellten. Dieser Turnus begünstigte Misswirtschaften eher noch und hemmte eine kontinuierliche Entwicklung. 1803 hatte der Berner Aargau jedenfalls einen beträchtlichen Vorsprung gegenüber den andern Kantonsteilen.

In dieser Untertanenzeit ging aus dem Aargau wenig Stosskraft innerhalb der Eidgenossenschaft hervor. Verschiedentlich war aber unser Gebiet Schauplatz wichtiger, geschichtsbestimmender Ereignisse. Die alte Eidgenossenschaft war wohl ein geographisch einigermassen geschlossener Raum, doch waren die Gegensätze in diesem Rahmen gross. Die innere Zerrissenheit führte zur aussenpolitischen Lähmung, und weitere Ereignisse machten die starre alte Eidgenossenschaft im Zuge der von der Französischen Revolution ausgehenden Wandlungen sturmreif.

Die Mordnacht zu Brugg 1444

Um das Toggenburger Erbe stritten sich die beiden Orte Schwyz und Zürich, was zu einem 14jährigen Krieg, dem Alten Zürichkrieg, unter den Eidgenossen führte. Zürich verbündete sich mit dem ehemaligen Erzfeind Österreich. Die Schwyzer, unterstützt von den übrigen Orten, reagierten darauf mit der Besetzung Bremgartens, was die Zürcher zu verschiedenen Überfällen auf die Städte *Bremgarten, Baden und Mellingen* veranlasste. Als ein eidgenössisches Heer schliesslich Zürich belagerte, schickte Frankreich durch Vermittlung Österreichs den Zürchern die berüchtigte Armagnaken-Armee zu Hilfe.

Dieser Armee wäre auf dem Marsch nach Zürich die Stadt Brugg, die den Bernern gehörte, im Wege gestanden, weshalb die Österreich-Freunde Ritter Hans von Rechberg und Graf Thomas von Falkenstein einen Plan ausheckten, wie das Aarestädtchen schon vorher kampfunfähig gemacht werden konnte. Sie täuschten den Brugger Ratsherren vor, zwischen den befeindeten Orten sei Friede geschlossen worden und der Bischof von Basel sei unterwegs, um diesen zu besiegeln. Wenige Tage später in der Nacht öffnete der Torwächter in Brugg dem anrückenden Bischof, der aber niemand anders als der verkleidete Hans von Rechberg war, das Stadttor, worauf österreichische Soldaten sogleich die Stadt erstürmten und in Brand setzten und viele Bürger im Bett erstachen. Ein Grossteil der Stadt ging in Flammen auf.

Das «Hindernis Brugg» wäre also beseitigt gewesen, doch stellten die Schwyzer und ihre Verbündeten das französische Heer schon bei St. Jakob an der Birs, wo es zu einer blutigen Schlacht kam. Die Eidgenossen wehrten sich mit grosser Tapferkeit, weshalb sich die Armagnaken trotz dem Schlachtensieg nach Frankreich zurückzogen. Weil die Schwyzer damals an der Spitze der Eidgenossen gestanden hatten, entwickelte sich danach aus ihrem Namen das Wort «Schweizer» und aus ihrem Feldzeichen das Schweizer Wappen. 1450 versöhnten sich die eidgenössischen Orte wieder.

Die eidgenössische Eroberungspolitik hielt aber weiterhin an und zog auch den Aargau in Mitleidenschaft. In den Burgunderkriegen hatten auch die aargauischen Städte und Landschaften ihre Aufgebote zu stellen, und während des Schwabenkriegs wurden bisweilen auch Ortschaften des Aargaus geplündert oder eingeäschert. Die Niederlage

von Marignano im Jahre 1516 beendete
dann aber die eidgenössischen Gross-
machtträume endgültig.

Die Reformation und der Aargau

Mit Luthers Thesenanschlag im Jahre
1517 setzte die Reformation in Deutschland ein, erfasste bald aber auch die
Schweiz und erschütterte das eidgenössische Staatsgebilde. Auch im Aargau
waren Händler aufgetaucht, welche
durch den Verkauf von Ablasszetteln die
päpstliche Kasse zu füllen versuchten;
diese Zettel fanden beispielsweise in Baden, wo das Badeleben viele fremde
Gäste zusammenführte, lebhaften Absatz. Unter der Führung des Pfarrers Ulrich Zwingli begann sich zunächst in
Zürich und dann in Bern die Reformation durchzusetzen; ähnlich wie in
Deutschland fanden auch hier grosse
Glaubensgespräche (Disputationen)
statt, das erste in der Eidgenossenschaft
1526 in *Baden*. Berns Gebiet, so auch im
Aargau, wurde, zum Teil gegen den
Widerstand der Bevölkerung, reformiert. Der erste Kappelerkrieg unter
den Eidgenossen im Jahre 1529 endete
ergebnislos; erst der zweite Kappelerkrieg brachte den Sieg der Truppen der
katholischen Innerschweiz. Der zweite
Kappeler Landfriede verhinderte die
weitere Ausbreitung der Reformation
in den Gemeinen Herrschaften, ja führte
bis zu einem gewissen Grade zur Reka-
tholisierung; der reformierte Charakter
von Zürich, Bern, Basel und Schaffhausen wurde aber anerkannt. Nachfolger des Reformators Zwingli, welcher
bei Kappel gefallen war, wurde Heinrich Bullinger aus Bremgarten.

Die konfessionelle Spannung hielt
weiterhin an. Aus der Rekatholisie-
rungspolitik Spaniens und Österreichs
entwickelte sich der Dreissigjährige
Krieg (1618 bis 1648), der ganz Europa
erschütterte und bei welchem es letztlich um den Kampf um die europäische
Vormacht zwischen Frankreich und
Spanien ging. In dieser Zeit wurde auch
die Stadt *Rheinfelden* belagert, und im
ganzen Fricktal herrschte schwere
Kriegsnot.

Der Bauernkrieg 1653

Der Westfälische Friede 1648 brachte
der Eidgenossenschaft endlich die völ-
kerrechtliche Anerkennung. Die Gegensätze innerhalb des Bundes blieben
aber unvermindert bestehen. Nach dem
Muster Frankreichs und seiner absolu-
tistischen Könige gebärdeten sich die
Städte, etwa Bern oder Luzern, immer
selbstherrlicher. Die Stadtaristokratie
schmälerte die Rechte der Landbevölke-
rung, die nach dem Dreissigjährigen
Krieg verarmte. Die Bauern waren
schliesslich nicht mehr gewillt, die Pres-
sionen der Städte und die Rücksichtslo-
sigkeit gewissenloser Landvögte hinzu-
nehmen. Als an der Tagsatzung zu *Baden*
die Bauern als böse Buben betitelt wurden, riss der Geduldsfaden. Im April
1653 entwickelte sich unter Führung des
Emmentalers Niklaus Leuenberger ein
Bauernaufstand, bei welchem die Bauern des Berner Aargaus und des Freiamts
die Städte belagerten, dabei beispielsweise in *Aarau* den Stadtbach ableiteten
und auch mit andern Mitteln versuchten, die Stadtbevölkerung einzuschüch-
tern. Ein grosses Bauernheer nahm vorübergehend auch vor Bern Stellung.
Zürcher und Ostschweizer Truppen un-

ter General Conrad Werdmüller rückten schliesslich in den östlichen Kantonsteil ein, wo sie die Bauern vor *Mellingen* vertrieben. Diese sammelten sich mit den heimkehrenden Truppen Leuenbergers und griffen das Lager der Zürcher bei Büblikon an; später wurde der Kampf bei *Wohlenschwil* wieder aufgenommen. Die beiden Dörfer brannten dabei fast gänzlich nieder. Nach einem kurzen Waffenstillstand erbaten die Bauern eine Friedensregelung und bessere Rechte, welche ihnen auch in unbestimmten Worten in Aussicht gestellt wurden. Zu Hause erwartete die Bauern aber ein hartes Strafgericht. Eidgenössische Gerichte in Mellingen und Zofingen verhängten schwere Geldbussen, wiesen aus oder bestraften mit Rutenschlägen, ja auch mit Hinrichtungen; so wurden drei Freiämter Führer enthauptet.

Die Villmerger Kriege

Nach dem Bauernkrieg gelangte in allen Kantonen die politische Macht noch ausschliesslicher in den Besitz weniger Patrizierfamilien. Die konfessionelle Spaltung führte nochmals zu zwei Bürgerkriegen. Den Anlass zum Ersten Villmergerkrieg (1656) boten einige Arther Familien, welche im geheimen der evangelischen Lehre zugetan waren, dann, als dies entdeckt wurde, nach Zürich geflohen waren, wo sie, von dieser Stadt unterstützt, bei der Schwyzer Regierung um die Herausgabe ihrer zurückgelassenen Güter ersuchten. Als die Schwyzer darauf nicht eingingen, erklärten die Zürcher, die auf die Hilfe Berns zählen konnten, den Krieg. Die Berner unter von Erlach zogen gegen die untere Reuss, um sich mit den Zürcher Truppen zu treffen. Die katholischen Orte besetzten *Muri* mit drei Kompanien, beorderten aufs Maiengrün bei *Hägglingen* hundert Mann, und *Bremgarten, Mellingen und Villmergen* wurden mit Freiämter Truppen belegt, die zu den Katholiken hielten. Von Erlach nahm mit seinen 7000 bis 8000 Bernern und Welschen zunächst das Maiengrün. Die Dörfer Dottikon und Hägglingen wurden geplündert, Villmergen als nächstes besetzt. Während der Nacht bezogen die Anführer der Berner in *Lenzburg* Quartier. Der Luzerner Anführer Christoph Pfyffer entschloss sich zu einem überraschenden Angriff. Mit 4000 Luzernern und Freiämtern griff er südlich des Schlosses Hilfikon die zu spät alarmierten Berner an, die eine Niederlage erlitten. Unter den Gefallenen auf seiten Berns befanden sich viele Bürger der Städte Zofingen, Aarau, Aarburg und Brugg.

Im Zweiten Villmergerkrieg (1712) standen sich die gleichen Parteien gegenüber. Ausgangspunkt des erneuten Kräftemessens war aber diesmal ein Konflikt zwischen dem Fürstabt von St. Gallen und seinen reformierten Untertanen im Toggenburg. Letztere erhielten Unterstützung von den reformierten Orten, welche den Zeitpunkt für gekommen sahen, einen endgültigen Entscheid gegen die Katholiken mit den Waffen herbeizuführen. Berner und Zürcher Truppen nahmen zuerst *Mellingen* ein. Sie eroberten nach der «Staudenschlacht» (Kampf in starkem Unterholz) bei *Fischbach-Göslikon* das ganze Freiamt und nach langer Belagerung auch *Baden,* dessen Schloss Stein (1670 wiederaufgebaut) zum zweitenmal geschleift wurde. (Aus den Steinen des geschleiften Schlosses wurde übrigens die erste reformierte Kirche der Grafschaft Baden, diejenige von Baden, erbaut.) Noch einmal erzwang das Heer der katholischen Orte aber den Rückzug der Berner und Zürcher bis *Villmergen,* und ein Zweifronten-Angriff vom Bünzgraben und von den bewaldeten westlichen Talhöhen her brachte die Reformierten in arge Bedrängnis. Erst bei *Hendschiken* wurde der übereilte Rückzug durch die bernischen Offiziere gestoppt. Die Soldaten liessen sich sogar zu einem neuen Angriff ermutigen, der – weil von den katholischen Orten nicht erwartet – Erfolg hatte. Hierauf wurde in *Aarau* Friede geschlossen, der den Einfluss der katholischen Orte im aargauischen Untertanenland stark beschnitt. Sie wurden von der Mitregierung der Grafschaft Baden und der unteren Freien Ämter ausgeschlossen. Der sogenannte Vierte Landfriede von Aarau stellte den Grundsatz der Gleichberechtigung beider Konfessionen in der Eidgenossenschaft und in den Gemeinen Herrschaften her.

Der Untergang der alten Eidgenossenschaft

Das Regime der Berner Patrizier erstarrte zunehmend, und die alte Eidgenossenschaft blieb unfähig, sich zu einem festeren und engeren Bund weiterzuentwickeln. Um die Mitte des 18. Jahrhunderts ergriff die geistige Erneuerungsbewegung im damaligen Europa, die Aufklärung, auch die Schweiz; vor allem die Vorstellung, dass jeder Mensch unverletzliche Rechte und eine unantastbare Menschenwürde besitze, fand mächtigen Widerhall. Führende Köpfe des geistigen Lebens, reformwillige Männer trafen sich 1761 erstmals in *Bad Schinz-*

nach und gründeten die Helvetische Gesellschaft; die Zusammenkünfte wurden Jahr für Jahr wiederholt, und hartnäckig wurde der Zusammenschluss der Eidgenossenschaft zu einem einzigen Staat gefordert, dessen Bürger alle gleiche Rechte und Verbindlichkeiten haben sollten. Opposition gegen die herrschende Ordnung erwuchs aber auch vom neuen Unternehmerstand, der überall auf politische Hemmnisse stiess, wie schliesslich auch von den Untertanen selbst, die den Zustand der Unfreiheit immer schwerer ertrugen. Den Reformbestrebungen blieb aber der Erfolg versagt, und erst der Druck von aussen im Gefolge der Französischen Revolution 1789 führte zum Untergang der alten Eidgenossenschaft.

Zunächst war das Patrizierregime Nutzniesser der Revolutionskriege. Solange Frankreich im Kampf mit den konservativen, revolutionsfeindlichen Mächten (vor allem Preussen und Österreich) stand, lag die Erhaltung der eidgenössischen Neutralität in seinem Interesse. Das änderte sich, als der General Napoleon Bonaparte Oberitalien erobert und im Herbst 1797 die letzten Gegner auf dem Kontinent zum Frieden gezwungen hatte. Nun konnte Frankreich daran denken, die Revolution auch in die Eidgenossenschaft zu tragen und bei dieser Gelegenheit die Alpenpässe für sich zu gewinnen, die es zur Aufrechterhaltung seiner Herrschaft über Oberitalien benötigte. Mit grossem Geschick, Drohungen, Versprechungen und revolutionärer Propaganda bereitete Frankreich die «Befreiung» (welcher Begriff uns heute immer noch sehr vertraut ist!) der Eidgenossenschaft vor.

9. Die Helvetik

Die Jahre 1798 bis 1803 und die Entstehung des Aargaus

Die Zeit der Helvetik war eine Zeit der Gärung. Die Situation unseres Landes hing weitgehend von Napoleons Kriegserfolgen ab und veränderte sich laufend. In dieser Zeit spielte der künftige Kanton Aargau eine wichtige Rolle und stand verschiedentlich im Zentrum der Ereignisse in der Schweiz.

Während die Tagsatzungen früher gewöhnlich in Baden stattgefunden hatten, wickelte sich die letzte, ausserordentliche Tagsatzung der alten Eidgenossenschaft kurz nach Weihnachten 1797 in *Aarau* ab.

Zentralorgan der Eidgenossenschaft war während einiger Jahrhunderte die *Tagsatzung* gewesen, der Rat eidgenössischer Gesandter. Im Verlaufe der Zeit hatte sich der Brauch herangebildet, dass sie jeweils im Juli in *Baden* zusammentrat. Die Gemeine Herrschaft war einigermassen neutraler Boden, und mit dem Bad verbanden sich für die Tagsatzungsherren einige Annehmlichkeiten. Nach der Reformation fanden oft Sondertagsatzungen der Reformierten in Aarau und der katholischen Orte in Luzern statt.

In Aarau riefen die verunsicherten Gesandten der eidgenössischen Orte zu einer Grosskundgebung auf, beschworen am 25. Januar 1798 im Aarauer Schachen noch einmal feierlich den alten Bund und verkündeten ihren festen, gemeinsamen Verteidigungswillen. Bereits hatte sich aber auch der französische Gesandte Joseph Mengaud in Aarau eingenistet, welcher es mit seinen Agenten geschickt verstand, gerade die Bürger der bisherigen Untertanengebiete für sich zu gewinnen; vor allem in Aarau, aber auch in den andern aargauischen Städten mit Ausnahme von Zofin-

gen, wo man vorerst zu Bern hielt, bildete sich die Partei der Patrioten, die überzeugt waren, dass Frankreich nichts anderes bezwecke, als die aristokratischen Regierungen der Schweiz zu beseitigen und neue Zustände nach demokratischen Grundsätzen herbeizuführen.

Freiheitsbäume im Aargau

Kaum waren die Tagsatzungsherren am 1. Februar 1798 in Aarau abgereist, holten die Aarauer Bürger eine längst bereitgehaltene Tanne aus dem Walde und richteten sie als Freiheitsbaum vor dem Rathaus auf. Pfarrer Johann Georg Fisch, einer der Führer der Patrioten, hielt eine zündende Rede, und die Bevölkerung veranstaltete ein Freudenfest. Schon wenige Tage später besetzten jedoch Berner Truppen den Aargau, und die Erhebungen, auch diejenige in Aarau, wurden sogleich wieder niedergeworfen. Da und dort hatten die Obrigkeiten der verschiedenen Stände in den letzten Wochen noch versucht, mit gewissen Zugeständnissen die Untertanen zu beschwichtigen. Zum Umschwung kam es aber dann doch, als Frankreich seinen entscheidenden Schlag gegen Bern, den damals immer noch mächtigsten Stand der Eidgenossenschaft, führte. Innerhalb von vier Tagen, anfangs März 1798, wurde Bern, dessen Regierung innerlich zerrissen und darum entscheidungsunfähig geworden war, in die Knie gezwungen, nachdem sich die Berner auf dem Schlachtfeld noch einmal tapfer geschlagen hatten. Auch aargauische Truppen kämpften ehrenvoll auf seiten Berns, so die Zofinger Freikompanie unter Hauptmann Samuel Cornelius Suter. Die Teilerfolge nützten aber wenig, weil Berns Truppen an andern Fronten geschlagen wurden.

Damit war die alte Staatsordnung in der Schweiz zusammengebrochen. Die einmarschierenden französischen Truppen wurden überall im Aargau begeistert empfangen, bis nach einer gewissen Zeit Ernüchterung eintrat und man erkennen musste, dass an die Stelle der alten neue Herren getreten waren. Im Freiamt mochte man zunächst nicht glauben, dass man nicht mehr Untertanenland war, und hätte sich zunächst ganz gerne gegen die Franzosen gewehrt, doch fand man nirgends Unterstützung.

Helvetischer Einheitsstaat mit den Kantonen Aargau und Baden

Nach den Vorstellungen des französischen Generals Brune hätte die Schweiz nun in die drei Republiken «Rodanien» (Westschweiz), «Helvetien» (Nordschweiz) und «Tellgau» (Innerschweiz) aufgeteilt werden sollen, doch wurde Brune nach Paris zurückgerufen und durch den französischen Regierungskommissär Lecarlier ersetzt. Dieser berief Vertreter aus den verschiedenen Kantonen nach *Aarau,* wo er ihnen im März 1798 einen Verfassungsentwurf vorlegte. In diesem Zeitpunkt wurde Aarau auch provisorisch zur helvetischen Hauptstadt auserkoren. Die helvetische Staatsverfassung vom 12. April 1798 war die erste schweizerische Verfassung, die dem Wortlaut nach auf der Volkssouveränität und den modernen Freiheitsrechten beruhte, ohne allerdings vom Volk je gebilligt worden zu sein. Sie umfasste ein Staatsgebiet, das gegenüber vorher, natürlich zugunsten

von Frankreich, wesentlich verkleinert worden war. Der Rest der alten Eidgenossenschaft wurde in 23 Verwaltungsbezirke aufgegliedert, die man schon damals Kantone nannte. Die alten historisch gewachsenen Kantone verschwanden jedoch teilweise. Die Schweiz wurde zum straff zentralisierten *Einheitsstaat.* Der Kanton Aargau, dessen Gründungsversammlung schon Ende März stattgefunden hatte, bestand nur aus dem Berner Aargau; die Grafschaft Baden und die Freien Ämter hingegen wurden dem Kanton Zug zugeteilt. Zug widersetzte sich jedoch grundsätzlich den französischen Plänen. Schliesslich kam es zur Konstituierung eines Kantons Baden mit Einschluss des Freien Amtes, nachdem ein französisches Heer Zuger und Freiämter Truppen auf dem Maiengrün bei *Hägglingen* besiegt hatte.

Aarau kurz Hauptstadt der Schweiz

Für eine kurze Zeitspanne war Aarau also schweizerische Hauptstadt. An der Spitze des Einheitsstaates stand ein fünfgliedriges Direktorium, das im Gasthause zum Löwen, im jetzigen kantonalen Regierungsgebäude, logierte; sein Sitz, also gleichsam das erste Bundeshaus, war aber die Villa Schlossgarten an der Laurenzenvorstadt. Gewählt wurde diese Behörde von der aus dem Grossen Rat und dem Senat bestehenden Legislative, die im heutigen städtischen Rathaus tagte. Dem Direktorium waren vier, später sechs Minister beigegeben, welche Departementen vorstanden. Die obersten Beamten der Kantone waren die Regierungsstatthalter, welche die Befehle und Anordnungen des Direktoriums ausführten. Von Aarau ging in dieser Zeit eine äusserst rege gesetzgebe-

rische Tätigkeit aus; neben vielen un-
wichtigen Geschäften wurden Dekrete,
Gesetze und Erlasse zu Fragen von
grundlegender Bedeutung beschlossen.
Sie betrafen etwa die Aufhebung der
Feudallasten, der Zollschranken und der
Folter, die Errichtung einer Einheits-
münze oder die Säkularisation der Klöster; mit einem Offensiv- und Defensiv-
vertrag band man sich an Frankreich. In
Aarau war man stolz auf die überbor-
dende Aktivität im ehemaligen Unter-
tanenstädtchen, machte Häuser frei für
die Behörden und entwarf grosszügige
Bürgerhäuser und breite Paradestrassen.
Die Aarauer Laurenzenvorstadt zeugt
heute noch von dieser Hauptstadtbegei-
sterung. Trotz allen Anstrengungen erwies sich Aarau aber als zu eng, und die
Regierung siedelte nach Luzern über.
Heute kommt man allerdings nicht um
den Eindruck herum, dass die Raumfra-
ge von den Aristokraten-Ständen, insbesondere Bern und Luzern, hochge-
spielt wurde, weil man unbedingt von
Aarau, diesem «heissen demokratischen
Pflaster», wegkommen wollte. Am 20.
September 1798 fand die letzte Sitzung
der Räte in Aarau statt; nachher waren
die Aarauer mit ihren halberstellten
Häusern und einem grossen Schulden-
berg wieder allein.

Wachsender Widerstand gegen Frankreich

1799, als Napoleon seine Ägypten-
Expedition unternahm, verbanden sich
England, Russland, Österreich, die Tür-
kei, das Königreich Neapel und Portu-
gal zu einer Koalition, und das Blatt
wendete sich vorübergehend auf den
Hauptkriegsschauplätzen. Einmarschie-
rende Österreicher stürzten das helvetische Regime in der ganzen Ostschweiz.

Als sie bei *Döttingen* über die Aare setzen
wollten, wurden sie aber von den Franzosen geschlagen, und mit einem weiteren Sieg über die Russen bei Zürich vermochte Frankreich die Koalition wieder
auseinanderzusprengen. Die helvetische
Regierung war wieder fest im Sattel und
der Kanton Baden wiederhergestellt,
aber das Land war in grossem Umfange
verwüstet worden. *Kleindöttingen* beispielsweise wurde in einer Schlacht fast
gänzlich ausgebrannt.

Napoleon vermochte sich vorerst zu halten

Die Ereignisse dieser Jahre zeigten,
dass sich das helvetische Direktorium
nur dank der französischen Besetzung
zu halten vermochte; die Opposition
wurde immer stärker. Den «Neuerern»
und franzosenfreundlichen «Patrioten»
standen die «Republikaner» gegenüber,
denen zum Teil wieder vorrevolutionä-
re Formen vorschwebten. Anderseits
konnte man zwischen den *Unitariern,*
den Anhängern eines Einheitsstaates,
und den *Föderalisten* unterscheiden; letztere wehrten sich dagegen, dass die
sprachliche, regionale und konfessionelle Vielfalt der Schweiz in einen starren
Einheitsstaat gepresst werden sollte.
Diese Lager kämpften in Flugblättern
und Zeitungen, aber auch im Direktorium und in den gesetzgebenden Ver-
sammlungen um Macht und Einfluss;
nach kleineren Staatsstreichen hatte bald
diese, bald jene Seite Oberhand. Ende
April 1801 jedoch diktierte Bonaparte,
inzwischen Erster Konsul geworden, einer schweizerischen Delegation in seinem französischen Lustschloss *Malmaison* eine neue Verfassung, die einen Ausgleich zwischen den zentralistischen Be-
dürfnissen und dem föderalistischen

Wesen anstrebte. Vorgesehen war hier auch die Vereinigung der Kantone Aargau und Baden sowie des oberen Fricktals zu einem neuen, grossen Kanton Aargau. Das Ringen zwischen den Unitariern und den Föderalisten ging aber weiter. Erstere fühlten sich stark genug und liessen das Volk im Mai 1802 über die *zweite helvetische Verfassung* abstimmen, welche auf den Grundsätzen der Verfassung von Malmaison beruhte, aber wesentlich zentralistischer als jene war. Das Volk äusserte sich zwar gegen diese Verfassung, aber die Unitarier wandelten den Entscheid eigenmächtig in eine positive Stellungnahme um, indem sie die Stimmenthaltungen zu den Ja-Stimmen hinzuzählten.

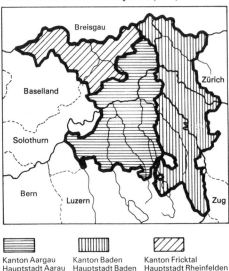

Zur Zeit der Helvetischen Republik (1802)

Kanton Aargau
Hauptstadt Aarau

Kanton Baden
Hauptstadt Baden

Kanton Fricktal
Hauptstadt Rheinfelden

Wie es kurz zu einem Kanton Fricktal kam

Während der inneren Auseinandersetzungen in der Schweiz zwackte Bonaparte der Helvetischen Republik grössere Gebiete ab, so das Wallis und das Dappental, und versuchte sie mit der Überlassung des Fricktales zu trösten, welches Gebiet Österreich im Frieden von Lunéville anfangs 1801 Frankreich hatte abtreten müssen; Österreich hatte zwar auch nachher in Rheinfelden eine Amtsstelle aufrechterhalten. Im Einverständnis mit dem französischen Gesandten übernahm anfangs 1802 der Arzt Dr. Sebastian Fahrländer die Verwaltung des Fricktals. Ein Landtag aus Abgeordneten beriet eine Kantonsverfassung, wobei Fahrländer, auch gemäss dem Wunsche Frankreichs, die Unterordnung des Fricktals unter die helvetische Zentralregierung vorbereitete. Eine heftige Gegnerschaft führte jedoch zum Sturze Fahrländers, der sich später in Aarau niederliess, dort seinen ärztlichen

Beruf wieder aufnahm und dann auch im Grossen Rat nach 1803 eine Rolle spielte. Ende 1802 liess die helvetische Regierung das Fricktal besetzen, weshalb es dann eben doch der damaligen Schweiz angegliedert wurde.

Napoleons Mediationsverfassung

In diesem schicksalhaften Jahr 1802 inszenierte Napoleon einen Schachzug. Er zog die französischen Truppen aus der Schweiz ab, fest darauf setzend, die Schwäche des helvetischen Regimes würde angesichts der inneren Streitigkeiten vor aller Welt bewiesen, wodurch er um so mehr Grund hätte, erneut machtvoll in der Schweiz zum Rechten zu sehen. Tatsächlich herrschte sogleich Bürgerkrieg in der Schweiz, und in verschiedenen Kantonen wurde die helvetische Herrschaft abgeschüttelt. Vor allem im Aargau, wo viereinhalb Jahre vorher die vehementesten

Befürworter des helvetischen Staates anzutreffen waren, wurde der Hauptangriff gestartet; umsonst hatte Regierungsstatthalter Rothpletz in Aarau Aargauer Milizen nach Aarburg, Aarau, Brugg, Lenzburg und Baden aufgeboten. Kurz vor den entscheidenden Konfrontationen zwang Bonaparte den Eidgenossen die Waffenruhe auf und liess über 60 Männer, die «Konsulta», nach Paris kommen, wo er ihnen einen fertigen Verfassungsentwurf, die sogenannte Mediations- oder Vermittlungsverfassung, überreichte. Sie wurde am 19. Februar 1803 in Paris unterzeichnet. Napoleon beabsichtigte damit, der Schweiz den inneren Frieden zu gewährleisten und den Schein der Unabhängigkeit zu lassen, den entscheidenden französischen Einfluss jedoch weiterhin zu sichern. Vor allem aber formte er, welcher längst erkannt hatte, wie schwer die vielfältige Schweiz zu regieren war, aus dem helvetischen Einheitsstaat wiederum einen Staatenbund. Darin wurden die alten Kantone, die wiederum eine starke Stellung erhielten, wiederhergestellt. Zu den 13 alten Kantonen kamen 6 neue hinzu, welche aus ehemaligen zugewandten Orten und Untertanenländern gebildet wurden, darunter auch der Kanton Aargau, der nun seine heutige Form erhielt. Das wurde gar nicht überall mit Begeisterung aufgenommen. Das Fricktal hatte gehofft, einen selbständigen Kanton bilden zu können oder dann im Kanton Basel aufzugehen, in Baden wurde eine Petition zur Errichtung eines Kantons Baden eingereicht, Bürger vom Bremgarten wünschten nicht mit dem Aargau vereinigt zu werden, und wieder andere Gemeinden wollten ausdrücklich mit

Zürich verbunden werden. Auf alle diese Wünsche wurde jedoch nicht eingetreten; die aargauischen Gesandten sorgten anderseits auch hartnäckig dafür, dass unser Gebiet nicht wieder dem Kanton Bern zugeteilt wurde, wie dies die Berner natürlich gerne gesehen hätten.

In Eile hatte eine Regierungskommission, deren führendes Haupt Johann Rudolf Dolder war, bereits Ende 1802 eine aargauische Verfassung ausgearbeitet. Schon am 6. Januar 1803 war sie vollendet, und am 10. März trat sie in Kraft. Der ersten Kantonsverfassung ging es vordringlich um die Versöhnung der politischen Gegensätze; bei allen demokratischen Bestrebungen sind starke aristokratische Züge jedoch nicht zu verkennen. Das dürfte aber damals, nach den vielen Jahren Untertanenzeit unter Bern und nachher unter Frankreich, nicht sehr empfunden worden sein. Die Regierungskommission regelte die Gebietsverhältnisse und Wahlkreise, gab dem neuen Staate auch ein Standeswappen und rief auf den 25. April den ersten Grossen Rat des neuen Kantons im städtischen Rathaus in Aarau zusammen. Nach einem feierlichen Gottesdienst konstituierte sich dieser. Tags darauf wählte er die erste Regierung, und diese erkor Dolder zu ihrem ersten Präsidenten, also zum ersten Landammann des Kantons. In einer Proklamation an das Volk wurde an die Vernunft der aargauischen Staatsbürger appelliert, die sich bei aller Vielfalt in Eintracht verbunden fühlen sollten.

Stapfer, Rengger, Laharpe

Von verschiedenen Männern war schon die Rede, welche in den Jahren der Helvetik massgebenden Einfluss ausübten; etwa von Fahrländer und von Dolder. Vor allem aber muss auch an Philipp Albert Stapfer (1766 bis 1840) und Albrecht Rengger (1764 bis 1835) erinnert werden. Stapfer entstammte einem alten Brugger Geschlecht, wuchs aber in Bern als Sohn des Münsterpfarrers auf und studierte ebenfalls Theologie. Er war zwar von den Idealen der Französischen Revolution eingenommen, bedauerte aber den Einbruch der Franzosen in die Schweiz und stellte seine Dienste der Helvetik nur deshalb zur Verfügung, weil er hoffte, so dem Vaterland wirklich helfen zu können. Mit ihm und Rengger stellte der Aargau zwei der ersten sechs Minister der Helvetik. Der ideenreiche Stapfer bemühte sich als Minister der Künste und Wissenschaften vor allem um die Hebung des schweizerischen Schulwesens; seine Sekretäre waren so bekannte Männer wie Franz Xaver Bronner, Heinrich Pestalozzi und Heinrich Zschokke. Stapfer war auch 1802/03 in Paris die treibende Kraft bei der Bildung des heutigen Kantons Aargau.

Albrecht Rengger war ebenfalls ein Pfarrerssohn und wuchs in Gebenstorf auf. Er studierte Theologie und Medizin und war zunächst Arzt in Bern, bevor er vermehrt von der bernischen Regierung für Vermittlungstätigkeiten eingespannt wurde. Das Helvetische Direktorium wählte ihn 1798 zum Minister des Innern, in welcher Eigenschaft er ausserordentlich viel, vor allem auf dem Gebiete des Fürsorgewesens, geleistet hat.

Auch der Waadtländer César de La Harpe, allgemein Laharpe genannt, ist in diesem Zusammenhang zu erwähnen.

Zwar hatte er in den Jahren 1797/98 in etwas zu aufdringlicher Weise mit Frankreich fraternisiert, doch ist anderseits auch zu erwähnen, dass sein Einfluss als Berater des Zaren Alexander I. wesentlich dazu beitrug, dass die Schweiz am Wiener Kongress 1814/15 nicht aufgeteilt wurde. Dieser Laharpe war zusammen mit dem Basler Peter Ochs, welcher auf Veranlassung Napoleons einen ersten helvetischen Verfassungsentwurf ausgearbeitet hatte, eine dominierende Figur im Helvetischen Direktorium. Laharpe, welcher den Aufstieg Napoleons mit Bewunderung verfolgte, wollte sich dann aber selbst diktatorische Vollmachten aneignen und hatte auf dem Wege zu diesem Ziel Ochs bedenkenlos aus dem Direktorium hinausgeworfen; kurze Zeit später wurde aber auch er abgesetzt. Schliesslich ist doch noch zu erwähnen, dass aus dem Stapferschen Geiste in dieser Zeit die aargauische Kantonsschule in Aarau gegründet und 1802 eröffnet wurde; eine der treibenden Kräfte unter den Aarauern war damals der «Wohltäter» und Bänderfabrikant Johann Rudolf Meyer.

10. Ab 1803

a) Die Mediation (1803 bis 1813)

Napoleons Mediationsverfassung von 1803 erweiterte den Kreis der Kantone über die 13 alten Orte hinaus um die bisherigen zugewandten Orte oder Untertanengebiete Graubünden, St. Gallen, Thurgau, Aargau, Waadt und Tessin. Neuenburg, Wallis und Genf blieben vorerst noch von der Schweiz getrennt.

Der Kanton Aargau erhielt seinen heutigen Umfang durch die Vereinigung der helvetischen Kantone Aargau, Baden und Fricktal. Mit viel Schwung und Selbstvertrauen gingen die Aargauer nun daran, den Unterbau für den neuen Kanton zu schaffen. Eine eigene Münzstätte prägte die Aargauer «Batzen», eine kleine Milizarmee wurde auf die Beine gestellt, und die Räte verabschiedeten eine Vielzahl von Gesetzen und Erlassen, beispielsweise zum Steuerwesen, zum Handel und zum Postwesen. Besonders bemühte man sich um das Schulwesen, in welcher Hinsicht die Bezirke Baden, Bremgarten, Zurzach und Muri auffallend zurücklagen; noch eine Weile wirkte hier die geringe Fürsorge in der Zeit der Landvögte nach. Der entscheidende Druck in diesen Jahren ging vor allem vom Berner Aargau aus, wo auch auf privater Basis Pionierarbeit für den Kanton geleistet wurde. Eine Gesellschaft für vaterländische Kultur, 1811 gegründet, gab starke Impulse im Wirtschafts- und Fürsorgebereich; Kultur wurde offensichtlich noch

Der Aargau seit 1803 mit seinen 11 Bezirken

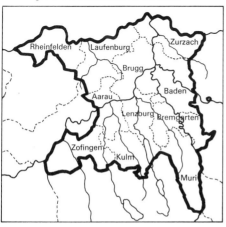

nicht im heutigen einengenden Begriff verstanden. 1807 wurde übrigens der Gasthof zum Löwen in Aarau für die kantonale Verwaltung gekauft. Es handelt sich um das heutige Regierungsgebäude, das für die Bedürfnisse des «Staats» noch eine ganze Weile genügte. Das Grossratsgebäude wurde erst in den zwanziger Jahren gebaut und 1829 bezogen.

Alle diese Selbständigkeitsbestrebungen dürfen nicht darüber hinwegtäuschen, dass die Schweiz dieser Jahre nach wie vor ein Satellitenstaat Frankreichs und durch eine Defensivallianz verpflichtet war, diesem Land Truppen zu stellen. Viele Aargauer zeichneten sich 1812, als Napoleon den Rückzug aus Russland antreten musste, an der Beresina aus. Als die französische Macht Ende 1813 zusammenbrach und die Armeen von Russland, Preussen, Österreich, Grossbritannien und anderen Ländern zum Angriff ansetzten, lösten sich die Schweizer von Napoleon und erklärten ihre Neutralität. Dennoch marschierten österreichische und russische Truppen auf ihrem Weg nach Frankreich durch schweizerisches Gebiet. Die Schweizer Truppen, welche damals ihr Hauptquartier in Aarau hatten, pochten vergeblich auf ihre Neutralität und mussten ihre Stellungen am Rhein räumen, um unnötiges Blutvergiessen zu vermeiden.

b) Die Restauration (1814 bis 1830)

Napoleons Niederlage bedeutete auch das Ende der von ihm geschaffenen Mediationsverfassung. Der Sieg der Alliierten gab denjenigen Kräften in der Schweiz Auftrieb, welche gerne die Zustände vor 1798 wiederhergestellt gesehen hätten. An einer Tagsatzung in Zürich drängte Bern darauf, den Aargau und die Waadt als Untertanengebiet zurückzuerhalten. Die Berner, aber auch andere Stände der Eidgenossenschaft, zögerten nicht, ihren ganzen Einfluss in Paris, im Hauptquartier der Alliierten, und später am Wiener Kongress (1814/15) geltend zu machen, wo über die Neugestaltung Europas verhandelt wurde. Der Kanton Aargau, in welchem in den wenigen Jahren seines Bestehens schon ein erstaunliches Zusammengehörigkeitsgefühl entstanden war, sah sich deshalb veranlasst, ebenfalls Delegationen an diese Brennpunkte der Weltpolitik zu entsenden.

Günstige Konstellation für den Aargau

Der Kanton hatte Glück, in diesen Jahren die richtigen Männer am richtigen Ort zu haben: Albrecht Rengger, welcher die Delegation führte, zeigte ausserordentliches Geschick und Beharrlichkeit. Dazu kam, dass die Aargauer in Philipp Albert Stapfer einen einflussreichen Fürsprech in Paris besassen. Stapfer, durch seine Frau mit Frankreich verbunden, war seit seiner diplomatischen Mission in der französischen Hauptstadt geblieben, entwickelte hier seine wissenschaftliche und literarische Tätigkeit und erfreute sich eines ungewöhnlichen Ansehens bei den wichtigen politischen Persönlichkeiten. Und schliesslich kam dazu, dass der russische Zar Alexander I. eine fast sentimentale Zuneigung für die Schweiz hegte. Das hing damit zusammen, dass kein anderer als der Waadtländer Frédéric-César Laharpe sein ehemaliger und nunmehriger Berater war. Er vor allem dürfte den Zaren, welcher am Wiener Kongress ein gewichtiges Wort zu sagen hatte, in

dem Sinne beeinflusst haben, dass die ehemaligen Untertanengebiete gleichberechtigte Partner innerhalb des eidgenössischen Bundes bleiben sollten. So kam es denn schliesslich, dass die Schweiz, obwohl innerlich zerrissen und schwach, im Gegensatz zu andern Ländern, nicht unter den Grossmächten aufgeteilt wurde, und der Aargau und das Waadtland blieben selbständig. Neue Kantone der Eidgenossenschaft wurden Neuenburg, Wallis und Genf, und nur die ehemaligen bündnerischen Vogteien (Chiavenna und Veltlin) fielen an Österreich. Bern erhielt zum Trost die ehemals zum Bistum Basel gehörenden Gebiete im Jura, samt Biel. Schliesslich wurde der Schweiz in Wien auch die Neutralität garantiert.

... und doch ein Schritt zurück

Trotzdem machte die Schweiz nach 1814/15 einen Schritt zurück. Der österreichische Staatsmann Metternich bemühte sich mit Erfolg darum, dass überall freiheitliche und demokratische Regungen unterdrückt wurden. In den einzelnen Kantonen regten sich überall die reaktionären Bestrebungen; die neuen kantonalen Verfassungen dieser Zeit verminderten die Volksrechte wieder, so auch im Aargau (1814), doch ging man dabei nicht so weit wie andere Kantone. Der Bund der 22 Kantone wurde zudem wieder sehr locker; es gab keine Bundesverfassung mehr, sondern nur noch einen Bundesvertrag.

Und doch nahm der Aargau in dieser Zeit eine Sonderstellung ein: Viele profilierte, zum Teil auch umstrittene Köpfe drängten von hier aus auf Durchsetzung freiheitlicher Ideen und demokratischer Rechte. Zu nennen sind etwa der

Fronleichnamsprozession in Frick: Vor wenigen Jahren wurde die Fronleichnamsprozession in Frick wegen «Verkehrsbehinderung» abgeschafft. Auf Drängen der Bevölkerung von Frick und Gipf-Oberfrick hat man nun aber wieder an das alte kirchliche Brauchtum angeknüpft; man zieht neuerdings – voran die einheitlich gekleideten Erstkommunikanten – durchs Dorf.

Im Berner Aargau, besonders in den Städten Aarau, Lenzburg, Zofingen und Brugg, feiert man die Jugendfeste in traditioneller Weise. In Brugg erhalten die Schüler nach dem Umzug jeweils ein Jugendfestbrot. Der gleiche Brauch besteht auch im Eigenamt, wo am Sonntag nach Ostern das «Brötli-Examen» gefeiert wird.

Trachten an sich stellen noch kein Brauchtum dar, aber zumindest eine erhaltenswerte Tradition, die in den letzten paar Jahren erfreulicherweise wiederbelebt wurde. Eine gesamtaargauische Tracht gibt es allerdings nicht; jeder Kantonsteil hat seine ihm eigene. Die auf dem Bild zur Kirche gehenden Gränicherinnen tragen die Tracht des Berner Aargaus.

1.-August-Feier in Vindonissa: Wo schon die Römer vor fast zweitausend Jahren zu festen und feiern
verstanden, nämlich im Amphitheater Vindonissa, feiern die Brugger und Windischer heute alljährlich gemeinsam den Geburtstag der Schweiz.

Bachfischet in Aarau: Das Besondere und wohl auch Einmalige am jeweils anfangs September sich abwickelnden Aarauer Bachfischet sind die von den Schülern klassenweise selbst gebastelten Lampions. Der durch die dunkle Stadt ziehende wilde Kinderumzug begleitet das nach der Reinigung des Stadtbaches wieder fliessende Wasser.

Joggeli-Umzug in Lenzburg: Einen an die Schlacht bei Villmergen 1712 erinnernden Brauch pflegen die Lenzburger Schützen: Ende Oktober ziehen sie leintuchverhüllt Schlag Mitternacht durch die verdunkelte Stadt. Mit einem Spottlied verhöhnen sie die unterlegenen Altgläubigen, die damals in Lenzburg ihr Hauptquartier hatten.

Klausauszug in Wohlen: Nicht nur ein Samichlaus, sondern gleich ihrer zwölf ziehen in Wohlen jeweils am Klaustag feierlich mit ihren Schmutzlis aus der Kirche aus. Auf ihrem Zug in die Stadt beschenken sie auch die vor der Kirche wartenden Kinder.

Wettinger Sternsinger: Nach dem Zweiten Weltkrieg lebte auch in einigen Aargauer Gemeinden das Sternsingen wieder auf. Zu den dekorativsten zählen die Sternsingerspiele von Wettingen und Fislisbach; dasjenige von Wettingen (Bild: Einzug in die St.-Antonius-Kirche) gilt als «das schönste Europas».

Volksschriftsteller Heinrich Zschokke, der vor allem mit seinem «Schweizerboten» für Aufklärung sorgte, der Verleger Remigius Sauerländer, der Jurist Rudolf Tanner und der Dichter Abraham Emanuel Fröhlich von Brugg. An der Kantonsschule, die bald einen bedeutenden Ruf erhielt, fanden zahlreiche deutsche Emigranten eine Wirkungsstätte. Weiterhin blieb die Kulturgesellschaft aktiv, der 1819 gegründete bürgerliche Lehrverein richtete so etwas wie eine Volkshochschule ein, 1822 wurden in Aarau das erste staatliche Lehrerseminar und 1826 die Gewerbeschule gegründet. Die Gründung des Zofingervereins 1819 – der Name sagt es – in Zofingen, die Wiederaufnahme der Veranstaltungen der Helvetischen Gesellschaft und besonders auch das erste schweizerische Ehr- und Freischiessen 1824 in Aarau, aus welchem der Eidgenössische Schützenverein hervorging – alle diese Ereignisse sind markante Zeichen dafür, wie der Gedanke eines geeinigten starken Vaterlandes im Aargau ganz besonders gepflegt wurde.

c) Die Regeneration (1830 bis 1848)

Die Juli-Revolution 1830 in Frankreich, durch welche das Bourbonengeschlecht wieder vom Throne gefegt wurde, war überall in Europa ein Signal für die Erhebung gegen Unfreiheit und Beschneidung der Volksrechte. In vielen Schweizer Kantonen setzte sich nunmehr die liberale Politik durch.

Der Freiämter Aufstand

Im Aargau, wo der Grosse Rat wenig Gehör für den Ruf nach mehr Volksrechten zeigte und in Verschleppungstaktik machte, kam es 1830 zum Freiämter Aufstand. Unter der Führung des Schwanenwirts Heinrich Fischer von Merenschwand marschierte ein Volksheer aus dem Freiamt, zu dem sich aber auch Truppen aus dem Fricktal und von Baden gesellten, über Lenzburg nach Aarau, schlug in Hunzenschwil die Regierungstruppen in die Flucht, besetzte die Kantonshauptstadt und erzwang eine neue Verfassung, die den Vorstellungen von der Volkssouveränität Rechnung trug. Der Aargau wurde nun recht eigentlich zu einer Repräsentativ-Demokratie, in welcher das Volk zwar die höchste Gewalt besitzt, sie aber auf seine gewählten Vertreter überträgt.

Der Aargau war in dieser Zeit nach 1830 derjenige Kanton, in welchem die Hinwendung zur Eidgenossenschaft, der Wunsch nach einem festeren gesamtschweizerischen Zusammenhang am stärksten zum Ausdruck kam. Das kommt auch darin zum Ausdruck, dass nach dem Eidgenössischen Schützenverein 1832 auch der Eidgenössische Turnverein und 1842 der Eidgenössische Sängerverein in Aarau gegründet wurden.

Der Aargau macht schweizerische Politik

In der Innerschweiz hielt man jedoch zäh am alten Zustand und an der Souveränität der einzelnen Kantone fest. Dies bewirkte, dass innerhalb des Liberalismus in den andern Kantonen eine radikale Bewegung aufkam, die mit harten Kampfmassnahmen ans Ziel gelangen wollte. Der Aargau, wo diese Radikalen seit Mitte der dreissiger Jahre besonders stark waren, spielte deshalb in der folgenden Zeit in der eidgenössischen Politik eine führende Rolle. Zunächst strebte man die Unterordnung

der Kirche – natürlich war in erster Linie die katholische Kirche gemeint – unter die Hoheit des Staates an. In den *Badener Artikeln* einigten sich sieben Kantone auf ein gemeinsames Programm
gegenüber der Kirche, gegen welches
sich heftiger katholischer Widerstand
erhob. Jahrelang schwelte die Krise weiter, bis sie 1840/41, als eine Verfassungs-
revision die konfessionelle Parität
(gleich starke Vertretung bei den Konfessionen in den Behörden) beseitigte,
einen neuen Höhepunkt erreichte. Die
katholische Minderheit begann sich in
Schutzvereinen (*«Bünzerkomitee»*) zu
organisieren, was der Aargauer Regierung Gelegenheit gab, zu einem entscheidenden Schlag gegen die Konservativen auszuholen und das Freiamt zu
besetzen. Auf Antrag des Seminardirek-
tors *Augustin Keller* beschloss der Grosse
Rat die *Aufhebung der Klöster im Aargau,*
weil man in ihnen ein Hindernis für eine
gedeihliche Entwicklung sah. Der Aargauer Entscheid löste in der ganzen
Schweiz heftige Reaktionen aus und
teilte die Kantone in zwei Lager. Nachdem der Aargau sich bereit erklärt hatte,
wenigstens die Frauenklöster wieder zu-
zulassen und nur die Männerklöster Muri, Wettingen, Baden und Bremgarten
aufgehoben blieben, lehnte die Mehrheit der Tagsatzung eine Verurteilung
der aargauischen Politik ab. Das führte
erst recht zu einer Verhärtung der Fronten, und die Luzerner zögerten nicht
mehr, 1844 die Jesuiten mit verschiedenen Aufgaben im Kanton zu betrauen.
In zwei Freischarenzügen (1844/45), die
allerdings beide scheiterten, versuchten
die Radikalen hierauf, die konservative
Regierung Luzerns zu stürzen. Die katholischen Orte schlossen sich nun zu ei-

nem Sonderbund zusammen; es kam
zum Sonderbundskrieg (1847), den die
«progressive» Seite, die ein Heer unter
General Henri Dufour einsetzte, für sich
entscheiden konnte. Dieser Sieg der Liberalen ebnete den Weg zur Schaffung
der Bundesverfassung von 1848, welche
den Bundesvertrag von 1815 ersetzte
und den Bundesstaat begründete.

In der Kommission zur Erarbeitung
der Bundesverfassung hatte übrigens der
aargauische Landammann Friedrich
Frey-Herosé massgebend mitgewirkt;
er gehörte auch dem ersten schweizerischen Bundesrat an (1848 bis 1866).

d) Nach 1848

Im Jahre 1852 gab sich der Aargau
eine neue Verfassung, welche die Volksrechte erneut ausbaute. Gleichwohl gewann die demokratische Bewegung in
den nächsten Jahrzehnten erst recht Gewicht. Als Folge der stürmischen Industrialisierung wuchs nämlich die Schicht
der unselbständig Erwerbenden rasch;
diese sahen ihre Interessen durch keine
der bestehenden Parteien genügend ge-
wahrt.

Der Kulturkampf

Eine weitere Belastungsprobe innerhalb des Bundes erwuchs wiederum aus
den konfessionellen Spannungen: 1870
verkündete das Vatikanische Konzil den
Lehrsatz von der Unfehlbarkeit des
Papstes. Darin sahen die Staatsgewalten
einen Angriff auf ihre eigene Stellung.
In Deutschland und in der Schweiz, besonders auch im Aargau, hier wiederum
unter Führung Augustin Kellers, welcher 1856 Regierungsrat geworden war,
entbrannte der Kulturkampf. Spuren
dieser Kampfsituation zeigt auch noch

die Bundesverfassung von 1874, doch ist die Einführung des staatlichen Eherechtes eigentlich der einzige dauernde Erfolg der liberalen Seite geblieben. Das Unfehlbarkeitsdogma stiess allerdings zum Teil auch bei Katholiken auf Widerstand; in diesen Jahren wurde die Christkatholische «papstfreie» Kirche gegründet. Die aargauische Verfassung von 1885 gab den drei Landeskirchen das Recht auf Selbstverwaltung und übertrug die bisher von staatlichen Behörden ausgeübten kirchenpolitischen Befugnisse auf die kirchlichen Behörden, was wesentlich zu einer Beruhigung unter den Konfessionen führte.

Der Bahnkrieg

Massgebenden Anteil an der schrittweisen Beilegung der konfessionellen Konflikte hatte *Emil Welti* von Zurzach, welcher im Jahre 1866 zum Bundesrat gewählt worden war. Mit Weltis Namen ist aber auch die schweizerische Bahnpolitik verbunden. 1847 wurde die erste Eisenbahn der Schweiz, die «Spanischbrötli-Bahn» zwischen Zürich und Baden, in Betrieb genommen. In den folgenden Jahren erstellten überall private Bahngesellschaften neue Strecken, doch mangelte es weitgehend an der Zusammenarbeit, und viele Gesellschaften machten Bankrott. Von der Linienführung dieser Bahnen hing die Entwicklung der Landesgegenden und Handelszentren entscheidend ab. Zürich verdankt den Aufstieg zur grössten Stadt und bedeutendsten Handelsmetropole der Schweiz dem «Eisenbahnkönig» Alfred Escher. 1875, auf Initiative von Winterthurer Politikern, wurde die Nationalbahn-Gesellschaft gegründet, mit dem Ziel, Zürich durch eine Linie von Kreuzlingen über Etzwilen, Winterthur, Wettingen, Lenzburg nach Zofingen zu umfahren, was die Machtstellung der Nordostbahn gefährdet hätte. Das Unternehmen brach aber schon nach drei Jahren zusammen, und viele Gemeinden, die Bürgschaftsgarantien geleistet hatten, so auch im Aargau, gerieten in schwerste Verschuldung. Erst 1898, als ein Bahngesetz dem Bund die Möglichkeit gab, die wichtigsten Privatbahnen aufzukaufen, konnten die SBB gegründet werden, womit Ordnung ins Bahnwesen kam.

General Herzog und die Bourbaki-Armee

Nicht nur im Bahnwesen, auch in vielen andern Bereichen wurden die Bundesbefugnisse auf Kosten der Kantone ständig erweitert. Das mag auch einer der Gründe sein, weshalb es um den Aargau auf eidgenössischer Ebene nunmehr wieder ruhiger wurde und Aargauer Persönlichkeiten, gesamtschweizerisch gesehen, weniger auffallend ins Rampenlicht traten. In diesem Zusammenhang ist immerhin noch der *Deutsch-Französische Krieg von 1870/71* zu erwähnen. Entsprechend der Neutralitätspolitik hatte man in der Schweiz die Armee mobilisiert und hielt die Grenze besetzt. Als im Januar 1871 eine französische Armee von fast 100 000 Mann unter General Bourbaki an die Schweizer Grenze gedrängt wurde, gestattete man ihr den Übertritt in die Schweiz, nachdem sie sich hatte entwaffnen lassen. Zum Teil zwei Monate lang wurden die Franzosen in der Schweiz interniert. Der aus Aarau stammende Hans Herzog war für diese Zeit zum General gewählt worden und zeichnete sich durch Geschick und Umsicht aus.

III. Der Aargau heute

(Eine Art Bestandesaufnahme)

1. Kanton, Bezirke und Gemeinden

Ein mittelgrosser Kanton

Der Kanton Aargau umfasst eine Fläche von 1404 km². Er gehört weder zu den Riesen noch zu den Zwergen unter den Kantonen. Er steht flächenmässig an 10. Stelle, hinter den nur wenig grösseren Kantonen Zürich, Freiburg und Luzern, aber doch schon wieder mit Abstand vor den nächstkleineren Kantonen Uri und Thurgau. Die Fläche unseres Kantons macht ungefähr einen Dreissigstel der Gesamtfläche der Schweiz aus.

11 Bezirke

Der Aargau ist in 11 Bezirke eingeteilt. Diese bestehen im wesentlichen erst seit der Helvetik (ab 1798) und endgültig seit 1803. Es sind reine Verwaltungseinheiten, deren Grenzen zum Teil recht künstlich gezogen worden sind. Das kommt heute etwa darin zum Ausdruck, dass viele Gemeindezusammenschlüsse (Regionalplanungsgruppen, Zweckverbände) über die Bezirks-, ja oft auch über die Kantonsgrenzen hinausgehen (Näheres über die heutige Bedeutung der Bezirke siehe Seite 163).

Die Grösse der Bezirke ist ziemlich ausgeglichen. Der Bezirk Baden weist mit 153 km² am meisten, der Bezirk Kulm mit 101 km² am wenigsten Fläche auf. 10 der 11 Bezirke sind im Grunde genommen Grenzbezirke, d. h., sie beteiligen sich an der Kantonsgrenze. Ein-

zig der Bezirk Brugg ist auf allen Seiten von Aargauer Bezirken umgeben. Nicht umsonst wird Brugg ja auch als geographische Mitte des Kantons empfunden; tatsächlich befindet sich diese aber im Lenzhard im Bezirk Lenzburg.

231 Gemeinden

Diese 11 Bezirke gliedern sich in 231 Gemeinden auf. Die Gemeinden sind in der Regel wesentlich älter als die Bezirke und haben sich, soweit es sich nicht um Stadtgründungen handelt, hauptsächlich aus dörflichen Genossenschaften heraus entwickelt. Bei der Einteilung in Gemeinden hat sich im Laufe der Jahrzehnte wenig geändert. Während in andern Kantonen in den letzten Jahrzehnten Gemeindevereinigungen Mode waren, gab es bei uns nur wenig Änderungen: Lauffohr schloss sich mit Brugg, Dättwil mit Baden, Anglikon

mit Wohlen zusammen. Wenn die Trennung von Arni-Islisberg und die Bildung von zwei selbständigen Einwohnergemeinden Tatsache wird, zählt der Aargau 232 Gemeinden.
Die Ausdehnung der Gemeinden des Aargaus ist, gemessen am schweizerischen Mittel, eher bescheiden. Nur acht Aargauer Gemeinden liegen über dem schweizerischen Durchschnitt von 1320

ha. Die flächenmässig weitaus grösste Aargauer Gemeinde ist Sins im oberen Freiamt mit 2028 ha; davon entfallen über drei Viertel auf Äcker und Wiesland. Weitere grosse Gemeinden sind Möhlin (1878 ha), Murgenthal (1861 ha), Gränichen (1722 ha) und Rheinfelden (1611 ha). Die kleinste Gemeinde ist demgegenüber das Zwergstädtchen Kaiserstuhl mit nur 32 ha; nur 66 Aren

entfallen dabei auf Wald. Ebenfalls weniger als 100 ha umfassen Stilli (56 ha),
Umiken (83 ha) und Burg (94 ha). Die
waldreichsten Gemeinden des Kantons
sind Murgenthal (1154 ha), Gränichen
(926 ha) und Rheinfelden (781 ha). Am
meisten Acker- und Wiesland weisen
neben Sins und Möhlin die Freiämter
Gemeinden Merenschwand, Beinwil
und Muri auf.

2. Bevölkerung

Der Aargau an vierter Stelle

Die Bevölkerungsentwicklung der
Schweiz und damit auch des Aargaus ist
in den letzten Jahren durch einige bemerkenswerte Erscheinungen geprägt
worden. Im Aargau ist die Bevölkerungszahl zwischen 1900 und 1950 kon-
tinuierlich gewachsen. Ab 1950 hat sich
dieses Wachstum noch beschleunigt,
und ungefähr im Jahre 1970 zählte man
bereits doppelt so viele Einwohner wie
1900. Im Jahre 1974 erreichte der Aargau
mit fast 450 000 Einwohnern (Schweizer
und Ausländer) die höchste Bevölkerungszahl. Dann aber setzte eine rückläufige Bewegung ein. Die Gründe hiefür sind vorwiegend in der Abwanderung vieler Ausländer infolge der Rezession und in einem in unserem Jahrhundert noch nie dagewesenen Rückgang
der Geburtenrate zu suchen; die Stichwörter «Pillenknick», «Zukunftspessi-
mismus» und «Bequemlichkeitsegois-
mus» mögen hier genügen. Während
einiger Jahre ist das natürliche Bevölkerungswachstum (Zahl der Geburten mi-
nus Zahl der Todesfälle) in der Schweiz
praktisch zum Stillstand gekommen.

Der Aargau wies allerdings auch in diesen «mageren» Jahren stets einen Gebur-
tenüberschuss auf, der aber bescheiden
geworden ist.

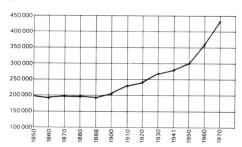

Im Aargau hat man die Erwartungen
in bezug auf die Bevölkerungsentwicklung in den letzten Jahren stark zurück-
geschraubt. Noch im Jahre 1974 rechnete man mit einem Anstieg der Wohnbevölkerung von 450 000 Einwohnern auf
520 000 Einwohner im Jahr 2000! Diese
Bevölkerungsprognose ist offiziell um
10 Prozent reduziert worden, was bedeutet, dass sich die Planung danach zu
richten hat. Von 1975 bis 1995 wird mit
einer Bevölkerungszunahme von 4,3
Prozent gerechnet, und die prognosti-
zierte Einwohnerzahl für das Jahr 2000
beträgt jetzt nur noch 468 000.
Unser Kanton hält schon seit einiger
Zeit in bezug auf die Wohnbevölkerung
den vierten Platz hinter den Kantonen
Zürich, Bern und Waadt, immer noch
weit vor den Kantonen St. Gallen und
Genf. Gesamtschweizerisch fällt auf,
dass innerhalb der Alterspyramide eine
deutliche Verlagerung von den jungen
zu den alten Jahrgängen eintreten wird.
Dank der starken Zuwanderung der
letzten Jahre weist der Aargau jedoch
eine verhältnismässig starke Besetzung
der mittleren Altersklassen auf. Wegen
der Standortgunst rechnet man auch in

Zukunft mit einer gewissen Zuwanderung aus andern Kantonen, was dazu beitragen dürfte, dass das aargauische Bevölkerungswachstum weiterhin etwas über dem gesamtschweizerischen liegt.

Bezirke: Unterschiedlich dicht besiedelt

Mit 96 559 Einwohnern im Jahre 1975 weist der Bezirk Baden weitaus am meisten Einwohner auf; es folgen der Bezirk Aarau mit 57 782, der Bezirk Zofingen mit 52 318 und der Bezirk Bremgarten mit 43 680 Einwohnern. Im Jahre 1850 war die Bevölkerung im Aargau gleichmässiger verteilt. Damals lag Zofingen mit 26 000 Einwohnern vor den Bezirken Kulm und Baden mit je 21 000 Einwohnern. 1975 wiesen die Bezirke Muri und Laufenburg mit 19 574 bzw. 19 442 am wenigsten Einwohner auf. Die unterschiedliche Bevölkerungsdichte findet auch in der folgenden Statistik ihren Ausdruck, welche die Einwohnerzahl pro Hektare angibt.

Bezirk	1970*	Bezirk	1970*
Baden	6,08	Brugg	2,34
Aarau	5,62	Rheinfelden	2,15
Zofingen	3,70	Zurzach	1,80
Lenzburg	3,59	Muri	1,35
Bremgarten	3,49	Laufenburg	1,22
Kulm	3,07		

* Einwohner pro Hektare

Baden 1970: Ein Viertel Ausländer

Am gegenwärtig leicht rückläufigen Trend haben die Ausländer massgebenden Anteil. 1970 machten die im Aargau wohnhaften Ausländer 18,5 Prozent der Bevölkerung aus; der Bezirk Baden lag mit 25,8 Prozent allerdings wesentlich über dem Durchschnitt. Ende 1976 war der Ausländeranteil gesamtaargauisch auf 15,5 Prozent gesunken; im Bezirk Baden machte er immerhin noch 22,5 Prozent aus.

Mehr Frauen im Bezirk Aarau

Aus Statistiken lässt sich vielerlei herauslesen: 1976 standen im Aargau 220 716 Einwohnern männlichen 221 813 weiblichen Geschlechts gegenüber; das Verhältnis ist (glücklicherweise!) recht ausgeglichen. Vergleicht man die einzelnen Bezirke untereinander, stellt man allerdings fest, dass der Bezirk Aarau einen deutlichen, Baden und Kulm einen schwachen Frauenüberschuss aufweisen, doch wird dieser von andern Bezirken mit mehr Männern wieder aufgehoben.

Fast gleich viele Katholiken wie Protestanten

Im Aargau halten sich die beiden grossen Konfessionen, die römisch-katholische und die protestantische Kirche, ungefähr die Waage. 1970 gab es im Aargau 215 000 Römisch-Katholische und 205 000 Protestanten; Christkatholiken wurden 4500, «andere» 8000 gezählt. 1960 hatten 164 000 Römisch-Katholische noch 189 000 Protestanten gegenübergestanden. Christkatholiken gab es 5100, «andere» 2400. Eine Übersicht nach Bezirken zeigt deutlich das Übergewicht der Protestanten im ehemaligen Berner Aargau und das entsprechende Gegengewicht der Katholiken in den andern Bezirken:

Bezirk	Protestanten (in Tausend)	Römisch-Katholische (in Tausend)
Aarau	39	19
Baden	31	58
Bremgarten	8	32
Brugg	22	12
Kulm	23	7
Laufenburg	3	15
Lenzburg	26	11
Muri	2	17
Rheinfelden	7	13
Zofingen	38	14
Zurzach	5	18

Die Städte werden kleiner

Fast alle grösseren Ortschaften im Kanton haben in den letzten Jahren eine Bevölkerungsverminderung erfahren. Sie dürfte vorwiegend auf den Rückgang der ausländischen Bevölkerung zurückzuführen sein. Allgemein lässt sich auch im Aargau eine zunehmende Verstädterung feststellen; mehr als die Hälfte der aargauischen Bevölkerung wohnt in Gemeinden mit mehr als 5000 Einwohnern. Die grösste Aargauer Gemeinde ist seit einigen Jahren Wettingen mit 18910 Einwohnern (31. Dezember 1976); 1970 waren es noch 19900. Dahinter folgen (Zahlen ebenfalls vom 31. Dezember 1976) Aarau mit 15911, Baden mit 13450, Wohlen mit 11685, Oftringen mit 8892, Zofingen mit 8795, Brugg mit 8627, Rheinfelden mit 8077, Lenzburg mit 7514 und Obersiggenthal mit 7414 Einwohnern. Demgegenüber gibt es zwei Gemeinden, welche nicht einmal 100 Einwohner aufweisen: Gallenkirch zählte Ende Dezember 1976 86, Linn 93 Einwohner. Die dichteste Besiedlung weisen (1970) Aarau mit 18,88

und Wettingen mit 18,81 Einwohnern pro Hektare auf. In Elfingen, Gallenkirch, Hottwil, Linn, Mandach, Geltwil, Olsberg, Unterendingen und Siglistorf trifft es dafür mehr als 2 Hektaren auf einen Einwohner!

Fast jeder zweite Einwohner ist erwerbstätig

Von der Gesamtbevölkerung des Aargaus waren 1970 48 Prozent erwerbstätig. Im Bezirk Baden waren es sogar 49,2 Prozent, in Muri nur 43,2 Prozent; die andern Bezirke liegen dazwischen. Bei diesen Zahlenvergleichen gilt es zu berücksichtigen, dass in diesem Zeitpunkt der Anteil der Ausländer bei den Berufstätigen sehr hoch war, ja zeitweise über 30 Prozent betrug. Allein in der Gemeinde Baden arbeiteten 1970 über 20000 Berufstätige, in Aarau über 18000 und in Zofingen über 10000. Wer diese Zahlen mit den Einwohnerzahlen dieser Gemeinden vergleicht, erkennt leicht, dass diese Orte sehr viele Zupendler aufweisen.

Die Erwerbstätigen werden *in drei Sektoren* eingeteilt. Der *erste* oder primäre Sektor umfasst Land-Forstwirtschaft, Gartenbau, Fischerei und Jagd; dieser Sektor ist noch im Bezirk Muri, aber auch im Bezirk Laufenburg stark vertreten. Der *zweite* oder sekundäre Sektor erfasst die gewerbliche und industrielle Produktion und das Baugewerbe; dieser Sektor ist besonders ausgeprägt in den Bezirken Zofingen und Kulm, ist aber auch in den andern Bezirken vorherrschend. Mit Recht bezeichnet man deshalb den Aargau als Industriekanton. Der *dritte* oder tertiäre Sektor schliesst die übrigen Berufsgruppen ein: die sogenannten Dienstleistungen, z. B. Han-

del, Banken und Versicherungen, Verkehr, Gastgewerbe, Verwaltung, Schulwesen, freie Berufe; dieser Sektor ist in

den Bezirken Aarau (Kantonshauptstadt), aber auch Baden und Brugg
stark.

Erwerbstätige Bevölkerung 1970 nach Bezirken

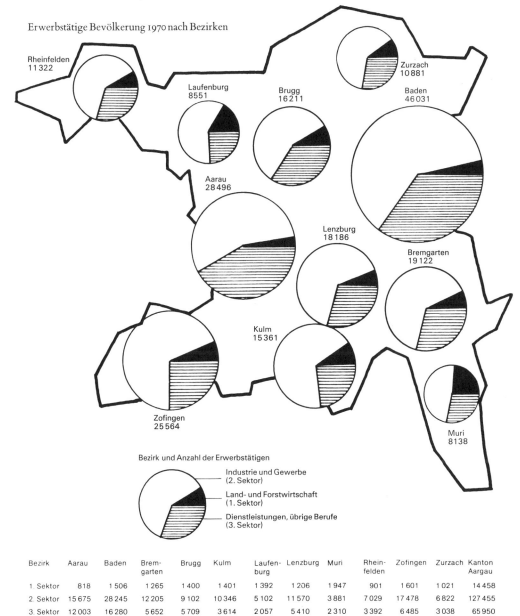

Bezirk	Aarau	Baden	Brem-garten	Brugg	Kulm	Laufen-burg	Lenzburg	Muri	Rhein-felden	Zofingen	Zurzach	Kanton Aargau
1. Sektor	818	1 506	1 265	1 400	1 401	1 392	1 206	1 947	901	1 601	1 021	14 458
2. Sektor	15 675	28 245	12 205	9 102	10 346	5 102	11 570	3 881	7 029	17 478	6 822	127 455
3. Sektor	12 003	16 280	5 652	5 709	3 614	2 057	5 410	2 310	3 392	6 485	3 038	65 950

3. Landwirtschaft

a) Aargauer Bauern einst und heute

Nach der Besiedlung unseres Gebietes durch die Alemannen war die Landschaft lange nicht mehr so stark durch den Getreidebau geprägt wie vorher unter den Kelten und den Römern. Ein Acker wurde von den Alemannen so lange mit Getreide bepflanzt, als die Brotfrucht qualitativ genügte. War der Acker nach einigen Jahren an Nährstoffen arm geworden, überliess man ihn einfach der natürlichen Verwiesung und brach dafür ein anderes Stück Wiesland für den Getreidebau um.

Erst im 12./13. Jahrhundert entwickelte sich bei uns die *Dreizelgen- oder Dreifelderwirtschaft*. Die Bauern eines Weilers oder Dorfteiles legten ihre Felder in der Weise zusammen, dass drei Zelgen entstanden. Auf einer Zelge wurden alle Äcker gleich bewirtschaftet: Im ersten Jahr trug zum Beispiel eine Zelge Sommerfrucht (Sommergerste, Einkorn, Emmer, Hafer, Hirse); im zweiten Jahr lag diese Zelge brach, d. h. sie wurde wohl umgepflügt, aber nicht zur Aussaat verwendet; erst im Spätherbst erfolgte die Aussaat des Wintergetreides (Weizen, Roggen, Dinkel = Korn, Gerste) und wurde dadurch für das dritte Jahr zur Winterzelg. Die Bauern der Zelgengemeinschaft standen unter Flurzwang, hatten sich also streng an den Dreijahresturnus zu halten.

Daneben brauchten die Bauern zur Ernährung der Zug- und Zuchttiere Wiesland. Dieses nahm in der Regel etwa den dritten Teil der Ackerfläche ein. Als Weideland dienten die Allmend, die Brachzelg und der Wald.

Zelgeinteilung des Dorfes Wohlen

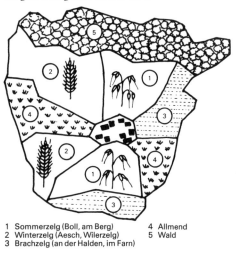

1 Sommerzelg (Boll, am Berg)   4 Allmend
2 Winterzelg (Aesch, Wilerzelg)   5 Wald
3 Brachzelg (an der Halden, im Farn)

Die Kornkammer der Berner

Als der Aargau mit Ausnahme des Fricktals unter die Herrschaft der Eidgenossen kam, hatte fast jedes Dorf seine Mühle; vor allem die Berner sorgten in ihrem Untertanengebiet für einen intensiven Getreidebau. 1803, als die Berner den Aargau verloren und dafür den welschen Jura erhielten, klagten sie, sie hätten eine Kornkammer gegen einen Holzboden eingetauscht. Dabei entsprach es nicht eigentlich dem Wunsch der Bauern, dass sie so viel Getreide zu erzeugen hatten; sie hätten gerne mehr Matten gehabt und mehr Vieh gehalten.

Das 19. Jahrhundert brachte einen Umbruch in der Landwirtschaft. Der Flurzwang wurde aufgehoben; jeder Bauer konnte seine Äcker bewirtschaften, wie er wollte. Die Zelgen verschwanden und mit ihnen die Dreifelderwirtschaft. Der Getreidebau wurde durch die Vieh- und Milchwirtschaft zurückgedrängt. Diese Entwicklung wurde gefördert durch die zunehmende

Einfuhr von billigem Weizen aus Osteuropa und später aus Übersee. Die bisherige Selbstversorgung wich einer marktorientierten landwirtschaftlichen Produktion.

Merkmale der aargauischen Landwirtschaft heute

Heute praktiziert die Mehrheit der bäuerlichen Betriebe eine Mehrfelderwirtschaft mit Acker- und Futterbau, wobei ein bestimmter Fruchtfolgeplan eingehalten wird, z. B. im ersten Jahr Hackfrüchte, im zweiten Jahr Weizen oder Korn, im dritten Jahr Roggen, Gerste oder Hafer, im vierten Jahr Drescherbsen, Raps oder Ackerbohnen. Die landwirtschaftliche Produktion ist an verschiedene Voraussetzungen gebunden. Die *Klimafaktoren* wirken sich innerhalb des Kantonsgebietes nur in geringem Masse aus; so fördern die reichlichen Niederschläge im obern Freiamt die Gras- und Milchwirtschaft und die nach Süden offenen Täler mit einer um 1 °C höheren mittleren Jahrestemperatur den Körnermaisanbau. Die *Bodengestalt* spielt ebenfalls eine Rolle: Die steilen Hänge im Jura sind für den Ackerbau ungeeignet, dagegen eher für Naturfutterbau (Wiesen und Weideland) oder, an günstigen Südwestlagen mit Kaltluftabfluss, für Rebbau. Die weniger steilen Hänge im Mittelland eignen sich für Obstbau (z. B. Lindenberg, Heitersberg). Die *Bodenqualität* ist unterschiedlich. Für den Ackerbau sind besonders die ebenen, verwitterten Oberflächen der Schotterböden oder die lehmhaltigen Moränenböden geeignet, dagegen weniger gut die tiefliegenden Gebiete mit Staunässe oder die kalkreichen und wenig tiefgründigen Böden im Jura. Die Höhe des Grundwasserspiegels beeinflusst das Pflanzenwachstum vor allem in trockenen Jahren.

57 Prozent der Gesamtfläche des Aargaus entfallen auf die Landwirtschaftszone (Bäche, Flüsse und Verkehrsfläche werden hier allerdings auch einbezogen); der Wald macht 34 Prozent, die Besiedlungszone 9 Prozent aus. Von der landwirtschaftlichen Nutzfläche entfallen 66 Prozent auf Wiesen und Weiden, 33 Prozent auf Ackerland und 1 Prozent auf übrige Kulturen, z. B. Erdbeeren.

Aufteilung der Gesamtfläche des Aargaus in die Hauptnutzungsarten

Aufteilung der landwirtschaftlichen Nutzfläche

1 Wald und Gewässer (ohne Flüsse und Bäche) 34 %

2 Besiedlungszone 9 %

3 Landwirtschaftszone (mit Verkehrsfläche, Bächen und Flüssen in dieser Zone) 57 %

3.1. Wiesen und Weiden 66 %

3.2. Ackerland 33 %

3.3. Übrige Kulturen, z. B. Beeren 1 %

Landwirtschaftsbezirke Muri und Laufenburg

Im Jahre 1888 waren im Aargau noch 40 Prozent aller Berufstätigen in der Landwirtschaft beschäftigt; 1970 waren es nur noch 5,7 Prozent! Als eigentliche Landwirtschaftsbezirke sind im Aargau höchstens noch die Bezirke Laufenburg und Muri zu bezeichnen; 22,5 Prozent aller Berufstätigen arbeiten im Bezirk Muri in der Landwirtschaft, im Bezirk Laufenburg 14,6 Prozent. In den Bezirken Zurzach, Kulm, Brugg und Rheinfelden ist der Anteil schon wesentlich kleiner, und im Bezirk Aarau machte er 1970 nur noch gerade 1,8 Prozent aus. Die Begriffe «Fricktal» und «oberes Freiamt» sind für viele Aargauer nicht nur mit der Landwirtschaft, sondern vor allem mit dem Obstbau verbunden. Der Bezirk Muri stellt, gesamtkantonal gesehen, bei den Apfelbäumen und besonders bei den Birnbäumen einen grossen Anteil, der Bezirk Laufenburg (wie überhaupt das Fricktal) bei den Kirschbäumen; auch hier stösst man allerdings auf viele Apfel- und Zwetschgenbäume.

Viele «Kleinbauern» im Aargau

Eine Eigenart der aargauischen Landwirtschaft ist die durchschnittlich geringe Betriebsgrösse. Sie liegt unter dem schweizerischen Mittelwert und ist im Vergleich zu den Nachbarkantonen bedeutend kleiner. Auffallend ist die grosse Anzahl von kleinen Bauernhöfen, die von nicht hauptberuflich tätigen Landwirten betrieben werden. Diese «Kleinbauern» gehen einer Industriearbeit nach und treiben gewissermassen im Nebenberuf noch Landwirtschaft. Allerdings zeigt die Entwicklungstendenz eine deutliche Abnahme dieser kleinbäuerlichen Betriebe und dafür ein Anwachsen der Betriebe mit mehr als zehn Hektaren Kulturfläche.

Starker Rückgang

Weiterhin ist aber die Entwicklungstendenz sowohl hinsichtlich landwirtschaftlicher Nutzfläche als auch hinsichtlich hauptberuflicher Landwirte abnehmend. Zwischen 1955 und 1969 gingen 10 Prozent der landwirtschaftlichen Nutzfläche verloren, und die Zahl der Landwirtschaftsbetriebe hat sich von 15 231 auf 10 041 verringert. Das entspricht einem Rückgang der Landwirtschaftsbetriebe im Aargau um 34 Prozent innerhalb von 15 Jahren; gesamtschweizerisch liegt der Aderlass bei 28 Prozent. Im gleichen Zeitraum verringerte sich die Zahl der aargauischen hauptberuflichen Landwirte um 42 Prozent (gesamtschweizerisch um 40 Prozent). Dennoch wies der Aargau mit über 10 000 Landwirtschaftsbetrieben im Jahre 1969 immer noch mehr bäuerliche Betriebe auf als seine Nachbarkantone (Zürich: 9825, Luzern: 8890, Baselland: 2081).

Die Reduktion der Landwirtschaftsbetriebe trifft alle Planungsregionen des Aargaus gleichermassen, mit Ausnahme vielleicht des Freiamtes, wo sich der Rückgang in Grenzen hielt. Im Fricktal, wo sich die Industrie in den letzten Jahren stark entwickelt hat, fällt der Verlust an Landwirtschaftsbetrieben jedoch ins Gewicht. Noch 1955 gab es in der Planungsregion mittleres Rheintal (Laufenburg) 1452 hauptberufliche Landwirte; 1969 waren es nur noch 682!

Überhaupt sind in der Landwirtschaft allgemein seit 1950 grössere Strukturveränderungen eingetreten als je zuvor in einem Jahrhundert. Naturwissenschaftliche Erfolge der Züchtung, Düngung, Fütterung usw. brachten biologische Fortschritte und Neuerungen. Die mechanische Technik hielt ihren Einzug in die Landwirtschaft, wodurch sich diese innerhalb weniger Jahre zu einem besonders kapitalintensiven Wirtschaftszweig entwickelte. Strukturverbesserungen führten zu einer kaum für möglich gehaltenen Steigerung der Arbeitsproduktivität, doch sind damit die Probleme der Landwirte und ihrer Familien nur noch grösser geworden.

Ein agrarpolitisches Leitbild

Anfang 1977 hiess der Aargauer Grosse Rat ein agrarpolitisches Leitbild für den Kanton gut und beauftragte die Regierung, ein neues Landwirtschaftsgesetz auszuarbeiten. Dieses Leitbild hat verschiedene Ziele gesetzt und sieht bestimmte Massnahmen vor: Die Berufsbildung soll intensiviert werden, was unter anderem mit einem qualitativen Ausbau der Landwirtschaftlichen Schulen in Muri, Frick und Liebegg (Gränichen) erreicht werden kann. Im weiteren soll der Kanton weiterhin durch Subventionen und zinslose Darlehen Investitionsanreize schaffen und Meliorationen, Güterzusammenlegungen und landwirtschaftliche Gebäudesanierungen fördern. Auch kleinbäuerliche Unternehmen sollen unterstützt werden können (nicht unbestritten!), womit der «Rucksäcklipuur», also der Bauer im «Nebenamt», möglicherweise eine neue Chance erhält. Man sieht heute ein: Mit der landwirtschaftlichen Nutzung unseres Bodens wird auch gleichzeitig Gewähr geboten, dass der ganzen Bevölkerung ein weiträumiger, gepflegter Erholungsraum erhalten bleibt; allerdings besteht auch hier bis zu einem gewissen Grade ein Zielkonflikt zwischen einer auf Leistungsfähigkeit ausgerichteten Landwirtschaft und einer landwirtschaftlichen Produktion, die auf die Umwelt Rücksicht nimmt.

«Mustersiedlung»
und Güterzusammenlegungen

Seit Ende des Zweiten Weltkrieges bemüht man sich im Aargau ganz besonders um die Güterregulierungen, die mit der Erstellung von berufsbäuerlichen Einzelsiedlungen in den Randgebieten eines Gemeindebanns verbunden sind. Die Güterzusammenlegungen erbringen eine Verbesserung der Parzellarverhältnisse (Beispiel «Hard» Erlinsbach: früher 329 Parzellen, heute 37; mittlere Parzellengrösse früher 37 Aren, heute 324 Aren), den Ausbau des Wegnetzes (Hard: 9,16 km neue Wege), die Regelung des Bodenwasserhaushaltes durch Flächendrainage und Ableitungen (Hard: 270 Aren, 236 Meter) und eben die Neugestaltung landwirtschaftlicher Hochbauten in Form von Aussiedlungen oder durch Sanierung der Dorf- oder Dorfrandbetriebe.

Innerhalb der letzten 30 Jahre sind im Aargau um 200 moderne Einzelhof-Siedlungen entstanden; sie geben der Landschaft ein neues, wenn auch nicht immer vorteilhaftes Gepräge. Die Aussiedlung bringt wohl verschiedene Vorteile: arrondierter Hof, Verkürzung der Arbeitswege, zweckmässige Einrichtungen, Flächenzuwachs bei wachsender Entfernung und Höhendifferenz zur Dorflage, Ermöglichung der Weidewirtschaft, Abrücken von der immissionsempfindlichen Dorfbevölkerung bei Mastbetrieben. Nachteile sind demgegenüber: Verzicht auf Nachbarschaft und Dorfgemeinschaft, längere Wege zu Kirche, Schule, Milchsammelstelle und Einkaufsladen. Das landwirtschaftliche Leitbild sieht vor, Betriebe mitten in den Dörfern ebenfalls wieder zu fördern. Auch werden in letzter Zeit ver-

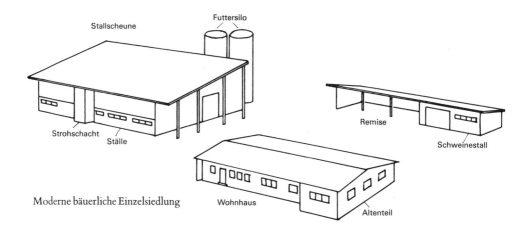

mehrt Siedlungsgruppen in der Art des Kleinweilers angestrebt. Zu einer Siedlungsgruppe gehören zwei bis drei Betriebe, die innerhalb Rufweite liegen (Beispiele: Benkerjoch, Grossberg bei Hornussen).

Der moderne Aussiedlungshof im Aargau besteht in der Regel aus dem Wohnhaus (evtl. mit Altenteil), der Stallscheune mit Silos und dem Maschinen- und Geräteschuppen (evtl. mit Garage und Schweinestall).

b) Warum eigentlich «Rüebliland»?

Wenn der Aargau sich heute in einem Festumzug präsentiert, darf selbstverständlich ein riesiges Aargauer Rüebli nicht fehlen, und an offiziellen Kantonsanlässen erwartet jedermann, dass Rüeblitorte zum Dessert aufgetragen wird. Warum unser Kanton aber gerade diese Bezeichnung erhalten hat, darüber vermögen weder alte Bücher noch erfahrene Historiker genaue Auskunft zu geben. Man kann nur vermuten, dass dieser Beiname ursprünglich «Rübenland» lautete und später die etwas «heimeligere» Verkleinerungsform erhielt.

Mit «Rübenland» würde dann nämlich unterstrichen, dass im ehemaligen Berner Aargau früher sehr viele Rüben (oder «Räbe») angepflanzt wurden; nicht etwa die uns vertrauten «Rüebli», wie wir die orangeroten Karotten nennen, sondern die grossen Bodenrüben. Man verwendete sie als Tierfutter, kochte daraus aber auch etwa «Räbebappe» für die Familie, womit der früher etwas langweilige Speisezettel ein wenig aufgelockert worden sein dürfte. Eine dritte Sorte sind übrigens die gelben und spitzigen «Chüttiger Rüebli».

Der Aargau ist jedenfalls überhaupt kein typisches Rüebliland, wenn man vom heute gängigen Speiserüebli ausgeht. Da sind eher das Wallis, das Berner Seeland oder der Thurgau als Rüebliländer zu bezeichnen. Dank verschiedenen Entwässerungen weist heute aber auch der Aargau Gebiete mit leichten Böden auf, in denen Rüebli bestens gedeihen. So werden jetzt etwa in Seengen, Egliswil und Hendschiken Rüebli mit grossem Erfolg angepflanzt, womit die Rüeblitorte doch allmählich eine echte aargauische Spezialität geworden ist.

c) Bauernhausformen im Aargau

Der Aargau gilt in bezug auf seine traditionellen Bauernhäuser als der Kanton mit der grössten Mannigfaltigkeit. Das ist wohl viel zu wenig bekannt und wurde erst vor wenigen Jahren durch eine interessante Doktorarbeit erhärtet. Diese Vielfalt ist heute mit dem allgemeinen Rückgang der Landwirtschaft gefährdet.

Man kann zwischen zwei grundsätzlichen Arten von Hofanlagen, nämlich zwischen dem *Einhausbau* und dem *Mehrhausbau*, unterscheiden. Der Einhausbau dominiert im ehemaligen Berner Aargau und im Jura, wo früher ausgeprägt der Getreide- und der Weinbau betrieben wurden. In der Regel wurde dieser Einhausbau dreigeteilt, nämlich in Wohnung, Tenn und Stall, weshalb sich auch der Name *Dreisässenhaus* eingebürgert hat. Meistens befindet sich das Tenn, gelegentlich auch der Stall in der Mitte. Im oberen Freiamt, wo die Graswirtschaft vorherrschend ist, ist der Mehrhausbau verbreitet; hier macht sich zweifellos der historische Einfluss von der Innerschweiz her bemerkbar. Während die Mehrhausbauten eher in Streusiedlungen anzutreffen sind, gliedern sich die Einhausbauten eher zu Dörfern.

Die historische Abhängigkeit zeigt sich vor allem in den konstruktiven Unterschieden. Im ehemals *bernischen Untertanengebiet* war das alemannische Strohdachhaus, auch Aargauer Haus, verbreitet: eine Hochstudkonstruktion mit strohgedecktem, steilem, tief herabgezogenem Walmdach.

Zur Zeit der Kantonsgründung zählte man im Aargau noch über 12 000 Häuser mit Strohbedachung. Die Einführung

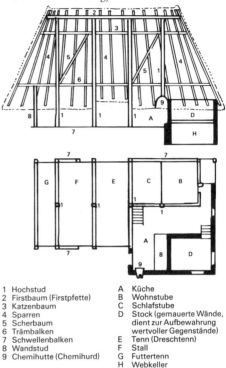

Strohdachhaus in Muhen (in vereinfachter Aufriss- und Grundrisszeichnung)

1 Hochstud	A Küche
2 Firstbaum (Firstpfette)	B Wohnstube
3 Katzenbaum	C Schlafstube
4 Sparren	D Stock (gemauerte Wände,
5 Scherbaum	dient zur Aufbewahrung
6 Trämbalken	wertvoller Gegenstände)
7 Schwellenbalken	E Tenn (Dreschtenn)
8 Wandstud	F Futtertenn
9 Chemihutte (Chemihurd)	G Futtertenn
	H Webkeller

des kantonalen Brandversicherungsgesetzes im Jahre 1865, das bei Neubauten die Strohbedachung verbot und kantonale Beiträge bei der Ersetzung durch Ziegel zusicherte, bedeutete das Ende des Strohhauses. Heute gibt es nur noch fünf repräsentative Bauten mit Strohbedachung im Aargau: je ein Bauernhaus in Leimbach und Muhen, zwei Bauernhäuser in Kölliken und einen strohgedeckten Speicher in Oberkulm. Alle diese Strohhäuser stehen unter Denkmalschutz. Vor allem das Strohhaus in Muhen zählt zu den Schmuckstücken des Hausbaus im Aargau. Es gehört der Aargauischen Vereinigung für Heimatschutz und ist als Museum für bäuer-

liche Kultur eingerichtet. Es ist gekenn-
zeichnet dadurch, dass ein Teil der
Hauswände gemauert ist (Webkeller,
Stock, Küche).

Im westlichen Teil des Berner Aargaus ist auch der Typ des *Berner Hauses*
anzutreffen. Er trat bei uns erst im 17.
Jahrhundert in Erscheinung, sowohl als
Bürger- wie als Bauernhaus. Es ist gekennzeichnet durch die Ründe an der
Giebelseite, eine halbrunde Verschalung
unter dem Querschild (Gerschild) des
Walmdaches. Besonders schöne Berner
Häuser sind der «Bären» in Kölliken und
in Wildegg sowie die Alte Post in Witt-
wil-Staffelbach. Das Aargauer Haus erfuhr oft Änderungen, die es dem Berner
Haus anglichen.

Wohnhaus im Berner Stil

1 Giebelründi, 2 Bug, 3 Gerschild oder Krüppelwalm

Zum im oberen Freiamt verbreiteten
Mehrhausbau gehören mindestens das
Wohnhaus und die Stallscheune. Das
Wohnhaus ist ein mehrstöckiger Holz-
ständerbau, der auf einem Mauersockel
errichtet ist. Nach der Art des Inner-
schweizer Bauernhauses weist die vordere Giebelseite lange Fensterreihen

Freiämter Bauernhof, bestehend aus Wohnhaus und
Scheune mit Ställen

und Klebdächlein auf. Die Aussenwän-
de sind meistens mit Schindeln abge-
schirmt. Der Eingang findet sich auf der
Traufseite; eine Treppe führt in der Re-
gel zu einer offenen Laube, die von einer
Obergeschosslaube überdeckt ist. Die
Stallscheune ist nahe beim Wohnhaus
gebaut. Sie steht meistens quer zum
Hang, damit die Längseinfahrt in den
Dachraum keinen allzu aufwendigen
Rampenbau erfordert. Für den grossen
Viehbestand (30 bis 50 Stück Rindvieh)
sind zwei bis drei Ställe nötig.

Bei einzelnen Gehöften stehen noch
weitere Gebäude: der Schweinestall,
der Wagenschopf und gelegentlich
noch ein Kornspeicher, das Waschhaus,
das Dörr- und Brennhaus.

Die Bauweise der Bauernhäuser im
oberen Freiamt ist unverkennbar beeinflusst vom Zuger und Luzerner Typ her.
Im untern Freiamt dagegen, vor allem
auf der rechten Reusstalseite, überhaupt
im östlichen Kantonsteil, zeigt sich der
Einfluss vom Züribiet her. Hier macht
sich der zürcherisch-ostschweizerische
Fachwerkbau mit dem mittelsteilen, seit
längerer Zeit mit Ziegeln gedeckten
Satteldach deutlich bemerkbar. Diese
Konstruktionsart ist zwar im ganzen
aargauischen Mittelland und im Tafel-

Bauernhof in Winterschwil (aus Blaser, Bauernhausformen im Aargau)

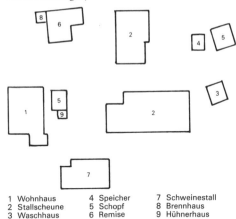

1 Wohnhaus	4 Speicher	7 Schweinestall
2 Stallscheune	5 Schopf	8 Brennhaus
3 Waschhaus	6 Remise	9 Hühnerhaus

jura verbreitet, wenn auch weniger stark als im östlichen Kantonsteil; vor allem aber tritt sie im westlichen Teil wegen der verputzten Wände kaum in Erscheinung.

Im Fricktal war bis Ende des 18. Jahrhunderts ein durch Hochstüde getragener Holzbau mit strohgedecktem Walmdach verbreitet. Diesen Typ trifft man nur noch vereinzelt in Möhlin.

Fachwerkbau Wohlenschwil (Untere Mühle)

Seither hat sich auch im Aargauer Jura die im benachbarten Baselbiet übliche Steinbauweise durchgesetzt, was darauf zurückzuführen ist, dass das Baumaterial, der Bruchstein, in unbeschränkter Menge zur Verfügung zu stehen scheint. Typisch im Fricktal sind dabei die *Strassendörfer;* d.h., die Häuser sind aneinandergereiht, und zu beiden Seiten der Strasse liegt in der Regel je eine geschlossene Häuserzeile. Dabei handelt es sich auch um Dreisässenhäuser mit Wohnteil, Tenn und Stall unter einem Dach (Mittertennhaus, Rundbogen beim Tennstor, Torumrahmung aus behauenem Stein, Schlussstein in der Mitte des Bogens, Steinbau).

Fricktaler Jurastrassenhaus Ueken

Mit dem Strukturwandel in der Landwirtschaft hat sich auch das Bauernhausbild stark geändert. Hohe Baukosten verunmöglichten jedoch oft die Errichtung grundlegend neu konzipierter Gebäulichkeiten, weshalb die Struktur der alten Dreisässenhäuser im wesentlichen bestehen blieb. Das Aargauer Haus in seiner ursprünglichen Form ist allerdings grösstenteils verschwunden.

Am Rande vermerkt sei, dass der vorerwähnte, in den letzten Jahrzehnten konzipierte «Siedlungstyp Aargau» auf dem Mehrhausbau-Prinzip beruht.

4. Forstwirtschaft

Ein langer Kampf für die Walderhaltung

Der Kanton Aargau war ursprünglich, wie allgemein das Mittelland und der Jura, von Wald bedeckt. Als der Mensch der Urzeit mit dem Ackerbau begann, musste er zunächst einmal Wald roden, um freie Flächen zu gewinnen. Die späteren Bewohner unseres Gebietes, vor allem die Alemannen, setzten diese Rodungstätigkeit fort. Die Waldvernichtung mit Axt oder Feuer zur Gewinnung von Ackerflächen muss zeitweise grosse Ausmasse angenommen haben; zahlreiche Flurnamen (Rütti, Brand, Schwand usw.) erinnern heute noch daran. Man nimmt an, dass die Waldrodungen im 13. Jahrhundert ihren (vorläufigen) Abschluss fanden; das Landschaftsbild jener Zeit dürfte in bezug auf die Verteilung von Wald und offenem Land ungefähr den heutigen Verhältnissen entsprochen haben. Dem Wald verblieben Böden, die für die landwirtschaftliche Nutzung ungeeignet waren: steile Hanglagen, Schattenhänge, undurchlässige Lehmböden und trockene Schotterebenen.

Die Waldwirtschaft erfuhr nach der Eroberung des Aargaus im Jahre 1415 eine unterschiedliche Entwicklung. Während im Berner Aargau und später auch im Fricktal Forstgesetze die Bewirtschaftung des Waldes regelten, fehlte in den Gemeinen Herrschaften eine planmässige Waldpflege. Hier wurde Raubbau getrieben, so dass ehemals ausgedehnte Wälder keine Hochstämme mehr aufzuweisen hatten (darum etwa der Name Studenland). Vom Fricktal weiss man, dass sein Wald während des Dreissigjährigen Krieges (1618 bis 1648) fürchterlich übernutzt wurde.

Mit der Kantonsgründung 1803 kam auch in der Forstwirtschaft die Wende zum Besseren, wobei interessanterweise der Volksschriftsteller Heinrich Zschokke Pionierarbeit auf diesem Gebiet leistete. Aber noch Mitte des letzten Jahrhunderts wurde «gesündigt»; beispielsweise, als in der Schweiz eine Kartoffelkrankheit aufkam und die Landwirtschaft in den Wald auswich, weil die Kartoffeln nur auf keimfreiem, gerodetem Waldboden gesund blieben. Etwa zur gleichen Zeit herrschte bei uns eine «Auswanderungswelle»; die Gemeinden mussten oft die Auswanderungskosten für die armen, ihnen sonst zur Last fallenden Mitbürger aufbringen und führten deshalb ausserordentliche Holzschläge in den Wäldern durch. Diese haben zum Teil bis heute die Bezeichnung «Im Amerika» behalten. 1855 wurde mit der Abteilung Forstwirtschaft der ETH Zürich eine Forschungsstätte geschaffen, welche die Grundlagen für eine gesunde Waldwirtschaft unseres Landes schuf und der Öffentlichkeit auch die grösseren Zusammenhänge in der Waldbewirtschaftung zu erklären versuchte. In die Bundesverfassung von 1874 wurde ein Forstartikel aufgenommen, aufgrund dessen 1876 das erste eidgenössische Forstgesetz erlassen wurde. Diese Forstgesetzgebung erwies sich als sehr wirksam. Nicht nur wurde seither dem Raubbau Einhalt geboten, sondern die Wälder konnten allmählich wieder instand gestellt werden. Seither und auch heute immer noch gilt das Prinzip der «nachhaltigen Nutzung», welches verlangt, dass in einem grösseren Waldkomplex nicht mehr

Holz geschlagen wird, als nachgewiesenermassen zuwächst. Der Holzvorrat des Aargaus hat sich in den letzten hundert Jahren etwa verdreifacht.

Ein Drittel des Aargaus ist Wald

Von der Gesamtfläche des Kantons sind rund 47000 ha oder ein Drittel mit Wald bedeckt. Die stärkste Bewaldung weist die Region Aarau/Zofingen mit 40 Prozent auf, die schwächste das südliche Reusstal und das angrenzende Freiamt mit 17 Prozent. Diese Waldfläche ist für einen Industriekanton recht gross. Nur wenige Kantone übertreffen den Aargau, und von der gesamten Fläche der Schweiz sind bloss ungefähr 26 Prozent Wald.

Hätte der Mensch keinen Einfluss auf den Waldwuchs genommen, so würde im aargauischen Mittelland weitgehend der Laubwald, und zwar der Eichen-Hagenbuchen-Wald, vorherrschen; ab 700 Meter über Meer sowie im Falten- und Tafeljura wäre der Buchenwald dominierend, und in der Nähe der Flüsse würde man auf die Auen- und Schachenwälder stossen (siehe hiezu 1. Kapitel, Seite 33). Der Mensch hat aber die Landschaft im Zuge von sogenannten «Sanierungen» in starkem Masse entwaldet oder dann die Aufforstung etwas zu sehr nach marktorientierten Gesichtspunkten vorgenommen. Deshalb sind heute rund zwei Drittel des Aargauer Waldes Nadelholz (Fichten und Weisstannen) und nur noch ein Drittel Laubholz. Der Aargau weist einen stehenden Holzvorrat von 14 bis 15 Millionen Kubikmetern auf.

Fast drei Viertel des Aargauer Waldes gehören den Gemeinden; Bundes- und Staatswald (Kantonswald) sind nur 7 Prozent, und auf den Privatwald entfallen die übrigen knapp 20 Prozent.

Hohe Holznutzung

Genutzt werden im öffentlichen und privaten Wald pro Jahr rund 380 000 m³ oder ungefähr 8 m³ pro Hektare. Damit reiht sich der Aargau in die Kantone mit der grössten Nutzung ein. Etwas mehr als die Hälfte des genutzten Holzes wird als Stammholz oder Rundholz zu Balken und zu Brettern zersägt; ein Viertel wird zu Zellulose und Spanplatten verarbeitet (Industrieholz). Ein Fünftel verbleibt als Brennholz. Der grösste Teil des im Aargau geschlagenen Holzes wird im eigenen Kanton verarbeitet. 1976 waren im Aargau in 80 Sägereien, 130 Zimmereien, 3 Furnierwerken, 200 Möbelwerkstätten und 2 Spanplattenwerken ungefähr 12 000 Arbeitskräfte beschäftigt; damit verschafft die Holzindustrie 8 bis 9 Prozent aller Werktätigen des Kantons Arbeit.

Generationenwechsel im Wald

Ziel des heutigen Waldbaus in der Schweiz und damit auch im Aargau ist die Schaffung naturnah aufgebauter und damit stabiler Bestände, die sowohl den Marktbedürfnissen gerecht werden, als auch gleichzeitig die Schutz- und Wohlfahrtswirkungen, welche die Allgemeinheit fordert, spenden. Diesem Ziel dienen die Waldpflege und die Walderneuerung. Die Forstleute müssen sich heute vermehrt mit Verjüngungsproblemen befassen. Ein Grossteil der in der zweiten Hälfte des letzten Jahrhunderts im Zuge der Waldwiederherstellung begründeten Bestände hat nämlich jetzt ein Alter erreicht, das den Generationenwechsel erforderlich

macht: Eine neue Waldgeneration muss
die alte allmählich ablösen.

Heute stehen 20 Forstingenieure und
gegen 200 Staats- und Gemeindeförster
sowie ungefähr 1200 Waldarbeiter in
sechs Forstkreisen im Aargau im Einsatz; sie bemühen sich, den Wald biologisch gesund zu erhalten und die Nutzung wirtschaftlich verantwortbar zu
gestalten. Dazu hilft ihnen seit 1971 vor
allem auch die gesetzliche Bestimmung,
dass alle Wälder des Aargaus geschützt
sind. Das bedeutet, dass der Waldbe-
stand keinesfalls geschmälert werden
darf und mit jeder Rodungsbewilligung
eine Aufforstungsverpflichtung verbunden wird.

5. Der Rebbau

Anbaufläche vor 100 Jahren zehnmal grösser

Römische Gutsherren siedelten die
Weinrebe in der Westschweiz an, möglicherweise bereits auch im heutigen
Aargau. Im Mittelalter gab es bei uns
nur spärlich Rebbau; die Rebberge der
Klöster lagen vor allem im Welschland
und im Elsass. Immerhin hatten die
Flusshäfen Aarburg, Brugg und Baden
Bedeutung als Umschlagplätze für den
Wein. Est im 17. Jahrhundert breitete
sich bei uns der Rebbau aus, und im 19.
Jahrhundert waren die Rebbaugebiete
schon sehr ausgedehnt. 1881 umfasste
die Anbaufläche 2681 ha und war damit
zehnmal grösser als heute!

Eine Katastrophe jagte die andere

Nach 1850, als der Bahnverkehr einsetzte, begann man bei uns andere Reb-
sorten aus bekannten europäischen

Weingebieten anzupflanzen. Viele Versuche scheiterten an den anderen klima-
tischen Voraussetzungen, und bald
herrschte bei uns ein Sortenwirrwarr
mit wenig Vor- und viel Nachteilen.
Dazu kam, dass eine zentrale Leitung
auf dem Gebiete des Rebbaus fehlte.

Mit den neuen Transportmöglichkei-
ten verbilligten sich die Importweine,
weshalb die einheimischen Bauern
Mühe hatten, ihre Produkte bei den
Wirten zu kostendeckenden Preisen ab-
zusetzen. Zudem entzog die stürmisch
einsetzende Industrialisierung der Landwirtschaft, besonders aber dem arbeits-
intensiven Rebbau, die notwendigen
Arbeitskräfte.

Weitere Schicksalsschläge für den
Rebbau waren das Aufkommen des
Mehltaus, der das Laub und die Trauben
vernichtete, sowie die Einschleppung
der Reblaus aus Amerika, welche das
Wurzelwerk und damit die ganze Pflanze zum Absterben brachte. Zu Beginn
des 20. Jahrhunderts boten deshalb viele
Rebhänge einen trostlosen Anblick; der
Rebbau reduzierte sich auf einen Viertel
der bisherigen Anbaufläche.

Der Wiederaufschwung hält an

Mit der Zeit gelang es der Forschung,
verschiedene Rettungsmassnahmen für
den Rebbau einzuleiten. Ab 1920 wurde
der Rebbau recht eigentlich neu aufgebaut. Gegen den Mehltau fanden sich
immer wirkungsvollere Spritzmittel,
und gegen die Reblaus obsiegte schliesslich die Rebveredelung; sie besteht darin, dass man Reblaus-immunen ameri-
kanischen Urreben unsere europäischen
Edelsorten aufpfropft. Die Rebveredelung verfolgt aber auch noch ein anderes
Ziel, die Selektion, welche es ermög-

licht, innerhalb einer Sorte immer bessere Individuen auszulesen und fortzupflanzen (Klonenzucht).

Natürlich ist der Rebbauer auch heute noch nicht gegen Schicksalsschläge gefeit. Gegen Spätfröste ist er fast, gegen Hagel und Schwemmwasser weiterhin völlig machtlos. Die Wirksamkeit von Sonne, Regen und Nebel ist aber geblieben, und gewaltig geändert haben sich Wissen und Können der Rebbauern. Einwandfreie Spritzmittel, die weder Reben noch Wein vergiften, biologisch fundierte Veredelungsmethoden, saubere Weinbereitung und genossenschaftliches Zusammenstehen für die Schulung der Rebbauern und die Sicherung des Weinabsatzes sind heute die Garanten für einen gesunden Rebbau im Aargau. Neben der Eidgenössischen Versuchsanstalt für Obst- und Weinbau in Wädenswil besteht im Aargau seit 1921 eine auf privater Basis entstandene Rebschule in Würenlingen. Die aargauische Zentralstelle für Weinbau ist einerseits ausführendes Organ der einschlägigen Gesetzgebungen, anderseits kompetente Beratungsstelle für Rebbau und Weinpflege. Erfreulicherweise nimmt das Rebareal im Aargau wieder zu, und der Absatz der einheimischen Weine ist gut.

Der Weinbaukanton Aargau

Im Aargau wird zurzeit in 55 Gemeinden Weinbau betrieben; Reben findet man an Süd-, Südost-, Südwest- bis Westlagen. Hauptgebiete sind die Hanglagen des Reuss-, Limmat-, Surb-, Aare-, Schenkenberger- und Seetales sowie viele Täler des Fricktals. Von den elf aargauischen Bezirken haben nur zwei, nämlich Zofingen und Kulm, heute keine Rebgelände mehr. Am meisten Reben gibt es im Bezirk Brugg, gefolgt von den Bezirken Zurzach und Baden. Die höchstgelegene Rebgemeinde ist Mandach mit einem Rebberg bis zu 555 Meter über Meer. Die südlichsten Reben findet man im Aargau in Muri (seit 1973), am rechten Seeufer des Hallwilersees und in Zufikon.

In unserem Land stellt die Westschweiz mindestens drei Viertel der schweizerischen Rebfläche, das Tessin knapp 10 Prozent. Auf die Deutschschweiz entfallen keine 15 Prozent. Hier stehen die Kantone Schaffhausen und Zürich mit über 400 ha an der Spitze; bereits an dritter Stelle folgt aber der Aargau mit nicht ganz 300 ha, noch vor den Kantonen Graubünden, Thurgau und St. Gallen.

Heute dürften sich gegen tausend Landwirte, Winzer und Hobby-Rebfreunde im Aargau mit dem Rebbau beschäftigen. Unsere Hauptweinsorten sind der Blauburgunder als Rotwein und der Riesling × Sylvaner als Weisswein. Unser kalkhaltiger Boden und unser Klima sagen ihnen besser zu als die heissen Sommer in südlichen Ländern. Andere Sorten, z. B. Elbling, Räuschling, Gutedel, Gewürztraminer und Hybriden, werden bei uns wesentlich weniger angepflanzt. Das Traubengut wird im Aargau von elf Weinbaugenossenschaften, einem Weinbauverein, einer Rebvereinigung und einem grossen Genossenschaftsverband (Volg) übernommen; dazu kommen noch die Selbsteinkellerer. In guten Jahren kann man im Aargau über 20 000 hl Wein gewinnen; im Jahre 1974 waren es nur etwas mehr als 3 000 hl – dieses Jahr ging als nach 1957 erstes ausgesprochenes Frostjahr in die Weingeschichte ein.

Das Rebjahr gibt – nebenbei erwähnt – einigen Gemeinden des Kantons Gelegenheit zur Durchführung bereits traditioneller, ausgelassener Winzer- und Trottenfeste.

Rationalisierungen im Rebbau

Die Produktionskosten können im Rebbau nur bis zu einem gewissen Grade durch Rationalisierungsmassnahmen gesenkt werden; rund 45 Prozent der Tätigkeit im Rebbau bleibt Handarbeit. Immerhin beträgt der Rationalisierungsgewinn innerhalb von zehn Jahren ungefähr 40 Prozent. Durch Güterregu-

lierungen in den letzten Jahrzehnten und durch die Anlegung eigentlicher Rebsiedlungen wurden weitere Voraussetzungen für einen wirtschaftlicheren Rebbau geschaffen. In Ueken, Auenstein, Herznach, Oeschgen, Wittnau und Obermumpf wurde der Rebbau durch Güterregulierungen neu aufgebaut oder wird es demnächst.

Das Jahr der Rebbauern

Januar: Alte Rebstöcke und Rebstickel entfernen.

Februar: Letztjährige Fruchtschosse beschneiden, Pfropfreiser von den besten Rebstöcken

Rebberge im Aargau

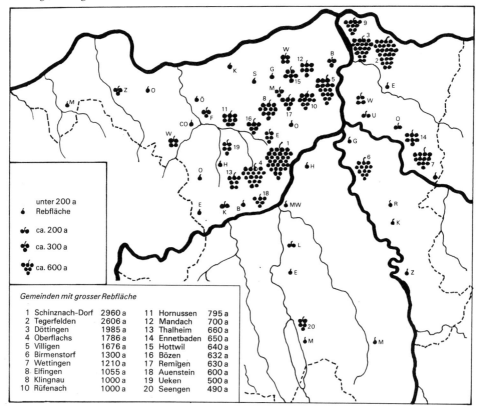

unter 200 a
Rebfläche

ca. 200 a

ca. 300 a

ca. 600 a

Gemeinden mit grosser Rebfläche

1	Schinznach-Dorf	2960 a	11	Hornussen	795 a
2	Tegerfelden	2606 a	12	Mandach	700 a
3	Döttingen	1985 a	13	Thalheim	660 a
4	Oberflachs	1786 a	14	Ennetbaden	650 a
5	Villigen	1676 a	15	Hottwil	640 a
6	Birmenstorf	1300 a	16	Bözen	632 a
7	Wettingen	1210 a	17	Remigen	630 a
8	Elfingen	1055 a	18	Auenstein	600 a
8	Klingnau	1000 a	19	Ueken	500 a
10	Rüfenach	1000 a	20	Seengen	490 a

sammeln, übrige Reiser zu Reiswellen binden
(Heizmaterial).

März: Rebschnitt im Draht- und Stickelbau.

April: Bodenbearbeitung: Boden pflügen,
natürliche oder künstliche Düngung. Zwischensaat in weiten Anlagen, z. B. Sommergerste und Sommerwicke.

Mai: Frostschutz zur Zeit des Austriebs von
Blättern und Blüten: Strohschirme im Stickelbau, Strohmatten bei Drahtbau; Beheizung des
Rebbergs, hauptsächlich mit Gas.

Juni: Auslichten: Entfernen ungeeigneter
Triebe, Haupttriebe vor dem Überhängen
schneiden (gipfeln). Schädlingsbekämpfung: bis
Anfang September wiederholte Spritzungen gegen pflanzliche und tierische Schädlinge. Falscher Mehltau, vor allem am Blattwerk: 3 bis 10
Spritzungen mit Kupferkalkbrühe. Echter
Mehltau (vorab an Beeren): 3mal mit Schwefelpräparat bestäuben oder bespritzen. Insektizide
gegen tierische Schädlinge, z. B. Sauerwurm,
rote Spinne, Spinnmilbe, Traubenwickler.

Juli: Pflanzenschutz wie im Juni, Zwischensaat ernten, Boden lockern, Hagelschutz (Hagelnetze, Hagelraketen).

August: Pflanzenschutz wie Juni und Juli.

September: Auslauben: unterste Blätter entfernen. Schutz gegen Vogelfrass anbringen (Nylonnetze, Plastikstreifen).

Oktober: Traubenhut (Überwachen des Rebbergs). Bestimmen der Traubenreife: Zuckergehalt in Öchsle-Graden: Wiegt z. B. ein Liter
Traubenmost 1080 Gramm, so ergibt dies 80
Öchsle-Grade (80°Ö); der fünfte Teil der Öchsle-Grade führt auf den Zuckergehalt hin, also
80°Ö : 5 = 16 Prozent Zucker (160 Gramm pro
Liter Traubenmost).

Traubenlese (Wümmet): Vorlese (Trauben
mit faulen Beeren), Hauptlese, Nachlese (für
erstklassige Qualitäten).

Kelterung der Trauben: Pressen, Filtrieren.
Bei Vergärung des Zuckers entsteht Wein (Hefepilze wandeln Zucker in Alkohol um); bei
Verhütung der Gärung durch Kurzzeiterhitzung, Rückkühlung und Kohlesäurezugabe entsteht alkoholfreier Traubensaft.

November: Bodenbearbeitung: Tiefpflügung,
Vorratsdüngung.

Dezember: Entfernen alter Rebstöcke.

Drahtbau mit gestützten Reben

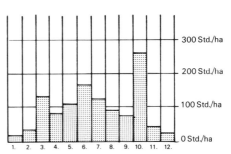

Stickelbau, Rundbogen
(3.Jahr)

Stickelbau, Zapfen
(3.Jahr)

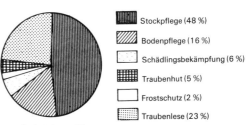

Verteilung der Handarbeit im Rebberg (1973)
Total 1043 Stunden/Hektar

Stockpflege (48 %)

Bodenpflege (16 %)

Schädlingsbekämpfung (6 %)

Traubenhut (5 %)

Frostschutz (2 %)

Traubenlese (23 %)

Handarbeit im Rebberg
(Statistische Angaben aus Dokumentationsmappe
«Weinbau im Aargau»)

6. Industrie und Gewerbe

Vom ausgesprochenen Bauernland zum bedeutenden Industriekanton

Der Aargau hat im Laufe von etwas mehr als einem Jahrhundert eine gewaltige Umwandlung vom Agrar- zum Industriekanton erfahren. Schon im 17. Jahrhundert entwickelte sich bei uns die Seidenindustrie (Aarau, Lenzburg, Bremgarten, Klingnau). Im 18. Jahrhundert folgte die Baumwollindustrie, d.h. die Textilindustrie im weiten Sinne, welche Spinnereien, Webereien, Färbereien und Stoffdruckereien für Wolle, Leinen, Baumwolle und Seide umfasste und anfänglich besonders im Berner Aargau verbreitet war. Diese Industrien wurden vor allem durch Glaubensflüchtlinge aus Frankreich (Hugenotten) gefördert, was Bern gar nicht ungern sah, wurde doch damit die Arbeitslosigkeit im kinderreichen bernischen Aargau gebannt. Im 19. Jahrhundert blühte im Bünztal und im Seetal die Strohindustrie, während im Wynental die Baumwoll- durch die Tabakindustrie abgelöst wurde. In Rheinfelden nahm die Bierbrauerei ihren Anfang. Gegen Ende des 19. Jahrhunderts und vor allem im 20. Jahrhundert kam die Metall- und Maschinenindustrie auf, die bald zur wichtigsten Industriegruppe im Kanton avancierte. In unserem Jahrhundert gelangten weitere Industrien zu Bedeutung, so die Holzbearbeitung, die chemische Industrie und die Kunststoffverarbeitung. Das Baugewerbe erlebte in den Jahrzehnten nach dem Zweiten Weltkrieg einen gewaltigen Aufschwung. Die Industrie hat den Kanton in wenigen Jahrzehnten auch äusserlich stark verwandelt.

Der Aargau als drittwichtigster Industriekanton

Der Aargau ist im gesamtschweizerischen Vergleich überdurchschnittlich stark industrialisiert. Von den nahezu 700 000 Ende 1976 in der Industrie unseres Landes beschäftigten Personen entfielen über 70 000 und damit mehr als 10 Prozent auf den Kanton Aargau. Damit ist er nach Zürich (ca. 115 000) und Bern (ca. 95 000) der drittwichtigste Industriekanton, mit deutlichem Abstand vor St. Gallen (50 000), Solothurn und Waadt. Verschiedene Gründe dürften zu dieser Entwicklung beigetragen haben: die Standortvorzüge des Aargaus im Zentrum des Industriedreiecks Zürich–Basel–Olten, der Wasserreichtum und eine diesen schon früh ausschöpfende, geschickte Energiepolitik, die gute Infrastruktur, das ehemals milde Steuerklima, die fleissige, bescheidene Bevölkerung und der aargauische Unternehmergeist.

Merkmale der aargauischen Industrie sind die Vielgestaltigkeit ihrer Produktion und ihre Dezentralisierung. Mit Ausnahme der Weltfirma AG Brown, Boveri & Cie. in Baden kennt der Aargau keine eigentlichen Grossfirmen. Klein- und Mittelbetriebe bestimmen das Bild der aargauischen Landschaft.

Schwergewicht bei der Maschinenindustrie

Eine Aufteilung der in der Industrie beschäftigten Personen nach den einzelnen Industriezweigen zeigt, dass unser Kanton recht nahe beim schweizerischen Durchschnitt liegt. Der Prozentanteil der Industriezweige Textil, Spirituosen und Getränke, Papier entspricht ziemlich genau demjenigen der ganzen Schweiz. Einen weniger starken Anteil haben in unserem Kanton die Nahrungs- und Futtermittel-, die Chemie-, die Uhren- und die graphische Industrie. Stärker vertreten im Aargau als im gesamtschweizerischen Durchschnitt sind die Industriezweige Kleider, Wäsche, Schuhe, Bettwaren, Holz und Kork, Kautschuk, Kunststoff, Steine und Erden sowie Tabak. Vor allem aber ist die Maschinen-, Apparate- und Fahrzeugindustrie sehr stark vertreten. Über 37 Prozent der Arbeitskräfte im Aargau sind in diesem Industriezweig beschäftigt; gesamtschweizerisch sind es nur 32 Prozent. Ebenfalls ein Übergewicht weist der Aargau in der Metallindustrie auf.

Verteilung der Arbeitskräfte auf einzelne Industriezweige im Kanton Aargau (1970)

Industriezweige	Anteil im Kanton
Nahrungs- und Futtermittel	4,2%
Spirituosen und Getränke	1,2%
Tabak	1,3%
Textil	5,9%
Kleider, Wäsche, Schuhe, Bettwaren	7,1%
Holz und Kork (ohne Zimmerei)	6,5%
Papier	2,5%
Graphisches Gewerbe	5,1%
Kautschuk, Kunststoff	2,9%
Chemie	7,6%
Bearbeitung von Steinen und Erden	3,1%
Metall	14,6%
Maschinen, Apparate, Fahrzeuge	37,3%
Uhren	0,4%
andere	0,3%

Rezession im Aargau und in der Schweiz

Schon vor Beginn der Rezession in den siebziger Jahren ging wegen Personalmangels die Zahl der in der Industrie beschäftigten Personen im Aargau zurück. Der Rückgang setzte sich von 1970 bis 1976 beschleunigt fort. In dieser Zeit

ging die Zahl der Arbeitsplätze um 15 147 oder um 17,4 Prozent auf 71 742 zurück. Gesamtschweizerisch nahm der Personalbestand in der gleichen Zeitspanne aber sogar um 22,4 Prozent ab. Die Zahl der in der Industrie beschäftigten Ausländer ist im Aargau von 1970 bis 1976 um 25,2 Prozent zurückgegangen, im gesamtschweizerischen Mittel um 27,6 Prozent; die Zahl der in der Industrie beschäftigten Schweizer im Aargau sank hingegen «nur» um 12,8 Prozent gegenüber dem gesamtschweizerischen Mittel von 19,4 Prozent. Die ausgewogene Struktur der aargauischen Industrie hat demnach dazu beigetragen, dass die Folgen der Rezession zumindest hinsichtlich der Beschäftigtenzahl in der Industrie in engeren Grenzen gehalten werden konnten als in den meisten andern Regionen der Schweiz.

Ende 1976 zählte man im Aargau 71 742 in der Industrie Beschäftigte; über 47 000 davon waren Schweizer, über 24 000 waren Ausländer. Bei den Ausländern sind die Italiener nach wie vor weitaus am stärksten vertreten; ihnen folgen die Deutschen, wiederum mit grossem Vorsprung vor den Jugoslawen, den Spaniern und den Türken.

Nach der Zusammenstellung des Eidgenössischen Statistischen Amtes zählte man im Aargau Ende 1976 887 Fabrikbetriebe gegenüber 905 im Jahre 1975, 935 im Jahre 1974 oder gar 1049 im Jahre 1970. Im Handelsregister des Kantons Aargau waren Ende 1976 11 365 Firmen eingetragen, Ende 1975 waren es weniger, nämlich 11 197, gewesen. Wie stark und in wie kurzer Zeit sich der Kanton vom Agrar- zum Industriekanton entwickelt hat, zeigt die Aufteilung nach Wirtschaftssektoren (vgl. auch S. 88/89).

Die im Aargau wohnhaften Berufstätigen gehörten laut drei Volkszählungen folgenden Erwerbssektoren an:

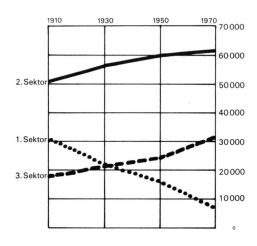

	1900	1950	1970
1. Sektor (Land- und Forstwirtschaft, Gartenbau, Fischerei)	36,3%	16,0%	7,0%
2. Sektor (Bergbau, Industrie, Handwerk, Baugewerbe)	46,5%	59,7%	61,3%
3. Sektor (Dienstleistungen)	16,5%	22,1%	31,7%

Aktive Wohnbevölkerung der Bezirke nach Erwerbskategorien im Sektor 2 (1970)

Bezirk	Aarau	Baden	Bremgarten	Brugg	Kulm	Laufenburg	Lenzburg	Muri	Rheinfelden	Zofingen	Zurzach	Kanton Aargau
Sektor 2	15 675	28 245	12 205	9 102	10 346	5 102	11 570	3 881	7 029	17 478	6 822	127 455
Bergbau	35	97	41	29	16	29	35	38	96	22	38	476
Nahrungs- und Genussmittel	1 369	938	544	314	2 136	193	1 556	337	789	746	256	9 178
Textil-, Bekleidungsindustrie	2 050	1 357	2 206	725	1 193	414	1 926	373	817	4 403	694	16 158
Holz und Kork	628	762	476	306	558	437	480	246	298	1 044	1 689	6 924
Papier, graph. Gewerbe	1 008	756	424	417	379	131	1 036	170	173	2 138	62	6 694
Gerberei und Leder, Kautschuk, Kunststoff	562	167	718	120	153	57	280	151	452	195	123	2 978
Chemische Industrie, Mineralölverarbeitung	257	592	360	285	63	629	214	231	1 305	1 230	485	5 651
Bearbeitung von Steinen und Erden	165	321	499	574	135	748	482	71	117	176	165	3 453
Metalle, Maschinen, Apparate, Fahrzeuge, Uhren	6 095	18 310	4 694	4 648	4 519	1 416	3 501	1 449	1 690	5 191	2 130	53 643
Baugewerbe	2 772	4 190	2 007	1 469	1 100	873	1 650	756	1 187	1 972	848	18 824
Elektrizität, Gas und Wasser	364	570	112	142	28	165	166	36	75	118	239	2 015
Übrige Erwerbskategorien	370	185	124	73	66	10	244	23	30	243	93	1 461

Die Karte auf der nächsten Seite zeigt recht eindrücklich, dass die aargauische Industrie über den ganzen Kanton verteilt ist; weisse Flächen gibt es vor allem im Fricktal und im oberen Freiamt.

Industrie im Kanton Aargau (Stand Anfang 1976)

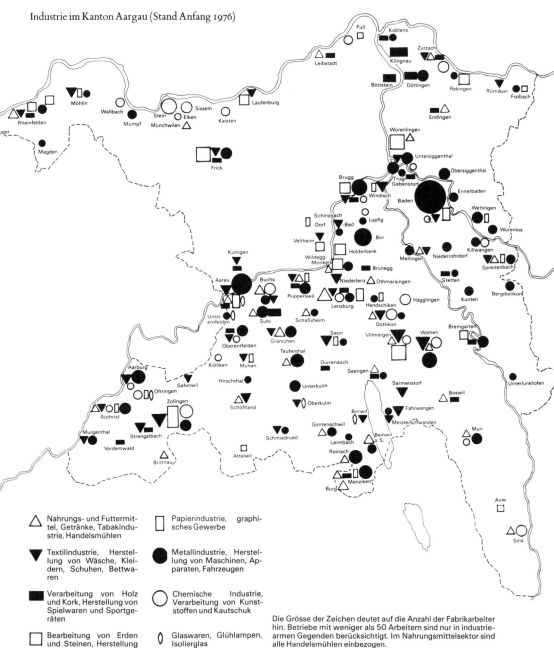

△ Nahrungs- und Futtermittel, Getränke, Tabakindustrie, Handelsmühlen

▼ Textilindustrie, Herstellung von Wäsche, Kleidern, Schuhen, Bettwaren

■ Verarbeitung von Holz und Kork, Herstellung von Spielwaren und Sportgeräten

☐ Bearbeitung von Erden und Steinen, Herstellung von Bauelementen, Ausbeutung von Bodenschätzen

☐ Papierindustrie, graphisches Gewerbe

● Metallindustrie, Herstellung von Maschinen, Apparaten, Fahrzeugen

○ Chemische Industrie, Verarbeitung von Kunststoffen und Kautschuk

◊ Glaswaren, Glühlampen, Isolierglas

Die Grösse der Zeichen deutet auf die Anzahl der Fabrikarbeiter hin. Betriebe mit weniger als 50 Arbeitern sind nur in industriearmen Gegenden berücksichtigt. Im Nahrungsmittelsektor sind alle Handelsmühlen einbezogen.
Grössenvergleich bei der Metall- und Maschinenfabrik: Hirschthal 60 Arbeiter, Teufenthal 600 Arbeiter, Aarau 1900 Arbeiter, Baden 5200 Arbeiter.

Die grössten Aargauer Unternehmen

Jedes Jahr veröffentlicht die Schweizerische Handelszeitung eine Rangliste der grössten Schweizer Unternehmen. Auch daraus geht hervor, dass der Aargau mit Ausnahme von BBC keine «Riesen» aufweist. Diese Firma gilt übrigens als zweitgrösster Arbeitgeber der Schweiz (am meisten Beschäftigte nach Nestlé).

Die Rangliste der grössten Schweizer Unternehmen wird aufgrund der Umsatzsumme zusammengestellt. Da diese «Grösse» je nachdem, welche Faktoren mitberücksichtigt werden, variabel ist, ist diese Liste mit grosser Vorsicht aufzunehmen. Gesamtschweizerisch stand hier Brown Boveri 1977 an dritter Stelle hinter Nestlé und Ciba-Geigy, aber noch vor der Migros, Hoffmann-La Roche, Coop, Alusuisse und Sandoz. Ein Auszug der aargauischen Unternehmen aus dieser Rangliste (des Jahres 1977) sieht folgendermassen aus:

Rang in der Schweizer Liste	Firma	Hauptsitz	Umsatz (in Mio. Franken)
3	Brown Boveri	Baden	8431
25	Amag AG	Schinznach	931
30	Plüss-Stauffer	Oftringen	757
44	Hero	Lenzburg	441
45	Möbel-Pfister	Suhr	438
50	Sprecher + Schuh	Aarau	426
55	Emil Frey AG	Safenwil	371
69	Ringier-Gruppe	Zofingen	294
98	Franke AG	Aarburg	193
108	Feldschlösschen	Rheinfelden	171
143	Aluminium AG	Menziken	124
152	E. Reinle AG	Baden	115
155	Siegfried AG	Zofingen	110
174	Kabelwerke Brugg	Brugg	96
178	Fehlmann AG	Schöftland	92
185	Giroflex-Gruppe	Koblenz	83,4
219	Bertschinger und Rohr AG	Hendschiken	61
227	Lagerhäuser der Centralschweiz	Buchs	57,4
249	Zschokke Wartmann AG	Brugg	48,7

Die Firma Kern & Co. AG, Aarau, würde in dieser Liste wahrscheinlich ebenfalls auftauchen, gibt aber ihre Umsatzzahl aus grundsätzlichen Erwägungen nicht bekannt.

Gedämpfter Optimismus

Die Rezession hat auch die aargauische Industrie stark betroffen, im grossen und ganzen aber weniger stark als die schweizerische Industrie im Durchschnitt. Der aargauische Regierungsrat meinte, gedämpft opimistisch, in seinem im Juni 1977 veröffentlichten Regierungsprogramm 1977/1981: «Die gesamtwirtschaftliche Entwicklung der kommenden Jahre dürfte durch eine allmähliche konjunkturelle Erholung und durch einen relativ starken Zwang zu Strukturwandlungen gekennzeichnet sein. Das wirtschaftliche Wachstum wird demzufolge im allgemeinen wesentlich langsamer und unsteter verlaufen, als dies in der Vergangenheit der Fall war, und der Inflationsdruck wird wieder zunehmen.» Ziele der kantonalen Wirtschaftspolitik sind vor allem die Förderung wettbewerbsfähiger, produktiver Branchen und Unternehmungen, ein angemessenes Wirtschaftswachstum und die Sicherung der längerfristigen Vollbeschäftigung.

7. Energieversorgung

Ein grosser Problemkreis...

Die industrielle Entwicklung und der allgemeine Wohlstand wären nicht möglich geworden ohne ein genügendes Angebot an Nutzenergie in Form von Kraft, Wärme, Kälte, Licht und elektrischen Wellen. Nutzenergie kann aus verschiedenen Energiequellen gewonnen werden. Für die Schweiz ergaben sich 1973 folgende Anteile der Nutzenergie auf die verschiedenen Energiequellen:

Erdöl	80,3%	Holz	1,4%
Erdgas	1 %	Wasserkraft	12,5%
Kohle	3 %	Kernbrennstoff	2,8%

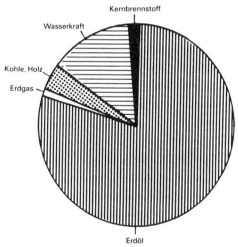

Energiequellen der Schweiz 1973

In den letzten Jahren hat sich, ausgelöst durch verschiedene Ereignisse, eine heftige Grundsatzdiskussion um den ganzen Problemkreis der Kernenergieversorgung entwickelt. Von den Energiequellen stehen unserem Land und insbesondere dem Aargau nur die Wasserkraft und das Holz zur Verfügung; die übrige Rohenergie muss vom Ausland her importiert werden. Gerade der hohe Anteil des *Erdöls* an unserem Energieaufkommen macht uns in starkem Masse auslandabhängig, wie sich in den letzten Jahren deutlich gezeigt hat. Das Erdöl bietet sich zudem den arabischen Staaten als wirksame handelspolitische Waffe in ihrem Kampf um die Neuordnung der politischen Verhältnisse im Vorderen Orient an. Auch beim umweltfreundlichen *Erdgas* haben die Schweiz und erst recht der Aargau kaum irgendwelche Verfügungsmöglichkeiten, weil dieses ebenfalls aus dem Ausland bezogen wird. Das schweizerische Bedarfspotential nimmt sich dabei

im europäischen Rahmen derart bescheiden aus, dass wir kaum jemals ge-
wichtig mitreden können. Weil sowohl
Erdöl wie Erdgas auch nicht ewig und
unbeschränkt ausreichen, sieht sich unsere Gesellschaft schon seit einiger Zeit
vor die zentrale Aufgabe gestellt, die
bisher vorherrschenden Energiearten
durch andere und womöglich sogar
noch bessere zu ergänzen. Seit Jahrzehnten wird bei uns die Wasserkraft genutzt, indem die Energie des Wassers in
elektrische Energie umgewandelt wird.
In der Schweiz lassen sich aber praktisch
keine weiteren Energiequellen mehr
durch Wasserkraftwerke erschliessen,
weil die wirschaftlich nutzbaren Was-
serkräfte grösstenteils ausgeschöpft sind.
Die Erstellung klassischer erdölbetrie-
bener Wärmekraftwerke fällt wegen
der dargelegten Verknappung an fossi-
len Brennstoffen und wegen der Um-
weltbelastung ausser Betracht; ein solches Kraftwerk gibt es in der Schweiz
nur in Chavalon. Deshalb gelangte
man, teilweise auch unter dem Druck
der politischen Ereignisse, zu der Erkenntnis, dass nur die Kernenergie eine
wirkliche Alternative zum Erdöl bringen kann. Die Produktionskapazität der
Kernkraftwerke ist auch ungleich höher
als diejenige der übrigen Elektrizitätswerke: Aus einer Tonne Uran wird
gleichviel elektrische Energie gewonnen wie aus 43 000 Tonnen Heizöl.

... und eine entsprechend grosse Kontroverse

Seit 1970 ist der Erstellung von Kernkraftwerken Widerstand erwachsen.
Die bei den ersten drei Anlagen ange-
wandte Durchlaufkühlung wurde vorerst in Frage gestellt und 1971 vom Bund
für das Flusssystem Aare-Rhein generell

verboten. Aus technisch naheliegenden
Gründen wich man darauf auf Kühltürme aus, was die Phase der erbitterten
Auseinandersetzungen um einzelne
Standorte erst recht einleitete; «Kaiseraugst» wurde dabei zum Modellfall. Im
Vordergrund der Motive der Gegner
von Kernkraftwerken stehen Besorgnis
um die Erhaltung des Lebensraumes,
Befürchtungen in bezug auf ein zum
Teil neuartiges Gefahrenpotential wie
auch Bedenken wegen des noch nicht
gelösten Problems der Lagerung radio-
aktiver Abfallstoffe. Auf die Kontroverse sei nicht näher eingegangen. Zu den
Leuten, welche aus echter Sorge um die
künftige Gestaltung unseres Lebensraumes den Bau von Kernkraftwerken verhindern wollen, haben sich jedenfalls
auch solche gesellt, welche die Probleme bewusst hochspielen und mit der
einseitigen Verteufelung der Nuklear-
energie ganz bestimmte politische Ziele
verfolgen.

Ein kantonales Energiekonzept

Der Aargauer Regierungsrat unter-
breitete 1976 dem Grossen Rat ein kantonales Energiekonzept. Danach hat der
Kanton die umweltgerechte und wirtschaftliche Energieversorgung seines
gesamten Gebietes und die rationelle
Verwendung der Energie zu fördern.
Das Energiekonzept zählt dafür eine
Reihe von Massnahmen auf. Gewicht
wird dabei auch auf die Erforschung
und Erprobung sogenannter regenerati-
ver Energiequellen gelegt. Zu denken
ist an die Wärmepumpentechnik, mit der
man auch schon im Aargau einige Erfahrungen gemacht hat, an die Nutzung
von Abwärme und Sonnenstrahlung.
Das Problem der Fernwärmeversor-

gung wird ebenfalls im Auge behalten. Schliesslich werden mögliche Energiesparmassnahmen aufgezählt, auf welchem Gebiet inzwischen auch der Bund zu eigentlichen Kampagnen aufgerufen hat.

Der Elektrizitätskanton der Schweiz ...

Der wasserreiche Aargau ist *der* Elektrizitätskanton der Schweiz. Von den schweizerischen Kantonen produziert der Aargau am meisten elektrische Energie. Die zahlreichen Wasserkraftwerke, die bestehenden und entstehenden Kernkraftwerke sowie der «Stern von Laufenburg», d. h. die äusserst wichtige Schaltanlage im europäischen Verbundbetrieb, verleihen dem Aargau eine elektrizitätswirtschaftliche Bedeutung weit über die Grenzen hinaus.

Seit 1890 entstanden bei uns verschiedene kommunale und private Elektrizitätswerke. Nach der Jahrhundertwende ermöglichte der technische Fortschritt immer grössere Werke, und es entstand im Laufe der Zeit eine Kette von Flusskraftwerken. Im Aargau handelte es sich ausschliesslich um Niederdruckwerke (viel Wasser, wenig Gefälle), denen das nötige Wasser durch Oberwasserkanäle oder von Flussstaubecken her zugeführt wird. Der Anteil der im Kanton liegenden, zur Kraftausnützung verfügbaren Gewässerstrecke bestimmt den Anteil des Kantons an der Energieproduktion. So beträgt der Produktionsanteil an den Kraftwerken am Rhein in der Regel 50 Prozent, am Werk Aarau nur 18 Prozent, am Werk Klingnau dagegen 100 Prozent. Ein mit Öl betriebenes thermisches Kraftwerk in der Beznau wird von den Nordostschweizerischen Kraftwerken (NOK) eingesetzt, wenn die Flusslaufwerke wegen zu geringer Wasserführung zuwenig elektrische Energie erzeugen können.

.... und doch nicht autonom

Die Energieerzeugung der aargauischen Laufwerke in einem mittleren wasserwirtschaftlichen Jahr (über 2,5 Mrd. kWh) entspricht mengenmässig ungefähr dem Strombedarf in unserem Kanton. Trotzdem ist der Aargau in der Stromversorgung nicht autonom, weil die Produktion zu einem erheblichen Anteil aufgrund der Konzessionen Bezügern ausserhalb des Kantons zusteht und die Stromerzeugung dem wechselnden Bedarf nicht das ganze Jahr über gerecht wird. Selbst wenn sämtliche Flusskraftwerke im Kanton in seinen Besitz übergehen würden (man nennt dies «Heimfall», z. B. nach Ablauf der Konzession), könnte der Aargau sich nicht selbständig versorgen, weil er nicht über Speicherkraftwerke zur Spitzendeckung verfügt. Diese Erkenntnis war schon vor Jahren ein mitbestimmender Faktor für die Gründung der Nordostschweizerischen Kraftwerke AG (NOK) im Jahre 1914. Die Initiative hiezu ging vom Kanton Aargau aus. Durch die Kombination des Flusskraftwerkes Beznau im Aargau mit dem Speicherwerk am Löntsch im Glarnerland wurde die Stromversorgung der Nordostschweiz und damit auch des Aargaus in weitem Masse sichergestellt. Die NOK, mit Hauptsitz in Baden und einer aargauischen Beteiligung von 28 Prozent, haben sich inzwischen zur grössten schweizerischen Produktionsgesellschaft entwickelt.

Wie geht es weiter?

Die siebziger Jahre unseres Jahrhunderts sind geprägt durch den Bau von Kern- oder Atomkraftwerken. Der aargauische Wasserreichtum stellt auch einen günstigen Standortfaktor für Kernkraftwerke, mit und ohne Kühltürme, dar. Die NOK haben vor Jahren die Werke Beznau I und II gebaut. Im Jahre 1976 war in der Schweiz neben diesen beiden aargauischen Kernkraftwerken noch dasjenige von Mühleberg im Kanton Bern in Betrieb. 1978 wird das Kernkraftwerk Gösgen-Däniken mit der Produktion beginnen. Im Aargau ist zurzeit das Werk Leibstadt im Bau, dasjenige von Kaiseraugst in Planung.

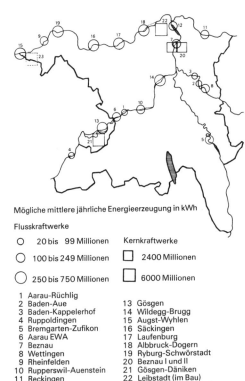

Mögliche mittlere jährliche Energieerzeugung in kWh

Flusskraftwerke

O   20 bis   99 Millionen   Kernkraftwerke

O   100 bis 249 Millionen   ☐   2400 Millionen

O   250 bis 750 Millionen   ☐   6000 Millionen

1	Aarau-Rüchlig		
2	Baden-Aue	13	Gösgen
3	Baden-Kappelerhof	14	Wildegg-Brugg
4	Ruppoldingen	15	Augst-Wyhlen
5	Bremgarten-Zufikon	16	Säckingen
6	Aarau EWA	17	Laufenburg
7	Beznau	18	Albbruck-Dogern
8	Wettingen	19	Ryburg-Schwörstadt
9	Rheinfelden	20	Beznau I und II
10	Rupperswil-Auenstein	21	Gösgen-Däniken
11	Reckingen	22	Leibstadt (im Bau)
12	Klingnau	23	Kaiseraugst (geplant)

Die mittlere jährliche Produktion der Werke Beznau I und II beträgt über 4,5 Milliarden kWh. Im niederschlagsarmen Jahr 1975/76 betrug der Anteil der Kernenergie aus diesen beiden Werken sogar mehr als 50 Prozent des Bruttoumsatzes der NOK. Die aargauischen Flusskraftwerke und die beiden Kernkraftwerke in der Beznau erzeugen gesamthaft über 7,5 Milliarden kWh und damit rund 20 Prozent der landeseigenen Produktion.

Wie oben schon erwähnt, ist die Nutzung der aargauischen Flussstrecken zur Stromerzeugung praktisch abgeschlossen. Das 1965 in Kraft getretene Gesetz über die freie Reuss bestimmt, dass diese unterhalb Bremgartens von neuen energiewirtschaftlichen Anlagen frei zu halten ist. Dagegen wird man sich bei verschiedenen bestehenden Werken früher oder später die Frage stellen müssen, ob durch eine Modernisierung die Produktion massgeblich erhöht werden könnte. Das in die Reusstalmelioration integrierte neue Kraftwerk Bremgarten-Zufikon beispielsweise produziert heute gut achtmal soviel wie das durch dieses ersetzte veraltete Reusskraftwerk Zufikon. Der kraftwerkbedingte Aufstau hat erst noch die Schaffung und Erhaltung grosser Naturschutzreservate ermöglicht.

Das Schwergewicht der Produktion wird in Zukunft wohl bei den Kernkraftwerken liegen. Sollten beide Werke, Leibstadt und Kaiseraugst, einmal in Betrieb genommen werden können, wird sich die Stromerzeugung im Aargau um rund 13 Milliarden kWh oder auf rund 40 Prozent der heutigen schweizerischen Produktion erhöhen. Der aargauische Anteil wird tatsächlich

aber kleiner sein, weil ja auch ander-
wärts neue Werke entstehen. In jedem
Falle bleibt aber die elektrizitätswirtschaftliche Bedeutung des Aargaus beträchtlich.

Im Schnittpunkt von Leitungen

Der Aargau liegt in verschiedener
Hinsicht im Schnittpunkt der Energie-
zuleitungen. So ist er Zentrum des Ver-
teilernetzes für den elektrischen Strom.
Von Laufenburg aus führen z.B. verschiedene Hochspannungsleitungen in
alle Richtungen, auch nach Deutschland. So ist es möglich, dass der elektrische Strom ins Ausland geleitet und damit exportiert (und notfalls importiert)
werden kann.

Höchstspannungsnetz in der Nord- und Zentral-
schweiz

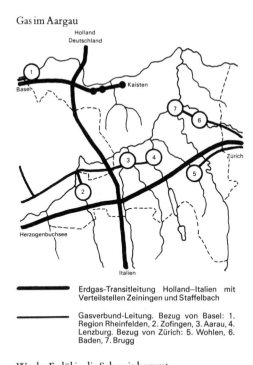

Gas im Aargau

Erdgas-Transitleitung Holland–Italien mit
Verteilstellen Zeiningen und Staffelbach

Gasverbund-Leitung. Bezug von Basel: 1.
Region Rheinfelden, 2. Zofingen, 3. Aarau, 4.
Lenzburg. Bezug von Zürich: 5. Wohlen, 6.
Baden, 7. Brugg

Wo das Erdöl in die Schweiz kommt

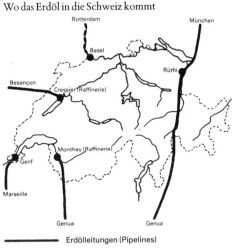

▬▬▬▬ Erdölleitungen (Pipelines)

– – – – – Tankschiffe

380-kV-Leitungen

220-kV-Leitungen

● **Unterwerk bzw. Kraftwerk**

Transformatoren bringen elektrische Energie
auf erhöhte Spannung, so dass sie als elektrischer
Strom über Land geleitet werden kann (ober-
oder unterirdisches Leitungsnetz). In Transfor-
matorenstationen wird die Spannung für den
Hausgebrauch auf 220 Volt herabgesetzt.

Die Erdgas-Transitleitung Holland–
Italien durchquert aargauisches Gebiet;
Verteilstellen befinden sich in Zeiningen

und Staffelbach. Die Regionen Rheinfelden, Zofingen, Aarau und Lenzburg
beziehen das Erdgas von Basel; Wohlen,

Baden und Brugg von Zürich. Weil die chemische Industrie im Fricktal einen grossen Anteil am Gasverbrauch hat, beträgt der prozentuale Anteil des Aargaus am gesamtschweizerischen Verbrauch doch ungefähr 7 Prozent.

Das Erdöl gelangt in Schleppkähnen auf dem Rhein nach Basel oder durch Ölleitungen (Pipelines) von Italien, Deutschland und Frankreich her in die Schweiz. Es stammt grösstenteils aus den ölproduzierenden Ländern des Nahen Ostens.

8. Entsorgung

Die Kehrseite des Wohlstands

Die Probleme der Entsorgung werden noch gar nicht so lange, eigentlich erst seit den Jahren der grössten Wirtschaftsblüte nach dem Zweiten Weltkrieg, richtig erkannt. Auf zwei Sektoren sah sich der Staat deshalb gezwungen, im Interesse der Umwelterhaltung und einer ungehinderten Entwicklung des Lebens und der Wirtschaft aktiv zu werden: auf dem Gebiete des Gewässerschutzes und der Kehrichtbeseitigung. Am 1. Februar 1978 trat ein kantonales Gesetz in Kraft, das einen gegenüber vorher noch wirksameren Gewässerschutz ermöglicht.

a) Abwasserreinigung

Abwässer gefährden heute unser Leben, das biologische Gleichgewicht ist gestört. Ein Liter Erdöl vergiftet eine Million Liter Trinkwasser. Industrieabwässer vernichten immer wieder ganze Fischbestände. Meere schlucken jährlich eine Million Tonnen Erd- und Abfallöl. Der Rhein führt täglich neben 13 000

Tonnen Geschiebe, 10 bis 15 Tonnen Abfallöl und 30 000 Tonnen gelöste Salze dem Meer zu.

Die Gewässer werden heute in erster Linie durch Abwasserreinigungsanlagen geschützt bzw. saniert. Vor dem Bau einer zentralen Abwasserkläranlage gilt es jedoch, die vielen bestehenden Abwasserleitungen und -versickerungen in einem systematisch angelegten Ortskanalisationsnetz zusammenzufassen. Das Kanalisieren einer Ortschaft ist sehr kostspielig, weshalb das ganze System und seine Dimensionierung sorgfältig geplant werden muss. Die sogenannten generellen Kanalisationsprojekte haben nicht nur auf die heutigen, sondern auch auf die künftigen Wohn- und Industriegebiete Rücksicht zu nehmen. Aus planerischen, gewässerschutz- und bautechnischen sowie finanziellen Erwägungen hat sich vielfach der kanalisationstechnische Zusammenschluss verschiedener Gemeinden beim Bau und Betrieb einer Sammelreinigungsanlage aufgedrängt. Erfreulicherweise befanden sich anfangs 1978 204 aargauische Gemeinden oder fast 90 Prozent der Bevölkerung im Bereich einer Kläranlage (die Anlagen nicht mitgezählt, die noch im Bau sind). Dennoch waren zu diesem Zeitpunkt wegen fehlender Kanalisation und Wohnbauten ausserhalb der Baugebiete erst etwa 75 Prozent der Gesamtbevölkerung an Sammelkläranlagen angeschlossen.

Damit weder Kanalisationen noch Kläranlagen durch das zum Teil schädliche Industrieabwasser zerstört noch die biologischen Vorgänge bei der Abwasserreinigung gehemmt werden, sind sogenannte Vorbehandlungsanlagen (Ausgleichsbecken, Entölung, Entgiftung, Neutralisation usw.) bei den gewerblichen und industriellen Betrieben nötig.

Die Reinigung erfolgt in zwei, allenfalls drei Stufen:

a) *Mechanische Reinigung:* Entfernung der groben Verunreinigungen (Fäkalien, Küchenabfälle, Papier, Stoff) durch Rechen, im Sandfang und Vorklärbecken. Zurück bleiben dann immer noch etwa 60 Prozent der Schmutzstoffe.

b) *Biologische Reinigung* im Belüftungs- und Nachklärbecken (Luft, Bakterien, Infusorien). Auf diese Weise können bis 10 Prozent aller Schmutzstoffe abgebaut werden.

c) Nötigenfalls *chemische Reinigung,* vor allem bei den Industrieabwässern.

Kläranlage (Aarau) Funktionsschema und Situationsskizze

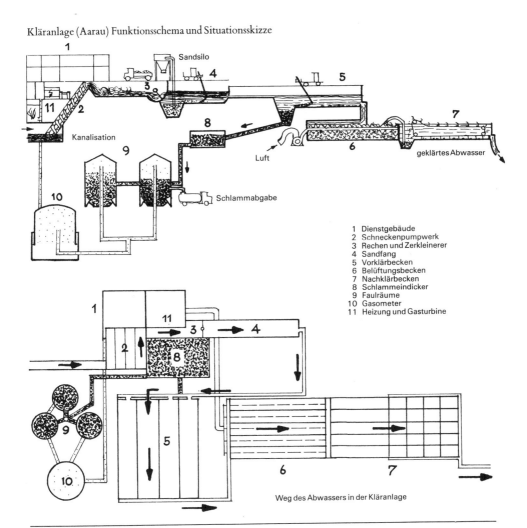

1 Dienstgebäude
2 Schneckenpumpwerk
3 Rechen und Zerkleinerer
4 Sandfang
5 Vorklärbecken
6 Belüftungsbecken
7 Nachklärbecken
8 Schlammeindicker
9 Faulräume
10 Gasometer
11 Heizung und Gasturbine

Weg des Abwassers in der Kläranlage

b) Kehrichtbeseitigung

Es ist noch gar nicht so lange her, dass unsere herkömmlichen *Kehrichtdeponien* für die Ablagerung unserer Abfallstoffe durchaus genügten. Die Verschleisswirtschaft der letzten Jahrzehnte und die «Einwegmentalität» haben aber den Abfallberg ins Unermessliche ansteigen lassen. Die Rechnung, dass der Mensch dort Löcher in der Landschaft wieder zustopfen darf, wo er sie vor Jahren einmal aufgerissen hat, geht leider auch nicht auf; verschiedene Gruben, deren Zuschüttung mit Abfallmaterial durchaus erwünscht sein könnte, fallen ausser Betracht, weil lösliche Stoffe solcher Abfälle das darunterliegende Grundwasser verunreinigen könnten. Das eidgenössische Gewässerschutzgesetz von 1971 hat denn auch der wilden Ablagerung einen Riegel geschoben; zur Lösung der Deponiefragen sind an sich die Gemeinden zuständig, doch ist der Kanton «Bewilligungsbehörde», d. h. er muss oftmals «Verhinderungsbehörde» sein, wobei ihm, etwa im Zusammenhang mit Ablagerungen von Aushubmaterial des Kernkraftwerks Leibstadt, auch schon vorgeworfen wurde, er gehe zu wenig energisch vor.

Da und dort sind deshalb heute sogenannte *geordnete Deponien* in Betrieb: An einem den heute gestellten Anforderungen genügenden Platz wird der Abfall mit bewährten Maschinen zerkleinert und mit einem Raupentrax ausgebreitet und festgewalzt. Die Schichtfolge von Abfall und Aushubmaterial soll garantieren, dass weder Verwehungen erfolgen, Brände entstehen, Ungeziefer und Ratten sich einnisten noch sonst unerträgliche Immissionen zu beklagen sind. Solche geordneten Depo-

nien stossen allerdings ebenfalls auf berechtigten Widerstand, wenn sie ganze Landschaften radikal verändern oder wertvolle Biotope für immer zerstören könnten. So ist beispielsweise eine unterhalb der Staffelegg-Passhöhe von privater Seite geplante geordnete Deponie verhindert worden.

Zurzeit steht ein grösseres Projekt in Kölliken vor der Realisierung, welches das Deponieproblem für eine Weile lösen könnte: In einer ehemaligen Tongrube in Kölliken wird nämlich eine *interkantonale Sondermülldeponie* errichtet. Geleitet wird sie von einem Konsortium, an dem sich neben dem Kanton Aargau der Kanton Zürich, die Stadt Zürich und die Sondermüllgruppe der Basler chemischen Industrie beteiligen. Das Deponievolumen beträgt 370 000 m³. Dem Kanton hat bis heute eine Sondermülldeponie gefehlt. Schon lange hat er nach einer solchen Gelegenheit gesucht, weil trotz der zunehmenden Weiterverwendung und Wiederverwertung auch von Spezialabfällen immer wieder Reststoffe anfallen, die nicht mehr behandelt werden können. Ein erstes Projekt einer staatlichen Deponie im Kalksteinbruch der Schweizerischen Sodafabrik Zurzach in Mellikon konnte vorläufig nicht realisiert werden, weil die Sodafabrik zuerst den Kalksteinabbau auf einer zusätzlichen tieferen Abbaufront beenden möchte. Der Steinbruch steht erst in 10 bis 20 Jahren zur Verfügung; für diese Zeit hat sich das kantonale Baudepartement aber die Ablagerungsrechte bereits gesichert. Ein zweites Projekt im Steinbruch Jakobsberg der Jura-Cement-Fabriken bei Auenstein wurde nicht mehr forciert, als die Tonwerke Keller in Frick ihren

Zweigbetrieb in Kölliken einstellten, womit sich dort eine Lösung anbot.

Eine radikalere Methode der Abfallbeseitigung ist die Verbrennung in *Kehrichtverbrennungsanlagen,* wobei sich hier noch viel mehr als bei den Abwasserreinigungsanlagen regionale Lösungen aufdrängen. Auch diese Verbrennungsanlagen sind kein Allerweltsmittel, verursachen sie doch auch wieder Abgase und sorgen nicht für eine eigentliche Vernichtung des Abfalls, sondern nur für eine Volumenreduktion. Die Schlacken müssen auch wieder irgendwo deponiert werden können; sie sind bei-

spielsweise schon als Dämme im Strassenbau verwendet worden.

Wie eine Kehrichtverbrennungsanlage funktioniert:

Sammelwagen entleeren Kehricht oder Sperrgut durch Kipptore in entsprechende Aufnahmebunker. Das Sperrgut gelangt in die Sperrgutmühle zur Zerkleinerung. Krangreifer befördern den Kehricht in die Einfülltrichter der Verbrennungsöfen. Der Kehricht durchläuft zuerst die Austrocknungszone, dann die Verbrennungs- und die Ausbrandzone. Nicht brennbare Materialien fallen mit der Asche in das Schlackenbecken, welches mit Kühlwasser gefüllt ist. Ein Verteilband befördert die Schlacken (Glas, Metalle, Gestein) und die Asche in

Kehrichtverbrennungsanlage

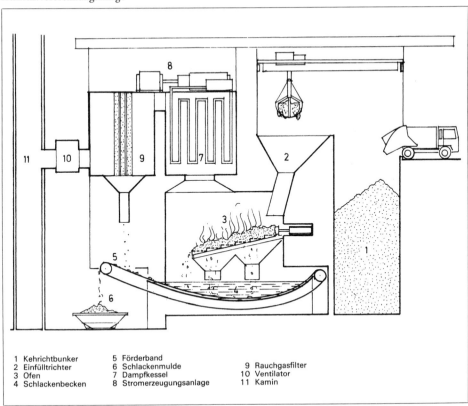

1 Kehrichtbunker	5 Förderband	
2 Einfülltrichter	6 Schlackenmulde	9 Rauchgasfilter
3 Ofen	7 Dampfkessel	10 Ventilator
4 Schlackenbecken	8 Stromerzeugungsanlage	11 Kamin

Transportmulden, die von Lastwagen nach einer Grube gefahren werden. Die bis 1000 °C heissen Rauchgase werden in Dampfkessel geleitet. Die Wärmeenergie betreibt eine Dampfturbine, deren Generator die Energie als elektrischen Strom abgibt.

In den letzten Jahren werden auch andere Methoden der Abfallbeseitigung intensiver studiert; erwünscht wäre,

dass Abfallstoffe möglichst *wiederverwertet* werden könnten (Recycling); eine Form der Teilverwertung ist die *Kompostierung*. Bei allen möglichen bahnbrechenden Lösungen, die nur auf nationaler oder internationaler Basis erhofft werden dürfen, wird aber das Problem der Deponierung des unvermeidlichen «Rests» bestehen bleiben.

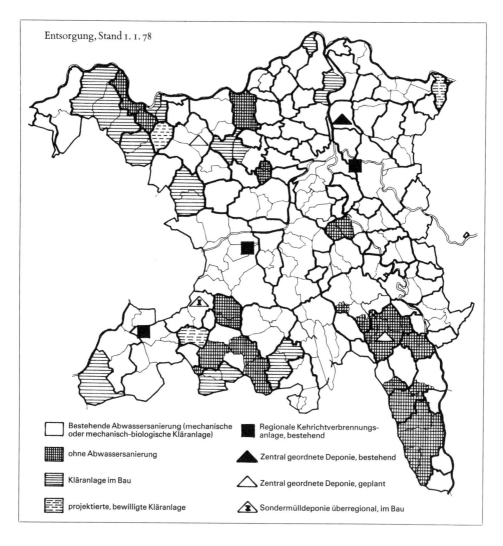

Entsorgung, Stand 1. 1. 78

	Bestehende Abwassersanierung (mechanische oder mechanisch-biologische Kläranlage)		Regionale Kehrichtverbrennungsanlage, bestehend
	ohne Abwassersanierung		Zentral geordnete Deponie, bestehend
	Kläranlage im Bau		Zentral geordnete Deponie, geplant
	projektierte, bewilligte Kläranlage		Sondermülldeponie überregional, im Bau

9. Strassenverkehr

a) Strassennetz

Über den Strassenbau gehen die Meinungen auseinander. Die An- und Einsichten über Ziele und Ausmass dieses Sektors staatlicher Tätigkeit haben sich innerhalb weniger Jahre geändert. Die einen sind nach wie vor darauf erpicht, ihrer Region eine leistungsfähige Strasse zu sichern, die andern gehen auf die Barrikaden, weil sie ein bestimmtes Strassenbauprojekt verhindern möchten. Hier wie anderswo werden Eingriffe in unsere Landschaft eben völlig unterschiedlich empfunden, je nachdem, wie weit man dabei selbst betroffen wird oder profitieren kann.

In den sechziger Jahren wurde Fortschrittsdenken und Zukunftsgläubigkeit noch allgemein mit einem möglichst breiten, voll ausgebauten Strassennetz in Verbindung gebracht; heute neigt man eher wieder dazu, aufgrund geänderter Vorstellungen über die Lebensqualität auf dem Gebiete der Planung und des Strassenbaus zu bescheideneren Massen zurückzukehren. Die verkehrsmässig gute Erreichbarkeit spielt allerdings im Prestigedenken der einzelnen Ortschaften begreiflicherweise nach wie vor eine grosse Rolle, hängt davon doch auch die wirtschaftliche Bedeutung einer Gemeinde ab.

Ein grosszügiger Plan...

Verschiedene Umstände haben zum Umdenken geführt. In den Zeiten der ungetrübten Hochkonjunktur und der Wachstumseuphorie war die Ansicht allgemein verbreitet, dass man gemäss dem Vorbild der sich allmählich ausdehnenden Nationalstrassen im kleineren Bereich der Kantone ähnlich grosszügig weiterplanen müsse. So arbeitete der Kanton Aargau in den sechziger Jahren unter Beteiligung der Regionalplanungsgruppen und der Nachbarkantone einen kantonalen Strassenrichtplan (1970) aus, welcher wiederum die Grundlage für das Mehrjahresprogramm 1970/79 bildete. Dieser Richtplan sah als Fernziel ein voll ausgebautes kantonales Strassennetz vor, und das Mehrjahresprogramm stellte hier aufgrund der Untersuchungen über die Verkehrsbelastung, die Unfallhäufigkeit und die Gefahren eine Dringlichkeitsordnung auf. Ein vom Aargauer Stimmvolk im Jahre 1969 angenommenes neues Strassenbaugesetz schuf die Grundlagen für eine grosszügige Strassenfinanzierung. Der Aufbau und Ablauf des Mehrjahresprogramms wurde wesentlich vom Stand der Planung in den einzelnen Regionen und der jeweiligen Finanzierungskapazität der mitbeteiligten Kostenträger (Bund, Gemeinden, Dritte) beeinflusst.

... und Abstriche über Abstriche

Mit Inangriffnahme des Mehrjahresprogrammes änderten sich auch schon die Randbedingungen. Eine Teuerung, welche in diesem Ausmass nicht vorauszusehen war, und gesteigerte Ansprüche in bezug auf die Umwelt und den Immissionsschutz liessen die Strassenbaukosten in die Höhe schnellen. Zwar erhöhten sich auch die dem Strassenbau zukommenden Einnahmen in stärkerem Umfang als prognostiziert, doch vermochten sie die Koststeigerung nicht auszugleichen. Bereits diese Tatsache führte zu Abstrichen und zu Verschie-

bungen der Fertigstellungstermine.
Bald kam auch die Erkenntnis dazu, dass
die Bevölkerungs- und Motorisierungs-
prognosen mit einem zu grossen Wachstum gerechnet hatten. Deshalb wurde
die Überarbeitung des kantonalen
Strassenrichtplanes mit einem weniger
hoch gesteckten Planungsziel in Angriff
genommen. Die Bestrebungen um die
Sanierung des defizitären Finanzhaus-
haltes zwangen zu weiteren Abstrichen
im Mehrjahresprogramm, und schon
das Regierungsprogramm 1973/77 ver-
zichtete auf die Realisierung von kost-
spieligen Neuanlagen und legte vielmehr Schwergewicht auf Ausbauten,
die der Hebung der Verkehrssicherheit
dienten (Ausbau von Innerortsstrecken,
Sanierung gefährlicher Knotenpunkte,
Anlage von Gehwegen und Parallelwe-
gen für den Langsamverkehr, Bau von
Fussgängerunterführungen und Sanierung von Niveauübergängen). Vom
Mehrjahresprogramm blieb nur noch
eine Auslese übrig, die als «Minimalprogramm» bezeichnet wurde. Unter dem
Zwang weiterer finanz- und steuerpoli-
tischer Restriktionen wurde sogar dieses
Minimalprogramm nicht geschont.
Vom ursprünglichen Strassenrichtplan 1970 ist jedenfalls wenig übriggeblieben: 1976 wurde staatlicherseits
mehr oder weniger auf den Bau von
Hochleistungsstrassen, also auf die Erstellung derjenigen Strassen mit dem
grössten Ausbaustandard nach den Nationalstrassen, verzichtet. Heute versucht man mit einem gut ausgebauten
Netz zweispuriger Hauptverkehrsstras-
sen auszukommen, wobei der Regierungsrat bei der Prioritätsordnung vor
allem die Sicherheit der Fussgänger, die
Entschärfung der Niveauübergänge

und die Wegnahme des Durchgangs-
verkehrs betonen möchte. Das Regierungsprogramm 1977/1981 liess es bei
den Schwergewichten der vorherigen
Amtsperiode bewenden und hielt fest,
dass vor allem die Eigentrassierung der
Nebenbahnen, insbesondere der Wy-
nen- und Suhrentalbahn, sowie auch das
Brückenprogramm an Rhein, Aare,
Reuss und Limmat die Strassenrech-
nung noch längere Zeit belasten würden. Auf lange Sicht ist die Revision des
Strassenbaugesetzes von 1969 geplant,
mit welcher die Erhöhung der Ver-
kehrssteuern verbunden werden soll.

N_1, N_2, N_3

Das Netz der Nationalstrassen weist
im Kanton noch einige empfindliche
Lücken auf. Im Aargau wurde im Mai
1967 die erste Teilstrecke einer Natio-
nalstrasse, die N 1 Rothrist–Lenzburg,
in Betrieb genommen; 1970 folgte der
Abschnitt Lenzburg–Neuenhof und
1971 die Strecke Neuenhof–Spreitenbach. Die für den Nord-Süd-Verkehr
wichtige N 2 streift zweimal den Kanton. Das kurze, nicht einmal einen Kilometer lange aargauische Teilstück bei
Kaiseraugst wurde 1970 eröffnet. Der
Abschnitt Oftringen–Brittnau (inkl. die
Strecke auf Luzerner Gebiet bis Sursee)
kann voraussichtlich 1979 befahren
werden; die Inangriffnahme dieses
Strassenstücks hatte sich wegen der Finanzknappheit beim Bund verzögert.
Die ebenfalls wichtige N 3 schliesslich,
welche im Birrfeld zur N 1 hingeführt
werden soll und die Regionen Zürich
und Basel einander näherbringen wird,
erlebte einen mit Entscheiden, Beschwerden und Gutachten gepflasterten
Leidensweg.

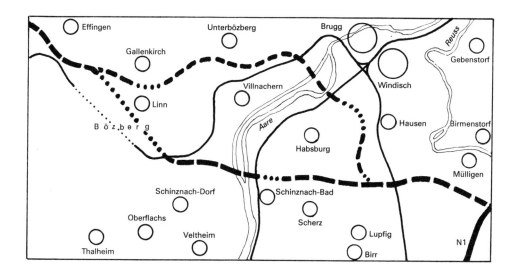

Tunnel oder Hochbrücke für die N3?

Der Abschnitt Kaiseraugst–Frick wurde schon im Jahre 1974 fertiggestellt, doch um das Streckenstück Hornussen–Birrfeld hatte sich eine heftige Kontroverse entfacht. Zwei Varianten standen jahrelang zur Diskussion: eine nördlichere mit einer Hochbrücke, eine südlichere mit einem längeren Tunnel. Im Frühjahr 1978 rang sich der Bundesrat endlich zu einem Entscheid durch, nachdem er mit einer breitangelegten Unterschriftenkampagne in den betroffenen Regionen hiezu gedrängt worden war. Der Bundesrat bestätigte dabei seinen Vorentscheid aus dem Jahre 1970 und entschied sich, wie schon der Aargauer Regierungsrat im Jahre 1976, für die Tunnelvariante. Er gab dieser etwas teureren Lösung (ca. 385 Millionen Franken gegenüber 305 Millionen Franken bei der Hochbrücken-Variante) vor allem aus Gründen des Umwelt- und Landschaftsschutzes den Vorzug. Die Tunnelvariante tangiert die Dörfer Schinznach-Dorf, Schinznach-Bad und Scherz empfindlich, bei der Hochbrükken-Variante wären die Gemeinden Umiken, Brugg, Windisch und Hausen betroffen gewesen. Es dürften allerdings noch viele Jahre ins Land gehen, bis dieses Teilstück der N 3 tatsächlich gebaut ist.

Die N 14 schliesslich (Luzern–Cham) streift bei Dietwil den Aargau; das ein Kilometer lange Teilstück in unserem Kanton konnte 1974 eröffnet werden.

Zurzeit ist der Strassenbau wieder auf ein Mass zurückgesetzt, das von der Bevölkerung grossenteils akzeptiert wird. Es wäre allerdings auch falsch, angesichts der in den letzten Jahren entstandenen Betonrinnen und Wunden in der Landschaft nun jeglichen Strassenbau zu verteufeln. Wie die Eröffnung der neuen Benkenstrasse im Jahre 1977 gezeigt hat, können auch jetzt noch neue Strassen für die Entwicklung einzelner Dörfer oder ganzer Talschaften höchst bedeutsam sein. Die Benkenstrasse hat jedenfalls das Fricktal eindeutig näher an die Kantonshauptstadt Aarau herangerückt, was auch staatspolitisch zu begrüssen ist.

b) Motorisierung

Die starke Entwicklung des Strassenbaus steht in direktem Zusammenhang mit der ungeheuren Entwicklung der Motorisierung im Strassenverkehr, die sich auch in der Rezessionszeit kaum verlangsamte. Laut Motorfahrzeugstatistik des Statistischen Amtes des Kantons hat der Bestand an Personenautos im Aargau im Zeitraum 1958 bis 1973 um das Fünffache zugenommen, während

Netz der Nationalstrassen und der wichtigsten Kantonsstrassen im Aargau (1973)

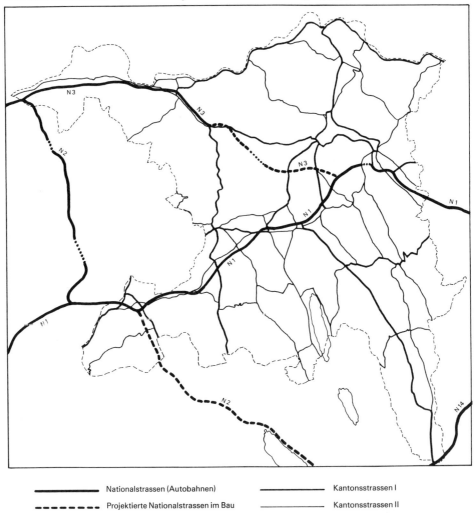

———————— Nationalstrassen (Autobahnen)   ———————— Kantonsstrassen I

– – – – – – – Projektierte Nationalstrassen im Bau   ———————— Kantonsstrassen II

die Bevölkerung im gleichen Zeitraum nur um 28 Prozent zunahm. Rund jeder zweite Aargauer im Alter zwischen 20 und 64 Jahren ist im Besitze eines Personenwagens. Ein hohes Ausmass erreichte auch die Zunahme der Nutzfahrzeuge (Lastwagen, Lieferwagen); dagegen zeigte sich bei den Motorrädern eine vorübergehende Abnahme. Der Motorisierungsgrad im Aargau (im Jahre 1973 485 Personenwagen und 37 Motorräder auf 1000 Einwohner im Alter zwischen 20 und 64 Jahren) liegt über dem schweizerischen Durchschnitt (454 Pw, 31 Motorräder). Einen höheren Motorisierungsgrad wiesen bei Personenwagen nur die Kantone Genf, Tessin und Zug, bei den Motorrädern die Kantone Appenzell IR und AR, Uri, Nidwalden, Luzern und Obwalden auf.

9 von 10 Buttelern haben einen Pw

Interessant ist der Vergleich des Motorisierungsgrades unter den aargauischen Bezirken und Gemeinden. So trifft es auf 1000 Einwohner in den Bezirken Zofingen, Aarau und Baden weniger Motorfahrzeuge als im aargauischen Mittel; am höchsten ist der Motorisierungsgrad in den Bezirken Bremgarten, Lenzburg und Zurzach. Noch deutlicher zeigt der Vergleich bei den Gemeinden, dass der Motorisierungsgrad dort gross ist, wo die Wegpendler zahlreich sind und wo günstige öffentliche Verkehrsmittel fehlen. So weisen bei einem aargauischen Durchschnitt von 485 Personenwagen auf 1000 Einwohner folgende Gemeinden die höchsten Werte auf: Buttwil (Bezirk Muri) 921, Schinznach-Bad 802, Widen 794, Stilli 793, Oberlunkhofen 745, Büttikon 726, Habsburg 722, Bergdietikon 719. Die

niedrigsten Vergleichswerte finden wir in Linn 222, Mülligen 276, Geltwil 321, Burg 347, Uezwil 360, Laufenburg 375, Gallenkirch 389, Gebenstorf 393.

10. Öffentlicher Verkehr

a) Bahn, Bus und Postauto

Für die Entwicklung eines Staates, seiner Besiedlung und seiner Wirtschaft war und ist ganz entscheidend, auf welche Weise eben dieser Staat seine Aufgaben im Verkehrswesen wahrnimmt. Man staunt eigentlich, dass die Verkehrspolitik im modernen Sinne, heute eine der Hauptaufgaben eines Landes, allerhöchstens 130 Jahre alt ist: Im Jahre 1847 wurde die erste schweizerische Eisenbahnstrecke, die auch aargauisches Gebiet beschlug, eröffnet; heute weist der öffentliche Verkehr im Aargau (SBB, Privatbahnen, PTT-Linien, Bus-Linien gesamthaft) ein Streckennetz von nahezu 1000 Kilometern auf.

Mit der Revision seines Verkehrsgesetzes hat der Aargau übrigens Mitte der siebziger Jahre ein Mittel in die Hand bekommen, um aktive Verkehrspolitik, vor allem auch im Nahverkehr, betreiben zu können. Die folgende «Geschichte der Eisenbahn im Aargau» verdeutlicht, wie unglaublich schnell sich der öffentliche Verkehr entwickelt hat; ähnliches ist natürlich auch vom privaten Verkehr zu sagen, wobei das Auto erst noch eine weit jüngere «Einrichtung» als die Bahn ist.

Aus der Geschichte der Eisenbahn im Aargau

1847 Eröffnung der ersten schweizerischen Eisenbahnstrecke: Zürich – Baden. Sogenannte Spanischbrötli-Bahn. Teilstrecke

einer Bahnlinie, die Zürich über Baden
und Koblenz mit Basel verbinden sollte. Ersteller: Nordostbahngesellschaft
(NOB).

1856 NOB: Baden – Brugg
SCB (Schweizerische Centralbahngesell-
schaft): Aarau – Olten – Aarburg – Emmenbrücke

1857 SCB: Aarburg – Burgdorf – Bern

1858 NOB: Brugg – Aarau

1859 NOB: Turgi – Koblenz – Waldshut

1874 Rupperswil – Wohlen (Südbahngesell-
schaft)

1875 Wohlen – Muri (Südbahn)
SCB/NOB: Brugg – Bözberg – Pratteln

1876 Winterthur – Eglisau – Koblenz (NOB)
Wohlen – Bremgarten-West (Südbahn)

1877 Nationalbahn: (Singen) – Winterthur –
Wettingen – Lenzburg – Zofingen mit
Zweiglinie Suhr – Aarau. Geplante Fort-
setzung: Zofingen – Lyss – Vevey.

1877 Wettingen – Otelfingen – Niederglatt
(NOB, Konkurrenzlinie zur Nationalbahn)

1881 Muri – Rotkreuz (Südbahn)

1882 Brugg – Othmarsingen – Hendschiken
(Südbahn)

1883 Lenzburg – Emmenbrücke (Seetalbahn,
Sitz in London unter dem Namen: Lake
Valley of Switzerland and Railway Com-
pany)

1887 Beinwil – Menziken (Seetalbahn)

1892 Koblenz – Stein – Säckingen (NOB +
SCB)

1895 Lenzburg – Wildegg (Seetalbahn)

1901 Aarau – Schöftland (AS). Schmalspurige
Privatbahn, elektrischer Betrieb

1902 Übernahme sämtlicher Bahnen mit Ausnahme der AS durch die Eidgenossenschaft (Schweizerische Bundesbahnen,
SBB)

1902 Bremgarten – Dietikon (BD). Schmalspurige Privatbahn von Bremgarten-Stadt bis
Dietikon, elektrischer Betrieb

1904 Aarau – Menziken (WTB, Wynentalbahn). Schmalspurige Privatbahn, elektrischer Betrieb

1906 Menziken – Beromünster

1912 Bremgarten – Wohlen (BD). Schmalspur,
zugleich Normalspur (Pachtung der be-

stehenden SBB-Linie durch die BD).
Bahnbrücke schliesst Lücke zwischen
Bremgarten-West und Bremgarten-Stadt.

1916 Wohlen – Meisterschwanden (WM), normalspurige Privatbahn

1920–1960 Elektrifizierung sämtlicher SBB-
Linien

1958 Vereinigung der AS und WTB zur Wy-
nental- und Suhrentalbahn (WSB).

1961 Eröffnung des neuen Bahntunnels zwischen Baden und Wettingen.

1967 Zusammenschluss der Geleise der WSB in
Aarau durch den Bau eines Tunnels von
der Entfelderstrasse zur Station der WSB.

1969 SBB-Verbindungslinie Schinznach-Dorf-
Birrfeld durch Erstellung eines doppelspu-
rigen Viadukts westlich des Bahnhofs
Brugg.

1973–1980 Bau des Rangierbahnhofes Limmattal bei Spreitenbach, Gesamtlänge der
Geleiseanlagen: 120 km.

1975 Eröffnung der neuen Heitersberglinie Olten – Zürich über Aarau und Lenzburg mit
dem 4,920 km langen Heitersbergtunnel
zwischen Mellingen und Killwangen.

Neben Zürich der «dichteste» Eisenbahnkanton

Der Aargau weist neben dem Nach-
barkanton Zürich das dichteste Eisen-
bahnnetz innerhalb der Schweiz auf.
Die folgende Tabelle vermittelt einige
hübsche Zahlen: Im Aargau entfallen
auf einen Einwohner 67 cm SBB-Strek-
ke, womit andere «Eisenbahnkantone»
bei weitem überflügelt werden. Pro
Quadratkilometer Kantonsfläche weist
nur noch der Kanton Zürich mehr SBB-
Kilometer auf. Auf den Aargau entfallen 10,4 Prozent des gesamtschweizerischen SBB-Netzes; auch hier rangiert
nur der Kanton Zürich mit 14,4 Prozent
vor unserem Kanton.

Diese Eisenbahndichte (dazu kommen noch einige Privatbahnen und Bus-
linien) widerspricht der oft gehörten

Das SBB-Netz in einigen Kantonen

Kanton	Länge SBB-Netz	% Anteil vom gesamten Netz der SBB *)	Einwohnerzahl	Kantonsfläche	SBB-Meter pro Einwohner	SBB-km pro km² Kantonsfläche
Aargau	298 km	10,4%	443 900	1405 km²	0,670 m	0,210 km
Zürich	412 km	14,4%	1 118 500	1729 km²	0,370 m	0,240 km
St. Gallen	173 km	6,0%	385 500	2014 km²	0,450 m	0,090 km
Vaud	270 km	9,4%	522 300	3219 km²	0,520 m	0,080 km

*) SBB-Gesamtnetz ca. 2 859 km

Meinung, der Aargau, d. h. vor allem sein «Hinterland», sei ungenügend erschlossen; in andern Kantonen ist man offenbar noch an ganz andere Verhältnisse gewöhnt (in gebirgsreichen Kantonen wäre eine solche Dichte allerdings auch gar nicht möglich). Das dichte öffentliche Verkehrsnetz im Aargau führt allerdings auch dazu, dass einige Strecken zu wenig ausgelastet sind.

	Streckennetz AG	Frequenz 1976
SBB	298,0 km	–
Privatbahnen	56,3 km	4 877 333
PTT-Linien	402,0 km	6 428 061
Konzessionärlinien	118,3 km	1 832 671
Ortsbetriebe	101,5 km	8 202 171
Total	976,1 km	21 340 236[1])

[1]) ohne SBB

1000 km öffentlicher Verkehr

Das gesamte Streckennetz des öffentlichen Verkehrs im Aargau umfasst fast 1000 km. Diese verteilen sich folgendermassen auf die verschiedenen Verkehrsmittel (siehe nebenstehende Tabelle).

Drei Privatbahnen

Der Aargau weist drei Privatbahn-Unternehmungen auf: die Bremgarten-Dietikon-Bahn (BD), die Wohlen-Meisterschwanden-Bahn (WM) und die Wynental- und Suhrentalbahn (WSB). Die Bezeichnung «Privatbahn»

Prozentuale Aufteilung des Aktienkapitals bei den aargauischen Privatbahnen

	BD	WM	WSB
Bund	31,8%	27,9%	34,4%
Kanton Aargau	43,1%	48,9%	52,3%
Kanton Zürich	12,8%		
Gemeinden	10,7%	20,7%	8,3%
SBB			2,4%
Private	1,6%	2,5%	2,6%
Total Aktienkapital	Fr. 7 555 500.–	Fr. 2 865 000.–	Fr. 10 183 000.–

Öffentlicher Verkehr im Aargau 1976

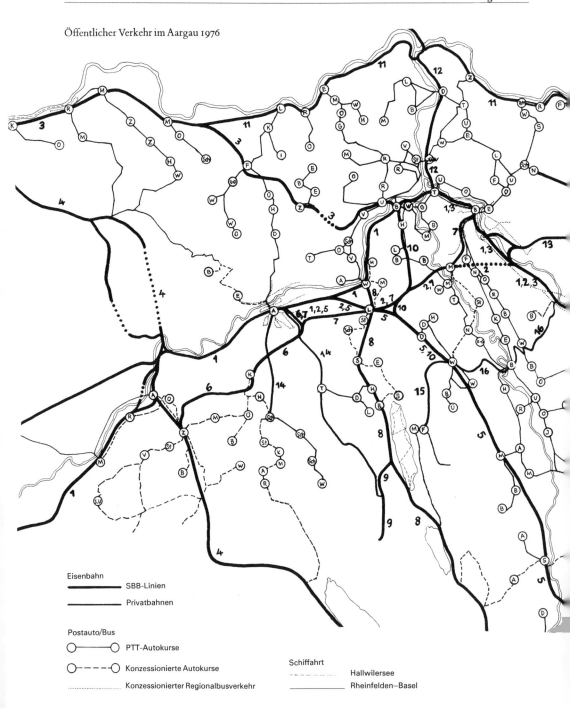

Eisenbahn

——————— SBB-Linien

——————— Privatbahnen

Postauto/Bus

◯——————◯ PTT-Autokurse

◯ – – – – ◯ Konzessionierte Autokurse

⋯⋯⋯⋯⋯⋯⋯⋯ Konzessionierter Regionalbusverkehr

Schiffahrt

– – – – – – – Hallwilersee

——————— Rheinfelden–Basel

grenzt sie von den staatlichen SBB ab, ist aber im Grunde genommen ungenau. Wohl sind die Privatbahnen weitgehend privatrechtlich organisiert (als AG, mit Verwaltungsrat usw.), doch gehört das Aktienkapital fast hundertprozentig der öffentlichen Hand.

Die drei Privatbahnen bedienen zusammen eine Streckenlänge von nur 56,3 km. Dennoch erfüllen die Bremgar-ten-Dietikon-Bahn und die Wynental- und Suhrentalbahn eine wichtige Funktion; die Frequenzzahlen belegen dies. Die Wohlen-Meisterschwanden-Bahn hingegen weist eine tiefe Frequenz auf, und es steht zur Diskussion, ob die Bahn auf reduzierter Basis weiterbetrieben oder ob auf Bus, mit Beibehalt der Strekke Villmergen-Wohlen als Güterbahn, umgestellt werden soll.

Wichtige Bahnstrecken und Bahnhöfe im Aargau

Tägliche Frequenz der am stärksten befahrenen Strecken der SBB (inkl. Güterzüge, 1974, * 1975)

	Anzahl Züge		Anzahl Züge
1. Baden–Turgi	287	11. Aarburg–Rothrist	151
2. Baden–Wettingen	286	12. Stein-Säckingen–Frick	149
3. Brugg–Turgi	265	13. Wohlen–Muri	122
4. Wettingen–Killwangen	257	14. Aarburg–Zofingen	102
5. Aarau–Rupperswil	252	15. Rupperswil–Lenzburg	98
6. Killwangen–Dietikon	*244	16. Zofingen–Sursee	81
7. Schönenwerd–Aarau	216	17. Mägenwil–Killwangen	*80
8. Stein-Säckingen–Rheinfelden	173	18. Brugg–Birrfeld	76
9. Rupperswil–Wildegg–Brugg	155	19. Othmarsingen–Birrfeld	73
10. Wohlen–Dottikon	153	20. Othmarsingen–Hendschiken	72

Die wichtigsten Bahnhöfe im Aargau (1974)

Personenverkehr	Anzahl Billette	Güterverkehr	Anzahl Tonnen
1. Baden	543 995	1. Wildegg	706 929
2. Aarau	472 107	2. Siggenthal-Würenlingen	365 250
3. Brugg	376 008	3. Rheinfelden	228 467
4. Zofingen	230 896	4. Zofingen	97 577
5. Rheinfelden	174 625	5. Brugg	92 031
6. Lenzburg	149 837	6. Birrfeld	91 987
7. Wettingen	120 662	7. Aarau	85 168
8. Wohlen	93 956	8. Killwangen-Spreitenbach	83 423
9. Killwangen-Spreitenbach	82 662	9. Rothrist	71 548
10. Wildegg	77 701	10. Suhr	66 053

Doppelspurige SBB-Linien:

1 Bern/Biel – Olten – Aarau – Brugg – Baden – Zürich – Ostschweiz
2 Westschweiz – Olten – Aarau – Lenzburg – Zürich – Ostschweiz
3 Basel – Rheinfelden – Bözberg – Brugg – Baden – Zürich – Chur
4 Basel – Olten – Zofingen – Luzern – Gotthard
5 (Basel–)Aarau – Lenzburg – Wohlen – Rotkreuz – Arth Goldau(–Gotthard)

Einspurige SBB-Linien:

6 Aarau – Suhr – Zofingen

7 Aarau – Suhr – Lenzburg – Mellingen – Baden Oberstadt – Wettingen
8 Wildegg – Lenzburg – Beinwil a.S. – Luzern
9 Beinwil a.S. – Menziken – Beromünster
10 Brugg – Othmarsingen – Wohlen
11 Stein-Säckingen – Koblenz – Eglisau – Winterthur
12 Turgi – Koblenz
13 Wettingen – Zürich Oerlikon

Privatbahnen:

14 Aarau – Schöftland und Aarau – Menziken (Wynen- und Suhrentalbahn, WSB)
15 Wohlen – Meisterschwanden (WM)
16 Wohlen – Bremgarten – Dietikon (BD)

Ziele der SBB

Ganz allgemein lassen sich die SBB bei ihrer langfristigen Planung vom Postulat der Betriebssicherheit leiten. Bei der Erstellung neuer Strecken oder bei der Verlegung oder Verbesserung bestehender Linien sollen jeweils die gefährlichen Niveau-Übergänge behoben werden. Die neue Heitersberglinie beispielsweise weist keinen einzigen Niveau-Übergang auf. Mit Fahrplanverbesserungen bemüht man sich, laufend attraktiver zu werden. Die SBB wollen den Taktfahrplan einführen (beispielsweise jede Stunde je ein Zug auf der gleichen Strecke, und dies während ungefähr 18 Stunden pro Tag). Dem kantonalen Baudepartement ist eine Abteilung öffentlicher Verkehr angegliedert, welche gerade etwa auf dem Gebiete des Fahrplan- und Tarifwesens das Mitspracherecht des Kantons bei den SBB geltend macht.

Konkret dürfte sich am aargauischen Bahnnetz in den nächsten Jahren folgendes ändern:

Neue Linie Olten–Rothrist

Die Strecke Aarburg–Olten ist überlastet, da sich hier die wichtigsten Verkehrsstränge Gotthard–Luzern–Basel und Bern–Zürich vereinigen. Eine Entflechtung soll erreicht werden durch den Bau einer neuen Linie von Olten nach Rothrist für die Züge von und nach Bern und durch einen Umbau des Bahnhofs Olten, wo durch ein Überwerfungsbauwerk die Linie Basel–Luzern unter der Linie Zürich–Bern/Biel durchgeführt werden soll.

Die neue Linie Olten–Rothrist weist eine Länge von rund 4800 m auf; davon entfallen 810 m auf den Borntunnel. Mit der Inbetriebnahme der neuen Bornlinie wird 1981 gerechnet. Für Schnellzüge wird sich eine Fahrzeitverkürzung auf der Strecke Bern–Olten von rund drei Minuten ergeben, doch ist dies nur ein Nebenzweck dieser Sanierung. Nachher wird die Strecke Rothrist–Aarburg weitgehend eingestellt werden können.

Etwas weiter westlich, bereits ausserhalb des Kantonsgebiets, ist eine Entlastung von Roggwil nach Bern geplant. Mit deren Realisierung ist aber frühestens in einem Jahrzehnt zu rechnen.

Ausbau der Heitersberglinie

Die 1975 eröffnete doppelspurige Heitersberglinie zwischen Rupperswil und Killwangen stellt eine Parallellinie zur Stammlinie Aarau–Brugg–Baden–Zürich dar. Um eine Ausbaugeschwindigkeit von 140 km/h zu ermöglichen (zwischen Othmarsingen und Lenzburg nur 125 bis 130 km/h), musste zwischen Mellingen und Mägenwil das Trassee der «Nationalbahn» aufgegeben und eine Neubaustrecke erstellt werden. Eine niveaufreie Kreuzung im Gexi bei Lenzburg mit der Linie Brugg–Wohlen und der Landstrasse Lenzburg–Othmarsingen wurde erreicht durch den Bau einer Überwerfung auf drei Verkehrsebenen.

Nun muss noch das Trassee der zweispurigen Strecke zwischen Rupperswil und Lenzburg auf einer Länge von 1600 m neu verlegt werden, damit die Vereinigung mit der bestehenden Ost-West-Stammlinie Aarau–Brugg kreuzungsfrei mittels eines Überwerfungsbauwerkes (ähnlich Killwangen) erfolgen kann. Zudem ist der Ausbau der Strecke Rupperswil–Aarau auf vier Spuren vorgesehen.

Verbindungsschleifen bei Würenlos-Killwangen und Mägenwil-Birrfeld

Die Verbindungsschleife Würenlos-Rangierbahnhof Spreitenbach soll beitragen, den durchgehenden Güterverkehr in Richtung Winterthur und Schaffhausen um den Knotenpunkt Zürich herumzuleiten. Diese Schleife wird voraussichtlich 1980 eröffnet.

Durch die Verbindungsschleife bei Mägenwil kann die Bözberg- an die Heitersberglinie angeschlossen werden. Dies bringt eine Entlastung des Engpasses Brugg–Baden. Im Zusammenhang mit der Erstellung dieser Verbindungsschleife würde der Ausbau der Linie Othmarsingen–Brugg auf Doppelspur stehen.

Auf die Probleme der *Seetalbahn* wird bei der Behandlung der einzelnen Regionen näher eingegangen (siehe Seite 213).

Postautokurse (Stand 1977)	Total Strecken-länge in km	davon im Aargau km	Frequenz 1976
Aarau–Frick–Laufenburg	25,8	25,8	579 051 [1]
Baden–Niederweningen–Döttingen	20,0	20,0	664 349
Baden–Bremgarten	16,9	16,9	809 361
Baden–Turgi	9,7	9,7	850 891
Baden–Birmenstorf–Gebenstorf	10,0	10,0	331 890
Baden–Bellikon–Berikon/Widen	17,7	17,7	606 522
Berikon/Widen–Oberwil–Zürich/Wiedikon	16,4	5,0	80 415 [2]
Zürich/Wiedikon–Birmensdorf ZH–Unter-lunkhofen–Rottenschwil	19,7	7,4	201 338
Bremgarten–Mellingen	12,8	12,8	⎫
Bremgarten–Muri	11,5	11,5	⎬ 121 517
Bremgarten–Jonen–Affoltern a. A.	15,3	8,5	⎭
Brugg–Zurzach	18,4	18,4	⎫
Brugg–Mönthal	14,5	14,5	⎪
Brugg–Oberbözberg	9,4	9,4	⎬ 460 455
Brugg–Baden	10,1	10,1	⎪
Brugg–Mülligen	7,5	7,5	⎭
Brugg–Gansingen	12,8	12,8	55 026
Brugg–Schinznach-Dorf–Thalheim	11,8	11,8	⎫ 107 035
Wildegg–Auenstein–Thalheim	9,3	9,3	⎭
Döttingen–Mandach	12,4	12,4	28 752
Effingen–Elfingen	5,8	5,8	23 965
Effingen–Zeihen	1,6	1,6	5 663
Etzgen–Gansingen–Hottwil	6,0	6,0	80 087
Frick–Oberhof	9,3	9,3	149 244
Dietwil–Gisikon/Root	3,4	1,7	3 351
Hallwil–Leutwil–Teufenthal	9,8	9,8	26 230
Kaiseraugst–Olsberg	6,4	6,4	5 804
Laufenburg–Ittenthal	5,6	5,6	21 994
Mellingen–Brugg	14,9	14,9	223 501
Rheinfelden–Möhlin–Wegenstetten	17,0	17,0	147 544 [3]
Mumpf–Schupfart	6,2	6,2	7 389
Muri–Affoltern a. A.	11,4	7,0	107 569
Muri–Beinwil/Freiamt–Winterschwil	7,2	7,2	37 234
Rheinfelden–Gelterkinden	16,0	5,5	298 500
Schöftland–Walde–Schiltwald	9,5	9,5	207 027
Sins–Auw	4,0	4,0	2 542
Sulz–Obersulz	3,6	3,6	7 285
Kaiserstuhl–Niederweningen	14,5	14,5	37 213
Wohlen–Dottikon/Dintikon–Hägglingen	9,9	9,9	86 833
Wohlen–Waltenschwil–Uezwil	5,0	5,0	52 484
Total		402,0	6 428 061

[1] Totalfrequenz der Kursgruppe Aarau (Aarau–Küttigen–Frick–Laufenburg, Aarau–Obererlinsbach, Aarau–Biberstein), Abtretung der Linien nach Küttigen (Lokalverkehr), Obererlinsbach und Biberstein an den BBA auf 30. 5. 76

[2] Betriebsaufnahme am 31. 5. 76 (ehemalige Strecke nur Berikon/Widen–Oberwil)

[3] Betriebsaufnahme auf dem Teilstück Rheinfelden–Möhlin auf den Fahrplanwechsel vom 28. 5. 78, Frequenzen 1976 nur für die bisherige Strecke Möhlin–Wegenstetten

Konzessionärlinien	Total Strecken-länge in km	davon im Aargau km	Frequenzen 1976
Aarau–Barmelweid	12,6	12,6	72 400
Lenzburg–Seengen–Boniswil	15,6	15,6	103 678
Lenzburg–Holderbank	9,1	9,1	68 881
Mellingen–Wohlen	13,0	13,0	102 247
Schöftland–Sursee	22,0	9,7	335 298 [1]
Zofingen–Vordemwald–St. Urban	18,5	8,5	230 603 [3]
Zofingen–Reiden–Wiliberg	11,1	1,5	74 449 [3]
Zofingen–Brittnau	4,2	4,2	103 430 [3]
Zofingen–Aarburg	6,1	6,1	128 892 [3]
Zofingen–Bottenwil–Schöftland	14,0	14,0	91 414 [2] [3]
Zofingen–Rothrist–Murgenthal	15,0	15,0	336 192 [3]
Sins–Hochdorf–Cham	23,4	6,2	98 672
Dietikon–Bergdietikon	4,7	2,8	86 515
Total		118,3	1 832 671

[1] Konzessionär: Sursee-Triengen-Bahn, Betriebsführung: PTT
[2] nur Strecke Zofingen–Bottenwil, Betriebsaufnahme Bottenwil–Schöftland erst am 22. 5. 77
[3] ab 22. 5. bzw. 25. 9. 77 Konzessionär: Regionalbus Wiggertal, Betriebsführung: PTT

Ortsbetriebe (Agglomerationsverkehr)

Busbetrieb Aarau (BBA)

Eröffnet 1955, führt ab Mai 1976 folgende Linien: Buchs – Aarau – Küttigen, Rohr – Aarau – Obererlinsbach, Aarau – Biberstein, Aarau – Waldhofweg (Suhr), Aussenquartiere der Stadt Aarau (Damm, Goldern, Scheibenschachen, Telli, Zelgli).
Gesamtlänge: 38,3 km; Frequenz 1976: 2,4 Millionen Personen.

Regionale Verkehrsbetriebe Baden – Wettingen (RVBW)

Eröffnet 1970, führt 1977 folgende Linien: Wettingen – Baden – Kappelerhof, Baden – Spreitenbach, Ennetbaden – Baden – Baldegg, Baden – Rütihof, Baden – Wettingen – Würenlos.
Gesamtlänge: 54,6 km; Frequenz 1976: 5,5 Millionen Personen.

Stadtbusbetrieb Rheinfelden

Seit September 1975 in Betrieb. Linien vom Kurzentrum ins Neuquartier Augarten (Ost-West).
Gesamtlänge: 8,6 km; Frequenz 1976: 275 000 Personen.

In der Verkehrspolitik haben sich in den letzten Jahren innerhalb des Kantons eigentliche «Kuriositäten» entwickelt: Während in Aarau der Regionalbus das Postauto im Nahverkehr abgelöst hat, erfüllt in der Region Zofingen seit 1977 die PTT die Aufgaben des Agglomerationsverkehrs, und zwar mit Busfahrzeugen, nicht mit Postautos! Konzessionär ist eben der Gemeindeverband «Regionalbus Wiggertal».

b) Schiffahrt

Der Wasserkanton Aargau ist kein Schiffahrtskanton. Obwohl der Aargau reich an Gewässern ist, spielt er auf dem Gebiete des Schiffsverkehrs eine unbedeutende Rolle. Erwähnenswert ist höchstens die Schiffahrt auf dem Hallwilersee (siehe dazu Seite 213) und auf der Strecke zwischen Rheinfelden und Basel auf dem Rhein.

Um so mehr ist die Frage der Schiffbarmachung einiger unserer Gewässer
seit vielen Jahren ein Politikum. In letzter Zeit drängen interessierte Kreise
wieder verstärkt die massgebenden Behörden dazu, endlich die entscheidenden Schritte für die Hochrheinschiff-
fahrt, also oberhalb Rheinfeldens, zu unternehmen. Um die Aareschiffahrt, d. h.
mehr oder weniger um die Verwirkli-
chung eines transhelvetischen Kanals
von der Aareeinmündung in den Rhein
zurück bis zum Neuenburger- und zum
Genfersee, ist es in den letzten Jahren
hingegen wieder ruhiger geworden.

Aargauische Standesinitiative blitzte ab

Gemäss einem Bundesgesetz sind die
Kantone zur Offenhaltung der Gewässer für eine künftige Schiffahrt verpflichtet. Diese Verpflichtung verhindert aber jede vernünftige Planung. Der
Kanton Aargau lancierte deshalb im
Jahre 1969 eine Standesinitiative, mit
welcher er verlangte, dass der Bund die
Pflicht zur Offenhaltung fallenlasse
oder dann aber ein Offenhaltungsgesetz
für die möglicherweise schiffbar zu ma-
chenden Flüsse schaffe. Der Kanton ent-
hielt sich dabei einer Stellungnahme pro
oder kontra Aareschiffahrt. Der Bund
liess sich durch diese nicht alltägliche
Standesinitiative aber nicht aus dem
Busch klopfen. Immerhin kam die Meinung des damaligen Bundesrates in
knappen Worten zum Ausdruck: Die
Schiffbarmachung sei nur dann wirtschaftlich sinnvoll, wenn sie die andern
Verkehrsträger, insbesondere die Strasse
und die Bahn, wirksam entlaste; dies
wäre bei der Hochrheinschiffahrt der
Fall, hingegen kaum bei der Aareschiff-
fahrt.

Hochrheinschiffahrt: Pro und Kontra

Die Diskussion über die Hochrheinschiffahrt läuft nun schon seit gut 50 Jahren: 1929 wurde nämlich ein deutsch-
schweizerischer Staatsvertrag unterzeichnet, welcher grundsätzlich die
Schiffbarmachung des Hochrheins vorsah. Neuen Auftrieb haben die Befürworter durch die schweizerische Ge-
samtverkehrskonzeption (GVK) erhalten, welche die Schiffahrt bis Klingnau
empfiehlt, also bis zur Aaremündung.
Gemäss Leitstudie der GVK erfüllt die
Binnenschiffahrt die drei Minimalan-
forderungen, welche heute und in Zukunft an den Verkehr zu stellen seien, «in
beachtlichem Ausmass»: minimale Um-
weltbelastung, geringer Energiever-
brauch und hoher Wirtschaftlichkeits-
grad. Die Verlängerung der Rhein-
schiffahrt von Basel bis in die Gegend
von Klingnau würde in erster Linie der
Agglomeration Zürich zugute kommen
und hätte eine Entlastung der Region
Basel von einem Teil des Schwerver-
kehrs auf der Strasse zur Folge. Auch
zahlreiche Industrieunternehmen im
Fricktal und im untern Aaretal haben
sich energisch für den Hochrheinaus-
bau, und zwar vor allem aus Gründen
der Konkurrenzfähigkeit der schweizerischen Industrie, ausgesprochen. Gegen
den Ausbau des Rheins als Schiffsstrasse
sprechen sich in erster Linie Umwelt-
schutzkreise aus, die einerseits eine Ver-
schandelung unberührter Landschaften,
anderseits eine noch intensivere Industrialisierung des Ufergürtels befürchten. Gutachten und Gegengutachten
widersprechen sich in bezug auf die finanziellen Konsequenzen. Die Befürworter der Schiffbarmachung rechnen
vor, dass ein Laufkilometer auf dem

Rhein viel weniger koste als ein Kilometer Autobahn, Gegner ziehen vernichtende Kosten-Nutzen-Vergleiche und glauben, dass eine Wasserstrasse von Rheinfelden bis zur Aaremündung mindestens eine halbe Milliarde Franken kosten würde. Von deutscher Seite her liess man bereits durchblicken, dass der gut industrialisierte Aargau von der Schifffahrt eindeutig mehr profitieren würde und deshalb mindestens 75 Prozent der Gesamtkosten tragen müsste.

11. Schulwesen

Hoch- und Tiefperioden

Das Aargauer Schulwesen hat schon viele Hoch- und Tiefperioden erlebt. Man denke etwa an die «hochliberale» aargauische Kantonsschule des letzten Jahrhunderts, die von einer Schar glühender Aarauer Patrioten 1802 – bevor es den Kanton gab – gegründet wurde und über die Landesgrenzen hinaus bekannt wurde, oder an Pestalozzi, der im Aargau seine damals revolutionären Vorstellungen entwickelte und damit teilweise, wenigstens auf Zeit, scheiterte. Heute kann der Aargau einerseits auf verschiedene in den letzten Jahren realisierte augenfällige schulische Verbesserungen oder etwa auf die Breiten- und Tiefenentwicklung des Mittelschulwesens in den Regionen hinweisen; anderseits haben veränderte Verhältnisse, Finanzknappheit und politische Widerstände den Hochschul-Höhenflug gestoppt. Lehrerüberfluss- und Lehrermangelphasen lösen sich ab. Jahrelang gaben die wachsenden Schülerzahlen dem Kanton und den Gemeinden schwerwiegende bauliche und organi-

satorische Probleme auf; der Geburtenrückgang der letzten Jahre und die Verminderung des Ausländeranteils brachten dann jedoch eine in der Schulplanung entscheidende Wende, die immerhin zum Abbau der Klassenhöchstbestände beitrug. Allgemein lässt sich aber angesichts der wechselnden Zahlen und der finanzpolitischen Restriktionen eine gewisse Verunsicherung und Orientierungslosigkeit, die bereits auf nationaler Ebene einsetzt, feststellen.

Durchschnittliche Schülerzahlen pro Schulabteilung

Jahr	Primar-schule	Hilfs-schule	Sekun-dar-schule	Bezirks-schule	Berufs-wahl-schule
1964	35,7	18,6	27,8	25,0	23,3
1974	29,5	14,0	25,6	24,3	23,0

Übersicht nach Altersstufen

Die folgende Übersicht über das aargauische Schulwesen wird nach Altersstufen gegliedert und lehnt sich an die 1977 herausgegebene Informationsbroschüre des aargauischen Erziehungsdepartementes an.

Kindergarten

Soweit es die Platzverhältnisse erlauben, können die Kinder den Kindergarten während zweier Jahre besuchen. Nicht alle Gemeinden besitzen allerdings Kindergärten. Der Kindergartenbesuch, der in der Regel unentgeltlich ist, ist nicht obligatorisch.

Die aargauische Volksschule

Die Schulpflicht beginnt für die Kinder im Frühling desjenigen Jahres, in dem sie das siebente Altersjahr vollenden, und dauert acht Jahre. Allen Schülern ist aber Gelegenheit geboten, ein freiwilliges neuntes Schuljahr zu absolvieren. Unterricht, obligatorische Lehrmittel und Schulmaterialien sind an allen öffentlichen Schulen des Kantons unentgeltlich.

Die aargauische Volksschule gliedert sich folgendermassen:

Unterstufe (1., 2. und 3. Klasse) } *Primarschule*
Mittelstufe (4. und 5. Klasse)

Oberstufe ⎰ *Bezirksschule*[1/2]
(jeweils 3 Jahre obligatorisch, ⎱ *Sekundarschule*[2]
ein Jahr fakultativ) ⎱ *Oberschule*
⎱ *(Realschule)*[2]

Vorbereitung auf [1]) Mittelschulen, [2]) Berufslehre

Die drei parallelen Züge (Ober- oder Realschule, Sekundarschule und Bezirksschule) stellen hinsichtlich Lerntempo und Abstraktionsvermögen unterschiedliche Anforderungen, und entsprechend setzt sich das Angebot an Pflicht-, Frei- und Wahlfächern zusammen. Bezirksschulen gibt es in 46 aargauischen Gemeinden, Sekundarschulen in 113 Gemeinden, während die Realschule in den meisten Schulgemeinden geführt wird. Seit der Teilrevision des Schulgesetzes im Jahre 1972 können Gemeinden Kreisschulen führen, in denen Schüler aus mehreren Gemeinden gemeinsam unterrichtet werden. Damit wird angestrebt, dass alle Schüler der drei Züge unter ähnlichen Voraussetzungen unterrichtet werden können. In der Real- und der Sekundarschule haben aber – wie an der Primarschule – immer noch viele Lehrer gleichzeitig mehrere Klassen zu unterrichten.

Kinder mit Schwierigkeiten

Die erwähnte Informationsbroschüre zählt die verschiedenen Auskunftsstellen auf, an die sich Eltern, deren Kinder aus irgendwelchen Gründen Schwierigkeiten bieten, wenden können, und gibt eine Übersicht über die verschiedenen Schulungsmöglichkeiten (z. B. bei Hör-, Sprach- und Körperbehinderungen, bei Lese- und Rechtschreibeschwäche). Kinder, die Mühe hätten, die normale erste Schulklasse zu bestehen, deren Verbleib aber im Kindergarten ebenfalls nicht sinnvoll wäre, erlernen den Erstklasssstoff während zweier Jahre in den sogenannten Einschulungsklassen. Dieser Weg steht auch zur Integration der fremdsprachigen Kinder offen, sofern nicht weniger weit gehende Massnahmen zur Förderung ihrer Deutschkenntnisse genügen.

Sonderschulen

Die heilpädagogischen Sonderschulen sind Schulen für geistig behinderte Kinder. Hier werden einfachste Kenntnisse vermittelt; wichtig ist vor allem das Einüben praktischer Fertigkeiten, die auf eine mögliche Berufstätigkeit vorbereiten.

Hilfsschulen

Die Hilfsschulen dienen der Erziehung und Allgemeinförderung von Kindern, die dem Unterricht in den Normalklassen nicht zu folgen vermögen. Für sie sind die Lehrziele und Stoffpläne der aargauischen Gemeindeschulen nicht verbindlich, aber wegleitend. Dem Handarbeitsunterricht und einer sinnvollen praktischen Tätigkeit wird besondere Aufmerksamkeit geschenkt. Das neunte Schuljahr der Hilfsschule heisst Werkjahr und dient vor allem der Berufsabklärung sowie der Förderung der handwerklichen Fähigkeiten.

Kinderheime und heilpädagogische Sonderschulen
im Aargau (Stand 1976)

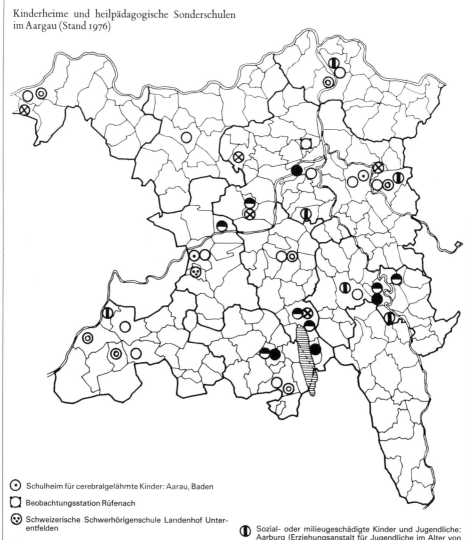

⊙ Schulheim für cerebralgelähmte Kinder: Aarau, Baden

◑ Beobachtungsstation Rüfenach

⊛ Schweizerische Schwerhörigenschule Landenhof Unterentfelden

● Schwergeschädigte Kinder: Bremgarten St. Josef, Brugg, Meisterschwanden, Zetzwil-Schürmatt

◗ Geistig behinderte Kinder: Biberstein, Bremgarten St. Josef, Oberflachs Schloss Kasteln, Seengen Friedberg, Seengen Seehalde (anthroposophische Methode), Widen-Hasenberg (anthroposophische Methode), Zetzwil-Schürmatt

⊗ Verhaltensgestörte Kinder: Effingen, Oberflachs Schloss Kasteln, Olsberg Pestalozzistiftung, Seengen Friedberg; Therapiestation Ennetbaden

◑ Sozial- oder milieugeschädigte Kinder und Jugendliche: Aarburg (Erziehungsanstalt für Jugendliche im Alter von 15 bis 22 Jahren), Birr Pestalozziheim Neuhof (Jugendliche von 15 bis 20 Jahren), Hermetschwil St. Benedikt, Klingnau St. Johann, Wettingen Mariae Krönung, Wohlen

○ Heilpädagogische Sonderschulen (Tagesschulen): Aarau, Baden, Döttingen (Standort in Klingnau), Frick, Lenzburg, Oftringen, Reinach, Rheinfelden, Wettingen, Windisch, Wohlen, Zofingen

◎ Eingliederungswerkstätten für Schulentlassene: Böttstein-Kleindöttingen, Lenzburg, Reinach, Rheinfelden, Rothrist, Strengelbach, Wettingen

Am Ende der Volksschule

Schüler aus der dritten Klasse der Real-, Sekundar- und Bezirksschule, nach Möglichkeit auch Bewerber im zehnten Schuljahr, können in die *Berufswahlschule* aufgenommen werden. Sie hat die Aufgabe, zur Berufswahlreife und zur Berufsfindung zu führen sowie auf den gewählten Beruf vorzubereiten. Der *Hauswirtschaftliche Jahreskurs* ist eine Möglichkeit für Mädchen, ein neuntes Schuljahr zu absolvieren. Der Kurs kann auch im zehnten Schuljahr besucht werden. Das Schwergewicht des Unterrichts liegt in den Bereichen Hauswirtschaft und Handarbeit.

Die Bezirksschule schliesst mit einer obligatorischen Prüfung, die im ganzen Kanton zur gleichen Zeit und nach dem gleichen Prüfungsplan durchgeführt wird. Die Abschlussprüfung gliedert sich in eine Basisprüfung und in Zusatzprüfungen für den Übertritt an höhere Schulen. Für die Aufnahme an die Mittelschulen (Maturitätsschulen und Diplomschulen) werden aber auch die Vorschlagsnoten der Semesterzeugnisse der vierten Klasse berücksichtigt.

Die Mittelschulen

Während langer Zeit gab es nur die Kantonsschule und das Lehrerinnenseminar in Aarau sowie das Lehrerseminar in Wettingen, bis dann eine zweite Kantonsschule in Baden geplant wurde. Später wurden die Seminarien für beide Geschlechter offen. Durch die vom Volk genehmigte Mittelschulkonzeption im Jahre 1968 wurde die gesetzliche Grundlage für den Bau weiterer Mittelschulen geschaffen. Man nennt sie jetzt allgemein Kantonsschulen; der Begriff «Seminar» ist mit der Neuorganisation der Lehrerbildung (siehe im folgenden) verschwunden. Die Mittelschulen in Zofingen und in Wohlen sind inzwischen nach dem neuen Konzept realisiert worden. Im Fricktal wurde Stein als Standort in Aussicht genommen.

Maturitätsschulen

Ziel der Maturitätsschulen (auch Gymnasium oder Kantonsschule genannt) ist die Vorbereitung auf das Studium an Hochschulen und verschiedenen höheren Fachschulen. Die verschiedenen Maturitätstypen A, B, C, D und E sind eidgenössisch geregelt. Daneben gibt es einen kantonalen Maturitätstyp, das Pädagogisch-Soziale Gymnasium (PSG). Im folgenden eine Übersicht:

A   Literarabteilung (typenspezifisch: Latein, Griechisch): Aarau, Baden, Zofingen

B   Literarabteilung (Latein, Englisch): Aarau, Baden, Wohlen, Zofingen

C   Realabteilung (Mathematik, Naturwissenschaften): Aarau, Baden, Zofingen

D   Neusprachliche Abteilung (Englisch und dritte Fremdsprache): Aarau (Zelgli), Wettingen, Wohlen, Zofingen

E   Wirtschaftsabteilung (wirtschaftswissenschaftliche Fächer): Aarau

PSG Pädagogisch-Soziales-Gymnasium (Deutsch, pädagogische, sozialkundliche und musische Fächer): Aarau (Zelgli), Wettingen, weitere vorgesehen.

Diplomschulen

Neben den Maturitätsschulen bestehen verschiedene Diplomschulen, die eine über den Stoff der Volksschule hinausgehende Allgemeinbildung vermitteln und die Eintrittschancen in Fachschulen und anspruchsvolle Berufsausbildungen verbessern. Von hier aus ist aber kein Zugang zur Hochschule oder zur Höheren Pädagogischen Lehranstalt gewährleistet. Diplomschulen sind

die Aargauische Töchterschule Aarau: Sie dauert zwei Jahre und ist als Orientierungsstufe gedacht für die Zeit zwischen Schulobligatorium und Antritt einer Lehre oder Ausbildung, die ein höheres Eintrittsalter erfordern; vorwiegend handelt es sich dabei um Berufe des Gesundheitswesens und um sozial-erzieherische Berufe,

die Handelsdiplom-Abteilung: Diese Abteilungen in Aarau und Baden bereiten in drei Jahren auf einen kaufmännischen Beruf vor. Das Handelsdiplom ist aber auch eine günstige Voraussetzung für den späteren Besuch der höheren Wirtschafts- und Verwaltungsschulen.

Berufsschulen

Primarlehrerausbildung

Seit 1976 ist die Lehrerbildung in Allgemeinbildung und Berufsbildung aufgeteilt. Die Allgemeinbildung wird an einer Mittelschule (siehe oben, Typen A, B, C, D, E und PSG) erworben, die anschliessende Berufsbildung erfolgt nicht mehr an den Seminarien, sondern an der Höheren Pädagogischen Lehranstalt (HPL), die vorläufig ihren Sitz in Zofingen hat. Das Studium an der HPL dauert vier Semester, darin eingeschlos-

sen sind die Rekrutenschule bzw. ein Sozialpraktikum sowie verschiedene Lehrpraktika.

Kantonales Seminar Brugg

Während die Bezeichnung «Seminar» im Zuge der neuen Mittelschulkonzeption überall dem Begriff «Kantonsschule» weicht, ist das Wort «Seminar» immerhin in Brugg neu auferstanden: Die Kantonalen Frauenschulen in Brugg, die seit 1973 unter einer einheitlichen Schulleitung Hauswirtschaftslehrerinnen, Arbeitslehrerinnen und Kindergärtnerinnen ausbilden, mussten nämlich ihren Namen ändern, weil hier in Zukunft auch Burschen zugelassen werden. Der Lehrstoff baut grundsätzlich auf dem Ausbildungsniveau der vierten Klasse der Bezirksschule auf, das Hauswirtschaftslehrerinnenseminar allerdings erst auf dem Niveau der zweiten Klasse der Töchterschule. Am 31. Dezember des Eintrittsjahres muss das 18. Altersjahr zurückgelegt sein. Die Ausbildung dauerte früher zwei Jahre, seit Frühling 1977 drei Jahre.

Lehramtsschule

Seit Frühling 1973 besteht in Windisch (im Haus der HTL) die «Lehramtsschule Aargau» (LSA). Sie dient der Weiterbildung von Lehrern an Primaroberschulen und Sekundarschulen. Die Schule, die zwei Kurse à 20 Wochen pro Jahr vorsieht, hat bereits über die Kantonsgrenze hinaus grosse Beachtung gefunden.

Gewerblich-industrielle und kaufmännische Schulen

Jeder Jugendliche, welcher die Volksschulpflicht erfüllt hat, kann grundsätzlich eine ihm zusagende Lehre antreten. In der Regel erfolgt die Ausbildung des Lehrlings bei einem Meister im Betrieb und dauert zwei bis vier Jahre. Die theoretischen Kenntnisse werden an den Berufsschulen vermittelt, wobei der Besuch des Unterrichts obligatorisch ist. Wer die Abschlussprüfung besteht, erhält ein eidgenössisches Fähigkeitszeugnis.

Im Aargau bestehen *21 gewerblich-industrielle und kaufmännische Berufsschulen,* welche die Aufgabe haben, die praktische Ausbildung im Betrieb durch theoretische Kenntnisse zu ergänzen; der Besuch an 1 bis 1½ Schultagen pro Woche ist für alle Lehrlinge obligatorisch. An den Gewerbeschulen Aarau, Baden, Brugg, Wohlen und Zofingen werden Kurse geführt, die auf die Aufnahmeprüfung an die Höhere Technische Lehranstalt vorbereiten. Schliesslich vermittelt die *Berufsmittelschule (BMS)* neben dem obligatorischen Berufsschulunterricht eine erweiterte Bildung in sprachlichen, mathematischen und technischen Fächern. Solche Schulen bestehen in Aarau, Baden (technische Abteilungen) sowie Olten (technische, grafische und allgemeine Abteilungen).

Andere Berufs- und Weiterbildungsschulen

Kantonale Frauenfachschule Aarau (hauswirtschaftliche Jahreskurse, Vorkurse für Spitalberufe, Vorbereitungskurse auf das Arbeitslehrerinnenseminar, die neue Haushaltungsschule), Kantonale Bauschule Aarau (Polierschule und Bauführerschule), Höhere Technische Lehranstalt (Ingenieurschule) Brugg-Windisch (HTL), Lehramtsschule Windisch (Fortbildung der Lehrer), Höhere Wirtschafts- und Verwaltungsschule Aargau/Solothurn in Olten (HWV), Krankenpflegeschulen (Krankenschwesternschule, Kinderkrankenschwesternschule und Pflegerinnenschule) am Kantonsspital Aarau, Schwestern- und Pflegerschule der Psychiatrischen Klinik Königsfelden, Pflegerinnenschule Baden, Schule für praktische Krankenpflege Gnadenthal, Fachschule für Heimerziehung Brugg-Windisch, Landwirtschaftliche Fachschulen in Frick, Muri, Liebegg/Gränichen, Käsereifachschule Suhr, BBC-Technikerschule Baden, Gartenbauschule für Töchter in Niederlenz, Lehrateliers für Damenschneiderinnen in Aarau, Rheinfelden, Wohlen und Lenzburg.

Schulbehörden

Das *Erziehungsdepartement* übt die Schulhoheit auf der Stufe der Volksschule mittelbar, d.h. über verschiedene Instanzen (Erziehungsrat, Bezirksschulrat, Inspektoren, Schulpflege in den Gemeinden) aus. Die kantonalen Mittelschulen und Lehranstalten hingegen sind direkt dem Erziehungsdepartement unterstellt. Die gewerblichen und kaufmännischen Berufsschulen und die gemeinnützigen Erziehungsheime werden mit wenigen Ausnahmen vom Kanton wohl finanziell unterstützt, stehen aber unter autonomer Leitung.

Hochschule im Aargau?

In den sechziger Jahren wurde der Ruf laut, der Kanton Aargau möge einen eigenen Beitrag an das schweizerische Hochschulwesen leisten. 1970 bewilligten die Aargauer Stimmbürger einen Kredit für die Vorbereitungsstufe einer Hochschule für Bildungswissenschaften und für einen Praktikantenunterricht in

klinischer Medizin. Parallel zu diesen
Vorbereitungen wurden einzelne For-
schungsprojekte aufgenommen, welche
zur Entwicklung des aargauischen
Hochschulmodells beitragen sollten. Im
Laufe der Jahre, während welcher sich
verschiedene vorbereitende Gremien im
Aargau auf beschwerlichem Instanzen-
weg um die Abstützung innerhalb der
Eidgenossenschaft bemühten, verebbte
die Begeisterung für eine Hochschule
für Bildungswissenschaften im zermür-
benden Spiel der politischen Kräfte;
auch hier mag die allgemeine Ernüchterung auf dem Gebiete des Hochschul-
wesens angesichts der Finanzrestriktio-
nen mitgespielt haben. Nachdem schon
der Grosse Rat das Hochschulprojekt
mehr oder weniger zurückgepfiffen
hatte, führte 1977 ein Meinungsum-
schwung der Schweizerischen Hoch-
schulkonferenz zur Empfehlung an den
Kanton Aargau, auf die Gründung der
Hochschule für Bildungswissenschaften
vorläufig zu verzichten. Dem Aargau
wurde vielmehr angeraten, seinen Beitrag an das schweizerische Hochschulwesen ausschliesslich für die Schaffung
zusätzlicher Studienplätze an den bestehenden Hochschulen zur Verfügung zu
stellen. Mit dieser Wende, welche ein
Schlaglicht auf die verfuhrwerkte Situation in der schweizerischen Hochschul-
politik wirft, dürften die Pläne für
eine aargauische Hochschule zumindest
in die Ferne gerückt sein. Für den Kanton stellt sich heute auch die Frage, ob er
sich verstärkt an der zentralschweizeri-
schen Hochschule in Luzern, deren Rea-
lisierungschancen günstiger stehen,
engagieren soll, doch dürften diesen
Bestrebungen zahlreiche praktische
Schwierigkeiten im Wege stehen.

12. Spital- und Altersheimwesen

Klarheit durch eine Spitalkonzeption

Die meisten der heute noch, wenn
auch in veränderter Weise in Betrieb
stehenden Spitäler des Aargaus sind in
den letzten Jahrzehnten des 19. Jahrhunderts bzw. zu Beginn unseres Jahrhunderts eröffnet worden. Es handelt sich
teilweise um altehrwürdige Gebäude;
ja, einige von ihnen waren vorher, und
zwar schon während Jahrhunderten, an-
derweitig verwendet worden. So dienen heute einige ehemalige Klosterge-
bäude Spital-, Alters- und Pflegeheim-
zwecken (Aarau, Gnadenthal, Königsfelden, Laufenburg, Leuggern, Muri);
glücklicherweise sind einige dieser Bauten in den letzten Jahren saniert worden;
daneben weist der Kanton auch spektakuläre Spitalneubauten auf.

Eine Spitalkonzeption, die 1972 dem
Grossen Rat unterbreitet wurde, hat im
Aargau Ordnung auf dem Gebiete des
Gesundheitswesens geschaffen. Die
Menschen sind deswegen leider nicht
gesünder geworden, im Gegenteil. Der
Staat gibt Jahr für Jahr viele Millionen
Franken für die aargauischen Kranken-
anstalten aus, wobei sich die Summen
innerhalb eines Jahrzehnts vervielfacht
haben und einen wesentlichen Anteil
am Staatssteuereingang ausmachen.
Noch 1960 betrug der Aufwand des
Kantons für die Krankenversorgung pro
Kopf der Bevölkerung jährlich knapp
20 Franken: 15 Jahre später machte er
bereits rund 100 Franken aus! Der enor-
me Finanzbedarf für das Spitalwesen
verlangt darum einen gezielten und ko-
ordinierten Einsatz der Mittel. Die kantonale Spitalkonzeption will sicherstel-

len, dass einerseits sämtliche Kantonsge-
biete mit Spitälern und Krankenheimen
ausreichend versorgt sind, anderseits
dem Prinzip der Wirtschaftlichkeit
nachgelebt wird. Das Spitalkonzept
gibt Richtlinien über Standort, Einzugsgebiet, Betriebsgrösse und Entwicklung
der einzelnen Spitäler und Heime und
hat vor allem Prioritäten für die Neu-
und Ausbauten gesetzt. Im Kanton Aargau hat sich ein spezifisches Spitalsystem
entwickelt; wie soviel anderes in unserem Kanton zeichnet es sich durch eine
starke und in den letzten Jahren noch ge-
förderte *Dezentralisierung* aus.

Zu unterscheiden ist heute zwischen
Akutspitälern und *Krankenheimen.* Das
Bild der Krankenhäuser hat sich in den
letzten Jahrzehnten vollständig geändert. Die Fortschritte der Medizin haben im Durchschnitt wohl zu einer längeren Lebenserwartung der Menschen
beigetragen. Dafür hat die Zahl der Be-
hinderungen, Krankheiten und Gebrechen chronischer Art, wie man sie eben
mit zunehmendem Alter in Kauf nehmen muss, stark zugenommen. Deshalb
ist es unumgänglich geworden, dass
Langzeit- und Chronischkranke, vorwiegend Betagte, in speziellen Krankenheimen gepflegt werden müssen.
Akutspitäler hingegen sind Krankenhäuser mit einer intensiven ärztlichen
Betreuung und dienen der Untersuchung, Behandlung und kurzfristigen
Hospitalisierung von Kranken und Ver-
letzten (mittlere Aufenthaltsdauer 15
Tage). Neben diesen beiden Hauptty-
pen (es gibt daneben Übergangs- und
Unterstufen) sind die *Altersheime,* welche gesunde und leicht pflegebedürftige
Betagte beherbergen, und die *psychiatri-*
schen Spitäler, Heime und Krankenhäuser zu nennen.

Ein Stufensystem

Das aargauische Spitalkonzept beruht
auf dem *System der abgestuften Kranken-*
versorgung, das von unten nach oben aufgebaut ist. Die *Regionalspitäler* sollen die
Grund- oder Routineversorgung der Bevölkerung in der Region sicherstellen
(dazu gehören die Allgemeine Innere
Medizin, die Allgemeine Chirurgie und
die Geburtshilfe-Gynäkologie und
Hilfsbereiche). Über den Regionalspitälern steht das *Schwerpunktspital* Baden,
darüber das *kantonale Zentralspital* Aarau
und schliesslich die *Universitätsspitäler*
(beispielsweise Zürich, Basel, Bern); von
Stufe zu Stufe kommen spezielle Fach-
bereiche hinzu und müssen überregiona-
le oder überkantonale Aufgaben erfüllt
werden.

Liste der Spitäler, Heilanstalten, Alters- und
Pflegeheime im Aargau (Stand 1977):

Kantonsspitäler:

Aarau, Baden (Inbetriebnahme
1978). Als Zentral- und Schwerpunktspital mit Spezialabteilungen ausgestat-
tet (z.B. neben Innerer Medizin, Chirurgie, Frauenheilkunde mit Geburten-
abteilung, auch Kinderabteilung, Or-
thopädie [Bewegungsorgane], Augen-
abteilung, Nervenabteilung, Radiolo-
gie [Bestrahlungsdiagnose und -be-
handlung usw.], Notfallzentrale mit
Einsatzequipen im Aussen- und Innen-
dienst [24-Stunden-Präsenzzeit, Inten-
sivpflegestation]). Ausbildungsstätten
für Medizinstudenten und Pflegeperso-
nal.

Regionalspitäler (Bezirks- oder Kreisspitäler):

Aarau (Chronischkrankenheim Lindenfeld seit 1977). Baden (das städtische Krankenhaus wird nach Inbetriebnahme des Kantonsspitals Baden in ein Chronischkrankenheim umgebaut), Brugg, Laufenburg, Leuggern, Menziken, Muri, Rheinfelden, Zofingen, Privatklinik Sonnenblick Wettingen.

Psychiatrische Klinik Königsfelden:

Durchschnittliche Aufenthaltsdauer pro Patient im Jahre 1974: 128 Tage. Aussenstationen in den Pflegeheimen Muri und Gnadenthal.

Nachbehandlungszentrum Bellikon:

der Suva (Schweizerische Unfallversicherungsanstalt): Rehabilitation (Wiedereingliederung) von Patienten mit

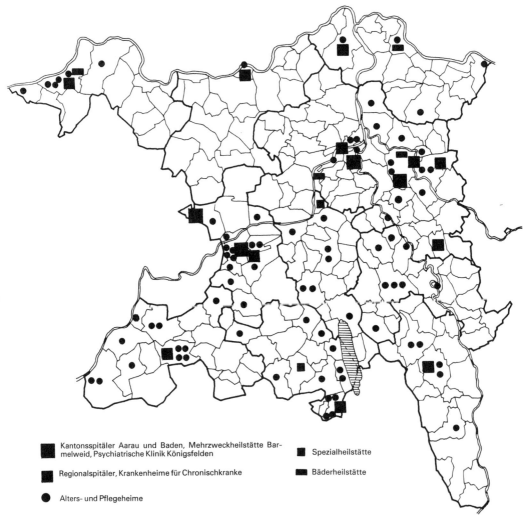

Kantonsspitäler Aarau und Baden, Mehrzweckheilstätte Barmelweid, Psychiatrische Klinik Königsfelden

Regionalspitäler, Krankenheime für Chronischkranke

Alters- und Pflegeheime

Spezialheilstätte

Bäderheilstätte

Verletzungen des Bewegungsapparates und des Schädels (Gehirn).

Mehrzweckheilstätte Barmelweid:

Früher ein Tuberkulose-Sanatorium, heute auch für langwierige Erkrankungen anderer Lungenregionen und der Leber. Durchschnittliche Aufenthaltsdauer pro Patient ca. 65 Tage. Thoraxchirurgie (Brustkasten).

Spezialheilstätten für Alkoholiker in Holderbank (Effingerhort) und Suchtkranke in Gontenschwil (Hasel)

Bäderheilstätten in Baden, Rheinfelden, Schinznach-Bad, Zurzach

Verlangsamung in der Realisierungsphase

In der Spitalkonzeption 1972 wurde abschliessend festgestellt, dass der Bettenbedarf bei den Akutspitälern nach dem Ausbau der Kantonsspitäler Aarau und Baden und dem Neubau des Regionalspitals Zofingen gesichert sei; daneben habe der Neubau von Krankenheimen (also für Langzeit- und Chronischkranke) eindeutigen Vorrang. In Rheinfelden war eine Ausnahme vorgesehen, indem hier dem Neubau eines Akutspitals vor einem Krankenheim Priorität gegeben wurde; dies aus dem einfachen Grund, weil das bestehende Spital nach dem Neubau eines Akutspitals in ein Krankenheim hätte umgewandelt werden können.

Inzwischen ist auch auf dem Spitalsektor einiges in Bewegung geraten: Das verlangsamte Bevölkerungswachstum und die angespannte Finanzlage zwingen zu Abstrichen. Die Unterbelegung von Akutspitälern in den Kantonen Basel-Stadt und Baselland, aber auch neue Spital- und Altersheimprojekte innerhalb und ausserhalb des Kantons haben gezeigt, dass bei der Berechnung des Bettenbedarfs Vorsicht am Platze ist. In einem 1975 erschienenen Zwischenbericht zur Spitalkonzeption wurde deshalb klargestellt, dass von einer weiteren Bettenvermehrung für Akutspitäler abgesehen werde. Vordringlich sei aber nach wie vor eine Vermehrung der Betten für Langzeit- und Chronischkranke. Nötig sei allgemein auch eine Verbesserung der Qualität der Unterbringung der Patienten in einigen Regionalspitälern und der weitere Ausbau besonderer Einrichtungen der Spitäler. Die *Akutspitalprojekte* wurden deshalb aufs Eis gelegt bzw. aufgeschoben (Rheinfelden und Zofingen); im Kantonsspital Baden wurden zwei Stockwerke noch nicht voll ausgebaut, und in Laufenburg, Menziken und Rheinfelden begnügt man sich mit ausserordentlichen baulichen Sanierungen. Bei den *Krankenheimen* wurde der Neubau Wettingen zurückgestellt (weil ja in Baden das städtische Spital in ein Chronischkrankenheim umgebaut werden kann und Gnadenthal und Muri Patienten der Region Baden/Wettingen aufnehmen können); auch das Krankenheim Brugg wurde verzögert. Dem Krankenheim Fricktal hingegen wird eine höhere Priorität eingeräumt, weil vorläufig nicht mit dem Altbau des Akutspitals Rheinfelden (vorgesehen zur Umwandlung in ein Chronischkrankenheim) gerechnet werden kann. In Muri schliesslich bemüht man sich um eine Verbesserung der Verhältnisse der Pflegeanstalt.

Auch auf dem Gebiete der *psychiatrischen Krankenversorgung* verfolgt der

Kanton ein detailliertes Konzept; verschiedene Neubauten und Sanierungen haben ebenfalls inzwischen dazu geführt, dass «Königsfelden» schon lange nicht mehr jener von der Aussenwelt abgeschnittene Bau ist, mit dem ein «normaler Mensch» wenn immer möglich nie etwas zu tun haben möchte. Bestimmte Vorstellungen wurden auch in der *Organisation* und *Betreuung* der Spitäler entwickelt, etwa in der Schulung und Ausgestaltung der Spitalberufe oder in der Grundrissnormierung aller Pflegeabteilungen in den Spitälern und Krankenheimen (Neubauten). Stichwörter der weiteren Reformarbeiten sind etwa die Aufhebung der «Klassenunterschiede» innerhalb der Abteilungen, die Aufhebung unterschiedlicher Besuchszeitregelungen und die Einführung des Departementssystems als zukünftiges Führungssystem in allen Spitälern.

Auch ein Altersheimkonzept

Es würde zu weit führen, hier auch auf die vielen *Altersheime* im Kanton näher einzugehen. Träger der Altersheime sind in der Regel ja auch die Gemeinden und Gemeindeverbände, ferner Stiftungen oder Körperschaften mit juristischer Persönlichkeit und gemeinnützigem Charakter. Die vom Kanton geschaffene Altersheimkonzeption steht jedoch in engem Zusammenhang mit der Spitalkonzeption, insbesondere der Krankenheimkonzeption. Auch hier wird eine klare Trennung zwischen kranken Betagten (Krankenheime und Pflegeabteilungen) und gesunden Betagten (Altersheime) angestrebt. Die Altersheimkonzeption schlägt einen Stufenplan vor. So sollen auf einer ersten Stufe

Streuwohnungen für Betagte als Gruppensiedlungen, etwa in neuen Wohnblöcken, angeregt werden, dies für Betagte, die noch selbständig haushalten und leben können. Eine nächste Stufe ist die *Alterssiedlung,* die noch ein individuelles Wohnen mit eigener Küche usw. ermöglicht, daneben aber zudem gewisse Gemeinschaftsdienste sowie vorübergehende Pflege im Krankheitsfalle anbietet. Dann folgen die *Altersheime* als Stützpunkte für die Streuwohnungen und die Siedlungen. Sie sind einzuplanen für Betagte, die nicht mehr für sich selbst sorgen können und die sich nicht mehr in einer eigenen Wohnung oder einer Siedlung aufhalten können. Künftig sollen also vorwiegend solche Betagte in ein Altersheim eintreten, welche leicht pflegebedürftig und deshalb vermehrt auf fremde Hilfe angewiesen sind. Die nächste Stufe, die Unterkunft für Betagte, welche für lange Zeit und schwer pflegebedürftig geworden sind, ist dann eben das *regionale Krankenheim* gemäss kantonaler Spitalplanung. Der Kanton kann vor allem mittels seiner Subventionierungen den Altersheimbau im Sinne seiner Konzeption steuern.

13. Militär und Zivilschutz

a) Militär

An der Laurenzenvorstadt in Aarau, jetzt noch unmittelbar neben der Kaserne, aber bald einmal etwas weiter davon entfernt im vornehmen Säulenhaus, befindet sich der Sitz des *Kommandos der Grenzdivision 5.* Diese umfasst zwar nicht nur Aargauer, sondern auch Solothurner und Basler Truppen, das Kommando «geht also gleichsam über den Kanton hinaus». Damit kommt aber eben gerade zum Ausdruck, dass die Kantonshauptstadt des Aargaus ein eigentlicher Militär-Schwerpunkt der Schweiz ist, was durch eine lange Tradition belegt wird. «Aarau» und der Aargau haben dem Bund immer wieder herausragende Militärführer «geliefert» (etwa General Hans Herzog und die Generalstabschefs Jakob Huber und Hans Senn). Wegen der Tüchtigkeit aargauischer Heerführer galt während langer Zeit (und gilt wohl heute noch) unter Eidgenossen das geflügelte Wort, «dass jeder Korporal aus dem Aargau den Marschallstab bereits im Tornister habe». Zweifellos hatte das bis vor wenigen Jahren vorwiegend im Berner Aargau verbreitete Kadettenwesen seine Wurzeln ebenfalls in diesem militärischen Traditionsbewusstsein. Letzteres findet seinen Ausdruck auch etwa im heute noch unverkennbaren Truppenstolz einzelner Aargauer Bataillone.

Die Leidensgeschichte eines Waffenplatzes

Seit einiger Zeit ist dieses aargauische Prestige bzw. dasjenige des Waffenplatzes Aarau allerdings etwas angeschlagen: Gemäss «Armeeleitbild 1980» wird der Aarauer Infanterie-Waffenplatz zu einem Panzerabwehr-Waffenplatz umfunktioniert. Das bedeutet, dass Aaraus grosse Zeit als Hauptausbildungsort der Aargauer Milizen vorbei ist. Das wird vor allem auch darum vielerorts bedauert, weil gerade diese Infanterie-RS einen nicht zu unterschätzenden Integrationsfaktor im Aargau darstellte; viele junge Aargauer erlebten hier, wo sie auf Gleichaltrige aus andern Kantonsteilen stiessen, zum erstenmal den Kanton in seiner Vielfalt, schlossen neue Freundschaften und gewannen dabei Einsicht in die Eigenart und Probleme anderer Regionen.

Mit der Aargauer Militärgeschichte müsste man eigentlich schon in den Jahren rund um die Kantonsgründung beginnen, rief doch der junge, selbstbewusst auftretende Aargau sogleich eine kleine, bestenfalls 150 Mann zählende stehende Truppe ins Leben, die Bewachungs- und Repräsentationspflichten zu erfüllen hatte; daneben gab es bald auch ein besonders schönes Reiterkorps in der Stärke von 30 Mann! Die Geschichte des Aarauer Waffenplatzes beginnt offiziell aber erst 1849, als die neue Kaserne, damals ein äusserst stattlicher Neubau, an der Laurenzenvorstadt bezogen werden konnte. Aarau bemühte sich damals vergeblich, eidgenössischer Waffenplatz zu werden. 1872 musste man in Aarau höchst ungern die Ausbildung von Artilleristen aufgeben, weil sich der Schachen bei der technischen Entwicklung der Geschütze bald einmal als zu klein erwies und zu nahe bei der Stadt lag. Dafür erhielt Aarau später mehr Kavallerie zugeteilt und wurde zu einem «Mekka der Rösseler», bis auch diesen zu Beginn der 1970er Jahre die letzte Stunde schlug. Während des letzten Vierteljahrhunderts entwickelte sich eine wechselvolle Geschichte rund um den Infanterie-Waffenplatz Aarau, bei welcher beteiligte Behörden und Politiker alle möglichen Vorstellungen über die Zukunft der Kaserne (Frage der Verlegung aus der Stadt) und der Truppen in der Region Aarau entwarfen und dabei selten konsequent blieben.

Jetzt dürfte jedoch feststehen, dass Aarau ein Zentrum der infanteristischen

Panzerabwehr wird, wobei die Kaserne in der Stadt bleibt und saniert wird, ein Teil des Areals (das weitgehend dem Kanton gehört) aber für eine zivile Nutzung freigegeben werden soll. Der zentrale Ausbildungsplatz für die Aargauer Infanterie wird jedoch kaum mehr im Kanton bleiben, sondern sehr wahrscheinlich Liestal sein. Dank der heute wieder festeren und klareren Haltung des Kantons und der Stadt Aarau erhält die Kantonshauptstadt dafür vielleicht wieder andere militärische Zentrumsfunktionen, und das Rekrutenspiel ist für Aarau möglicherweise doch nicht verloren.

Infanterie (wichtigste Kragenspiegel)

Füsilier   Mitrailleur   Minenwerfer-,
                                       Fliegerabwehr-,
                                       Panzerabwehr-
                                       Kanonier

Zwei eidgenössische Waffenplätze

Aarau bleibt allerdings *kantonaler* Waffenplatz. Daneben weist der Aargau aber doch zwei *eidgenössische* Waffenplätze auf: In Brugg und Bremgarten werden Genie-Soldaten ausgebildet. Die Geschichte des Genie-Waffenplatzes Brugg beginnt bereits im Jahre 1842; 1856 wandelte der Kanton das in der Hofstatt liegende Kornhaus in eine Kaserne um. 1898 konnte die Kaserne in den Ziegeläckern bezogen werden; Gelände und Gebäulichkeiten wurden im Laufe der Jahre sukzessive erweitert und ergänzt. Mit ihren Flusslandschaften

Genietruppen (wichtigste Kragenspiegel)

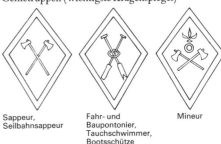

Sappeur,   Fahr- und   Mineur
Seilbahnsappeur   Baupontonier,
                  Tauchschwimmer,
                  Bootsschütze

sind die Städte Brugg und Bremgarten als Genie-Waffenplätze bestens geeignet, und nicht zu Unrecht trägt Brugg den Beinamen «grüne Hauptstadt» der Schweiz, vor allem, wenn man auch die Tatsache einbezieht, dass das Schweizerische Bauernsekretariat hier seinen Sitz hat. Der Waffenplatz Bremgarten ist, im Vergleich zu Aarau und Brugg, ausgesprochen jung. Er wurde erst 1968, nach einer Bauzeit von rund drei Jahren, eingeweiht, nachdem er vorher, seit 1952, als Provisorium bestanden hatte. Kasernenareal wie Übungsgelände (Fohlenweide) liegen unmittelbar an der Reuss.

Die Leidensgeschichte einzelner Schiess- und Truppenübungsplätze im Kanton sei hier nicht aufgerollt: Die Problematik ist ja nicht typisch für den Aargau, sondern ergibt sich überall dort, wo Interessenkonflikte (Notwendigkeit der militärischen Ausbildung einerseits und Wunsch der Einwohner auf Lebensqualität in ihrer Gemeinde anderseits) bestehen.

Kein eigentliches Militärdepartement

Die Militärverwaltung des Kantons Aargau ist seit einigen Jahren dem Departement des Gesundheitswesens zugeteilt. Diese kantonale Militärbehörde bildet das Bindeglied zwischen der mili-

Kantonshauptstadt Aarau: Um die Mitte des 13. Jahrhunderts vom Kyburger Grafen Hartmann IV.
gegründet, später von den Habsburgern vergrössert und mit vielfältigeren Stadtrechten versehen.
Heute Sitz der Kantonsverwaltung, aber – nach Wettingen – nur zweitgrösste Gemeinde im Aargau.

Villigen – ein lebendiges Weinbauerndorf: Rund 50 000 Liter Wein ernten die 56 Villiger Rebbesitzer jährlich im Durchschnitt. «Villiger» soll schon im 16. Jahrhundert gekeltert worden sein. Urkundlich erwähnt wird das heute knapp tausend Einwohner zählende, am Fusse des Besstersteins gelegene Rebbauerndorf erstmals 1247.

Zweischneidige landwirtschaftliche Strukturverbesserung: Bis 1980 werden laut einer kantonalen Statistik 66 123 Hektaren Feld und Wald saniert sein. Begonnen wurde im Aargau mit der Meliorierung um 1900. Schnurgerade Bachläufe und fast baumlose Reissbrettlandschaften waren mancherorts der Preis für die Umstrukturierung.

Kloster Muri: Der vorwiegend vom 16. bis 18. Jahrhundert gebaute Gebäudekomplex zählt zu den eindrücklichsten und kunsthistorisch wertvollsten Sakralbauten der Schweiz. Um 1032 siedelten die ersten Mönche von Einsiedeln ins Freiamt um. 1836 wurde das Benediktinerkloster verstaatlicht.

Kirche Rein und Staufberg: Reins Kirchengeschichte reicht fast ein Jahrtausend zurück. Das heute weithin sichtbare Gotteshaus wurde 1863 vom Villiger Baumeister Heinrich Baumann gebaut. Gut 450 Jahre älter ist die Kirchenbaugruppe auf dem Staufberg. Staufens Chorfenster zählen zu den bedeutendsten der Schweiz.

Amphitheater Vindonissa: Fast zweitausend Jahre Windischer Baugeschichte dokumentiert dieses Foto. Gebaut wurde das Amphitheater der einstigen Römer-Garnison Vindonissa etwa im Jahre 16 n. Chr., einige Jahre nach der geschichtlich bedeutsamen Schlacht im Teutoburger Wald. Es misst 112 × 98 Meter.

Stille Reuss bei Rottenschwil: Ein Zeugnis ständiger Naturveränderung. Dieser wie ein breitgezoge-
nes «U» aussehende, unter Naturschutz stehende See war einst ein Stück der Reuss. Heute ist die
«Tote Reuss» Standort vieler seltener Pflanzenarten; einige von ihnen gibt es in grösserer Zahl nur
noch im aargauischen Reusstal.

Kaiserstuhl: Unter den neun Aargauer Städten ist mit etwas über 400 Einwohnern das ums Jahr 1255 gegründete Kaiserstuhl die kleinste und mit nur 32 Hektaren flächenmässig zugleich auch die kleinste Aargauer Gemeinde. Zum Stadtbild von Kaiserstuhl zählt – obwohl bereits auf deutschem Boden gelegen – auch das Schloss Röteln.

tärischen Organisation des Eidgenössischen Militärdepartementes und der Armee zu den zivilen Behörden und Organisationen und zum Wehrmann. Die Organisation der kantonalen Behörde ist an detaillierte eidgenössische Vorschriften gebunden, die dem Kanton wenig Spielraum für eigene Lösungen lassen. Die meisten Kantone kennen aber für die Betreuung der Militäraufgaben ein besonderes Regierungsdepartement (bzw. eine Regierungsdirektion); einzig die Kantone Waadt und Aargau setzen hierfür eine in einem Sammeldepartement integrierte Verwaltungsabteilung ein.

b) Zivilschutz

Im Rahmen der Gesamtverteidigung unseres Landes spielt der Zivilschutz eine wichtige Rolle, soll er doch der Bevölkerung in Kriegs- und Krisenzeiten und bei Katastrophenfällen bestmöglich das Über- und Weiterleben sichern und die dafür notwendigen Güter und Einrichtungen schützen.

Der Zivilschutz trägt der föderalistischen Struktur der Schweiz Rechnung und stützt sich auf alle drei politischen Ebenen, Bund, Kanton und Gemeinden, ab; er ordnet den Vollzug der Ausführungsgesetze den Kantonen zu. Im Aargau ist es die wie die Militärverwaltung dem Departement des Gesundheitswesens zugeteilte Abteilung «Zivile Verteidigung», welche für die Organisation und Planung des Zivilschutzes in baulicher und personeller Hinsicht, vor allem auch für die Ausbildung der Schutzdienstpflichtigen zuständig ist. Die Basis aller Zivilschutzmassnahmen bilden aber die Gemeinden, deren Behörden die Verantwortung für den Schutz der ihnen anvertrauten Bevölkerung tragen. Die Organisationspflicht hatte sich früher nur auf Gemeinden mit mehr als 1000 Einwohnern erstreckt, wurde dann aber im Zuge einer neuen Konzeption auf sämtliche Gemeinden ausgedehnt; dabei wird den Gemeinden eine Zusammenlegung ihrer Organisationen empfohlen. Die 231 aargauischen Gemeinden waren im Jahre 1977 in 99 Organisationen zusammengefasst. Der Sollbestand belief sich auf 31 400 Personen; fest eingeteilt waren in diesem Zeitpunkt 27 360 Einwohner, von denen 10 910 schon ausgebildet worden sind. In baulicher Hinsicht (Erstellung von Kommandoposten, Bereitstellungsanlagen, Sanitätsposten usw.) hatte man 1977 in allen Bereichen mindestens einen Drittel des Sollbestandes erreicht.

Hauptgewicht wird heute auf den vorsorglichen Schutz der Bevölkerung in Schutzräumen gelegt (Konzeption 71: «Jedem Einwohner ein künstlich belüfteter Schutzplatz»). Im Jahr 1977 wies der Aargau 270 250 künstlich belüftete Schutzplätze auf, was 61 Prozent des Sollbestandes entsprach. Mit den vorhandenen unbelüfteten und behelfsmässigen Schutzräumen ist heute immerhin schon die gesamte Bevölkerung «abgedeckt».

Ein Bundesgesetz verpflichtet die Kantone, Ausbildungszentren zu errichten. Seit 1971 besteht ein solches in Bremgarten, doch verfügt dieses nicht über ein Aussengelände, in dem «praxisnahe» Übungen durchgeführt werden können. Aus diesem Grunde hatte sich der Grosse Rat im Jahre 1978 mit dem Projekt eines Ausbildungszentrums in Eiken zu befassen, welches dasjenige in Bremgarten ergänzen soll.

14. Kultur

a) Warum eigentlich «Kulturkanton»?

Der Aargau wird als Kulturkanton bezeichnet. Die Aargauer sind sich nicht recht bewusst, wie sie diese Ehre verdienen, und verkennen den spöttelnden Ton nicht, den andere Schweizer dieser Bezeichnung unterlegen. Es bestehen verschiedene Deutungen zur Herkunft dieses Namens, wobei diejenige, die zum andern aargauischen Übernamen, «Rüebliland», führt, am abwegigsten erscheint: Danach hätte Kultur mit Agrikultur zu tun und würde also die Bezeichnung «Kulturkanton» auf die ehemals grosse Bedeutung des Aargaus als Landwirtschaftskanton hinweisen. Schon eher ist anzunehmen, dass der Name auf die Zeit zurückgeht, in welcher der Aargau in einer bewundernswerten Sturm-und-Drang-Periode sich selbst geformt hat und viele brillante Persönlichkeiten dafür sorgten, dass unser Kanton innerhalb der Schweiz führend war auf dem Wege zum Bundesstaat und bei der Durchsetzung demokratischer Errungenschaften. In jenen ersten Jahrzehnten des neugeschaffenen Kantons war im Aargau die Aargauische Gesellschaft für vaterländische Kultur, kurz Kulturgesellschaft, besonders aktiv, und zwar im Sozial- wie im Bildungswesen, auf dem Gebiete der Landwirtschaft wie der Industrie, im vaterländischen wie im schöngeistigen Bereich. Dies alles zeigt, dass Kultur damals, im Gegensatz zu heute, wo viele sie für sich allein pachten möchten, noch als breiter Begriff verstanden wurde. Das Wort stand stellvertretend für «geistige Auseinandersetzung», «Impulsgebung» und «Fortschrittsgläubigkeit».

Wäre es nicht einleuchtend, dass der Begriff «Kulturkanton» aus jener Aktivitätsphase stammt?

Eine etwas bösartigere Auffassung geht von der Annahme aus, «Kulturkanton» sei nur eine missglückte Abkürzung von «Kulturkampfkanton». Dann aber würde der Name an den Kulturkampf, d. h. an die kirchenpolitischen Auseinandersetzungen im Anschluss an das Vatikanische Konzil 1870 erinnern, bei welchem der Lehrsatz von der Unfehlbarkeit des Papstes verkündet wurde. Diesem Dogma erwuchs erbitterter Widerstand in Deutschland und in der Schweiz, und hier eben besonders im Kanton Aargau.

Diese Anti-Deutung lässt sich nicht mehr beseitigen, auch bei uns Aargauern nicht. Zu sehr wird uns von unseren «grossen» Nachbarn tagtäglich vor Augen geführt, unser Kanton sei eben tiefste Kulturprovinz; so sehr, dass wir es beinahe selbst glauben. Dabei gilt hier wie in andern Belangen unseres Kantons, dass uns wohl das dominierende Zentrum fehlt, dafür aber in zahlreichen Regionen eine Aktivität und Eigenständigkeit entwickelt wird, wie man sie selten in dieser Breite innerhalb eines Kantons antrifft. Im Gegensatz zu andern Kantonen oder etwa zu Frankreich mit seinem «Superstern» Paris hat der Aargau kaum ein kulturelles Zentrum; bei uns hat jede Region eine Chance, etwas aus sich herauszuholen. Rührige Kulturkommissionen in einzelnen Gemeinden resignieren höchstens angesichts der kommerzialisierten Unterhaltung des Fernsehens, welche die Leute für eigenständige Leistungen in ihrer unmittelbaren Umgebung allmählich unempfindlich macht. Man wird den

Verdacht nicht los, dass der Spruch von der Kulturprovinz mehr der Selbstgefälligkeit und wahrscheinlich auch der Bequemlichkeit in den sogenannten schweizerischen Kulturmetropolen und wohl weniger der Kenntnis über den Aargau und seine Besonderheiten entspringt. Man kann eben auch einen Kanton zur Provinz degradieren, indem man ihn laufend als solche behandelt.

b) Kulturelle Institutionen des Aargaus

Das Kulturleben im Aargau aber ist rege, und wie vor 150 und mehr Jahren gab es auch in den letzten Jahrzehnten im Kanton Aargau Persönlichkeiten, welche Entscheidendes ins Rollen brachten und den Grundstein zu Dingen legten, die durchaus gesamtschweizerische Beachtung finden dürfen. Seit langem wird bei uns, sowohl von Privatleuten wie von der öffentlichen Hand, vom Kanton, von den Städten wie von den kleinen Dörfern, aktive Kulturförderung betrieben. Zwei Daten sind erwähnenswert: 1952 gründeten ehemalige Mittelschüler die Aargauer Kulturstiftung «Pro Argovia», eine Vereinigung, die wegen ihres privaten Charakters grosse Entscheidungsfreiheit besitzt und gerade darum oftmals ungewohnte Experimente unterstützen kann; auf dem Gebiete der künstlerischen Ausgestaltung von Schulhäusern hat die «Pro Argovia» Pionierarbeit geleistet. Mit Tagungen und Gesprächen zu aktuellen Kulturthemen setzt die Stiftung weitere Akzente. 1968 wurde die staatliche Kulturförderung institutionalisiert; die Aargauer Stimmbürger stimmten einem Gesetz zu, welches einige Regeln darüber aufstellt, wie das aargauische Kulturleben mit öffentlichen Mitteln zu fördern sei. Ein elfköpfiges *Kuratorium* mit einem hauptamtlichen Sekretär verfügt in umsichtiger, aber selbstverständlich nie unbestrittener Weise über das sogenannte Kulturprozent, dessen Höhe sich, wie der Begriff zum Ausdruck bringt, auf ein Prozent der ordentlichen Steuereinnahmen beläuft. Das Kuratorium hat 1977 sogar ein Atelier in Paris erworben, das Aargauer Kulturschaffenden zur Verfügung gestellt wird.

Daneben bestehen aber noch verschiedene andere Institutionen, deren Bedeutung über die Region hinausgeht, die den ganzen Kanton erfassen oder sogar darüber hinaus auch auf Resonanz stossen. Auf dem Gebiete der Kunst ist in erster Linie das *Aargauer Kunsthaus* zu nennen, welches 1959 in Aarau eröffnet wurde und seither an Umfang und Bedeutung von Jahr zu Jahr zugenommen hat. Die Sammlung des Kunsthauses, welche dem Staat und dem Aargauischen Kunstverein gehört, umfasst ungefähr 8000 Plastiken, Bilder, Zeichnungen und Grafiken, fast ausnahmslos Schweizer Kunst seit 1700, wobei ein grosser Teil die Gegenwart und besonders auch den Kanton Aargau beschlägt. Daneben ist der Aargau reich an *Galerien* aller möglichen Richtungen.

Entsprechend der erwähnten Struktur des Kantons ist bei uns kein Platz für grosse Theater- und Opernhäuser. Dafür haben sich im Aargau verschiedene *Kleintheaterbetriebe* entwickelt, die heute eine echte Alternative zum doch oft fragwürdigen Tourneetheaterbetrieb bieten. «Permanente» Kleintheater gibt es heute in Aarau, Baden, Bremgarten und Zofingen. In Aarau entstand 1965 in einem alten Gewölbekeller an der Rathausgasse die Innerstadtbühne, welche

1974 in das renovierte und etwas «vornehmere» Gebäude der ehemaligen Tuchlaube zügelte. Seither ist ein festes Ensemble verpflichtet. Ebenfalls aus bescheidenen Anfängen entwickelte sich die «Claque» ab 1967 im Badener Kornhaustheater; drei Jahre später verpflichtete man zum erstenmal einen hauptamtlichen künstlerischen Leiter und ein Jahr darauf vier Schauspieler, womit der Schritt zum Berufstheater ebenfalls getan war. Weitere typische Kleintheaterbetriebe bestehen in Bremgarten und Zofingen, hier allerdings nicht mit einem fest angestellten Berufsensemble. Vor allem die beiden «Profi»-Betriebe in Aarau und Baden sind dauernd von Geldsorgen geplagt, und immer wieder kommen heftige Diskussionen darüber auf, wie der Spielplan gestaltet werden sollte. Alle starken Einengungen durch öffentliche oder private Geldgeber sind nicht erwünscht, doch kann sich anderseits ein Theaterunternehmen in einer Kleinstadt wohl weniger Experimente leisten als ein solches in einem grösseren Kulturzentrum, wo dem interessierten Theatergänger ein breites Angebot offensteht. Die Innerstadtbühne Aarau und die «Claque» Baden versuchen unter anderem auch, sich durch eine intensivierte Zusammenarbeit und den Austausch von Eigeninszenierungen gemeinsam über Wasser zu halten. Wegweisende Aktivitäten werden im Aargau seit einigen Jahren vor allem auch auf dem Gebiet des Schul- und Jugendtheaters entwickelt. In Aarau, Baden, Reinach und Zofingen sind im weiteren *Theatergemeinden* aktiv, welche Inszenierungen auswärtiger Bühnen in ihre Stadt bringen. Eine besonders enge Gastspielbeziehung besteht zwischen

dem Stadttheater St. Gallen und dem Kurtheater Baden. Daneben blüht in zahlreichen Dörfern des Kantons eine zum Teil bodenständige, zum Teil recht geschliffene Theaterkultur. Inszenierungen von *Liebhaberbühnen* können da plötzlich zum Tagesgespräch einer ganzen Gemeinde oder gar Region werden; einige Dörfer kennen eine jahrzehntealte ruhmreiche Operettentradition (Möriken, Beinwil am See). Sie erfreuen sich so grosser Beliebtheit, dass sie oftmals monatelang vor ausverkauften Häusern spielen können.

Auf dem Gebiete der Musik, wo kantonale Eigenheiten vielleicht am wenigsten erwartet werden, ist doch von zwei Besonderheiten zu erzählen: 1966 wurde das *Aargauische Symphonieorchester* gegründet mit dem Hauptziel, den zahlreichen hauptamtlichen Musiklehrern im Kanton das aktive Musizieren in einem Orchester zu ermöglichen; natürlich darf man an ein solches Orchester, das, zusammen mit verschiedenen Gesangsgruppierungen, schon sehr beachtliche Chor- und Orchesterwerke zur Aufführung gebracht hat, auch gesteigerte Ansprüche stellen. 1964 ist die *Aargauer Oper* ins Leben gerufen worden, die zu einem festen Bestandteil des aargauischen Musiklebens geworden ist und nach wie vor unter der bewährten Leitung ihres Gründers Paul Bruggmann steht. Diese Opernbühne ist geradezu ein Unikum, gehört sie doch zu keinem festen Opernhaus, sondern reist vielmehr Jahr für Jahr nach einem festgelegten Tourneeplan durch den Aargau und anschliessend auch durch andere Gebiete der Deutschschweiz, mitunter auch durch Deutschland und Holland. In vielen Gemeinden des Kantons, vor allem in den Städten, bestehen daneben rege *Orchester- und Gesangsvereine,* die sich auch auf ausgewiesene Solisten aus dem Kanton stützen können. Auch erinnert man sich immer wieder früherer und heutiger Aargauer Komponisten, deren Werke zum Teil international Bedeutung gefunden haben.

Auf dem Gebiete der *Literatur* fällt es Aargauern vielleicht am schwersten, sich Gehör zu verschaffen, doch haben gerade in den letzten Jahren verschiedene junge Schriftsteller aus dem «dunkeläugigen Kanton» von sich reden gemacht. Der Aargauer, der noch die Chance hat, sich in die Ruhe einer Kleinstadt oder noch eher eines Dorfes zurückzuziehen, vermag das Spannungsfeld zwischen Individuum und Gesellschaft, zwischen Idyll, Provinz, kosmopolitischem Denken, Snob Appeal und Blechlawinenstadt, um nur einige Schlagwörter fast zufällig zu nennen, noch zu erkennen. Viele Bücher der letzten Jahre leben geradezu vom Aargauer Stoff.

Auf die Wiedergabe von Namen einzelner Künstler, Komponisten, Autoren und Interpreten wird bewusst verzichtet, weil es schwerfallen würde, Grenzen zu ziehen. Auch eine Zusammenstellung kulturhistorisch bedeutsamer Stätten im Kanton müsste, da sie ja nur gerafft wiedergegeben werden könnte, langweilig ausfallen. Es darf auf die verschiedenen Schriften, welche das Aargauer Kulturgut dem eigenen Publikum vorzustellen versuchen, hingewiesen werden. Eine lebendig gestaltete Kulturkarte des Kantons erleichtert den Einstieg.

15. Brauchtum und Feste

Auffallender Aufschwung

Hat es wohl auch mit der Nostalgiewelle zu tun, dass in den letzten Jahren viele *Volksbräuche* oder etwa das *Trachtenwesen* (der Aargauische Trachtenverband wurde 1977 50jährig) wieder zu neuem Leben erweckt oder aufgefrischt wurden? Zweifellos sieht man vermehrt ein, dass solche Bräuche und Feste die Verbundenheit der Menschen mit ihrem Wohnort oder noch vielmehr mit der Stadt, dem Dorf oder dem Tal, in dem sie aufgewachsen sind, fördern. Die Vielfalt im Aargau ist erstaunlich, wobei zwischen den Regionen des Kantons ganz hübsche Unterschiede in der Art, wie man Feste feiert, festzustellen sind. So lehnt man sich beispielsweise in eher katholischen Gebieten stark an entsprechende religiöse Feiertage an, und in ländlichen Gegenden stützt man sich zudem auf besondere Ereignisse im Ablauf des Bauernjahres. Wo das Vereinsleben aktiv ist – und das ist im Aargau seit Beginn des 19. Jahrhunderts ganz besonders der Fall –, gibt es auch viele Feste. Organisationskomitees haben hier weniger Mühe als anderswo, Mitglieder unter den Vereins-Chargierten zu finden. Landauf, landab kann man deshalb in bunter Folge auf kantonaler, Kreis- oder Bezirksebene Turn-, Schützen-, Gesangs- und Musikfeste erleben, und in den letzten Jahren haben in der Kantonshauptstadt sogar einige grosse «Eidgenössische» stattgefunden; die Verwaltungsstadt Aarau hat dabei immer wieder mit ihrer Festorganisation verblüfft. Die Feste in Baden sind da von ganz anderem Kaliber. Sind es in Aarau meist verantwortungsbewusste Ver-

einspräsidenten oder Magistratsperso-
nen, welche Fest-Steine ins Rollen bringen, sind es in Baden eher improvisati-
onsfreudige Lebens- und andere Künstler, welche die Region zu Taten animie-
ren; man denke etwa an die Badenfahr-
ten! Dieser Gegensatz zwischen Ord-
nungssinn und Nonchalance, sogar
beim Festen, ist reizvoll.

Nicht von diesen Festen sei hier die
Rede, sondern vornehmlich von denjenigen, die ihren angestammten Platz
im Jahreslauf haben. Das kirchliche
Brauchtum, welches sich vor allem im
katholischen Freiamt und im Fricktal erhalten hat, sei hier ausgeklammert, sofern es sich nicht um für bestimmte Gebiete ganz besondere Ereignisse handelt.
Interessant ist übrigens, dass sich im Aargau das Brauchtum vor allem längs der
ehemaligen Kulturgrenze zwischen
dem Berner Aargau, den Gemeinen
Herrschaften und dem Fricktal relativ
gut erhalten hat, so zum Beispiel im Seetal. Es scheint, dass das Bewusstsein der
Leute, so und nicht anders zu sein, beigetragen hat, Bräuche lebendig zu erhalten. Bei vielen Bräuchen ist man sich
über Sinn und Ursprung im unklaren.
Man vermutet, dass einige Gebräuche
im alemannischen Heidentum wurzeln
oder gar im religiösen Empfinden der
Urzeit.

Brauchtum im Jahreslauf
(ohne Anspruch auf Vollständigkeit)

Adventszeit

Chlausklöpfen im Bezirk Lenzburg (Vertrei-
ben der Dämonen). *Klausmarkt* am zweiten
Donnerstag im Dezember in Lenzburg mit
Hock der Gemeindeammänner des Bezirks.
Klausjagen in Hallwil. *Klausumzug* in Bremgar-
ten. *Weisse Kläuse* mit den «schwarzen Bösen» in
Niederlenz.

Weihnachtszeit

Sternsingen mit der Darstellung des Weih-
nachtsgeschehens (vor allem in Wettingen und
Leibstadt, aber auch in andern Orten; teils als
Singspiel, teils Gang von Haus zu Haus).
Weihnachtssingen von Singgruppen auf Plät-
zen und in Altersheimen in verschiedenen Or-
ten.
Brunnensingen der Sebastianibruderschaft in
Rheinfelden am 24. Dezember, nachts 11 Uhr,
und am Silvesterabend (Erinnerung an die Pest-
zeit im 14. Jahrhundert, in welcher zwölf mutige
Männer gelobt hatten, den von der Krankheit
Befallenen beizustehen und für die Toten ein
schickliches Grab zu besorgen).

Rheinfelder
Brunnensingen

Weihnachtsengel in Hallwil (singende Schülerinnen als Engel verkleidet, «Christkindli» ver-
hüllt).

Jahreswende

Altjahrfeuer oder *Silvesterfeuer* auf dem
Staufberg und dem Gofi (Lenzburg), in Leutwil
und Densbüren.
Weingabe an die Zofinger Ortsbürger.
Silvesterläuten mit Kuhglocken in Seengen.
Neujahrsdreschen in Hallwil.
Dorfweibel wünschen ein gutes neues Jahr in
verschiedenen Quartieren, z.B. Ueken.
Bärzeli-Treiben am Berchtoldstag (2. Januar)
in Hallwil (Dämonen: Straumann, Hobelspön-

ler, Stechpalmig, Tannenrisig, Lörtsch [Hexe], Lumpig und andere). Weniger eindrücklich in Möriken, Tegerfelden (hier «Berchslete» [Brautschau]), Hendschiken.

Dreikönigstag

Segnung von Wasser (Weihwasser) und der Kreide, mit der die Bauern die Buchstaben CMB auf den Türsturz schreiben (diese Buchstaben entsprechen «Christus Mansionem Benedicat» [«Christus segne dieses Haus»] und nicht etwa Caspar, Melchior und Balthasar).

Umherziehende Dreikönige in Zurzach (Sammeln von Geld für wohltätige Zwecke).

Nach dem Dreikönigstag

Meitli-Sonntag in Fahrwangen/Meisterschwanden am zweiten Sonntag im Januar und schon vorher (die Frauen führen das Zepter und fangen die Männer ein; der Brauch erinnert an die mutigen Frauen, die in der Schlacht bei Villmergen 1712 entscheidend zugunsten der Berner Truppen in den Kampf eingegriffen hatten).

Meitligruppe mit gefangenem Mann im Grasbogen

Fasnachtszeit

Vor allem in den katholischen Kantonsteilen herrscht Fasnacht; der Mummenschanz beginnt gelegentlich schon nach Neujahr. In den katholischen Gebieten gibt es in der Fastenzeit keine Tanzanlässe, nur in der Vorfastenzeit. Eigentliche Fasnachtstage: Schmutziger Donnerstag bis Fasnachtsdienstag. Verbrennen des «Füdlibürgers» am Schmutzigen Donnerstag in Baden; «Usrüere» von Orangen, Würsten, Nüssen, Lebkuchen an Kinder und Leute im Altersheim

am Fasnachtsdienstag in Bremgarten; Scheibensprengen in Stilli über die Aare hinweg, ebenfalls in Kaiseraugst; «Chesslete» der Schulkinder in Zurzach; Fasnachtsfeuer am 1. Fastensonntag (Bauernfasnacht) in Wittnau (Unter- und Oberdorf versuchen sich zu übertrumpfen) und in Münchwilen, Asp, Leimbach; Maskenumzüge und -bälle vielerorts.

Narronen in Laufenburg (die «Narrozunft» ist aus der alten Fischerzunft hervorgegangen; «Tschättermusig», Auswerfen von Weggen, Würsten, Orangen und Mandarinen, festliche Vereinigung der beiden Laufenburg).

Weingabe am Schmutzigen Donnerstag an Bremgarter Ortsbürger (Budi).

Schulende

Uselüte der Abschlussklassen der aargauischen Mittelschulen (der Brauch wird zeitweise auch von Abschlussklassen anderer Schulen oder Stufen übernommen; zum Teil mit viel Blumen, zum Teil mit Scherzen, Verkleidungen, kunstvollen Wagen verbunden).

Zwischen Ostern und Pfingsten

Brötliexamen im Eigenamt: Abgabe eines Weggens an die Schuljugend (Erinnerung an Königin Agnes im Kloster Königsfelden); eigentliche Schulfeste am Weissen Sonntag.

Eieraufleset an den Sonntagen nach Ostern, z.B. in Auenstein, Effingen, Gipf-Oberfrick, Dintikon, Hendschiken, Kaiseraugst, Kaisten, Rütihof bei Baden, Schneisingen, Wölflinswil: Wettspiel zwischen Läufer oder Reiter und Aufleser, die Frühling und Winter symbolisieren; in Effingen Dämonengestalten, z.B. der Schnäggehüsler, die an heidnische Sonnwend-Riten erinnern.

1. Mai

Verschiedenenorts Schabernack der Burschen in der Nacht (Nachtbubenstreiche), Maibäume bei den Häusern lediger Töchter. In Beinwil (Freiamt) und Wohlenschwil Sägemehlspur zwischen den Häusern zweier heimlich Verliebter.

Auffahrtstag (Christi Himmelfahrt)

Vielerorts Nachtwanderung zu einem Aussichtspunkt zum Erleben des Sonnenaufgangs.

In Zofingen Spezialgericht mit Ziger und Honig.

Pfeischtsprützlig in Sulz bei Laufenburg und in Gansingen an Pfingsten, wo ein mit Haselästen eingemummter Bursche bei den Dorfbrunnen die Kinder bespritzt (Herkunft: heidnischer Fruchtbarkeitsritus).

Sommer und Herbst

Jugendfeste, vorwiegend vor Beginn der Sommerferien; die bekanntesten im Berner Aargau in Aarau (Maienzug), Brugg (Rutenzug), Lenzburg (Jugendfest), Zofingen (Kinderfest); jeder Ort mit andern Traditionen und Eigenheiten.

Übereschüüsset am 17. August in Döttingen/Böttstein zur Erinnerung an den Kampf um den Aareübergang 1799 zwischen den Franzosen und den Russen/Österreichern.

Bachfischet am zweiten Donnerstag, neuerdings am zweiten Freitag im September in Aarau (wilder Kinderumzug mit Lampions und Kürbissen durch die verdunkelte Stadt).

Joggeli-Umzug in Lenzburg meistens Ende Oktober (Erinnerung an die Schlacht bei Villmergen 1712, als die Altgläubigen durch die Berner, welche in Lenzburg Hauptquartier hatten, eine Niederlage erlitten); wunderlicher Umzug der mit Leintüchern verhüllten Mitglieder der Schützengesellschaft, langsamen, gemessenen Schrittes unter Absingen einer «Litanei».

Cordulatag am 22. Oktober (Erinnerung an den glücklich abgewehrten Überfall der Zürcher 1444); die früher an Arme verteilte Brotspende wird nun verdienten Bürgern vergeben).

Trottenfeste in verschiedenen Rebbaudörfern, z.B. Hottwil, Oberflachs.

Winzerfest in Döttingen.

Nuss-Nuss am Absendetag der Schützen im November in Aarau; an einem Samstagnachmittag regnet es von einem Fenster im Kasernenareal aus (früher vom Balkon des Café Bank aus) Nüsse, Täfeli, Schoggi und Kleingeld.

Zu nennen sind auch die zahlreichen *Wochen- und Monatsmärkte* in vielen Gemeinden, vorwiegend Städten, die *Waldumgänge*, die sich zu eigentlichen Dorffesten entwickelt haben, sowie die ganz verschieden begangenen *Bundesfeiern*. Aufzählungen würden aber viel zu weit führen.

Der Spruch von der «Festhütte Schweiz», angesichts der zahlreichen Feste vorwiegend in der wärmeren Jahreszeit, hat auch für den Aargau seine Berechtigung.

16. Mundart

Eine Aargauer Mundart gibt es nicht

Die wenigsten Kantone haben eine sprachliche Einheit aufzuweisen. Die Übergänge zwischen einzelnen Talschaften und Dörfern sind zwar meistens weich und fliessend, aber die Nuancen sind für geübte Ohren unüberhörbar. So kann es auch bei unserem künstlich zusammengesetzten Kanton keine Aargauer Mundart geben; vielmehr lassen sich die Dialekte der verschiedenen Kantonsgegenden deutlich voneinander unterscheiden. Im Berner Aargau spürt man die Verwandtschaft mit dem «Bärndütsch», der Fricktaler hat sprachlich einiges gemeinsam mit dem Baselbieter, im Limmattal sind Annäherungen an das «Züridütsch» zu erkennen. Aber jede dieser Mundarten hat doch ihr eigenes Gepräge, ihre charakteristischen Besonderheiten. Der Zofinger beispielsweise wäre jedenfalls entrüstet, würde man seinen Dialekt in den gleichen Topf werfen wie etwa den «Choomer» (Kulmer) oder den Aarauer Dialekt (letzterer vor allem «berüchtigt» wegen seines spitzigen «Au»). Gefahr für eine unverfälschte Mundart droht von der Verstädterung und Industrialisierung her. Vor allem bildet sich in den Ballungszentren des Limmat- und des Aaretals eine Allerweltsmundart, die mit dem ursprünglichen Sprachgut wenig zu tun hat und sich oft allzu deutlich an die Schriftsprache anlehnt.

Erfreulicherweise werden heute von verschiedener Seite, etwa vom Schweizer Heimatschutz, Anstrengungen unternommen, um die eigenständigen Mundarten zu retten; und wenn es nur zuhanden der Bibliotheken wäre...

«Weyfäcke», «Eiertätsch» und «Söiblueme»

Wie mannigfaltig die Mundart sein kann, zeigt die folgende Übersicht am Beispiel der Namengebung für «Löwenzahn».

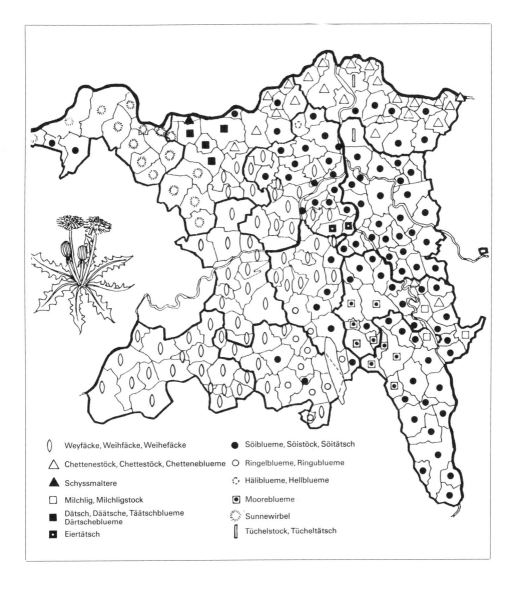

◊	Weyfäcke, Weihfäcke, Weihefäcke	●	Söiblueme, Söistöck, Söitätsch
△	Chettenestöck, Chettestöck, Chetteneblueme	○	Ringelblueme, Ringublueme
▲	Schyssmaltere	◌	Häliblueme, Hellblueme
▢	Milchlig, Milchligstock	◉	Mooreblueme
■	Dätsch, Däätsche, Täätschblueme Därtscheblueme	⌇	Sunnewirbel
▣	Eiertätsch	▯	Tüchelstock, Tücheltätsch

17. Aargauer Rezepte

Auch in der Küche hat der Aargau einige Spezialitäten entwickelt. Sie sind zwar nicht unbedingt typisch für den Aargau, aber eben doch sehr beliebt und als «Aargauer Rezepte» allgemein bekannt. Einige stehen in Zusammenhang mit dem an sich unverdienten Ruf des Kantons, ein «Rüebliland» zu sein (siehe Seite 94), andere sind, wie das bei einem ehemaligen Landwirtschaftskanton erwartet werden darf, sehr «währschaft», aber deswegen beileibe nicht etwa weniger «gluschtig». Der «Räbebappe» beispielsweise ist viel besser als sein Name!

Die folgenden vier Rezepte sind einer 1978 erschienenen Broschüre des Kochdienstes des EW Aarau entnommen (mit freundlicher Genehmigung der Köchinnen, die in diesem Heftlein 14 Aargauer Gerichte vorstellen); die Rezepte sind für vier Personen gerechnet.

Schnitz und Drunder

2 Lfl Zucker rösten
200 g süsse, gedörrte Apfelschnitze (über Nacht eingeweicht) mit dem Einweichwasser beigeben
250 g geräucherter Speck, mager, obenauf legen
1 Kfl Salz beifügen, knapp mit Wasser decken,
½ Stunde kochen
600 g Kartoffeln geschält, in Schnitze geteilt, beifügen, ½ Stunde kochen
1 Stück Butter sorgfältig darunter mischen, die Kartoffeln dürfen nicht zerfallen.
Der in Scheiben zerschnittene Speck wird beim Anrichten auf das Gericht gelegt.

Räbebappe (Räbenmus)

2 Lfl Fett ⎱
1 Zwiebel, fein zerschnitten ⎰ dämpfen
500 g Räben, geschält ⎱
in Würfel zerschnitten ⎰ beifügen
500 g Kartoffeln, geschält, ⎱ dämpfen
in Würfel zerschnitten ⎰
½ Tasse Bouillon beigeben, weichkochen, durchs Passevite treiben

1 Lfl Kümmel ⎱
1½–3 dl Rahm ⎰ beifügen, luftig schlagen
Tip: 1 Kfl Zucker nimmt den Räben die Schärfe, grüner Speck, auf den Räben gekocht, würzt diese zusätzlich.

Chrutwäje

250 g Wähenteig, rundes Wähenblech damit belegen
2 Lfl Mehl
1 Kfl Streuwürze
½ Kfl Paprika oder etwas Pfeffer
½ Kfl Salz
1½ dl Sauerrahm ⎱ die übrigen Zutaten damit
1½ dl Kaffeerahm ⎰ verrühren
3 Eier darunter klopfen
400 g Spinat (Chrut) gehackt, tiefgekühlt, beimischen, diese Füllung auf den Teig geben
100 g Speckwürfeli darüber verteilen
Zur Abwechslung gibt man der Masse 25 g Sbrinz, gerieben, bei.
Backen: Im vorgeheizten Ofen ca. 30 Minuten bei starker Mittelhitze, 250 °C

Aargauer Rüeblitorte

6 Eigelb ⎱
250 g Zucker ⎰ schaumig rühren
1 Zitrone, Saft und Schale ⎱
½ Kfl Nelkenpulver ⎰ beimischen
1 Lfl Kirsch ⎰
250 g rote Rüebli (Karotten) ⎱
250 g Mandeln ⎰ fein gerieben
100 g Mehl
6 Eischnee
Alle Zutaten sorgfältig mischen, in mit Papier ausgelegter, gut gefetteter Form ¾–1 Stunde backen.
Die Torte kann mit Puderzucker bestreut oder mit Zitronenglasur (1 Tasse Puderzucker mit Zitronensaft verrührt) überzogen werden.
Zum Garnieren kauft man sich Marzipanrüebli.
Die Rüeblitorte schmeckt 2–3 Tage alt am besten.
Backen: Mittelhitze, 180–200 °C.

18. Wie der Aargau regiert wird

a) Die Aufgliederung des Kantons

Der Kanton Aargau gliedert sich in *11 Bezirke, 50 Kreise und 231 Gemeinden.* Im Bewusstsein des Bürgers spielt die Bezirkseinteilung keine grosse Rolle. Die Bezirke haben bei Wahlen und als administrative Einheiten Bedeutung. Die 50 Kreise schliesslich umreissen den jeweiligen Zuständigkeitsbereich des Friedensrichters und der Flurkommission.

Der Gemeindezugehörigkeit misst der Bürger jedoch einen weit grösseren Stellenwert bei. Dabei sind in den letzten Jahrzehnten gerade die Gemeindegrenzen, damit auch die Bezirks- und zuweilen die Kantonsgrenzen durch die politische Realität aufgeweicht worden. Für viele Aufgaben erweist sich die Gemeindegrösse als zu klein; es drängen sich Zusammenschlüsse zweier oder mehrerer Gemeinden auf. Allmählich hat sich zudem die Einsicht durchgesetzt, dass die Welt nicht an der Gemeindegrenze aufhört. Städte, bisher stolz auf ihr Eigenleben, rissen (nicht nur symbolisch) ihre Mauern nieder und pflegten das Wort «Regionalstadt». Tatsächlich ist die Region, die sich keineswegs mit dem Bezirksgebiet zu decken braucht, zu einer neuen Handlungseinheit geworden. Es entstanden die *Regionalplanungsgruppen,* die, wie der Name zum Ausdruck bringt, vor allem eine Abstimmung der Gemeinden im Planungssektor verfolgen. Daneben entwickelten sich aber auch die *Zweckverbände,* also Zusammenschlüsse von Gemeinden zu einem bestimmten Zwecke; sie erwiesen sich beispielsweise auf dem Gebiete der Kehrichtbeseitigung, der Abwasserreinigung, des Krankenheimwesens, aber auch etwa der Berufsberatung als sinnvoll.

Problematisch bei allen diesen Varianten von Vereinigungen ist, dass sie der unmittelbaren Kontrolle des Stimmbürgers entzogen sind, gewissermassen einen Abbau der Demokratie bedeuten. Dann aber oder gerade deswegen fehlt

ihnen auch das Durchsetzungsvermögen. Seit einigen Jahren sind verschiedene Bestrebungen im Gange, diese *Gemeindeverbände,* wie immer man sie schliesslich auch nennen will, wirksamer und demokratischer auszugestalten. Erwogen wird beispielsweise die Schaffung von *Regionalparlamenten,* in welche die Gemeindevertreter durch das Volk gewählt werden könnten. Es hat sich im Laufe der Debatten im kantonalen Parlament jedoch gezeigt, dass man Mühe hat, von den bisherigen Formen wegzukommen; zu sehr wird eine Einschränkung der Gemeindeautonomie befürchtet. Aus demselben Grunde sträubt man sich auch gegen die Möglichkeit zwangsweiser *Gemeindezusammenschlüsse* (Fusionen), obwohl anerkannt wird, dass solche von der Sache her und im Sinne der Rationalisierung vieler kostspieliger Aufgaben sinnvoll wären. Welche Ausgestaltung das neue Gemeindegesetz schliesslich finden wird, war bei Drucklegung dieses Buches noch nicht zu erkennen.

b) Volk und Behörden

In unserem föderalistischen Staat wird den Gemeinden in den Kantonen und den Kantonen im Bund ein Höchstmass an Freiheit zuerkannt; es besteht der Grundsatz, dass nur dann Aufgaben gemeinschaftlich, d.h. auf höherer Ebene angepackt werden sollen, wenn sie die Möglichkeiten der Gemeinden (im Kanton) und der Kantone (im Bund) überschreiten.

Die Gemeinden

Der Aargau kennt zwei Typen von Gemeinden: die Einwohnergemeinde und die Ortsbürgergemeinde.

Die *Einwohnergemeinde* sieht ihre Aufgaben etwa in folgenden Bereichen: Orts- und Gewerbepolizei, Feuerwehr, Zivilschutz, Gesundheitswesen, Einwohnerkontrolle, Aufnahme ins Bürgerrecht, Zivilstands- und Bestattungswesen, Vormundschaftswesen, Fürsorge. Sehr wichtig sind das Schulwesen (Bau und Unterhalt der Schulgebäude, Organisation und Aufsicht über den Schulbetrieb, Lehrerwahlen) und das Bauwesen im weitesten Sinne (Bau und Unterhalt von öffentlichen Gebäuden, von Strassen und Kanalisationsanlagen, Energie- und Wasserversorgung, Gewässerschutz und Kehrichtabfuhr, Bauvorschriften und Zonenpläne). Zur Finanzierung ihrer Aufgaben besitzt die Gemeinde die Steuerhoheit. Der Gemeindesteuerfuss wird auf der Berechnungsgrundlage der Staatssteuer angegeben. Er ist von Gemeinde zu Gemeinde verschieden und variiert gegenwärtig zwischen 100 und 155 Prozent.

Die Einwohnergemeinde kann sich im Rahmen der kantonalen Verfassungsbestimmungen und Gesetze ihre eigene Gemeindeordnung schaffen. Die Gemeinden werden von einem *Gemeinderat* geleitet, der sich meistens (in 209 Gemeinden) aus fünf, in grösseren Orten (5 Gemeinden) aus sieben Mitgliedern zusammensetzt; es gibt auch Gemeinden (17) mit nur drei Gemeinderäten. An der Spitze steht der Gemeindeammann, in den Städten Stadtammann genannt. Nur in ganz wenigen Gemeinden arbeiten die Ammänner hauptamtlich; die Funktion des Gemeinderats ist ein Nebenamt. In grösseren Gemeinden werden die Verwaltungsaufgaben in Ressorts aufgeteilt. Der Gemeinderat entscheidet aber als Kollegialbehörde. Er

wählt auch den Gemeindeschreiber und das Gemeindepersonal. Zusammen mit der Schulpflege schlägt er den Bürgern die Lehrer zur Wahl vor. Alljährlich wiederkehrende, wichtige Geschäfte sind die Ausarbeitung des Budgets und der Gemeinderechnung.

Oberstes Organ der Einwohnergemeinde ist jedoch die *Gemeindeversammlung,* zu der die Stimmbürger mindestens zweimal im Jahr einberufen werden. Sie entscheidet über das Budget, die Gemeinderechnung, den Gemeindesteuerfuss, aber auch über andere wichtige Gemeindeangelegenheiten; die Kompetenzen sind gesetzlich geregelt. Die kommunalen Wahlen können durch die Gemeindeversammlung oder durch die Urne erfolgen.

In grösseren Gemeinden, wo im Laufe der Jahre immer mehr Traktanden zur Diskussion standen und Entscheide ein sorgfältiges Vorstudium erforderten, drängte sich das Gemeindeparlament, der *Einwohnerrat,* auf. Folgende 15 Gemeinden besitzen ein solches Gemeindeparlament (zum Teil seit 1966, zum Teil seit später): Aarau, Aarburg, Baden, Brugg, Buchs, Lenzburg, Neuenhof, Obersiggenthal, Oftringen, Spreitenbach, Suhr, Wettingen, Windisch, Wohlen und Zofingen. Gemäss Gesetz kann dieses Parlament 40 bis 100 Mitglieder umfassen; alle bisherigen Einwohnerratsgemeinden haben sich aber auf 40 oder 50 beschränkt; aufgrund einer neuen gesetzlichen Bestimmung könnte der Rahmen in Zukunft zwischen 30 und 80 liegen. Der Einwohnerrat wird nach dem Kandidatenstimmen-Proporz gewählt. Seine Befugnisse liegen im Rahmen der früheren Gemeindeversammlung, doch unterliegen auch in dieser Gemeindeordnung Entscheide von einiger Bedeutung der Volksabstimmung: Die meisten Wahlgeschäfte bleiben dem ganzen Stimmvolk vorbehalten, und dem obligatorischen Referendum sind alle Änderungen der Gemeindeordnung, die Verwaltungsrechnung, das Budget und der Gemeindesteuerfuss, der Beitritt zu Zweckverbänden und Kreditbegehren in einem festgesetzten Rahmen unterstellt. Daneben bestehen auch das fakultative Referendum gegen Beschlüsse des Einwohnerrates und das Initiativrecht.

Bis vor wenigen Jahren waren Gemeindeversammlungen nur dann beschlussfähig, wenn mindestens die Hälfte der Stimmbürger anwesend war. Weil dieser Vorschrift immer weniger nachgelebt werden konnte, wurde das Quorum gesetzlich herabgesetzt. Auch hier kann das fakultative Referendum spielen, wenn Beschlüsse nicht mit einer bestimmten Mehrheit gefasst werden.

Die Frage, ob sich die Einführung eines Einwohnerrates lohnt, steht immer wieder zur Diskussion. In diesem Sinne war die Gemeinde Wohlen ein Testfall, weil dort nach 12 Jahren Einwohnerrat das Begehren auf Abschaffung des Gemeindeparlamentes gestellt worden war; in einer Volksabstimmung im Jahre 1977 lehnten es die Wohler Bürger aber deutlich ab, ihren Einwohnerrat in die Wüste zu schicken und zu früheren Zuständen zurückzukehren. Allgemein wird anerkannt, dass 40 oder 50 Einwohnerräte den Gemeinderat und die oft auch schon auf Gemeindeebene mächtige Verwaltung besser zu kontrollieren vermögen, sei es durch vermehrten Kontakt mit den Amtsstellen, sei es durch vertieftes Aktenstudium und viel

häufiger stattfindende Sitzungen. Nachteilig wird oft empfunden, dass Einwohnerräte der Verwaltung bisweilen mehr Arbeit aufbürden, die nicht immer gerechtfertigt ist. Auch lässt sich eine oft unschöne Verpolitisierung von Sachgeschäften feststellen.

Die *Ortsbürgergemeinde* umfasst die stimmfähigen Angehörigen jener Familien, die 1841 in der Gemeinde ansässig waren oder seither das Ortsbürgerrecht erworben haben. Das Mitspracherecht an der Versammlung und einen Anspruch auf den Anteil am Bürgernutzen besitzen jedoch nur jene Ortsbürger, welche in ihrer Heimatgemeinde wohnhaft sind. Die Ortsbürgergemeinde hat seit 1841, seit der Schaffung der Einwohnergemeinde nämlich, ihre Aufgaben und Kompetenzen schrittweise verloren. Heute befasst sich die Ortsbürgergemeinde nur noch mit der Verwaltung ihres Gutes, das meistens aus Land- und Waldbesitz besteht. In den letzten Jahren wurde die Ortsbürgergemeinde als «privilegierte Minderheit» angeprangert und ernsthaft in Frage gestellt. Heute sieht es allerdings ganz danach aus, als ob sich die Ortsbürgergemeinden neben den Einwohnergemeinden halten könnten. Hauptsächlichster Stein des Anstosses bei den Ortsbürgergemeinden war der Bürgernutzen, der wahrscheinlich abgeschafft wird, was den Gegnern viel Wind aus den Segeln nimmt. Die Ortsbürgergemeinden dürften sich in Zukunft auf die Erhaltung und gute Verwaltung ihres Vermögens, dann aber auch auf die Förderung des kulturellen Lebens in der Gemeinde und weiterhin auf die Pflege des Waldes konzentrieren.

Der Kanton

Nach der vorläufig immer noch geltenden Kantonsverfassung aus dem Jahre 1885 ist der Aargau ein demokratischer Freistaat und ein Bundesglied der Schweizerischen Eidgenossenschaft. Die Staatsgewalt wird unmittelbar durch die stimmfähigen Bürger und mittelbar durch die Behörden und Beamten ausgeübt. Das Volk wählt den Grossen Rat und den Regierungsrat für eine vierjährige Amtsdauer.

Der Regierungsrat

Oberste ausführende Gewalt des Kantons ist der Regierungsrat mit seiner immensen Verwaltung. Er setzt sich schon sehr lange aus fünf Regierungsräten zusammen; 1968 lehnten die Stimmbürger die Erhöhung der Zahl der Regierungsräte ab. Der Regierungsrat ist eine Kollegialbehörde unter dem Vorsitz des für ein Jahr gewählten Landammanns; sein Stellvertreter ist der Landstatthalter. Jeder Regierungsrat steht einem Departement vor, ihm zur Seite steht der Departementssekretär, dem formell keine Entscheidungsbefugnis zukommt, doch hat er, weil er meistens bei einem Wechsel des Departementsvorstehers im Amt bleibt, aufgrund seiner Erfahrung und Fachkenntnis grossen Einfluss. Im Regierungsrat sind Mehrheitsbeschlüsse massgebend.

Departemente und ihre Sachgebiete:

1. Departement des Innern: Wahlen und Abstimmungen, Gemeindewesen, Bürgerrechtswesen, Registersachen und Stiftungsaufsicht, Strafvollzug und zivilrechtliches Vollstreckungswesen, Justizverwaltung, Kriminal- und Sicherheitspolizei, Verkehrspolizei, Fremdenpolizei, Niederlassungs- und Passwesen, Volkswirtschaft (Arbeit, Industrie und Gewerbe; Energiewirtschaft; Preisüberwachung), Gewerbepolizei, Vermessungswesen, Umweltschutz.

2. Erziehungsdepartement: Schulwesen, Berufsberatung, berufliches Bildungswesen (ohne Landwirtschaftliche Schulen), Stipendien, Erwachsenenbildung, Kulturpflege, Sport, Kirchenwesen, Denkmalschutz, Sozialversicherung (ohne Krankenversicherung).

3. Finanzdepartement: Finanzhaushalt, Finanzplanung, Steuerwesen, Personalwesen, Organisation der Verwaltung, Landwirtschaft (inkl. Landwirtschaftliche Schulen), Meliorationswesen, Bodenrecht, Regalien, Forstwesen.

4. Departement des Gesundheitswesens: Sozial- und Präventivmedizin, Spitalwesen, Gesundheitspolizei, Fürsorge, Lebensmittelpolizei, Veterinärwesen, Altersheime, Krankenversicherung, Zivile Verteidigung, Militärverwaltung.

5. Baudepartement: Raumplanung, Gemeindebauvorschriften, Strassen, Wasserbau und Wasserwirtschaft, Hochbau, Verkehr, Natur- und Heimatschutz, Wasserhaushalt und Gewässerschutz, Wohnungsbau, Gebäudeversicherung und Feuerwehrwesen (inkl. kantonale Unfallversicherungskasse).

Der Grosse Rat

Der Grosse Rat ist die oberste gesetzgebende und kontrollierende Gewalt des Kantons, soweit sie nicht ausdrücklich dem Volk vorbehalten ist. Der Grosse Rat umfasst 200 Mitglieder; er wies früher auch schon mehr, auch schon weniger auf. Der Grosse Rat tagt in der Regel pro Monat an zwei bis drei Tagen unter dem Vorsitz des Grossratspräsidenten, der für ein Jahr gewählt wird. Dabei sind Mehrheitsbeschlüsse massgebend. Persönliche Vorstösse erfolgen in Form der Motion (bestimmter Auftrag an den Regierungsrat), des Postulates (Einladung an den Regierungsrat zur Prüfung eines Anliegens), der Interpellation und der Kleinen Anfrage (Anfragen an den Regierungsrat).

Jeder Bezirk wählt die ihm gemäss seiner Einwohnerzahl zukommenden Grossräte nach dem Verhältniswahlverfahren (Proporz). Bei den Grossratswahlen 1977 ergaben sich folgende Mandatszahlen: Aarau 27, Baden 43, Bremgarten 19, Brugg 16, Kulm 14, Laufenburg 9, Lenzburg 17, Muri 9, Rheinfelden 11, Zofingen 24, Zurzach 11.

Pflichten und Befugnisse des Regierungsrates:

Er schlägt dem Grossen Rat die Gesetze und Dekrete vor, welche vom Volke oder vom Grossen Rat verlangt werden oder welche er von sich aus für angemessen erachtet.

Er sorgt für die Handhabung der öffentlichen Ordnung und Sicherheit im Kanton, für die Kultur- und Wirtschaftspflege sowie für den Vollzug der Gesetze, Dekrete und Beschlüsse des Grossen Rates.

Er legt dem Grossen Rat über alle Teile der öffentlichen Verwaltung Rechenschaft ab.

Er verwaltet das Staatsvermögen und legt jährlich darüber Rechenschaft ab.

Er übergibt dem Grossen Rat jährlich den Voranschlag über die wahrscheinlichen Einnahmen und Ausgaben des kommenden Verwaltungsjahres.

Er wählt den Staatsschreiber und die übrigen höheren Beamten des Kantons.

Er führt die Aufsicht über alle ihm untergeordneten Beamten.

Er hat die Oberaufsicht über die gesamte Gemeindeverwaltung, die Gemeinde- und Stiftungsgüter; er entscheidet über strittige Steuer- und Finanzfragen des Gemeindehaushalts.

Er verfügt über die Wehrkraft des Kantons und ernennt Offiziere, soweit die Rechte des Kantons nicht durch verfassungsmässige und gesetzliche Anordnungen des Bundes beschränkt sind.

Pflichten und Befugnisse des Grossen Rates:

Die Oberaufsicht über die Erhaltung und Vollziehung der Verfassung.

Die Beratung und Beschlussfassung über die Gesetze und alle weiteren Gegenstände, welche der Volksabstimmung unterstellt werden.

Festsetzung der direkten Staatssteuer, der dem Staat zukommenden Gebühren und Taxen.

Endgültige Entscheidung über eine neue einmalige Ausgabe für einen bestimmten Zweck bis 250 000 Franken sowie über eine jährlich wiederkehrende neue Ausgabe bis 25 000 Franken.

Genehmigung von Staatsanleihen bis auf eine Million Franken.

Entscheid über den jährlichen Voranschlag.

Prüfung und Genehmigung der Staatsrechnungen und der Rechenschaftsberichte.

Bewilligung zum Erwerb und zur Veräusserung von Staatsgütern.

Bewilligung zur Errichtung von öffentlichen Bauten.

Festsetzung der Löhne aller vom Staate besoldeten Beamten.

Aufsicht über die vollziehende und richterliche Gewalt und Entscheid über Kompetenzstreitigkeiten zwischen diesen Gewalten.

Wahl der Mitglieder des Obergerichts, des Handelsgerichts und der Vertreter der Staatsanwaltschaft.

Erteilung des Kantonsbürgerrechts.

Gewährung von Amnestie bei politischen Vergehen und Begnadigung in Straffällen.

Verfügung über die eingegangenen Bittschriften und Beschwerden.

Das Volk entscheidet durch Abstimmung:

Über alle Verfassungsänderungen und Gesetze, die der Grosse Rat beantragt;

über Ausgabenbeschlüsse des Grossen Rates, die eine neue einmalige Ausgabe für einen bestimmten Zweck von mehr als 250 000 Franken sowie neue jährlich wiederkehrende Ausgaben von mehr als 25 000 Franken zum Gegenstand haben;

über Verfassungs- und Gesetzesinitiativen, die von mindestens 5 000 stimmfähigen Einwohnern des Kantons eingereicht werden. Mit diesen Initiativen wird der Erlass, die Abänderung oder die Aufhebung eines Verfassungsartikels oder eines Gesetzes verlangt. Der Grosse Rat kann dem Volk die Initiative zur Annahme oder zur Verwerfung beantragen und im letzteren

Fall ihm gleichzeitig einen Gegenvorschlag unterbreiten. Ist die Initiative in Form einer allgemeinen Anregung gehalten und ist der Grosse Rat mit dem Initiativbegehren einverstanden, so bereitet er die Initiative für die Volksabstimmung vor.

Bei Abstimmungen über kantonale Vorlagen ist die Mehrheit der Stimmen massgebend.

Die parteipolitische Struktur des Aargaus

Seit 1921, seit der Grosse Rat nach dem Verhältniswahlverfahren (Proporz) bestellt wird, wird das politische Leben im Aargau durch vier grössere Parteien geprägt: die Sozialdemokratische Partei (SP), die Freisinnig-demokratische Partei (FdP), die Christlichdemokratische Volkspartei (CVP) und die Schweizerische Volkspartei (SVP). Auf diese vier Parteien sind stets mindestens 170 der 200 Grossratsmandate entfallen. Andere Parteien kamen nie über 12 Mandate hinaus und spielten zum Teil nur vorübergehend eine Rolle; seit 1941 ist der Landesring der Unabhängigen dabei (LdU), mit Unterbrüchen seit 1929 auch die Evangelische Volkspartei

(EVP) und seit 1973 die Nationale Aktion und die Republikanische Bewegung (NA/Rep.). Seit 1921 stellt die SP die grösste Fraktion, mit Ausnahme der Amtsperiode 1973 bis 1977, wo sie von der CVP überflügelt wurde. Die FdP war während vieler Jahre die drittgrösste Fraktion, ist aber 1977 erstmals wieder auf die zweite Stelle gerückt. Die SVP ist seit langem der «kleinere» Partner neben den drei «Grossen»; die Übersicht zeigt, dass sie bei den kantonalen Wahlen erstaunlich regelmässig abschneidet.

Grossratspräsidenten waren im Jubiläumsjahr 1978 Beda Humbel, Birmenstorf, cvp (bis Ende März 1978), und Robert Locher, Spreitenbach, sp (ab April 1978). Vizepräsident wurde im Frühling 1978 Walter Geiser, Unterkulm, svp.

Im Gegensatz zu vielen andern Kantonen dominiert im Aargau nicht eine einzelne Partei; das Kräfteverhältnis ist über alle Jahre hinweg erstaunlich ausgeglichen geblieben. Diese Parteienvielfalt, die ja auch eine vielseitige Be-

Verteilung der Sitze des aargauischen Grossen Rates 1921 bis 1977

Parteien	1921	1925	1929	1933	1937	1941	1945	1949	1953	1957	1961	1965	1969	1973	1977
SP	51	60	62	68	62	58	67	62	65	66	64	62	57	47	51
CVP	47	46	49	52	42	41	43	46	49	50	47	46	47	54	45
FdP	43	44	41	43	32	34	37	40	42	39	41	43	40	41	46
SVP	46	47	43	46	30	31	34	32	30	29	28	30	30	29	29
LdU						8	–	7	8	9	8	6	12	9	11
EVP			5	6	5	–	–	–	–	5	5	5	–	8	8
Fortschrittliche Bürger- und Bauernpartei	5						–	–	–	–	–	5	6	–	–
Jungbauern				8	8	–	–	–	–	–	–	–	–	9[1]	10[1]
Ohne Fraktion	8	3	0	0	7	6	12	6	6	2	7	3	8	3	–
	200	200	200	215	186	186	193	193	200	200	200	200	200	200	200

bis 1921 Majorzwahl (ohne Angabe der Parteizugehörigkeit der gewählten Grossräte)   [1] NA/Rep.

völkerungsstruktur (Stadt-Land, katholisch-reformiert usw.) zum Ausdruck bringt, hat den Kanton in seiner Handlungsfähigkeit keineswegs eingeschränkt, sondern stempelt ihn eben gerade zum Kanton des Ausgleichs oder der Mitte. Er ist gleichermassen eine «Schweiz im kleinen», was auch etwa darin zum Ausdruck kommt, dass das Aargauer Resultat bei eidgenössischen Abstimmungen in der Regel bereits das Endergebnis auf gesamtschweizerischer

Der Grosse Rat des Kantons Aargau in der Legislaturperiode 1977–1981

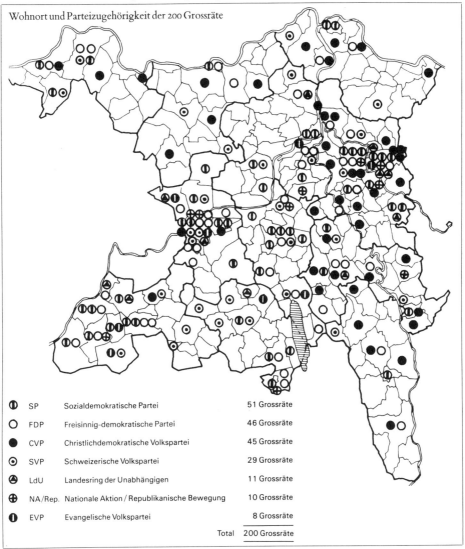

Wohnort und Parteizugehörigkeit der 200 Grossräte

◐	SP	Sozialdemokratische Partei	51 Grossräte
○	FDP	Freisinnig-demokratische Partei	46 Grossräte
●	CVP	Christlichdemokratische Volkspartei	45 Grossräte
◉	SVP	Schweizerische Volkspartei	29 Grossräte
◓	LdU	Landesring der Unabhängigen	11 Grossräte
⊕	NA/Rep.	Nationale Aktion / Republikanische Bewegung	10 Grossräte
◑	EVP	Evangelische Volkspartei	8 Grossräte
		Total	200 Grossräte

Ebene vorwegnimmt. Man kann feststellen, dass die vier grossen Kantonalparteien heute eher eine konservativere Linie als ihre gesamtschweizerischen Mutterparteien verfolgen. Das Schweizervolk hat in den Abstimmungen der letzten Jahre eher konservativ entschieden; auch dies dürfte erklären, weshalb sich die «Aargauer Meinung» (bzw. die Meinung der Mehrheit) mit der «Schweizer Meinung» regelmässig deckt. In den ersten Jahrzehnten des Kantons, im letzten Jahrhundert also, waren die Aargauer in der Schweiz hingegen mehr im «revolutionären» Flügel aktiv.

Der Aargau ist parteipolitisch gut durchmischt. Wohl hat beispielsweise die CVP ihre typischen Stammlande, natürlich im vorwiegend katholischen Kantonsteil, ist die SVP in eher ländlich gebliebenen Gebieten und die SP in den Industrieagglomerationen stark, doch ist jede der grossen Parteien auch in den anderen Regionen vertreten.

Die Zusammensetzung des Regierungsrates

Der Aargauer Regierungsrat setzt sich gegenwärtig (1978) aus zwei Sozialdemokraten und je einem Vertreter der FdP, der CVP und der SVP zusammen. Bis 1885 stellten die Freisinnigen alle Regierungsräte; dann aber kamen auch die «Konservativen», ab 1919 die «Bauern» und ab 1932 die SP dazu. 1965 verloren die Freisinnigen sogar noch ihren zweiten Sitz an die Sozialdemokraten, und seither hat sich an der Zusammensetzung des Regierungsrates nichts mehr geändert. Der Anspruch der vier grossen Parteien auf einen Sitz ist jeweils unbestritten, doch dürfte um den fünften

Sitz weiterhin regelmässig gekämpft werden.

Dem Aargauer Regierungsrat gehören heute (1978) an: Dr. Arthur Schmid, sp, seit 1965 (Erziehungsdepartement), im Jubiläumsjahr ab April 1978 Landammann; Dr. Jörg Ursprung, svp, seit 1969 (Baudepartement) bis März 1978 Landammann; Dr. Louis Lang, sp, seit 1969 (Departement des Innern); Dr. Kurt Lareida, fdp, seit 1976 (Finanzdepartement), ab April 1978 Landstatthalter; Dr. Hansjörg Huber, cvp, seit 1976 (Departement des Gesundheitswesens).

Die aargauische Vertretung im eidgenössischen Parlament

Seit 1971 stellt der Aargau 14 Nationalräte; diese Zahl schwankte seit 1919 zwischen 12 und 14. Auch hier kommt das ausgeglichene Stärkeverhältnis zwischen den einzelnen Parteien zum Ausdruck. Folgende Nationalräte vertreten gegenwärtig (Frühling 1978) den Kanton in Bern:

SP (4 Sitze): Dr. Arthur Schmid, Oberentfelden; Max Chopard, Untersiggenthal; Ernst Haller, Windisch; Herbert Zehnder, Lenzburg.

FdP (3 Sitze): Dr. Hans Letsch, Aarau; Dr. Urs Schwarz, Zofingen; Dr. Bruno Hunziker, Aarau.

CVP (3 Sitze): Dr. Leo Weber, Muri; Karl Trottmann, Baden; Albert Rüttimann, Jonen.

SVP (2 Sitze): Hans Roth, Erlinsbach; Walter Baumann, Schafisheim.

Landesring (1 Sitz): Dr. Andreas Müller, Gontenschwil.

Republikaner (1 Sitz): Dr. Josef Fischer, Bremgarten.

Im Ständerat hielten bis 1933 die Freisinnigen beide Aargauer Mandate. Damals gewannen die Konservativen den von der FdP freigegebenen Sitz. Seither waren die Vertreter des Aargaus im Ständerat mit einer Ausnahme (1943 bis 1948, als ein Sozialdemokrat Ständerat war) immer Mitglieder der FdP oder der CVP. Heute gehören dem Ständerat Robert Reimann, cvp, Wölflinswil, und Dr. Willy Urech, fdp, Aarau, an; Reimann wurde Ende 1977 zum Ständeratspräsidenten gewählt.

Aargauer im Bundesrat

Der Aargau scheint bei der Vergebung von Bundesratssitzen kein sehr grosses Gewicht zu haben, im Gegensatz etwa zum Kanton Waadt, der in bezug auf die Bevölkerungszahl nicht sehr stark vor dem Aargau liegt und doch wie die Kantone Zürich und Bern das ungeschriebene Privileg beansprucht, stets einen Bundesrat stellen zu dürfen. Bis heute sind erst vier Aargauer Bundesräte geworden, nämlich Friedrich Frey-Herosé, Aarau (1848 bis 1866), Emil Welti, Zurzach (1866 bis 1891), Edmund Schulthess, Brugg (1912 bis 1935), und Hans Schaffner, Gränichen (1961 bis 1969); letzterer war allerdings eher ein Berner und nur auf dem Papier Aargauer.

Der Bezirk als Zwischenstufe

Zwischenstufe zwischen dem Kanton und der Gemeinde ist der Bezirk. Etwas vorschnell wird er bisweilen als bedeutungslose Verwaltungseinheit abgetan. Die Bezirke haben aber immerhin eine Bedeutung für die Gerichtsorganisation (Bezirksgericht), bei der Festlegung des Bodenbesitzes (Grundbuchamt) oder bei der Durchführung der Grossratswahlen (Proporz: Anzahl der Sitze entsprechend der Einwohnerzahl des Bezirks).

Jeder Bezirk hat einen Bezirkshauptort, in dem sich das Bezirksamt befindet und das Bezirksgericht tagt. Vorsteher des Bezirksamtes ist der Bezirksamtmann. Er ist oberster Polizeibeamter im Bezirk; er führt Voruntersuchungen im Strafwesen durch, ordnet Hausdurchsuchungen an, erteilt Haftbefehle und ist für die Vollstreckung der Gerichtsurteile verantwortlich. Ihm ist etwa auch die Kontrolle über das Vormundschaftswesen übertragen. Ende 1977 hiessen die Aargauer Stimmbürger eine Änderung des Gesetzes über die Strafrechtspflege gut. Damit wurde die Strafkompetenz des Bezirksamtmanns erweitert. War er nach dem bisherigen Strafprozessrecht Untersuchungsbeamter und Strafbefehlsrichter für kleinere, mit Busse bedrohte Übertretungen und Vergehen, hat er jetzt auch die Funktion eines Einzelrichters erhalten, der Strafen bis zu einem Monat Gefängnis aussprechen kann.

Das Bezirksamt ist schliesslich ganz allgemein Bindeglied zwischen dem Regierungsrat und den Gemeinderäten des Bezirks. Es erhält vom Regierungsrat Aufträge, führt sie durch oder leitet sie an die Gemeinden weiter.

Gerichte und Polizei

Unser Alltag wird weitgehend vom Bundesrecht geregelt (Schweizerisches Zivilgesetzbuch, Schweizerisches Obligationenrecht, Schweizerisches Strafgesetzbuch usw). In der Kompetenz der Kantone sind jedoch die Organisation der Gerichte, das gerichtliche Verfahren und die Rechtsprechung geblieben. Deshalb hat auch der Aargau eine Gerichtsorganisation und eine Prozessordnung eigener Prägung.

Zivile Rechtsstreitigkeiten

Der *Friedensrichter* hat nur eine beschränkte Entscheidungskompetenz; ihm kommt vor allem vermittelnde Funktion zu. Erste Instanz in Zivil- und Strafsachen ist das *Bezirksgericht*. Es setzt sich aus einem hauptamtlichen, juristisch ausgebildeten Gerichtspräsidenten und vier nebenamtlichen Laienrichtern zusammen. Bis zu einem gewissen Rahmen urteilt der Gerichtspräsident als Einzelrichter. Gegen die Urteile des Bezirksgerichts ist der Weiterzug an das *Obergericht* möglich. Das Obergericht setzt sich vorwiegend aus vollamtlichen Richtern und einigen Ersatzrichtern zusammen und gliedert sich in Abteilungen auf.

Der Friedensrichter, der Gerichtspräsident und die Laienrichter werden vom Volk für eine vierjährige Amtszeit gewählt; Wahlbehörde für die Mitglieder des Obergerichtes ist der Grosse Rat.

Strafprozess

Zu unterscheiden ist zwischen den Strafverfolgungsbehörden und den strafrichterlichen Behörden. Zu den Strafverfolgungsbehörden zählen die gerichtliche Polizei, die Untersuchungsbeamten und die Staatsanwaltschaft. Der *Bezirksamtmann* führt die Strafuntersuchung und war bisher Strafbefehlsrichter für kleinere Übertretungen. Neuerdings hat er, wie bereits oben umschrieben, auch die Funktion eines Einzelrichters, der Strafen bis zu einem Monat Gefängnis aussprechen kann. Die *Staatsanwaltschaft,* bestehend aus fünf vom Grossen Rat gewählten Staatsanwälten, leitet die gerichtliche Polizei und vertritt den staatlichen Strafanspruch vor Gericht. Das *Bezirksgericht* ist als erstinstanzliches Gericht zuständig zur Behandlung derjenigen Straffälle, die nicht schon durch den Bezirksamtmann erledigt werden konnten. Auch in diesem Fall kann gegen das Urteil des Bezirksgerichts Berufung beim *Obergericht* eingereicht werden. Bis vor kurzem gab es im Aargau auch ein Geschworenengericht, welches für schwere Verbrechen zuständig war. Dessen Aufgabe ist nun aber dem Bezirksgericht übertragen worden.

Die Verwaltungsgerichtsbarkeit

Die Verwaltungsgerichtsbarkeit wurde nach einem Volksentscheid im Jahre 1968 ausgebaut. Das Verwaltungsgericht, das administrativ mit dem Obergericht verbunden ist, überwacht die Verfassungs- und Gesetzmässigkeit von kantonalen und kommunalen Erlassen. Früher mussten Rekurse gegen Verwaltungsentscheidungen vom Regierungsrat entschieden werden, welcher somit richterliche Funktionen in Streitigkeiten ausübte, bei denen die ihm untergeordneten Amtsstellen Partei waren. Mit der Schaffung eines unabhängigen Verwaltungsgerichtes mit weiten Kompetenzen wird der Kanton dem Prinzip der Gewaltentrennung besser gerecht.

Sondergerichte

Zur Entlastung der ordentlichen Gerichte bestehen verschiedene Sondergerichte mit klar abgegrenzten Aufgaben: etwa das *Handelsgericht* auf kantonaler Ebene, das *Arbeitsgericht* und das *Jugendgericht* auf der Bezirksstufe und die *Flurkommission* in jedem Kreis (dem Bezirk untergeordnete Verwaltungseinheit). Die Jugendrichter werden durch das Bezirksgericht gewählt. Die *Jugendan-*

waltschaft hat strafrichterliche Funktionen; ihr obliegen alle Aufgaben der Jugendstrafrechtspflege, sofern nicht andere Behörden, z. B. eine Schulpflege, eingeschaltet sind.

c) Kirche und Staat

Konfessionelle Konflikte haben seit der Reformation die Geschichte der Eidgenossenschaft, aber auch des Kantons Aargau geprägt (siehe geschichtlicher Teil). Die Totalrevision der aargauischen Staatsverfassung von 1885, welche den drei Landeskirchen das Recht auf Selbstverwaltung gab, führte dann aber zu einer wesentlichen Beruhigung unter den Konfessionen. 1927 nahm das Aargauervolk fünf neue Kirchenartikel in die Staatsverfassung auf, auf denen die rechtlichen Beziehungen zwischen der Kirche und dem Staat heute noch beruhen. Mit diesen Artikeln anerkannte der Kanton die evangelisch-reformierte, die römisch-katholische und die christkatholische Kirche als öffentlich-rechtliche Landeskirchen. Die Konfessionen sind seither befugt, ihre Angelegenheiten selbständig zu ordnen, wobei ihnen die aargauische Staatsverfassung die Einhaltung demokratischer Grundprinzipien vorschreibt und der Staat sich ein Mitspracherecht vorbehalten hat. Im Falle grundlegender Änderungen in der Organisation und Struktur einer Landeskirche hat der Grosse Rat die Aufgabe, zu überprüfen, ob die Neuregelung im Einklang mit den Vorschriften der Bundes- und der Kantonsverfassung steht.

Die drei Landeskirchen schaffen sich ihre eigenen Organe. Oberstes Organ jeder Landeskirche ist gemäss kantonaler Verfassung die aus Geistlichen und Laien zusammengesetzte Synode. Diese hat die vollziehenden Organe (Kirchen- und Synodalrat, Synodalausschuss) zu ernennen. Die Landeskirchen verwalten ihr Vermögen selbst. Jede Kirchgemeinde hat das Recht, nach eigenem Ermessen eine Kirchensteuer zu erheben, womit etwa Bauvorhaben oder die Besoldungen der Geistlichen finanziert werden. Die Kirchensteuer ist von Kirche zu Kirche und von Gemeinde zu Gemeinde verschieden, bewegt sich aber um rund 20 Prozent des Staatssteuerfusses. Die Wahl der kirchlichen Behörden und der Geistlichen erfolgt periodisch in den Kirchgemeinden durch die Kirchgenossen.

Mit dem Statut von 1927 hat es der Staat der katholischen Kirche überlassen, das demokratische Prinzip der Synodalorganisation und der Volkswahl der Geistlichen mit den Prinzipien des hierarchischen Aufbaus und des kanonischen Rechts in Einklang zu bringen.

Die Kirchen sind also im Aargau im juristischen Sinne durchaus an den Staat gebunden, faktisch aber frei von staatlichem Einfluss. Aus diesem Grunde fand und findet das Begehren auf Trennung von Kirche und Staat im Aargau wenig Widerhall.

d) Die aargauische Verfassung

Vom Flickwerk zum kühnen Wurf?

Gegenwärtig ist immer noch die Kantonsverfassung von 1885, welche allerdings schon verschiedene Teilrevisionen erlebt hat, gültig. Vor allem die politischen Mitspracherechte sind seit 1885 wesentlich ausgebaut worden: so etwa wählen seit 1904 die Stimmbürger und nicht mehr der Grosse Rat die Regierungs- und Ständeräte, 1910 wurde die formulierte Gesetzes- und Verfassungsinitiative eingeführt, und 1920 erfolgte der Übergang vom Majorz- zum Proporzsystem bei den Grossratswahlen.

Zur Teilnahme an der politischen Willensbildung sind alle im Aargau wohnhaften Kantons- und Schweizer Bürger, die das 20. Altersjahr zurückgelegt haben, berechtigt. Dem Frauenstimmrecht wurde im Aargau (für den Kanton und die Gemeinden) am gleichen Wahlsonntag zugestimmt wie auf gesamtschweizerischer Ebene, nämlich am 7. Februar 1971. Im Juni desselben Jahres wurde der Stimmzwang im Aargau abgeschafft. Auch wenn die Ordnungsbusse von zwei Franken kaum ins Gewicht gefallen war, hatte sie sich doch stimulierend ausgewirkt: Vor 1971 lag die Stimmbeteiligung meistens bei über 70 Prozent, womit der Aargau regelmässig in der Spitzengruppe der Kantone figurierte; seither ist die Beteiligung zurückgegangen; Beteiligungszahlen über 50 Prozent bilden bereits die Ausnahme.

Die aargauische Verfassung gewährt dem Stimmbürger das Initiativrecht, das Referendumsrecht sowie das aktive und passive Wahlrecht. Das Initiativrecht gibt den Bürgern die Möglichkeit, mit der für heutige Verhältnisse immer noch sehr niedrigen Zahl von 5000 Unterschriften Änderungen auf der Verfassungs- oder Gesetzesebene zu verlangen. Das Referendum stellt sicher, dass der Bürger zu Verfassungs- und Gesetzesänderungen sowie zu Finanzbeschlüssen des Grossen Rates Stellung nehmen kann; obligatorisch ist das Referendum, wenn eine Vorlage in jedem Falle dem Volke vorgelegt werden muss

(vorläufig bei allen Gesetzen der Fall), fakultativ, wenn der Grosse Rat von sich aus Beschlüsse dem Vok zur Entscheidung vorlegen kann.

Auf dem Wege zu einer neuen Verfassung

Am 4. Juni 1972 gaben die Aargauer Stimmbürger grünes Licht für die Inangriffnahme einer Totalrevision der Staatsverfassung, und am 18. März 1973 bestellte das Volk, gleichzeitig mit der Wahl des Grossen Rates, nach dem gleichen Wahlmodus den für die Totalrevision vorgeschriebenen 200köpfigen Verfassungsrat. Im Frühling 1976 lag der Entwurf einer neuen aargauischen Verfassung vor, aber es ist wenig wahrscheinlich, dass die Aargauer noch im Jubiläumsjahr 1978 darüber an der Urne zu befinden haben werden. Enttäuscht dürften wohl alle diejenigen sein, welche einen kühnen Wurf erwartet hatten. Es zeigt sich nämlich, dass die Gestaltungsfreiheit eines Kantons auf der Verfassungsstufe heute ausserordentlich gering ist. Im politischen Kräftespiel können Veränderungen gar nicht mehr spektakulär sein, sind vielleicht mehr qualitativer als quantitativer Natur, mehr auf Nuancen und Wirkungen im Gesamtzusammenhang gerichtet.

Hauptstossrichtung der neuen, zur Diskussion stehenden Verfassung ist eine Verwesentlichung der aargauischen Demokratie: einerseits Abbau (keine Leerlaufabstimmungen mehr über völlig unbestrittene Gesetze), anderseits Eingriffsmöglichkeiten des Bürgers dort, wo eine Sache wirklich brennt, und keine Ermächtigungsgesetze mehr, die das Volk in einer Materie ausschalten; mehr fakultative statt obligatorische, dafür ehrlichere direkte Demokratie.

IV. Lebendiger Aargau

(Von Region zu Region)

Der Aargau ist ein vielseitiger Kanton, auch wenn ihm bisweilen Durchschnittlichkeit nachgesagt wird. Nicht eine grosse Stadt oder ein besonderer Landstrich macht seine Eigenart aus, sondern die Gesamtheit seiner vielgesichtigen Regionen. Im folgenden Kapitel werden die einzelnen Regionen gleichsam durchwandert, werden einige Besonderheiten herausgeschält. Es versteht sich von selbst, dass diese Auswahl fast zufällig sein muss; in der einen Region wird dies, in der andern jenes hervorgehoben. Damit soll gezeigt werden, auf welch reizvolle Weise unser Aargau vielfältig ist. Der Leser wird bald feststellen: Heimatkunde ist beileibe nicht nur eine Lehre aus Büchern und Landkarten, sie ist Begegnung mit Landschaft und Menschen. Unser Kanton beginnt zu leben.

1. Das Aaretal

Das Einzugsgebiet der Aare

Das aargauische Aaretal ist das geographische Kerngebiet des Aargaus. Die Aare gibt den Namen dem Kanton, den sie in ihrem Unterlauf bis zur Mündung

in den Rhein durchfliesst. Sie entwässert ungefähr 40 Prozent der Gesamtfläche der Schweiz.

Die Aare vom Quellgebiet bis zum Aargau

1. Die Aare entspringt im Berner Oberland. Sie ist ein Gletscherfluss. Ihre Wasser kommen aus dem Oberaar- und dem Unteraargletscher und fliessen gleich in Staubecken, in den Oberaar- und den Grimselsee; letzterer ist ca. 5 km lang, 500 m breit und bei Vollstau 100 m tief. Seine gekrümmte Staumauer ist 114 m hoch, 258 m lang, am Fuss 54 m und auf der Krone 4 m dick. Durch Druckleitungen fällt das gespeicherte Wasser mehrere hundert Meter tief in die Elektrizitätswerke. Es sind Hochdruckwerke, im Gegensatz zu unseren Niederdruck- oder Laufwerken im Aargau.

2. Die Aare fliesst durch das wilde Haslital mit seinen steilen Granitbergen. Oberhalb Meiringens liegt ein Kalksteinriegel quer im Tal. Die Aare hat sich im Kalkstein eingefressen und in jahrtausendelanger Arbeit die Aareschlucht gebildet. Auf einem schmalen Weg mit Galerien gelangen die Besucher durch die 1400 m lange Schlucht, die stellenweise nur wenige Meter breit ist.

3. Die Aare fliesst unterhalb Meiringens in den Brienzer- und den Thunersee. Diese beiden Alpenseen waren früher ein einziger See, der dann aber durch den Schwemmkegel der Lütschine in zwei Teile getrennt wurde. An der Trennungsstelle, dem sogenannten Bödeli, ist im letzten Jahrhundert der Fremdenort Interla-

Die Aare vom Quellgebiet bis zum Aargau (Erläuterung siehe oben)

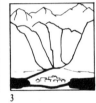

1   2   3   4   5

ken (inter lacus = zwischen den Seen) entstanden.

4. Bei Thun verlässt die Aare das Gebiet der Alpen und fliesst nordwärts durch das Mittelland. In einer ihrer Flussschlaufen haben die Grafen von Zähringen die Stadt Bern gegründet. Auf dieses Geschlecht geht auch die Stadtgründung von Rheinfelden zurück.

5. Unterhalb Berns steht das Kernkraftwerk Mühleberg. Es liefert etwa gleichviel Strom wie eines der beiden Beznauer Atomkraftwerke. Vor 1868 floss die Aare von Aarberg an in vielen Schlaufen nordwärts gegen Büren, überschwemmte jedes Jahr die Gegend und brachte viel Unheil. Durch den Bau des Hagneck-Kanals in den Bielersee und des Nidau-Büren-Kanals ist die Aare gebändigt und der Boden in fruchtbares Kulturland umgewandelt worden. Nachdem sie solothurnisches Gebiet durchflossen hat, erreicht sie den Aargau bei Murgenthal.

Die «Vierländerecke» bei Murgenthal

An der Südwestecke des Kantons liegt Murgenthal; in diesem Raum grenzen vier Kantone aneinander, nämlich Solothurn, Bern, Luzern und der Aargau. Murgenthal ist von der Bundeshauptstadt Bern aus die erste aargauische Eisenbahnstation. Hohe Magistraten dürfen deshalb bei einem Besuch im Kanton Aargau regelmässig damit rechnen, auf dem Bahnhof Murgenthal zum erstenmal (aber selten auch zum letztenmal) von aargauischen Behörden empfangen zu werden. Murgenthal ist flächenmässig eine der grössten Gemeinden des Aargaus; fast zwei Drittel des Gemeindebanns sind allerdings mit Wald bewachsen. Eigenartigerweise gehören von den 1153 ha nur 191 ha Murgenthal selbst; weitere Waldbesitzer sind:

Aarburg	53 ha	Zofingen	199 ha
Rothrist	93 ha	Pfaffnau LU	8 ha
Strengelbach	78 ha	Staat Aargau	48 ha
Vordemwald	54 ha	Private	45 ha
Roggwil BE	384 ha		

Murgenthal ist ein Streudorf, das aus mehreren dörflichen Siedlungen und Weilern besteht. Zur Gemeinde gehören der entfernte Weiler Balzenwil und die Dörfer Riken und Glashütten; der letztere Name weist auch auf die einst hier betriebene Glasfabrikation hin. Auch Rothrist, Oftringen, Vordemwald, früher ebenfalls Strengelbach, Mühlethal, Brittnau und Safenwil sind oder waren stark zerstreute Siedlungen, in denen sich erst in der neueren Zeit rund um die Bahnhöfe oder entlang wichtiger Verkehrsstrassen Verdichtungen gebildet haben. *Rothrist,* das bis 1889 Niederwil genannt wurde, umfasst die Weiler Oberwil, Aargauisch-Bonigen, Sennhof, das ursprünglich unbedeutende eigentliche Rothrist, Niederwil, Fleckenhausen, Geisshubel, Gfill, Gländ usw. Die lockere Siedlungsart ist offensichtlich eine Eigenart dieser Gegend; im übrigen Aargau sind die Ortschaften sonst eher geschlossene Siedlungen.

Die Ortsbezeichnung Rothrist ist aus dem Flurnamen Rotris entstanden; das Gebiet erweckt den Eindruck einer ursprünglichen Rodungslandschaft. Im Jahre 1855 führten zwei Missernten zur Auswanderung von über 300 Einwohnern, davon über 100 Kinder unter 10 Jahren, was damals für die Gemeinde einen grossen Aderlass bedeutete. Die gesamten Reisekosten von 61 635 Franken nach Amerika (New Orleans) übernahm die Gemeinde, die dafür den Winterhaldewald opferte.

Heute ist Rothrist ein industriereiches Dorf, wobei vor allem Rivella zu einem bekannten Begriff geworden ist (weitere Industrien: Radiatoren, Stahlröhren, Tankkessel, Faden, Stoffe, Lacke, chemische Stoffe, Papier- und Plastiksäk-

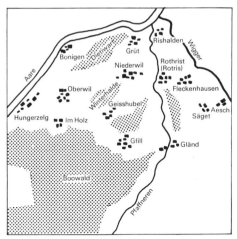

Rothrist in alter Zeit

ke). Auch *Vordemwald* ist ein Streudorf, besteht aber hauptsächlich aus Einzelhöfen. Die Gemeinde im Pfaffnerental ist abgelegen, ist aber durch den Regionalbus mit dem nahen Zentrum Zofingen verbunden. Wohl der berühmteste Bürger von Vordemwald ist Eduardo Schaerer (1873 bis 1941), der von 1912 bis 1916 Staatspräsident von Paraguay war.

Burg und Städtchen Aarburg

Aarburg bietet einen geradezu spektakulären Anblick; die Burg über der Stadt deutet eine heute nicht mehr vorhandene Wichtigkeit an. Aarburg war im Mittelalter eine Talsperre, die aus der Burg und dem Städtchen am Südschenkel der Aareklus zwischen Born und Säli-Engelberg bestand. Diese Klus muss in Urzeiten, gleichzeitig mit der allmählichen Auffaltung der Jura-Schichten, entstanden sein, als die Aare das Kalkgestein zu durchbrechen und abzutragen vermochte. Aarburg ist eine Gründung der Grafen von Froburg (Fro = Herr). Mit andern Städten (Liestal,

Waldenburg, Wiedlisbach, Olten, Zofingen und dem verschwundenen Fridau) und mit Burgen (Froburg, Falkenstein, Wartburg) wurde ihr Besitz gesichert, der die Kreuzung der wichtigen Verkehrswege West-/Ostschweiz und Nord-/Südschweiz (beide Hauensteinpässe) einschloss.

Vorerst war die Burg entstanden (11. evtl. 12. Jahrhundert), deren Anlage heute fast 400 Meter lang ist, im 13. Jahrhundert folgte die Gründung des Städtchens (etwa eine Hektare gross, 200 Einwohner).

Aus der weiteren Geschichte von Burg und Stadt:

1299 Verkauf an die Habsburger.
1375 Zerstörung der Stadt durch die Gugler.
1415 Eroberung der neuerstellten Stadt und der Burg durch die Berner.
Einsetzung eines bernischen Landvogtes auf der Burg.
1658 –1673 Ausbau der Burg zur Festung. Zweck: Sperriegel des reformierten Bern zwi-

Klus von Aarburg im Mittelalter

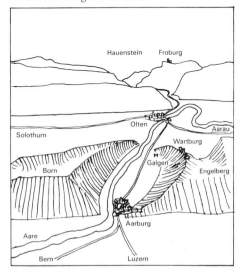

schen den katholischen Orten Luzern und Solothurn.

1803 Der Kanton Aargau richtet in der Festung ein Zeughaus ein, 1864 ein Zuchthaus, 1893 eine Zwangserziehungsanstalt.

1840 Grosser Stadtbrand, 49 Gebäude samt Kirche zerstört.

Aarburg ist erst in der Neuzeit Brükkenort geworden: 1837 wurde eine Drahtseilbrücke gebaut, 1913 eine neue Betonbrücke eingeweiht.

Bis Mitte des 19. Jahrhunderts war Aarburg wichtig als Handels- und Marktplatz. Am natürlichen Flusshafen «Wog» (Waage) wurden Güter von Schiffsfuhren aus- und umgeladen. In den Landhäusern am Ufergelände wurde die Ware gelagert, z. B. Wein und Getreide aus der Westschweiz, Käse aus dem Berner Oberland, Salz aus dem Burgundischen, Eisen aus dem Jura. Wichtig war dieser Umschlagplatz vor allem im Warenverkehr mit der Innerschweiz (Luzern, Gotthard).

Bei der «Wog» wurde Zoll zu Land und zu Wasser erhoben. Für den Personenverkehr auf der Aare waren Schiffe mit einem Fassungsvermögen bis 200

Aarburg, Flusshafen «Wog» mit Landhäusern

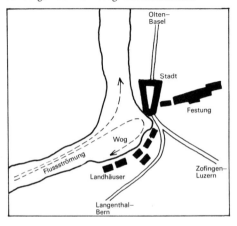

Personen eingesetzt. Heute ist Aarburg noch wichtig für den Bahnverkehr. Hier vereinigen sich die Bahnlinien Luzern–Basel und Bern–Zürich; eine Entflechtung dieser Linien und damit eine Entlastung von Aarburg wird mit der neuen Linie Olten–Rothrist erreicht.

Vor etwas mehr als 100 Jahren erfand eine Frau Pauline Zimmerli-Bäurlin (1829–1914), welche den Unterhalt ihrer Familie mit dem Betrieb von Strickmaschinen verdienen musste, eine wichtige Verbesserung, die es erlaubte, gerippte Strickereien herzustellen. Daraus entwickelte sich die bedeutende Strickerei- und Wirkwarenindustrie in Aarburg und Umgebung. Einem Fabrikanten aus der Ostschweiz war aber nicht entgangen, dass die Textilindustrie in Aarburg vorwiegend weibliche Arbeitskräfte beanspruchte und deshalb geradezu einen Ausgleich mit Arbeitsplätzen für Männer herausforderte. Deshalb gründete er eine Metallwarenfabrik. Heute steht die Firma Franke mit 800 Beschäftigten an der Spitze der Aarburger Industrie, ja sie gehört zu den grössten Firmen des ganzen Kantons.

Ruine Wartburg – Sälischlössli

Auf dem Säli-Engelberg befinden sich zwei Burganlagen aus der Zeit der Froburger nahe beieinander: Die Alt-Wartburg liegt auf der Aargauer Seite, die Neu-Wartburg auf Solothurner Boden. Beide Burgen wurden 1356 durch ein Erdbeben zerstört. Alt-Wartburg wurde von den Herren von Hallwyl wiederaufgebaut, aber bei der Eroberung des Aargaus von den Bernern verbrannt. Sie ist seither eine Ruine geblieben. Die Neu-Wartburg wurde von den Solothurnern für den Feuerwächter Sähli bewohnbar gemacht (daher der Name Säli) und im 19. Jahrhundert zum etwas eigenartigen Schlösschen ausgebaut. Um die beiden Burgen rankt sich eine Sage, die in einem früheren Schullesebuch abgedruckt worden ist; sie wird im folgenden leicht gekürzt wiedergegeben (nach E. L. Rochholz):

«Einst gehörten die beiden Burgen zwei Brüdern. Ihr Vater war reich und ein wackerer Ritter, aber ein unglücklicher Mann. Denn früh hatte er sein treues Weib verloren, und seine beiden Söhne machten ihm das Leben sauer. Von Kindsbeinen an waren sie einander feind, und mit den Jahren wuchs ihr gegenseitiger Hass. Oft suchte sie der Vater zu versöhnen, aber ohne Erfolg. Frühzeitig bleichte der Kummer sein Haar, und in den besten Jahren musste er sterben. Noch auf dem Todbette ermahnte er seine Söhne, die unselige Feindschaft aufzugeben. Einen Augenblick schienen sie durch seine Bitten gerührt und versprachen mit Hand und Mund, sich fortan wie Brüder zu lieben. Aber bald stellte sich der böse Geist des Hasses wieder ein. Nach vielen Zänkereien erklärte der ältere Bruder, der die Stammburg geerbt hatte, er werde den jüngern nicht mehr auf derselben dulden. Zornig entfernte sich dieser und schwur, nicht weit zu gehen, sondern dem Ältesten zuleide in der Nähe zu bleiben. Darauf baute er der Altwartburg gegenüber auf dem andern Hügel die Feste Oberwartburg.

So sahen sich die Brüder fast täglich; aber sie sprachen nicht miteinander und suchten sich nur zu ärgern und zu schädigen. Schwere Drohungen, die von beiden Seiten gefallen waren, liessen eine fürchterliche Tat ahnen. Nie gingen sie unbewaffnet aus; nie traten sie auch nur an das Fenster oder auf die Zinnen der Feste, ohne die grösste Vorsicht zu beobachten. Einmal stand der jüngere Bruder auf der Zinne und sah, wie der ältere die Armbrust spannte. Da ergriff auch er die Armbrust und legte den Bolzen auf. Zu gleicher Zeit schwirrten die Geschosse von Berg zu Berg, und in demselben Augenblick sanken die Brüder, ins Herz getroffen, zu Boden. Niemand mochte nach ihnen die Burgen, auf denen der Fluch des Brudermordes lastete, bewohnen, und schnell sanken sie in Trümmer.»

Der Boowald – der grösste Wald des Aargaus

Mit Boowald wird der wichtigste Teil des grössten zusammenhängenden Waldgebietes des Aargaus bezeichnet.

Dieses Waldgebiet misst insgesamt 2075 ha und liegt im Gemeindebann von Murgenthal, Vordemwald und Rothrist. Diese drei Gemeinden sind aber nur zum kleinen Teil Besitzer des Waldes. So gehören beispielsweise von den 567 ha Wald im Gemeindebann Vordemwald nur 8 ha dieser Gemeinde, der grosse Rest von 559 ha ist im Besitz der Ortsbürgergemeinde Zofingen! Die eigenartigen Besitzverhältnisse gehen auf das ausgehende Mittelalter zurück.

Boowald (1 Quadrat = 1 km²)

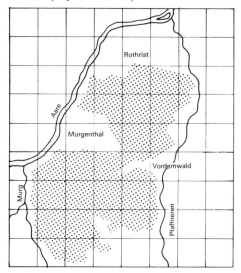

Während sich heute die Waldnutzung hauptsächlich auf Nutz- und Industrieholz ausrichtet, wurde der Wald früher vielfältiger genutzt: Er lieferte Wildfrüchte und Beeren als Nahrung, Bau- und Werkmaterial, Brennstoff, Dünkel (Holzröhren für Wasserleitungen), Tannenreisig als Streue im Stall, Laub für Schlafsäcke, Eichen- und Fichtenrinde zum Gerben, Harz für Leuchten und als Haftstoff, Holzkohle, Holzasche als Dünger und Waschmittel und als Rohstoff für die Glasfabrikation. Ferner wurde der Wald bis Ende des 18. Jahrhunderts auch als Weideland benützt.

Weitherum bekannt war früher der Boowald, weil er ein besonders geeignetes Holz für
den Bau von Masten und Schiffen lieferte; das
wird schon in Chroniken des 16. Jahrhunderts
erwähnt.

Die von den Holzhändlern gekauften Tannen
wurden im Boowald gefällt und geschält, hierauf auf Langholzwagen zu den Flösserhäfen
Murgenthal und Aarburg gebracht. Dort fügten
die Flösser die Stämme zusammen. Der Flossbo-
den bestand aus 10 bis 20 Stämmen, war bis 7,50
m breit und 30 m lang. Holzstifte an Aufhölzern
hielten die Bodenstämme zusammen. Darauf
kam eine zweite Lage von Stämmen, die mit
Weidenruten und Bundhaken an den Boden-
stämmen befestigt wurden. Vorn und hinten
wurde ein Ruderbock angebracht, der als Hal-
terung für das Steuerruder zu dienen hatte. Mit
einer weiteren Lage von Stämmen, der sogenannten Oblast, bestand das fertige Floss aus 40
bis 60 Stämmen. Es hatte ein Gewicht von über
100 Tonnen.

Vom letzten Flössermeister in Aarburg, Samuel Hofmann, weiss man, dass er von 1873 bis
1883 im ganzen 1469 Flösse aus ungefähr 87 000
Stämmen zusammengestellt hat. Einzelne Flös-
serfamilien besassen das Fahrrecht auf der Aare;
im Aargau waren es die Hofmann in Aarburg,
die Hässig in Aarau, die Lehner in Stilli. Um ein
Floss die Aare hinunter zu flössen, lösten sich
jeweilen zwei Mann aus diesen Familien für «ihre» Strecke ab.

Das Holz aus dem Boowald gelangte auf dem
Wasserweg beispielsweise von Aarburg bis nach
Genua. Ein Blick auf die Europa-Karte zeigt,
was für einen gewaltigen Umweg diese Trans-
portstrecke gegenüber heutigen Verhältnissen
darstellte.

Von Aarburg bis Aarau

Von Murgenthal bis Aarburg bildet
die Aare die Grenze zwischen den Kantonen Aargau und Solothurn. Nach
Aarburg durchfliesst sie solothurnisches
Gebiet, das Niederamt mit dem bedeutenden Eisenbahnknotenpunkt *Olten*.
Die Dörfer und Städte zwischen Zofingen, Olten und Aarau sind in den letzten
Jahren immer mehr zusammengewachsen, weshalb Ende der sechziger Jahre
der Begriff der Bandstadt «Aarolfingen»
geprägt wurde. Die Planer sehen oder
sahen vielmehr in einem solchen
Schwerpunkt eine mögliche Siedlungs-
variante als Gegengewicht zu anderen
grossen Agglomerationen, wie beispielsweise Zürich, Basel und Bern und
im Aargau vielleicht Baden-Brugg. Die
Zofinger sind nicht begeistert von
«Aarolfingen», weil eine solche Bandstadt ihrer Ansicht nach die Region
Wiggertal zu einem Randgebiet degradieren würde.

Das Gebiet zwischen Olten und
Aarau erhält jedenfalls wachsende Bedeutung; es zeigt sich auch hier, dass
langfristige Planungen nicht auf Kantonsgrenzen Rücksicht nehmen können.
Ein wesentliches Schwergewicht ist
durch die beiden neuen Verteilzentren
von Post und Bahn in Däniken in den

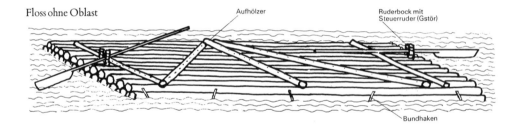

Floss ohne Oblast   Aufhölzer   Ruderbock mit
                                                                  Steuerruder (Gstör)

Bundhaken

Raum Aarau–Olten gelegt worden. Das Gebiet ist auch für die Energiegewinnung wichtig. Zwei Laufwerke (Niedergösgen, EW Aarau) nützen die Wasserkraft aus. Zudem nimmt in der Areschlaufe nördlich von Däniken 1978 ein Kernkraftwerk die Energieproduktion auf. Je nachdem, wie man sich zur Kernkraftwerkfrage stellt, wird man den in dieser Landschaft unübersehbaren 150 m hohen Kühlturm als Wahrzeichen oder Mahnmal unserer Zeit bezeichnen.

Kernkraftwerk Däniken-Gösgen

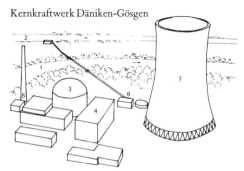

1 Aare, 2 Oberwasserkanal EW Gösgen, 3 Reaktorgebäude, 4 Maschinenhaus, 5 Abluftkamin, 6 Kühlwasseraufbereitung (Entnahme des Wassers aus dem Oberwasserkanal), 7 Kühlturm (150 m hoch, oben Durchmesser 74 m; erwärmtes Kühlwasser wird versprüht und durch den Luftzug von unten nach oben zum Verdunsten gebracht, 400–700 l Wasser pro Sek.)

Schuhzentrum am Rande des Aargaus

Schönenwerd ist Zentrum der schweizerischen Schuhindustrie. Die Firma Bally, ein traditionsreiches Unternehmen, welches 1977 nach einem spektakulären Zwischenspiel der Oerlikon-Bührle-Holding angegliedert wurde, besitzt auch Zweigniederlassungen im Aargau, nämlich in Aarau (modernste Schuhfabrik Europas), Dottikon und Frick. Viele Pendler aus dem Aargau arbeiten in Schönenwerd; diese Gemeinde ist sehr stark auf das Regionalzentrum Aarau ausgerichtet. Die Schuhindustrie ist auch ohne die Firma Bally im Aargau

recht bedeutend; im Aargau sind die Firmen Bata Schuh AG (Möhlin), Fretz (Aarau, Fahrwangen, Seon, Reitnau), die Schuhfabriken Ammann & Co. (Oberentfelden), Aeschlimann (Veltheim) und Suter (Wohlen) zu nennen. Zwei Drittel der schweizerischen Schuhproduktion stammen aus den Kantonen Aargau und Solothurn.

Wie ein Schuh entsteht

Jeder Schuh hat eine lange Entstehungsgeschichte. Ein Créateur hat zunächst aufgrund der neuen Modetendenzen zahlreiche Modelle zu entwerfen, die zunächst angefertigt und erprobt werden müssen, bevor entschieden wird, ob an die serienmässige Fabrikation gedacht werden kann. Nach der Zusammenstellung einer Musterkollektion und der Berechnung der Verkaufspreise durch die Abteilung Kalkulation werden Bestellungen aufgenommen, nach denen sich die Fabrikation dann zu richten hat; sie muss in bezug auf die Anschaffung der Rohmaterialien, die Auslastung des Betriebs und die Termineinhaltung genau gesteuert werden.

Der Schuh und seine Teile

Rohstoff: Leder
Flächeneinteilung und Benennung der Haut:

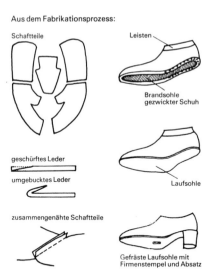

Aus dem Fabrikationsprozess:

Schaftteile

Leisten

Brandsohle
gezwickter Schuh

geschürftes Leder

umgebucktes Leder

Laufsohle

zusammengenähte Schaftteile

Gefräste Laufsohle mit
Firmenstempel und Absatz

Bei der fabrikmässigen Herstellung eines Schuhs sind im Mittel 150 Teiloperationen nötig. Es stehen also im Gegensatz zur einstigen handwerklichen Einmannarbeit etwa 150 Arbeitskräfte im Einsatz. Um die Fabrikarbeit für den einzelnen abwechslungsreicher und interessanter zu gestalten, werden heute dem Arbeiter verschiedenartige Teilarbeiten zugewiesen. Man unterscheidet folgende Abteilungen: Zuschneiderei, Schürferei, Näherei, Sohlenrüsterei, Zwickerei, Bodenbefestigung, Fertigmacherei; anschliessend wandert der Schuh in die Packerei, ins Verkaufslager und zur Spedition. Schon vor der eigentlichen Schuhfabrikation sind verschiedene Arbeitsprozesse notwendig, bis die eigentlichen Rohstoffe, vor allem das Leder, zur Verarbeitung bereit sind.

Erlinsbach: Ein Name – drei Gemeinden

Erlinsbach besteht aus drei Gemeinden. Der Erzbach, dessen Name auf den Eisengehalt hindeutet, trennt die beiden solothurnischen Ober- und Niedererlinsbach (katholisch) vom aargauischen Erlinsbach (reformiert). Die drei Gemeinden bemühen sich seit einigen Jahren vermehrt um eine überkantonale Zusammenarbeit, vor allem auf dem Schulsektor. Im Gemeindebann von Aargauisch-Erlinsbach steht die Heilstätte Barmelweid, am Hang der Geissflue. Die Barmelweid war früher ausschliesslich ein Lungensanatorium; heute ist es eine Mehrzweckheilstätte (siehe dazu S. 141).

Hauptort Aarau – Primus inter pares

Überall in der Schweiz bestanden die meisten heutigen Ortschaften schon im frühen Mittelalter, fast immer als dörfliche Genossenschaften; so auch in der Region Aarau – mit Ausnahme der Stadt. Die Dörfer rund um Aarau sind schon längst vor der Gründung der Stadt urkundlich belegt. Der wichtigste Ort war dabei Suhr, Mittelpunkt einer grossen Markgenossenschaft, aus deren Gebiet Aarau herausgeschnitten wurde. Es ist aber durchaus die Regel, dass die Städte, auch wenn ihre Kerne natürlich wuchsen und uralt aussehen, jünger als die Dörfer sind.

Das mittelalterliche Aarau

Um 700   Fischerdorf in der Talaue (Name!). Frühchristliche Kirche mit Friedhof auf einer Aare-Insel (Telli).

Um 1000   Bau des Schlössli-Turmes zur Sicherung des Aareüberganges, vermutlich unter den Grafen von Lenzburg.

Um 1240   Gründung der Stadt durch Graf Hartmann IV. von Kyburg. Zweck: Stützpunkt zur Sicherung des kyburgischen Besitzes gegen Westen (Froburger!) und des Aareüberganges. In der Stadt: Turm Rore (Freihof).

1273   Aarau geht durch Vererbung an die Habsburger über. Erste Stadterweiterung: Halde, Hammer.

Um 1330   Zweite Stadterweiterung: Vorstadt im Süden.

Aaraus grosse Zeit

Aaraus grösste Zeit fällt auf das Ende des 18. und auf die erste Hälfte des 19. Jahrhunderts. Im Jahre 1798 war Aarau während weniger Monate sogar Hauptstadt der Schweiz, genaugenommen der Helvetischen Republik (siehe dazu den geschichtlichen Teil). Aus jenen Tagen besitzt die Stadt einige bemerkenswerte Empire-Bauten, und es gibt kaum eine Stadt in der Schweiz, die so stark von diesem Stil geprägt ist wie Aarau. Typisch für die Altstadt ist das Bürgerhaus, dessen Giebelseite ein vorkragendes Dach, einen sogenannten Dachhimmel,

Aarauer Bürgerhaus

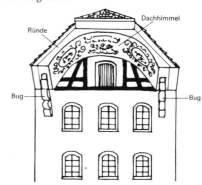

Aarau im Mittelalter

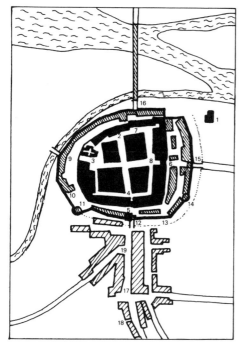

Lenzburgisch: 1 Schlössli
Kyburgisch: 2 Turm Rore, 3 Kirche, 4 Inneres Obertor, 5 Obertorturm, 6 Laurenzentor, 7 Inneres Aaretor, 8 Kaufhaus
Habsburgisch (Ende 13. Jh.): 9 Haldentor, 10 Kloster St. Ursula, 11 Storchenturm, 12 Äusseres Obertor, 13 Graben, 14 Grabenturm, 15 Äusseres Laurenzentor, 16 Äusseres Aaretor
(14. Jh.): 17 Vordere Vorstadt, 18 Obere Vorstadt, 19 Spital

aufweist; oft ist es eine Giebelründe nach Berner Art mit Bügen, bei der die Giebelunterseite mit Malereien geschmückt ist. Ein Werbeslogan spricht deshalb von der «Stadt der schönen Giebel», obwohl es eigentlich «Stadt der schönen Dachhimmel» heissen müsste. Unter dem Dachhimmel befindet sich in der Regel eine grosse Öffnung in der Aussenwand, eine Estrichtüre, durch die das Brennholz an Rollenzügen von der Strasse unter das Dach emporgezogen wurde.

Seit 1803 ist Aarau wenigstens die Hauptstadt des damals gegründeten Kantons Aargau. Diese Würde ist mit viel Bürde verbunden; nur schon die Bereitstellung von genügend Raum für die Verwaltung macht der Stadt, die in ihrem begrenzten Gebiet keine grossen Entwicklungsmöglichkeiten mehr hat, ausserordentlich Mühe. Seit 1977 ist ein Teil der kantonalen Verwaltung in einem Hochhaus in der neuen Telli-Überbauung einlogiert, welches vorher gleichsam Machtsymbol einer gross gewordenen Generalunternehmung dargestellt hatte und das der Staat dann in der Rezessionszeit günstig erwerben konnte. Aaraus Hauptstadtehre ist heute nicht mehr bestritten, doch ist es neben den andern Städten eher Primus inter pares (Erster unter gleichen), dem man nicht mit dem Respekt begegnet wie etwa den grossen Hauptstädten in andern Kantonen. Überdies wird der Begriff «Aarau» in den andern Regionen mit der Regierung und der Verwaltung und damit auch mit den unbestreitbar oft langsamen Mühlen des Staates gleichgesetzt. Gerne entlädt sich der Unmut der Aargauer bei Entscheidungen, die nicht gerne akzeptiert werden, bei diesem ominösen «Aarau»; dieses Schicksal teilt aber die Stadt mit der Bundeshauptstadt Bern oder mit andern Kantonshauptorten.

Kleines Zentrum einer grossen Region

Zu Beginn des 20. Jahrhunderts hatte jede Gemeinde der Region Aarau einen geschlossenen Siedlungsraum (Strassen- oder Haufendorf) und war von der Nachbargemeinde durch offene Feldflur oder Wald getrennt. Durch die Entwicklung der Industrie in Aarau und die damit zusammenhängenden Bevölke-

Region Aarau um 1900

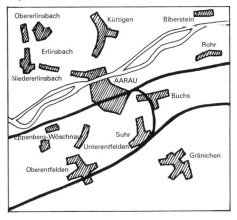

rungszunahme setzte eine Veränderung der Siedlungslandschaft ein. Die Stadt erhielt einen Kranz von Wohnquartieren, und in den umliegenden Gemeinden setzte eine ausgedehnte Überbauung ein, die bis zu den Grenzen des Ge-

Agglomeration Aarau 1976

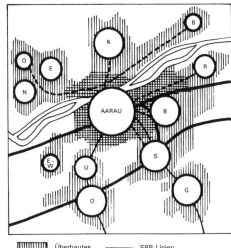

meindebanns führte. So verschmolzen die überbauten Gebiete zu einer geschlossenen Siedlungslandschaft, die sich heute über ein Dutzend Gemeinden erstreckt.

Die Zusammenballung von Gemeinden auf ein Zentrum hin wird als *Agglomeration* bezeichnet. In der Agglomeration Aarau wohnten 1970 rund 55 000 Personen. Als Zentrum verfügt Aarau über ein grosses Angebot an Arbeitsplätzen in Industrie und Verwaltung (etwa 15 000). Aus den Agglomerationsgemeinden, aber auch aus den entfernteren Ortschaften der Südtäler finden in Aarau ungefähr 7000 Zupendler ihren Verdienst.

Aarau hat als typisches Agglomerationszentrum besondere Probleme zu bewältigen. Die Einwohnerzahl der Stadt (Höchststand 1968: 17650) hat seit einer Reihe von Jahren stetig abgenommen, während sich die umliegenden Dörfer laufend vergrösserten; in den siebziger Jahren wuchsen die Dörfer allerdings weit weniger rasch oder wiesen sogar ebenfalls rückläufige Tendenzen auf. Rückläufige Bevölkerungszahlen haben rückläufige Steuereinnahmen zur Folge, was bei einer Stadt, die zahlreiche Zentrumsaufgaben zu erfüllen hat, besonders ins Gewicht fällt. Die Zeiten sind vorbei, da die Kantonshauptstadt als sogenanntes Steuerparadies (niedriger Steuerfuss) eine gewisse Attraktivität hatte, weil inzwischen verschiedene Gemeinden ihre Steuerfüsse ebenfalls stark herabgesetzt haben. Dem Bevölkerungsschwund und damit dem Rückgang der Steuereinnahmen versucht man in Aarau seit einigen Jahren durch die Erstellung eines neuen Wohnquartiers in der Telli und durch eine Verbesserung der Wohnlichkeit in der Altstadt zu begegnen.

Glockengiessen – ein seltener Industriezweig

Aarau beherbergt eine Vielzahl von mittelgrossen Industriebetrieben; bekannt sind etwa die Firmen Sprecher + Schuh (elektrische Schaltanlagen), Kern (Reisszeuge, optische Instrumente), Oehler (Elektromobile, Transportanlagen), Elcalor (elektrische Kochherde), Bally und Fretz (Schuhe). Die Stadt hat auch zunehmende Bedeutung als Schwerpunkt der graphischen Industrie erhalten (Sauerländer, Trüb, Huber & Anacker, Aargauer Tagblatt). Bis in die Mitte des letzten Jahrhunderts spielte die Textilindustrie eine grosse Rolle, und deren Zusammenbruch hat ebenfalls zur Rückentwicklung Aaraus vom schweizerischen Kristallisationspunkt zur braven Mittellandstadt beigetragen. Ein sehr alter, heute aber immer noch weit herum bekannter Aarauer Industriezweig ist die Glockengiesserei. Die älteste Glocke dieses Industriezweiges, die Barbaraglocke, hängt in der Kathedrale zu Freiburg im Üchtland und trägt die Jahreszahl 1367.

Früher wurden die Glocken meistens am Ort ihrer Verwendung hergestellt, heute dagegen in der Glockengiesserei. Der Herstellungsvorgang ist aber fast gleich geblieben: Zuerst wird die Glocke im Querschnitt gezeichnet und das benötigte Material berechnet. Anhand des Plans wird mit Backsteinen und Mörtel der Glockenkern errichtet. Darüber formt man mit Hilfe der Formeisen für das innere und äussere Glockenprofil aus Ton die «falsche Glocke». Auf diese setzt man mit Bienenwachs die Schriftzeichen und Reliefbilder. In einem weiteren Formprozess kommt über das Ganze ein zäher, aber gasdurchlässiger Mantel aus Lehm, der mit Hanfsträngen und Eisenbändern verstärkt wird. Nun wird im Innern des Glockenkerns ein Feuer entfacht; die Wachsbilder und -buchstaben schmelzen heraus, der Ton mit den Abdrücken wird gebrannt. Jetzt wird der Mantel abgehoben, darauf die falsche Glocke bis auf den Kern abgetragen. In der Damm- oder Gussgrube stülpt man den Mantel genau über den Kern; der Hohlraum dazwischen ist für die Aufnahme des Metalls bestimmt. Wenn auch noch die Form für die Glockenkrone aufgesetzt ist, wird die fertige Gussform mit andern Gussformen zusammen mit Erde verdämmt (Zwischenräume ausgefüllt mit festgetretener Erde). Nur die Gussöffnungen und die Luft- und Gasabzüge (Pfeifen) schauen aus dem Boden. Ein gemauertes Kanalsystem verbindet die Einfüllöffnungen mit dem Schmelzofen. Im Schmelzofen ist durch stundenlanges Erhitzen die «Glockenspeise» (Bronze: Legierung aus etwa vier Teilen Kupfer und einem Teil Zinn) bereitet worden. In feierlicher

Weise erfolgt der Glockenguss: Nach kurzen
Ansprachen und einer ernsten Besinnung wird
der Verschlusszapfen am Schmelzofen einge-
schlagen. Die feuerflüssige Bronze fliesst in die
Kanäle. Nacheinander heben die Gesellen die
Verschlusseisen von den Eingusslöchern. Die
Gussformen füllen sich mit Bronze; aus den Pfeifen entweichen Luft und Gase. Nach dem Glok-
kenguss bleiben die Glocken etwa zehn Tage
zum Abkühlen und Verfestigen in der Damm-
grube. Nun werden sie aus der Grube gehoben,
vom Mantel und Kern befreit, gereinigt und innen geschliffen, bis der gewünschte Ton rein
erklingt.

Das grösste Geläute im Aargau hängt
im Turm der katholischen Kirche St.
Peter und Paul in Aarau. Es wurde 1960
von der Glockengiesserei Rüetschi, Aarau, gegossen und hat ein Gesamtge-
wicht von 15460 kg. Es ist abgestimmt
auf die Töne Ges-B-des-es-as. Die grösste Glocke (Ges) wiegt 6950 kg, die
kleinste (as) 605 kg. Zum Vergleich: die

Arbeiter in der Gussgrube beim Aufsetzen des
Glockenmantels auf den Glockenkern (nach Bosch)

Schnitt durch eine Glocke in der Gussgrube

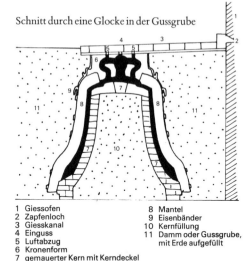

1 Giessofen
2 Zapfenloch
3 Giesskanal
4 Einguss
5 Luftabzug
6 Kronenform
7 gemauerter Kern mit Kerndeckel
8 Mantel
9 Eisenbänder
10 Kernfüllung
11 Damm oder Gussgrube, mit Erde aufgefüllt

grösste Glocke der Schweiz im Berner
Münster ist 10 150 kg schwer.

Maienzug – nicht im Mai

Zwei historische Feste Aaraus sind
weit über die Stadt hinaus bekannt: Der
Maienzug, das Aarauer Jugendfest vor
den Sommerferien, und der Bachfischet
im September. Maienzug hat nichts mit
dem Monat Mai oder mit dem Mundart-
Ausdruck «Maien» (= Blumen) zu tun.
Der jahrhundertealte Brauch geht vielmehr auf eine Gewohnheit der Schul-
meister zurück, welche früher mit ihren
Schülern einmal jährlich in die Wälder
zogen, um Ruten zu schneiden, welche
dann in der Schulstube Verwendung
fanden. Der Maienzug verdankt wohl
diesem «in ruoten gan», «in meyen gan»,
Name und Entstehung. Dem festlichen
Zug der Schuljugend und der Behörde-
mitglieder durch die Stadt und der Feier
im Telliring folgt ein in seiner Art ein-
zigartiges Bankett im Freien auf der
«Schanz», an welchem jeweils über 2000
Maienzügler teilnehmen.

Ein wilder, bacchantischer Umzug ist der Bachfischet, welcher an die lebenswichtige Bedeutung des Stadtbaches in früheren Jahrhunderten erinnert. Nach der Reinigung holt ihn die Schuljugend an der Stadtgrenze mit selbstgebastelten Papierlaternen und Kürbislichtern ab und begleitet ihn, obwohl er vorwiegend unter dem Pflaster durchfliesst, durch die verdunkelten Gassen. Dazu singen und schreien die Kinder:

De Bach chunnt, de Bach chunnt!
Sind mini Buebe-n-alli gsund?
Jo, jo, jo!
De Bach isch cho, de Bach isch cho!
Sind mini Buebe-n-alli do?
Jo, jo, jo!

Fürio, de Bach brönnt!*
D Sohrer händ en azündt,
d Aarauer händ en glösche,
d Chöttiger, d Chöttiger
rite-n-uf de Frösche!**

* Die Suhrer lassen auf dem Wasser brennende Lichtschifflein schwimmen.
** Die Küttiger verwendeten früher eine besondere Art Schlitten, Frösche genannt.

Der Name Bachfischet rührt daher, dass die Kinder vor Beginn der Bachputzete die Fische aus dem Bachbett holen dürfen.

Von Aarau bis Brugg

Das Gebiet zwischen Aarau und Brugg bietet viel von dem, was das Gesicht des Aargaus prägt: Wasser und Elektrizitätswerke, Auenwälder und Industrie in der Ebene, Burgen auf den Anhöhen und Reben an den Sonnenhängen. Die Aare bildet hier wohl im wesentlichen die natürliche Grenze zwischen Mittelland und Jura, doch prägten auch andere Faktoren Scheidelinien. Die Berner beispielsweise vermochten seinerzeit ihr Untertanengebiet bis über den ersten Jurakamm hinaus auszudehnen, was heute noch in der Religionszugehörigkeit der Bevölkerung seinen Ausdruck findet. *Hornussen* zählte 1970 119 reformierte und 494 katholische, die benachbarte Gemeinde *Bözen* hingegen 597 reformierte und 40 katholische Einwohner; *Herznach* wies im gleichen Zeitpunkt 119 reformierte und 572 katholische, *Densbüren* 349 reformierte und 46 katholische Einwohner auf. Die ehemals starre konfessionelle Grenze zwischen dem katholischen Fricktal und dem reformierten Berner Aargau ist also heute noch augenfällig. Die genannten Dörfer, und viele andere Juradörfer auch, hatten übrigens zwischen 1870 und 1970 einen auffallenden Bevölkerungsrückgang zu verzeichnen. Das dürfte damit zusammenhängen, dass früher ein reger Pferdewagenverkehr auf den Jurastrassen anzutreffen war, welcher der Bevölkerung Verdienst und Arbeit (Vorspanndienste) brachte.

Von Aarau und Brugg aus führen *vier Passstrassen* über den Jura, deren Endpunkt bei allen eigentlich Frick ist. Von Aarau aus sind es die Salhöchi (785 m), das Bänkerjoch (673 m) mit der neuen Benkenstrasse und die Staffelegg (621 m). Der wichtigste, wenn auch «niedrigste» Pass ist aber der Bözberg von Brugg aus, der Teil der wichtigen Achse Basel–Zürich ist. 1875 wurde der SBB-Bözbergtunnel eröffnet, wie heute am Eingang des Tunnels gelesen werden kann. Gegenüber andern Schweizer Tunnels ist seine Länge (2475 m) zwar immer noch bescheiden, doch beeindrucken auch heute noch die eleganten Schlangenlinien der Schienen oberhalb

von Schinznach-Dorf und Villnachern,
auch wenn die Bahnhöfe dieser Gemeinden etwas gar abgelegen sind.

Zwischen der Brücke in Aarau und
derjenigen in Brugg stehen drei Elektrizitätswerke, nämlich *Aarau-Rüchlig,
Rupperswil-Auenstein* und *Wildegg-
Brugg.* Alle grösseren Zuflüsse zur Aare
im Abschnitt Aarau–Brugg kommen
von rechts oder von Süden her: Die
Suhre mit der Wyna, die Aa und die
Bünz. Das Einzugsgebiet dieser Flüsse
ist ungleich grösser als dasjenige der
kleinen Zuflüsse auf der linken Talseite,
zum Beispiel des Thalbachs bei *Schinznach-Dorf.*

Das Küttiger Völklein

Bis vor wenigen Jahrzehnten war
Küttigen noch ein sehr eigenständiges
Dorf. Die Küttiger sind bis heute als ein
arbeitsames Völklein bekannt geblieben; sie hatten im letzten Jahrhundert
viele Rückschläge, vor allem Brandka-
tastrophen, auf sich zu nehmen. Innert
weniger Jahre verschwanden die Strohhäuser, und viele Einwohner luden sich
bei Neu- und Umbauten grosse
Bauschulden auf. Die Küttiger galten
aber nicht nur als arm, sondern auch als
geschäftstüchtig, und bis vor wenigen
Jahren waren die Küttiger Frauen mit
ihren «Märtschesen» auf dem Aarauer
Samstagmarkt ein fester Begriff. Auch
heute heisst es immer noch, die biblische
Eva sei bestimmt keine Küttigerin gewesen, denn sonst hätte sie ihren Apfel
zweifellos nach Aarau zu Markte getragen. Der immer noch geläufige Ausdruck «Küttigerreihe» erinnert daran,
dass früher die heiratsfähigen Töchter
des Dorfes Arm in Arm nebeneinander

singend und plaudernd auf der Hauptstrasse dorfauf und dorfab spaziert sind.

Viel und wenig Wasser

Bei *Rohr* treten Wasserläufe aus dem
Schotter der Talsohle. Es sind sogenann-
te Giessen. Sie deuten auf ein *reiches
Grundwasservorkommen* hin. Das grösste
Grundwasserpumpwerk der Stadt
Aarau steht denn auch im Rohrer Scha-
chen. Zwei Pumpen vermögen in der
Minute 24 000 Liter aus dem 26 m tiefen
Fassungsschacht zu fördern. Die bewil-
ligte Entnahmemenge (Konzession) für
Aarau beträgt aber nur 15 000 l/min. Die
Pumpen dürfen also nicht Tag und
Nacht in Betrieb sein. Der mittlere tägliche Verbrauch an Trink- und Brauch-
wasser pro Person beträgt in Aarau 550
Liter, in Rupperswil 500 Liter, in Hunzenschwil 240 Liter, in Möriken-Wildegg 900 Liter, in Holderbank 750 Liter,
in Rohr 170 Liter, in Biberstein 180 Liter
und in Auenstein 170 Liter. Die grossen
Unterschiede ergeben sich dadurch, dass
auch das Wasser, das in der Industrie und
in der Landwirtschaft benötigt wird, in
die Berechnung einbezogen ist. So ver-
braucht vor allem die Zementindustrie
viel Wasser. Die *Bözberggemeinden Gallenkirch, Linn, Ober-* und *Unterbözberg*
haben kein eigenes Trinkwasser; sie beziehen es aus dem Grundwasserpumpwerk *Villnachern.* Diese Gemeinden liegen auf der Tafel des Bözberges. Wasser
kann sich hier nicht anreichern, sondern
fliesst durch die Kalkschichten und tritt
erst am Fusse des Tafelberges zutage.

Schinznach-Bad: Geruch nach faulen Eiern

Die Dorfbezeichnung Schinznach-
Bad deutet auf das Heilbad hin. Es han-

delt sich um eine schwefelhaltige Thermalquelle von 34 °C, deren täglicher Erguss 1 008 000 Liter ist.

Seit 1976 bemüht man sich, das etwas veraltete Bad wieder attraktiver zu gestalten; 1978 wurde ein Thermalfreibad eingeweiht. Die Schinznacher Schwefelquellen sind sehr stark und haben den Nachteil, dass das Wasser penetrant nach faulen Eiern riecht. Mit einer Filtrier- und Aufbereitungsanlage wird ihm nun aber im Thermalfreibad der Geruch genommen.

Erinnerung an den Biber

Das Schloss *Biberstein* war offenbar einmal als Eckpfeiler der Habsburger gegenüber der Kyburgerstadt Aarau gegründet worden, doch wurde das dazu gehörende Städtchen innerhalb von wenigen Jahrzehnten zu einer Bauerngemeinde; solche Stadtdörfchen findet man heute etwa auch noch im Waadtland. Das Schloss war unter den Bernern immerhin Sitz einer Landvogtei; auch einige Büros der helvetischen Regierung waren einmal darin eingerichtet, und später lebte der Volksschriftsteller Heinrich Zschokke einige Jahre hier. Der Name Biberstein erinnert an ein Tier, das bei uns ausgestorben, aber vor einigen Jahren mit unterschiedlichem Erfolg wieder angesiedelt worden ist. Zwischen Biberstein und Küttigen liegt der *Kirchberg* mit seiner schlichten gotischen Kirche. Im alten Pfarrhaus logierte früher der Pfarrer und Dichter Paul Haller, heute wohnt der Schriftsteller Hermann Burger darin. Vom Kirchberg aus geniesst man einen prachtvollen Ausblick ins Mittelland; mindestens so berühmt ist aber auch der *Aussichtspunkt Vierlinden* an der Bözbergstrasse.

Schwerpunkt der Zementindustrie

Zwischen der Gislifue und dem Chestenberg bildet die Aare eine Klus. Hier liegt ein Schwerpunkt der schweizerischen Zementindustrie. Die Jura-Cement-Fabriken Aarau mit ihrer Fabrik in Wildegg, die Cementfabrik Holderbank AG und die Portland-Cement-Werk Würenlingen-Siggenthal AG produzieren rund einen Drittel der in der ganzen Schweiz benötigten Zementmenge. Dem Holderbank-Konzern gehören noch sechs weitere Zementwerke in der Schweiz an. Der Absatzrückgang nahm in der Rezession grosse Ausmasse an und zwang die Firmen zu technischen Umstellungen. So hat die Cementfabrik Holderbank ihre Fabrikation im Stammhaus eingestellt und ein neues Werk mit rationellen und energiesparenden Anlagen in Rekingen-Mellikon errichtet. Still- und Umlegungen fanden auch bei der «Jura» und in Siggenthal statt.

Wie Zement in Wildegg hergestellt wird (Nassverfahren)

Das Rohmaterial für die Zementgewinnung besteht aus Kalkstein und tonigem Mergel. Es wird am Ostfuss der Gislifue in Steinbrüchen abgebaut. Bulldozer graben sich in die weichen Mergelschichten ein; für das harte Kalkgestein sind Sprengungen nötig, nach welchen jeweils 8000 bis 10 000 Tonnen abgesprengtes Felsmaterial am Fuss der Felswand liegen. Löffelbagger heben die Felsbrocken auf Kipplastwagen, die sie zur Brechanlage fahren. Dort werden das Kalkgestein und der Mergel auf Gartenkiesgrösse zerkleinert. Ein Transportband nimmt das Rohmaterial auf und transportiert es über die Aare zur Rohmaterialhalle. Diese Transportanlage ist 560 Meter lang und vermag 500 Tonnen pro Stunde zu befördern. Bis zur Lagerung in der Rohmaterialhalle bleiben Kalkgestein und Mergel voneinander getrennt. Nach der Prüfung der chemischen Zusammensetzung werden

Zementherstellung in Wildegg (Nassverfahren)

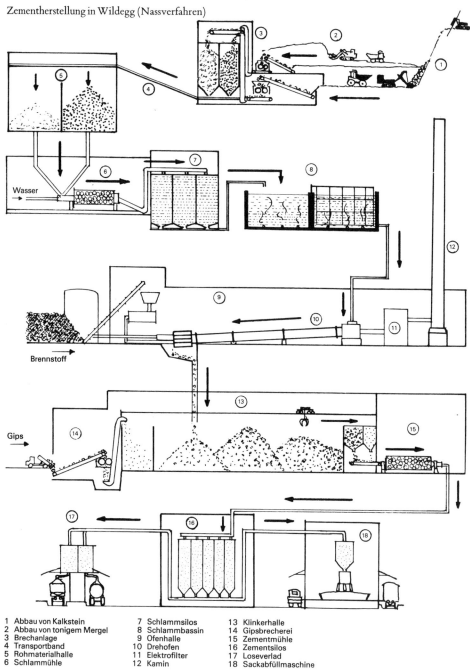

1 Abbau von Kalkstein	7 Schlammsilos	13 Klinkerhalle
2 Abbau von tonigem Mergel	8 Schlammbassin	14 Gipsbrecherei
3 Brechanlage	9 Ofenhalle	15 Zementmühle
4 Transportband	10 Drehofen	16 Zementsilos
5 Rohmaterialhalle	11 Elektrofilter	17 Loseverlad
6 Schlammühle	12 Kamin	18 Sackabfüllmaschine

die beiden Rohstoffe der Schlammühle zugeführt, im richtigen Verhältnis gemischt und mit Wasser vermengt.

Die Schlammühle ist ein grosser, waagrecht liegender Stahlzylinder, der sich fortwährend dreht und in dem viele Eisenkugeln die Steine zu Mehl zermalmen. Das zugegebene Wasser bewirkt, dass ein Schlamm entsteht. Pumpen befördern diesen Rohschlamm in die Schlammsilos. Dort wird er mittels Pressluft umgerührt (homogenisiert) und chemisch geprüft. Nun fliesst er ins offene Schlammbassin, das sieben Meter tief ist und 5000 m³ fasst. Ein Rührwerk und durch Düsen einströmende Druckluft halten den Schlamm in ständiger Bewegung.

Vom Schlammbassin gelangt der Rohschlamm in die riesige Ofenhalle, wo die Drehöfen stehen. Es sind gewaltige, mit feuerfesten Steinen ausgekleidete Eisenröhren von 90 Meter Länge und 3 Meter Durchmesser. Sie liegen auf Stützbauten auf und sind leicht schräg abwärts geneigt. Von oben fliesst der Schlamm in den Drehofen, vom untern Ende her jagt ihm ein Feuerstrom entgegen (85000 Liter Schweröl oder 100 Tonnen Kohlenstaub pro Ofen und Tag). In einer ersten Zone wird dem Schlamm das Wasser durch Verdampfung entzogen; in der folgenden Zone wird bei einer Temperatur von 1000 °C das Kohlendioxid frei (Kalzinierung), und in der letzten Zone verschmelzen Kalk und Ton bei 1450 °C zu einem neuen Stoff, der Klinker genannt wird. Die weissglühenden Klinkerbrocken werden am Ofenende auf 200 °C abgekühlt und fallen dann in Sammelgefässe im untern Stockwerk. Durch den Brennprozess, der im ganzen etwa zwei Stunden dauert, entstehen Rauch und Gase. Ein Elektrofilter reinigt sie vom mitgeführten Staub, und durch den 125 Meter hohen Schlot gelangen sie ins Freie.

Förderbänder führen die Klinkerbrocken der Klinkerhalle zu. Ganze Berge von Klinker warten auf die weitere Verarbeitung. In einem Anbau wird Naturgips, der im Küttiger Steinbruch gewonnen wurde, zerkleinert und gelagert. Ein Laufkran mit einer zweischaufeligen Greifervorrichtung transportiert den Klinker und den Gips zu zwei Silos. Von dort aus werden sie im richtigen Mischungsverhältnis (etwa 3 Prozent Gips auf 97 Prozent Klinker, höherer Gipsgehalt vermindert die Abbindezeit des Zementes) in die Zementmühle geleitet. Dort werden die Klinker- und Gipsbrocken zu feinem Zementmehl vermahlen.

Neben dem Nassverfahren kommt in Wildegg noch ein anderes, nämlich das Trockenverfahren nach Lepol (Erfinder: Lesseps und Polysius) zur Anwendung. Es gibt noch weitere Trockenverfahren; so arbeiten die Zementwerke Würenlingen-Siggenthal und Rekingen-Mellikon nach einem andern Verfahren (Zyklonensystem).

Schenkenbergertal – ein prächtiges Seitental

Ein Seitental zum Aaretal ist das Schenkenbergertal. Vor allem von der Höhe oberhalb der Staffelegg, wo nicht nur die jungen Aarauer nach Weihnachten regelmässig ihre Ski und Schlitten ausprobieren, bietet sich in allen Jahreszeiten ein prächtiger Ausblick in das breite Tal hinunter. Es hat seinen Namen vom Schloss Schenkenberg, das 1720 von den Bernern als Landvogteisitz aufgegeben wurde und hierauf bald zerfiel. Heute ist es eine grosse Ruine. Weiter unten erhebt sich das Schloss Chastelen, dessen Neubau aus dem 17. Jahrhundert stammt und das heute als Erziehungsanstalt dient. Früher bildeten die Sonnenhänge des Tales eine einzige grosse Rebfläche; aber auch die heutigen Weinbau-Parzellen beeindrucken immer noch. Oberflachs und Schinznach-Dorf sind die wichtigsten Rebbauerndörfer der Tales, und der Schinznacher ist einer der bekanntesten und süffigsten Weissweine aus dem Aargau.

Ausgangs des Schenkenbergertals, in Veltheim, wurde im Januar 1978 im vorläufig stillgelegten Steinbruch «Unteregg» (von den Zementfabriken vorerst auf 15 Jahre verpachtet) Europas grösstes Zentrum für Verkehrssicherheit eröffnet. Auf einer rund 2,5 km messenden Übungspiste, die von einer privaten Stiftung für über sechs Millionen Franken erstellt wurde und nun betrieben wird, können Autofahrer in jeweils eintägigen Kursen in Theorie und Praxis fahrtechnisch weitergebildet werden. Man erhofft sich von dieser neuartigen Anlage eine spürbare Verbesserung der fahrerischen Qualitäten der Autofahrer und damit auch eine Verringerung der Unfallzahlen.

Habsburg – ein Name mit Klang

Die Habsburg ist das Aargauer Schloss mit dem international berühmtesten Namen, und doch spielte es in der Geschichte kaum eine Rolle. Das Geschlecht der Habsburger hat sich 1108 nach der Burg benannt, doch glaubt man, dass Kaiser Rudolf sie selten aufsuchte. Die Habichtsburg, wie die Habsburg auch genannt wurde, muss früher allerdings weit imposanter gewesen sein; eine grosse Doppelburg nahm das gesamte Gipfelplateau des Wülpelsberges ein. Die heutige Habsburg wirkt eher schlicht in Form und Ausstattung. Die Burg machte im Mittelalter mehrere Besitzerwechsel mit, die auch nicht eben zur Verschönerung der Schlossanlage beitrugen. Lange Zeit gehörte sie auch den Bernern, die sie wieder weiterverkauften und beispielsweise im 15. Jahrhundert die Klosterfrauen von Königsfelden ermahnen mussten, sie besser zu pflegen. Im Jahre 1804 wurde die Habsburg schliesslich dem Kanton Aargau zugeschlagen.

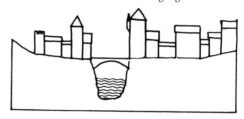

Aareschlucht im Kalkgestein.
Brücke und mittelalterliche Befestigung

Brugg – der Name sagt einiges

«An der engsten Stelle des Aarelaufes, dort, wo die Aare nur 15 Meter breit, dafür aber auch 15 Meter tief ist, befindet sich eine Brücke, welche dem angegliederten Städtchen auch den Namen gegeben hat.» So einfach der Sachverhalt ist, so bedeutsam war er für die Entwicklung der Gemeinde. Brugg ist eine typische Brückenstadt, in welcher im Mittelalter der Durchgangsverkehr leicht erfasst und Zoll erhoben werden konnte.

Ebenso markant wie die Flussverengung ist der «Schwarze Turm», auch Römerturm genannt, an der Brücke, der zwar wahrscheinlich nicht aus der Römerzeit stammt, für den man aber damals das Baumaterial unbedenklich aus den römischen und nachrömischen Siedlungen holte.

Nicht nur die Flusslage, sondern ganz allgemein die Verkehrslage der Stadt prädestinieren Brugg zu einem wichtigen Knotenpunkt. Nicht von ungefähr wird Brugg immer wieder als eigentlicher Mittelpunkt des Kantons empfunden, und man wundert sich, dass der Stadt heute keine grössere Bedeutung zukommt; der wichtige Knotenpunkt ist als Flaschenhals der N 3 nicht gerade beliebt. Dank dem Projekt «Mittlere Umfahrung» wird die Altstadt Brugg aber doch noch vor dem Bau der N 3 vom Durchgangsverkehr entlastet.

In der Geschichte hatte der Raum Brugg jedoch verschiedentlich eine wichtige strategische Bedeutung, was etwa in der folgenden Zusammenstellung zum Ausdruck kommt (siehe Geschichtskapitel).

Brugg zur Römerzeit und im Mittelalter:

1./2. Jahrhundert: Militärlager Vindonissa.
3./4. Jahrhundert: Römisches Kastell Altenburg.
5./6. Jahrhundert: Sicherung der Brücke durch den Bau des Schwarzen Turmes.
Um 1000: Bau des Habsburgerschlosses Altenburg auf den Ruinen des römischen Kastells.
1232: Erstmals als Stadt erwähnt: Habsburgische Stadtgründung. In der Hofstatt – und kaum auf der Habsburg – wohnten bisweilen die Habsburger. Hier lag auch das Hauptquartier der österreichischen Herzöge in den Kriegen gegen die Eidgenossen. Auf der Hofstatt soll Herzog Leopold seine Leute versammelt haben, bevor er dann nachher die Schlacht und sein Leben bei Sempach verlor.
1415: Eroberung durch die Berner. Ausbau als militärischer Stützpunkt. Salzhaus im habsburgischen Stadtschloss auf der Hofstatt. An der Aare Flusshafen.
1444: Mordnacht zu Brugg.

Die Region Brugg dürfte also in früheren Jahrhunderten eine grössere Rolle gespielt haben als etwa zur Zeit der Kantonsgründung, als die Stadt etwas mehr als ein halbes Tausend Einwohner zählte. Die Stadt reichte damals knapp 200 Meter weit, vom Roten Haus bis zum Schwarzen Turm. Erst mit der Eingemeindung von Altenburg 1901 bekam Brugg ein wenig Luft; 1970 wurde Lauffohr eingemeindet. Ende des letzten Jahrhunderts nahm die Stadt dank der Ansiedlung verschiedener Industrie-

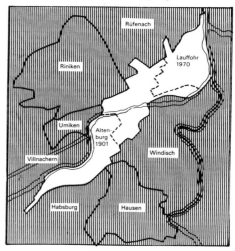

Wie Brugg durch Eingemeindungen grösser wurde

betriebe doch einen gewissen Aufschwung. Die günstige Verkehrslage bewirkte:

- Ansiedlung von Industrien in Brugg und Umgebung. Fabriken, die Betonröhren, Kabel, Stahlbauten, Metallgussteile, chemische Stoffe, Maschinen usw. herstellen (total etwa 5500 Beschäftigte). Die bedeutendste Firma sind die Kabelwerke Brugg AG; ebenfalls bekannt ist Zschokke Wartmann AG, welche Firma unter anderem Brücken baut; womit wir wieder bei der Brückenstadt Brugg wären.
- Waffenplatz für Genietruppen (Brückenbau, Erstellen von Seilbahnen).
- Kantonale Frauenschulen (Kindergärtnerinnen, Arbeitslehrerinnen, Hauswirtschaftslehrerinnen).
- Höhere Technische Lehranstalt (HTL) in Windisch zur Ausbildung von Fachleuten für Hoch- und Tiefbau, Maschinenbau, Elektrotechnik.
- Lehramtsschule des Kantons Aargau (LSA) in Windisch zur Fortbildung der Lehrer.
- Schweizerisches Bauernsekretariat; Brugg gilt als «Hauptstadt der Schweizer Bauern».
- Marktzentrum (Markthalle).
- Wohnort vieler Bahnangestellter.

Das Prophetenstädtchen

Unter der Herrschaft Berns wurde in
Brugg eine Lateinschule gegründet, die
vor allem das Studium der Theologie ermöglichte; ja man hat den Eindruck,
dass die gebildeten Brugger während
langer Zeit nur Pfarrer (Propheten, daher der Ausdruck Prophetenstädtchen)
oder Ärzte werden konnten. Zwei der
verdienstvollsten Aargauer, die helvetischen Minister Philipp Stapfer und Albrecht Rengger, stammten aus Brugger
Pfarrersfamilien und studierten selbst
Theologie, Rengger dazu auch Medizin. Johann Georg Zimmermann (1728
bis 1795) war zu seiner Zeit ein berühm-
ter Arzt, für den die Grenzen seiner Va-
terstadt zu eng wurden und welcher
Fürstlichkeiten in ganz Europa behan-
delte. So war er Leibarzt des Königs
Georg III. von England.

Das Jugendfest der Brugger heisst Rutenzug; der Name deutet an, dass hier
Ruten eine Rolle spielen. Das Fest ist jedenfalls weit «grüner» als dasjenige der
anderen Städte des Berner Aargaus und
hat seinen Ursprung – ähnlich wie der
Aarauer Maienzug – im früheren «Ru-
ten-Abhauen für Schulzwecke». Nach
einer anderen Version geht das Fest auf
die Mordnacht zu Brugg zurück: Den
Kindern, die sich beim nachfolgenden
Wiederaufbau der Stadt kräftig ins
Zeug legten, sollen die Behörden für
immer ein jährlich wiederkehrendes
Fest versprochen haben.

Königsfelden – Vom Kloster zur Klinik

Ein in der Geschichte bedeutungsvol-
les Ereignis, nämlich die Ermordung
König Albrechts im Jahre 1308, führte
zur Gründung des Klosters Königsfelden, das neben Wettingen und Muri der

dritte grosse Klosterbau im Aargau ist
und als wichtigstes Kunstdenkmal des
Kantons gilt. Mit dem Namen «Königsfelden» sind verschiedene Ereignisse
und Assoziationen verbunden, wie fol-
gender Überblick erhellt:

17 bis 101: Römisches Legionslager für die
Legionen XIII (Gemina), XXI (Rapax), XI
(Claudia Pia Fidelis).
1308: Ort der Ermordung König Albrechts
von Österreich.
1310 bis 1330: Bau des Klosters (Doppelklo-
ster: Südlich der Kirche Franziskanermönche,

Chorfenster: Leben des hl. Franziskus

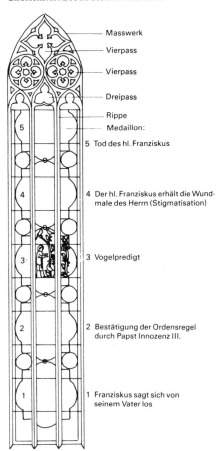

Masswerk

Vierpass

Vierpass

Dreipass

Rippe

Medaillon:

5 Tod des hl. Franziskus

4 Der hl. Franziskus erhält die Wund-
male des Herrn (Stigmatisation)

3 Vogelpredigt

2 Bestätigung der Ordensregel
durch Papst Innozenz III.

1 Franziskus sagt sich von
seinem Vater los

Chor der Klosterkirche mit Strebepfeilern
und 11 Chorfenstern

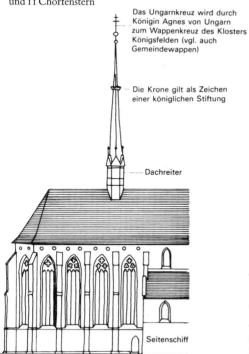

Das Ungarnkreuz wird durch
Königin Agnes von Ungarn
zum Wappenkreuz des Klosters
Königsfelden (vgl. auch
Gemeindewappen)

Die Krone gilt als Zeichen
einer königlichen Stiftung

Dachreiter

Seitenschiff

nördlich der Kirche Klarissennonnen); der Orden der heiligen Klara war der weibliche Zweig
des Franziskanerordens. Als Gedenk-, Sühne-
und Gruftstätte durch Königin Elisabeth (†
1313) gestiftet.

1318 bis 1364: Leitung des Klosters durch Königin Agnes von Ungarn, die Tochter Elisabeths
und Albrechts. Sie veranlasste die österreichischen Herzoge und Herzoginnen zur Stiftung
der Glasgemälde; die Glasmalereien in der sonst
schmucklosen Klosterkirche sind berühmt. Reicher Grundbesitz im Aargau (103 Besitzungen)
und im Elsass.

1415: Übergang von Österreich an Bern.

1528: Aufhebung des Klosters. Einrichtung
der Verwaltung (Hofmeisterei) des bernischen
Oberamtes. Asyl für Geisteskranke aus dem
Bernbiet.

1803: Der Aargau richtet eine Heil- und Pflegeanstalt ein (Kantonsspital für Geistes- und
Körperkranke).

1872: Eröffnung der Heil- und Pflegeanstalt
für Geisteskranke.

Heute psychiatrische Klinik mit etwa 800
Patienten und 350 Mitarbeitern (1974: 23 Ärzte,
155 Pfleger und Schwestern), mit einer
Schwesternschule (1974: 66 Schülerinnen) und
einer Beobachtungsstation für Kinder in Rüfenach.

1974 waren 2150 hospitalisierte Pa-
tienten mit einer durchschnittlichen
Aufenthaltsdauer von 128 Tagen und
1121 Patienten in der psychiatrischen
Ambulanz in Behandlung. Häufigste
Diagnosen: organische Hirnstörungen,
Schizophrenie, affektive Psychosen,
Neurosen, Persönlichkeitsstörungen,
Alkoholismus, Drogenabhängigkeit,
Schwachsinn.

Das untere Aaretal

Unterhalb von Brugg vereinigen sich
die Aare, die Reuss und die Limmat.
Man nennt dieses Gebiet auch das Wassertor oder den Wassertrichter der
Schweiz. Diese eindrückliche Flusslandschaft verengt sich nach dem Zusammenfluss, zwischen Bruggerberg
und Iberig; anschliessend weitet sie sich

Der Wassertrichter der Schweiz

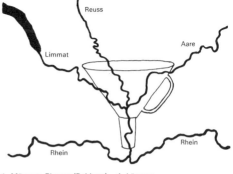

1 Müseren-Plateau (Baldegg)   4 Lägeren
2 Schlossberg   5 Geissberg
3 Martinsberg

beträchtlich aus. Erst kurz vor der Einmündung der Aare in den Rhein, zwischen den Muschelkalkfelsen von Koblenz und Felsenau, wird das Tal noch
einmal enger. Das Gebiet dazwischen,
das untere Aaretal, hat sich in wenigen
Jahrzehnten stark verändert, wie ein
Vergleich der 1843 erschienenen Mi-
chaelis-Karte mit einer heutigen Karte
drastisch zeigt. Haupsächliche Veränderungen:

- Bahnlinie Stein-Koblenz erst 1892 gebaut.
- Kanalbau mit Stauwehr an der Aare für Lauf-
  kraftwerk Beznau (1902).
- Stauwehr und Stausee EW Klingnau (1935),
  Flusskorrektion.
- Fähren durch Brücken ersetzt bei Stilli, Döt-
  tingen und Koblenz. Begehbare Stauwehre
  bei Böttstein und Klingnau. Neue Brücken
  bei Turgi, Brugg-Lauffohr, Villigen, Ko-
  blenz. Eisenbahnbrücke bei Koblenz.
- Neuer Fährbetrieb zwischen EW Beznau und
  Eien für Werkangehörige EW Beznau.
- Eingegangen sind die politischen Gemeinden
  Rein (1898 zu Rüfenach) und Lauffohr (1970
  zu Brugg).
- Turgi hat sich 1883 von Gebenstorf gelöst und
  ist selbständige Gemeinde geworden; Vogelsang blieb bei Gebenstorf.
- Starke Überbauung vor allem im Raum
  Klingnau-Döttingen und bei Würenlingen
  (Station Siggenthal-Würenlingen).
- Atomkraftwerk Beznau, Eidgenössisches In-
  stitut für Reaktorforschung (EIR) Würenlin-
  gen, Schweizerisches Institut für Nuklearforschung (SIN) in Villigen (siehe dazu im folgenden).

Einige Gemeinden in Stichwörtern

Riniken: Vorortsgemeinde von Brugg. Dritt-
stärkste Bevölkerungszunahme unter den aargauischen Gemeinden 1960 bis 1970.

Rüfenach: Rebbau. Grösste Blumengärtnerei
Europas. Beobachtungsstation für geistig oder
sozial geschädigte Kinder.

Remigen: Rebbau. Passstrasse über die Bürer-
steig ins Fricktal.

Michaeliskarte 1843, nachgeführt 1876

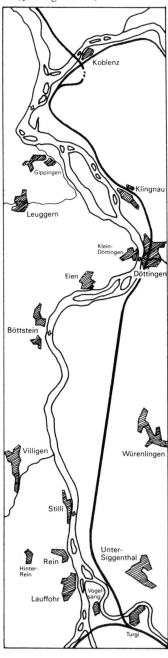

Villigen: Rebbau. Steinbruch der Zementfabrik Würenlingen am Geissberg. Schweizerisches Institut für Nuklearforschung SIN.

Stilli: Ehemaliges Fischer- und Schifferdorf. Flächenmässig zweitkleinste Gemeinde des Aargaus. Gemeindebann als merkwürdig schmaler Streifen entlang der Aare.

Würenlingen: Grosses Bauerndorf, Rebbauschule. Zementfabrik. Eidgenössisches Institut für Reaktorforschung EIR.

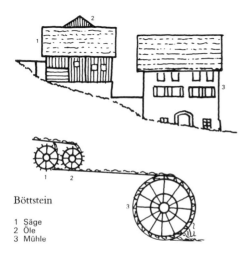

Böttstein

1 Säge
2 Öle
3 Mühle

Böttstein: Schloss mit schöner Kapelle. Öle, Säge und Mühle am gleichen Wasserkanal. Wohl grösstes Mühlrad Europas mit 10 Metern Durchmesser. Ausstellungshalle zum Thema «Gewinnung von Atomkraft». In Kleindöttingen Fabriken zur Holzverarbeitung.

Leuggern: Zentrum des sogenannten Kirchspiels, einer Grosspfarrei, die neben Etzwil, Fehrental, Felsenau, Gippingen, Hagenfirst, Eidgenossenhüser, Hettenschwil und Schlatt früher noch die Dörfer Böttstein, Leibstadt, Full und Reuenthal umfasste. Spital in ehemaliger Johanniterkommende.

Döttingen: Rebbau (bekannt der Döttinger und vor allem der Sennelöchler). Stahl- und Möbelindustrie. 1799 Gefecht zwischen Österreichern und Franzosen um den Aareübergang.

Hügelstadt Klingnau

1239 ist die einzige urkundlich belegte Jahreszahl einer Stadtgründung im Aargau. Damals wurde Klingnau von dem aus der Ostschweiz stammenden Freiherrn Ulrich von Klingen (Hohenklingen) gegründet. Im Schloss zu Klingnau wohnten zeitweilig sein Sohn Walter und dessen Freund Bertold Steinmar. Beide Ritter waren Minnesänger, deren Lieder die Manessische Liederhandschrift überliefert hat. Klingnau ist eine mittelalterliche Stadtanlage am rechten Aareufer, die als Flusshafen und Umschlagplatz für den Warenverkehr, vor allem zur grossen Zeit der Zurzachermessen, Bedeutung hatte. Zwei lange Häuserreihen umziehen die Hügelkrone; sinnigerweise werden zwei Strassen entlang dieser Häuserreihe «Sonnengasse» und «Schattengasse» genannt. Am nordwestlichen Ende befindet sich das freiherrliche Schloss, mitten in der Stadt die Kirche; in der Unterstadt steht die stattliche Propstei, welche erst im 18. Jahrhundert entstanden ist, und nahe bei den Rebbergen das Klösterchen mit dem merkwürdigen Namen Sion.

Klingnau – die mittelalterliche Hügelstadt

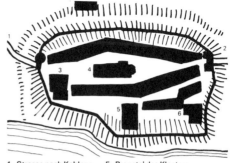

1 Strasse nach Koblenz
2 Strasse nach Baden
3 Schloss der Herren
  von Klingen
4 Kirche
5 Propstei des Klosters
  St. Blasien
6 Johanniterkommende
7 Klösterchen Sion

Bei Klingnau liegt die Grabstätte von 3000 österreichischen Soldaten, die 1814 nach der Völkerschlacht bei Leipzig beim Durchzug durch die Schweiz von einer Typhusepidemie dahingerafft wurden.

Zentrum der Holzverarbeitung

Durch einen Zufall ist die Gegend Klingnau-Döttingen zu einem Zentrum der holzverarbeitenden Industrie für die ganze Schweiz geworden. Vor gut 100 Jahren lernte ein Friedensrichter Schleuniger während seines Dienstes den Artillerieobersten Gautschi aus Reinach kennen, der ihn ermunterte, ihm für die Wynentaler Tabakindustrie Zigarrenkistchen zu liefern, die bis dahin aus dem Schwarzwald bezogen worden waren. Am Werdegang der grössten holzverarbeitenden Fabrik der Schweiz (Keller & Co.) lässt sich die Entwicklung weiterverfolgen:

Anno 1900 Zigarrenkistchen, 1922 Aufnahme der Sperrholzfabrikation (kreuzweise übereinandergeleimte Holzschichten, vorwiegend afrikanische Hölzer), 1939 Kellpax-Panzerplatten (dünne Aluminiumplatten auf Holz verleimt, für Türen und Fassaden), 1944 Herstellung von Spanplatten (Holzspäne mit Kunstharz als Bindemittel, zu Platten gepresst), 1955 Fabrikation von Kunststoffplatten «Kellco» (aus Zellulosefolien, mit Melamin und Phenolharz durchtränkt, wichtigstes Produkt der Fabrik).

Im unteren Aaretal werden heute in insgesamt 16 Betrieben 1300 Leute beschäftigt, welche Möbel, vor allem Tische und Stühle, Sperr-, Spanholz- sowie Kunststoffplatten herstellen.

Stausee als Vogelparadies

1935 wurde der fast 3 Kilometer lange und etwa 500 Meter breite Stausee für das Kraftwerk Klingnau fertiggestellt, der im Winter Aufenthaltsort zahlreicher nordischer Zugvögel ist, ja geradezu zum Vogelparadies geworden ist. Das Kraftwerk war zunächst auf dem linken Aareufer gegenüber von Klingnau vorgesehen, und eine Betonbrücke zum projektierten Maschinenhaus war bereits erstellt, als man den Plan wieder änderte; sie wurde nicht mehr abgerissen und hat den Namen «halbe Brücke» erhalten. In den letzten Jahren ist die Verlandung des Klingnauer Stausees so stark fortgeschritten, dass die Rast- und Überwinterungsfunktion des Gewässers zusehends in Frage gestellt wird. Der Kanton hat verschiedene Massnahmen eingeleitet, so vor allem Dammaufschüttungen, um das Reservat retten zu können.

Atomforschung und Nutzung der Atomkraft

Im untern Aaretal befinden sich auf engem Raum konzentriert Stätten der Atom- oder Kernforschung und der Anwendung der Kernenergie zu friedlichen Zwecken:

In den 1974 fertig erstellten Gebäuden des *Schweizerischen Instituts für Nuklearforschung* (SIN) betreiben etwa 200 Wissenschafter aus dem In- und Ausland sogenannte Grundlagenforschung. Ohne jedes Zweckdenken sollen durch theoretische Überlegungen und Experimente die Kräfte festgestellt werden, die den Atomkernen innewohnen und unter bestimmten Voraussetzungen wirksam werden. Das Institut ist das einzige seiner Art in Europa; in der ganzen Welt gibt es nur deren drei.

1955 wurde von der Privatindustrie, von Banken und Versicherungsgesellschaften das *Eidgenössische Institut für Reaktorforschung* (EIR) gegründet (ursprünglich Reaktor AG); es ging 1960 an den Bund über und ist heute eine Zweigniederlassung der ETH. Das Arbeitsprogramm der gegen 600 Beschäftigten, davon 200 Wissenschafter, umfasst Gebiete der Forschung (z. B. Entwicklung eines unweltfreundlichen Atomreaktors mit hohem Wirkungsgrad, Nutzung der Abwärme, Nutzung der Sonnenenergie), Dienstleistungen (z. B. Materialprüfung zugunsten der Nuklearindustrie, Expertisen, Produktion von radioaktiven Isotopen für Spitäler), und die Ausbildung (Schulung und Lehrtätigkeit).

1969 nahm Beznau I den Betrieb auf, 1971 Beznau II. Beide *Kernkraftwerke der Nordostschweizerischen Kraftwerke AG* (NOK) sind gleich gebaut und stehen nebeneinander auf der Insel, die zwischen der Aare und dem Oberwasserka-

Unteres Aaretal: Zentrum der Atomforschung und Nutzung der Atomkraft

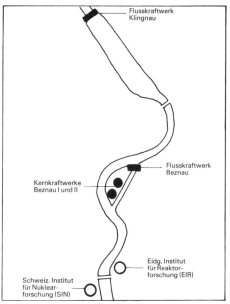

nal des Wasserkraftwerks Beznau liegt. Die Lage ist günstig: Durch das Aarewasser ist die Kühlwasserversorgung gesichert, und man ist nahe dem Verteilungsknotenpunkt Beznau der NOK. Jedes dieser Kernkraftwerke liefert 18mal soviel elektrische Energie wie das Wasserkraftwerk Beznau.

Energiegewinnung im Kernkraftwerk

Am Beispiel des Kernkraftwerks Beznau soll im folgenden die Energiegewinnung dargestellt werden. Dabei ist zwischen den beiden Hauptgebäuden, dem Sicherheits- oder Reaktorgebäude einerseits und der Maschinenhalle anderseits, zu unterscheiden:

Sicherheits- oder Reaktorgebäude

Zylinderförmiger Bau mit flacher Kuppel, 61 Meter hoch (davon 11 Meter in der Erde), äusserer Durchmesser 37,8 Meter. Innenraum nach aussen abgeschirmt durch zwei Sicherheitsschalen; eine 3 cm dicke Stahlschale, Zwischenraum, äussere Schale von 1 cm Stahl und 70 bis 140 cm Beton.

Im Innern Reaktor, Primär-Wasserkreislauf mit Pumpe, Druckhalter, Dampferzeuger, Rundlaufkran, Brennstoffwechselbecken, Lager für bestrahlte Brennelemente usw.

Der Reaktor ist 10,7 m hoch, der Durchmesser ist 3,66 m. Im Reaktorkern befinden sich 121 Brennelemente, jedes besteht aus 179 Brennstäben. In den Brennstäben wird Uran (pro Brennstab 200 Pillen) gespalten, d. h. durch Einwirkung von Neutronen spaltet sich das Uranatom in zwei Teile, wodurch weitere Neutronen frei werden und ihrerseits andere Uranatome spalten (Kettenreaktion). Ein Atom verhält sich grössenmässig zu einem Apfel wie ein Apfel zur Erdkugel.

Die Atom- oder Kernspaltung erzeugt Wärme (1 g Uran gleichviel Wärme wie 2600 kg Kohle). Das Gewicht der ganzen Uranbrennstoffladung beträgt 39,5 t. Der Reaktorkern wird von Wasser umspült, das im Mittel auf 300 °C erhitzt und unter hohem Druck Dampf-

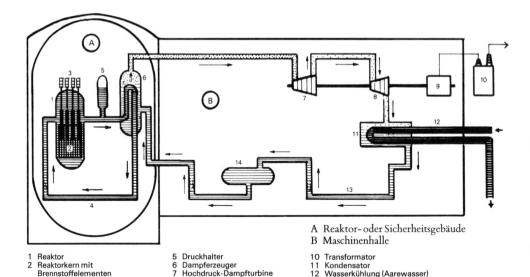

A Reaktor- oder Sicherheitsgebäude
B Maschinenhalle

1	Reaktor	5	Druckhalter
2	Reaktorkern mit	6	Dampferzeuger
	Brennstoffelementen	7	Hochdruck-Dampfturbine
3	Kontrollstäbe	8	Niederdruck-Dampfturbine
4	Reaktorkreislauf (Wasser 300 °C)	9	Generator

10	Transformator
11	Kondensator
12	Wasserkühlung (Aarewasser)
13	Speisewasserkreislauf
14	Speisewasserbehälter (250 m³)

erzeugern zugeführt wird. Darin wird sogenanntes Speisewasser aus einem zweiten Wasser-
kreislauf zum Verdampfen gebracht und hernach der Maschinenhalle zugeleitet.

Maschinenhalle

Der Wasserdampf aus dem Sicherheitsgebäude treibt zwei Dampfturbinengruppen. In den
angeschlossenen Generatoren wird elektrischer
Strom erzeugt. So hat sich also die Strahlungs-
energie im Kernreaktor vorerst in Wärmeenergie und schliesslich in elektrische Energie umgewandelt. Im Transformator wird der elektrische
Strom auf Hochspannung gebracht und darauf
über eine Schaltanlage ans Überleitungsnetz
angeschlossen.

Der Dampf, der die Turbinen getrieben hat,
strömt in den Kondensator. Dort wird er durch
Aarewasser aus dem Oberwasserkanal des Wasserkraftwerks abgekühlt und in flüssigem Zustand wieder dem Speisewasserkreislauf zugeführt.

Das ganze Kernkraftwerk wird von der
Kommandozentrale aus gesteuert und überwacht. Die Belegschaft beträgt 80 bis 100 Mann.

Jedes Jahr muss ein Drittel des Brennstoffs erneuert werden. Der verbrauchte, stark radioak-
tive Brennstoff wird vorerst sechs Monate lang

unter Wasser gelagert, dann in Beton eingegos-
sen und in Stahlblechfässer zu 200 Litern Inhalt
eingefüllt. Nach zweijähriger Lagerung wird
ein Teil des Brennstoffs im Ausland wieder aufbereitet, damit er wieder verwendet werden
kann. Der unbrauchbare Rest wird in Betonbe-
hälter gebracht und vorläufig noch im Meer
versenkt. Die Einlagerung in Felskavernen in
unserem Land ist geplant.

Das stille Surbtal

Das Tal der Surb besteht aus zwei Teilen, dem zürcherischen Wehntal mit
breiter Talsohle und dem aargauischen
Surbtal, dessen Talsohle eher eng ist. Für
die Zürcher scheint das Tal an der Kantonsgrenze aufzuhören; so ist das Wehntal durch eine SBB-Linie von Zürich
her erschlossen, während dem Surbtal
eine Bahnlinie fehlt. Zwar hatten die
Bundesbehörden 1915 den Bau der
Surbtallinie beschlossen, aber der Erste
Weltkrieg und die nachfolgende Wirt-
schaftskrise verhinderten die Ausfüh-
rung. Das Surbtal erhielt aber eine gut

Hallwilersee: Nur 8,61 der 10,3 Quadratkilometer Seefläche gehören zum Aargau, der obere Seeteil (im Bild unten) ist bereits Luzerner Kantonsgebiet. Der bis zu 47 Meter tiefe See zählt zu den wichtigsten Aargauer Naherholungszentren.

Klingnau: Von keiner andern Aargauer Stadt ist das Alter so genau bekannt wie von Klingnau. Zwar fehlt eine eigentliche Gründungsurkunde, doch ein mit 26. Dezember 1239 datierter Tauschvertrag zwischen dem Kloster St. Blasien und Ulrich von Klingnauen gilt als Stadt-Beginn. Zwei um die Kirche gebogene Hauszeilen bilden den einfachen Stadtkern.

Schloss Hilfikon (oben): In der mit Franz-Rebsamen-Fresken ausgemalten Schlosskapelle liess Ritter von Roll das Jerusalemer Heilige Grab imitieren. Kloster Hermetschwil (unten): Trotz dem im Jahre 1841 verfügten Klosterverbot ist das Kloster seit Jahrhunderten von Benediktinerinnen bewohnt; sie missachteten die 1876 vom Kanton verfügte Ausweisung.

Zofingen – waldreichste Aargauer Gemeinde: Trotz bereits früh beginnender Industrialisierung blieb Zofingens alter Stadtkern weitgehend intakt; von den 963 Hektaren Gemeindebann sind 460 Hektaren Wald. Aus dem Zofinger Wald wurden einst schlanke Tannen als Schiffsmasten exportiert.

Geschichtsträchtiger und zukunftsbezogener Kanton: Die 1443 erstmals genannte Burg Schenkenberg (oben links) ist die bedeutendste Burgruine, das Wasserschloss der Herren von Hallwil (unten
rechts) – neben Lenzburg – die dekorativste Burganlage im Aargau. Autobahn und Atomkraftwerk
Beznau I und II dokumentieren das technische Zeitalter.

Rheinfelden: In der Peripherie gibt sich Rheinfelden städtebaulich aufgeschlossen, im Stadtzentrum bewahrt man sorgfältig das Alte. Obwohl bereits vor etwa 700 Jahren gegründet, ist – neben Laufenburg – Rheinfelden die jüngste Aargauer Stadt: der einst österreichische Ort wurde mit dem Fricktal erst 1803 der Schweiz angegliedert.

Bäder- und Industriestadt Baden: Schon die römischen Legionäre der Garnisonsstadt Vindonissa
benutzten die heilkräftigen Thermen von Baden fleissig. Später war die Limmatstadt regelmässig
Tagungsort der eidgenössischen Orte, und heute ist Baden eine der bedeutendsten Industriestädte
unseres Landes.

Oberes Wynental: Industrie- und Wohngebiete sind im oberen Wynental eng gemischt, die Gemeinden fast zu einer Einheit zusammengewachsen. Mit 788 Metern ist der auf diesem Bild nur wie ein kleiner Buckel neben dem Hallwilersee aufragende Reinacher Homberg zwar bloss der elft-höchste, aber einer der aussichtsreichsten Berge im Aargau.

ausgebaute Strasse und Postautokurse, die das Tal mit Baden, Döttingen und Kaiserstuhl verbinden. Das Fehlen einer Bahnlinie hatte für das Surbtal zur Folge, dass sich hier keine Industrien niederliessen, im Gegensatz zur zürcherischen Nachbarschaft mit der Firma Bucher-Guyer AG (Landwirtschaftsmaschinen). Dafür ist das Surbtal eine Erholungslandschaft geblieben, deren Schlichtheit geschätzt wird.

Die Alpenrosen von Schneisingen

Im Boowald oberhalb Schneisingens (der Wald trägt den gleichen Namen wie derjenige zwischen Murgenthal und Vordemwald) stösst der Wanderer im Juni zu seiner grossen Überraschung an einer Stelle auf blühende Alpenrosenbüsche. Sie sind durch einen hohen Zaun vor den Zugriffen der Menschen geschützt. Es ist kaum zu erklären, warum hier im Surbtal Alpenrosen gedeihen. Sind sie von Menschen angesiedelt worden? Gehen sie auf die Zeiten zurück, da die Gletscher bis in unsere Gegend reichten? Eine hübsche Sage erzählt, dass vor vielen hundert Jahren, als in unsern Bergen eine grosse Hungersnot herrschte, viele Familien auswanderten und auch in diese Gegend kamen. Die armen Leute fanden aber nirgends Hilfe in ihrer grossen Not, und alle Familienglieder starben an Hunger und Erschöpfung, bis schliesslich nur noch ein Mädchen und ein Knabe übrigblieben. Diese kamen mit ihren wenigen Habseligkeiten und der treu behüteten Heimaterde, wie sie Auswanderer früher allgemein mitgenommen hatten, eines Abends in den Schneisinger Wald, wo sie schliesslich entkräftet einschliefen und nie mehr erwachten. An dieser Stelle sollen später die Alpenrosenstauden gewachsen sein; ein paar Samen wären also zufällig unter die Heimaterde geraten und hätten hier Wurzeln geschlagen.

Sagenumwobene Ruine Tegerfelden

Auf einem Nagelfluhfelsen am Rande des Ruckfeldes erhebt sich die Ruine Tegerfelden, der klägliche Rest einer stark befestigten Ritterburg. Hier wohnten die Freien von Tegerfelden, die von 1113 bis 1254 nachzuweisen sind. Die Burg war aber schon 1269 eine Ruine, fiel also nicht – wie immer wieder erzählt wird – der Blutrache für den Königsfelder Königsmord zum Opfer. Dagegen gehörte Dienstmann Konrad von Tegerfelden, dessen Burg im Dorf Tegerfelden stand, zu den Königsmördern.

Wohl bei kaum einer andern Ruine blühten Sagen in so grosser Zahl auf. Immer steht die verwunschene Schloss- oder Schlüsseljungfrau im Mittelpunkt. Sie hat im Grab die Ruhe nicht gefunden, weil sie ihre Freier in den Tod jagte und sich selber das Leben nahm, als der einzige Ritter, dem die Mutprobe gelang, von ihrer Mutter vergiftet wurde. Zur Strafe muss sie die Opfer ihres Übermutes hüten, in einem unterirdischen Saal die Freier, in einem andern Saal die Kinder, die sie hätte haben können, wenn sie sich nicht das Leben genommen hätte.

Die Juden in Endingen und Lengnau

Nach der Zerstörung des Reiches Israel und der Stadt Jerusalem samt dem Tempel durch die Römer (Titus, 70 n. Chr.) wurden die Juden in alle Welt zerstreut. In den christlichen Ländern waren sie im Mittelalter nur ungern ge-

Synagoge Endingen

Synagoge Lengnau (nach Villiger)

duldet. Man schob ihnen die Schuld an Pestepidemien zu, was zu schweren Verfolgungen führte. Wegen der Geldgeschäfte brauchte man sie aber doch, denn den Christen war es verboten, Geld gegen Zins auszuleihen. Als aber dieses Verbot aufgehoben wurde, fing man an, die Juden zu vertreiben.

Im 17. Jahrhundert erhielten einige jüdische Familien die Erlaubnis, sich im Surbtal niederzulassen. 1660 gab es in Lengnau 20 jüdische Haushaltungen, etwas später wohnten auch in Endingen Juden. Sie hatten nicht die gleichen Rechte wie die einheimische Bevölkerung. Sie durften nicht Ortsbürger werden, und bis 1809 war es ihnen untersagt, eigenen Grund und Boden, Haus und Garten zu besitzen. So fanden sie Verdienst in der Krämerei, im Vieh- und Hausierhandel, als Liegenschaftsvermittler und Geldverleiher. Für diese Geschäfte war das Surbtal nicht ungünstig gelegen; der Weg nach der Bäderstadt Baden und nach dem Marktflecken Zurzach war nicht allzu weit, so dass sie zum Übernachten nach Vorschrift wieder in ihrem Wohnort sein konnten.

Im 18. Jahrhundert wurden Lengnau und Endingen eigentliche Judendörfer;

es war den Juden untersagt, anderswo zu wohnen (Getto!). Die Wohnung einer jüdischen Familie war gekennzeichnet durch eine Nische am rechten Türpfosten des Eingangs, in der eine kleine Pergamentrolle stand, von deren Schrift das Wort «Schaddei» (Allmächtiger) sichtbar war.

Die Gemeinschaften der Juden errichteten 1745 in Lengnau und 1764 in Endingen die ersten Synagogen in der Schweiz, die sich heute leider in einem bedenklichen Zustand befinden und renoviert werden sollten. In diesen Gebäuden, die als Kennzeichen am Giebel die Gesetzestafeln vom Sinai tragen, kamen sie unter der Leitung des Rabbiners zum Gottesdienst zusammen.

Die Juden nannten sich beim Vornamen (z. B. David, Mose) und nach dem Vornamen des Vaters (z. B. Josef, Sohn des Jakob). Seit dem 19. Jahrhundert wurden sie in den meisten Ländern Europas gezwungen, einen bürgerlichen Geschlechtsnamen anzunehmen. So nannten sich die meisten Surbtal-Juden nach ihrem Herkunftsgebiet; die Guggenheim und Bernheim stammen aus dem Elsass, Dreyfuss (Trifues) aus Trier, Oppenheim, Wihl, Wyler aus Rheinland-Pfalz, Braunschweig aus dem nördlichen Deutschland und Bollag (Polak) aus Polen.

Seit 1866 sind die Juden in der Schweiz den andern Schweizer Bürgern gleichgestellt: Sie erhielten das Recht, sich überall in der Eidgenossenschaft niederzulassen. Nun setzte eine grosse Abwanderung der Juden aus dem Surbtal ein, was die nachfolgende Statistik illustriert; sie nahmen hauptsächlich in den grösseren Städten der Schweiz Wohnsitz.

Einwohner:	Lengnau:		Endingen:	
	1850	1975	1850	1975
Juden	525	51*	999	10
Christen	1236	1609	951	1338

* Die Zahl dürfte noch kleiner sein, wenn sich in Lengnau nicht ein jüdisches Altersheim befände.

An die Juden im Surbtal erinnert neben den beiden Synagogen in Lengnau und Endingen der jüdische Friedhof zwischen diesen Dörfern. Unter hohen Bäumen stehen die Grabsteine, manchmal schief und mit Moos überwachsen. Sie tragen Inschriften in hebräischer Sprache. Unter ihnen gibt es einige, die vom ersten Begräbnisplatz (auf einer Rheininsel bei Koblenz, genannt Judenäule, benützt von 1650 bis 1750) hieher versetzt worden sind. Besuchen Angehörige die Gräber ihrer verstorbenen Familienglieder, so legen sie als Zeichen der Verbundenheit ein Steinchen auf den Grabstein.

Gläubige Juden halten sich an altüberliefertes Brauchtum. Die religiösen Feiertage werden vor allem im Familienkreis gepflegt. So wird zum Beispiel

Jüdischer Friedhof zwischen Endingen und Lengnau

die Befreiung aus der ägyptischen Knechtschaft (Pessach = Vorübergang des Würgeengels) auf besondere Weise gefeiert. Auch die Sabbatgebote werden streng beachtet: Am Samstag keine Arbeiten verrichten, keine Reisen unternehmen, das Telefon nicht benützen, nicht schreiben, kein Geld berühren, sich nicht fotografieren lassen, kein Feuer entfachen (nicht kochen) usw. Im Alltag halten sich viele Juden an die Speisegesetze: Sie essen koscher (= sauber, rein), d. h. sie enthalten sich vor allem des Genusses von Schweinefleisch und vermeiden Mischgerichte aus Fleisch und Milch. In der Absonderung haben die Juden eine eigene Sprache entwickelt, das sogenannte Westjiddische. Diese Umgangssprache lehnt sich an ein älteres Deutsch an und ist durchsetzt von romanischen und aramäischen Wörtern. Die hebräische Schrift verwendet besondere Zeichen und wird von rechts nach links gelesen. Die Juden haben ihre eigene Zeitrechnung. Sie zählen die Jahre nicht nach der üblichen, auf Christus bezogenen Zeitrechnung. Der Beginn der Geschichte des Volkes Israel ist für sie massgebend; so entspricht das Jahr 1978 dem jüdischen Jahr 5738/39 (Neujahr im Herbst).

2. Von der Wigger zur Bünz

Die Gewässer der Südtäler

Die südlichen Seitentäler der Aare werden durch die Wigger, die Suhre, den Aabach und die Bünz entwässert. Diese Flüsse sind im Vergleich zu ihren breiten Tälern klein und unbedeutend. Sie waren an der Talbildung nicht beteiligt; vielmehr waren es die Arme des Reussgletschers, die in den Eiszeiten die Täler geformt hatten. Die breiten Talsohlen mit den Stirn- und Seitenmoränen der letzten Eiszeit weisen auf die landschaftsformende Kraft der Gletscher hin.

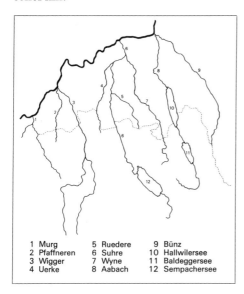

1 Murg	5 Ruedere	9 Bünz
2 Pfaffneren	6 Suhre	10 Hallwilersee
3 Wigger	7 Wyne	11 Baldeggersee
4 Uerke	8 Aabach	12 Sempachersee

Die südlichen Hauptzuflüsse der Aare kommen alle aus dem Kanton Luzern; einzig die Bünz hat ihre Quelle im Aargau. Verschiedene Zuflüsse weisen stellenweise einen korrigierten Flusslauf auf, so die Wigger, die Suhre südlich von Staffelbach, der Aabach oberhalb Seons und die Bünz von Muri bis Oth-

marsingen. Sie alle haben nämlich wenig Gefälle in der Talsohle, weshalb früher bei Schneeschmelze, Gewittern und Regenperioden Überschwemmungen die Regel waren.

Was Grenzen bewirken

Die Südtäler werden mit Ausnahme des Bünztales von der Kantonsgrenze Aargau/Luzern durchschnitten. Sie geht auf die Grenzziehung von 1415 (Eroberung des Aargaus) zurück. Sie wurde in der ersten Hälfte des 16. Jahrhunderts zur konfessionellen und damit auch zur kulturellen Grenze, ähnlich der Grenze zwischen dem Freiamt und dem Berner Aargau. Statistische Vergleiche zwischen den luzernischen Angrenzerbezirken Hochdorf, Sursee und Willisau und den aargauischen Bezirken der Südtäler (Lenzburg, Kulm, Zofingen)

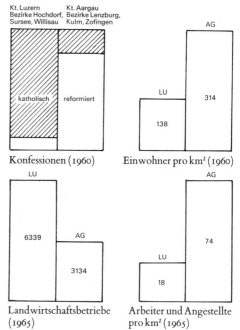

Kt. Luzern
Bezirke Hochdorf,
Sursee, Willisau

Kt. Aargau
Bezirke Lenzburg,
Kulm, Zofingen

katholisch   reformiert

Konfessionen (1960)

AG

LU 314

138

Einwohner pro km² (1960)

LU

6339   AG

3134

Landwirtschaftsbetriebe
(1965)

AG

74

LU 18

Arbeiter und Angestellte
pro km² (1965)

verdeutlichen, dass sich die Täler hüben und drüben der Kantonsgrenze auch wirtschaftlich und bevölkerungsmässig unterschiedlich entwickelt haben.

Das luzernische Angrenzergebiet ist also weit weniger dicht besiedelt als die aargauischen Südtäler; die drei Luzerner Bezirke sind stark katholisch, diejenigen des Kantons Aargau vorwiegend reformiert. Das Luzernische weist doppelt soviel Landwirtschaftsbetriebe auf, wobei die Bauernhöfe im Durchschnitt jedoch erheblich grösser sind als im Aargau. Dafür ist der südliche Aargau weit mehr industrialisiert.

Die Thutstadt Zofingen

Der Aargau weist verhältnismässig viele Städte auf, die zum Teil erst noch nahe beieinander liegen. Kaum fünf Kilometer von Aarburg und acht Kilometer von Olten SO entfernt liegt Zofingen. Wahrscheinlich war Zofingen schon eines der 400 von Cäsar erwähnten helvetischen Dörfer; hier wurden

Römischer Mosaikboden in Zofingen: Spitz an Spitz stehende Rauten mit Kreisen in den Zwischenräumen

Städte im Herrschaftsgebiet der Froburger:

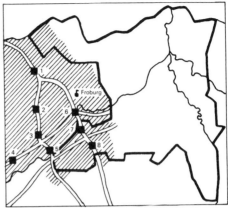

1 Liestal, 2 Waldenburg, 3 Frankenstein, 4 Wiedlisbach, 5 Fridau, 6 Olten, 7 Aarburg, 8 Zofingen

Überreste eines grossen römischen Landhauses ausgegraben, Heizanlagen, ein Marmorbad und gut erhaltene Mosaikböden freigelegt.

Diese Funde aus der Römerzeit und die karolingische Krypta unter der Stadtkirche bezeugen, dass Zofingen schon vor der Stadtgründung besiedelt war. Aus einem alemannischen Dorf entstand unter den Grafen von Froburg zu Beginn des 13. Jahrhunderts die Stadt. Die Froburger waren die Herren über ein grosses Gebiet im Jura und Aaretal. Sie beherrschten die beiden Hauensteinpässe im Jura, über welche die kürzeste Verbindung von Basel nach Luzern und dem Gotthard führte, sowie die Kreuzungsstellen des West-Ost-Verkehrs (Strassen und Schiffahrt) und der Nord-Süd-Verbindungen. In Zofingen gründeten die Froburger zudem ein Chorherrenstift, dem schon um 1250 eine Lateinschule angeschlossen war. Die Stadt erhielt neben dem Markt- auch das Münzrecht; schon 1235 wird ein Münzmeister erwähnt.

Die Froburger verarmten im Laufe des 13. Jahrhunderts, und so kam Zofingen durch Kauf vermutlich 1299 an die Grafen von Habsburg. Die Habsburger bestimmten 1344 die Zofinger Münze zur allein gültigen Münze in ihren Besitzungen vom Zürich- bis zum Thunersee, von Luzern bis ins Elsass. Zweimal führten österreichische Herzöge in Zofingen Grossturniere durch, Rudolf IV. auf dem heutigen Thutplatz (1361) und Leopold III. im benachbarten «Adelboden», das aber schon im Kanton Luzern liegt (1381). Dieser Herzog führte 1386 sein Heer von Zofingen aus zur Schlacht bei Sempach, in der er und der Zofinger Bannerträger Niklaus Thut neben vielen österreichischen Rittern und Fusssoldaten fielen. Die Zofinger Helden hatten es mit den Fahnen: Während Niklaus Thut sterbend das seidene Tuch von der Stange gerissen und in den Mund geschoben hatte, damit es nicht in Feindeshände gelange, soll 1798 Mauritz Suttermeister bei Neuenegg, wo die Zofinger noch einmal auf der Seite Berns kämpften, die Zofinger Fahne um den Leib gewickelt haben, um sie vor dem Zugriff der Franzosen zu retten.

Zofingen wollte lieber zu Bern

Mit der Eroberung des Aargaus 1415 kam Zofingen unter bernische Herrschaft. Die Zofinger Münze verlor ihre Bedeutung, da die Berner eigene Münzen hatten. Bern führte 1528 die Reformation ein und hob das Chorherrenstift auf. Offenbar behagte den Zofingern aber die bernische Herrschaft, denn nach dem Untergang der Alten Eidgenossenschaft wünschten sie die Eingliederung in den Kanton Bern. Ihrem Begehren wurde nicht entsprochen, und

Zofingen kam 1798 zum Kanton Aargau; 1803 wurde auch das westlich der Stadt gelegene Gebiet (bis zur Murg) dem neuen Kanton Aargau zugeteilt. Zofingen wird auch heute noch etwa als die politische Wetterecke des Kantons bezeichnet, in welcher man nicht immer gut auf «Aarau» zu sprechen ist. Die Zofinger sind deswegen aber keine schlechteren Aargauer als andere.

Schon seit langem umfahren

Die Altstadt Zofingen weist noch heute eine bemerkenswerte Geschlossenheit auf. Die Ringmauern und Tore wurden zwar leider Anfang des 19. Jahrhunderts niedergerissen, aber mit der Ausfüllung des Stadtgrabens wurde Fläche für grosszügige Grünanlagen und öffentliche Bauten geschaffen. Vor allem kann die Altstadt heute bequem umfahren werden. Die Grabengärten an der Stadtmauer sind jedenfalls eine Besonderheit Zofingens. Dieser Graben vor der Ringmauer ist wahrscheinlich einmal von der Wigger her mit Wasser aufgefüllt worden, und Schiffe sollen ihn sogar befahren haben. Über diesen ehemaligen Graben hinweg führt aus der Stadt zum Bahnhof die wohl kürzeste Bahnhofstrasse der Welt.

Mittelpunkt des Wiggertales

Im 18. Jahrhundert und vor allem mit dem Ausbau des Bahnnetzes (Olten – Zofingen – Luzern 1856, Winterthur – Baden – Lenzburg – Zofingen 1877) setzte die industrielle Entwicklung ein, die Zofingen zum wirtschaftlichen Mittelpunkt des Wiggertales werden liess. Das Zentrumsbewusstsein führte zum Bau einer Mittelschule in Zofingen und hat auch in jüngster Zeit dazu beigetra-

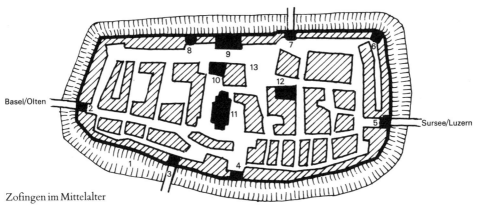

Zofingen im Mittelalter

1 Ringmauer mit Graben (zum Teil mit Wasser gefüllt), 2 Unter-
tor, 3 Höllmühlitörli, 4 Folterturm, 5 Obertor, 6 Pulverturm,

7 Schützentörli, 8 Münzturm, 9 Stiftsgebäude, 10 Lateinschule, 11 Stadtkirche, 12 Rathaus, 13 Spitzenbergplatz

gen, dass Zofingen das wichtige Bildungszentrum erhalten und auch auf dem Spitalsektor den Anschluss nicht verpasst hat.

Die Stadt war allerdings vor gut 100 Jahren durch den Konkurs der Nationalbahn (Winterthur–Wettingen–Zofingen) in arge Verschuldung geraten, und dies just in jener Zeit, in der auch verschiedene Industriezweige in die Krise hineingerissen worden waren. 1870 gab es in Zofingen 31 Fabriken mit mehr als 2000 Arbeitskräften. 1884 waren es nur noch 10 Betriebe. Zofingen musste damals seine ausgedehnten Wälder verpfänden; die Schulden konnten bis 1943 aus dem Ertrag des Ortsbürgerwaldes (1453 ha) abgetragen werden, und heute gilt die Stadt wegen ihres niedrigen Steuerfusses als Steuerparadies. Gegenwärtig finden in den etwa 40 Fabrikbetrieben mehr als 6000 Arbeitskräfte ihren Verdienst. Die wichtigsten Industrieunternehmen sind die Druckerei Ringier & Co. AG, der grösste graphische Betrieb der Schweiz mit 2300 Mitarbeitern, und die che-

misch-pharmazeutische Fabrik Siegfried; Bedeutung hat Zofingen im weiteren auf dem Gebiete der Färberei und Farbwarenfabrik, der Holzbearbeitung und Holzkonservierung, der Weberei und Bekleidungsindustrie, im Maschinen- und Apparatebau. In Zofingen befindet sich eine der letzten fünf Pelzzurichtereien der Schweiz, ein traditionsreiches, typisches Kleingewerbe.

Am nordwestlichen Eingang der Altstadt, Richtung Olten/Basel, stehen zwei Löwen. Sie sind ein Geschenk der Studentenvereinigung Zofingia, welche 1819 in Zofingen gegründet worden ist; die Zofinger – hier also die Mitglieder der Verbindung gemeint – feiern hier alljährlich ihr Zentralfest. Zofingen ist damit wenigstens Bundesstadt dieser Studentenvereinigung geworden; die Thutstadt hatte aber auch schon einmal Bern die Ehre der politischen Bundesstadt streitig machen wollen. Ebenfalls auf eine lange Tradition kann das Zofinger Kinderfest zurückblicken, das wohl eines der idealsten Festgelände in der Schweiz besitzt: Der «Heiternplatz» oberhalb der Altstadt ist in seiner Art ein einmaliges Gelände. Die Festwiese, ein grosses, von alten Lindenbäumen umstandenes Rechteck, das zum Teil künstlich aufgefüllt und verebnet worden war, diente ursprünglich als militärischer Musterungsplatz, entwickelte sich aber schon bald zur Fest- und Erbauungsstätte. Das Lindengeviert wurde vor wenigen Jahrzehnten erweitert und mit neuen Linden bepflanzt, weil doch viele der mehrhundertjährigen Bäume alt und morsch geworden waren. Am Zofinger Jugendfest spielen die roten Granatblüten und die weissen Nelken eine Rolle, die ja auch die Stadtfarben wiedergeben.

Das Strassenkreuz Oftringen

Oftringen war früher und ist heute noch ein Knotenpunkt im Strassenverkehr. Die wichtigsten bisherigen Hauptstrassen der Schweiz im West-Ost-Verkehr und im Nord-Süd-Verkehr kreuzen sich im Gemeindebann Oftringen. Es ist nicht verwunderlich, dass für dieses Quartier der Flurname «Kreuzstrasse» gewählt wurde! Neuerdings kommt Oftringen beim Ausbau des Nationalstrassennetzes wieder zu besonderer Bedeutung: Hier zweigt die Autobahn N2 Luzern–Gotthard von der N1 (Genfersee–Bern–Zürich–Bodensee) ab.

Die wichtige Verkehrslage, auch in bezug auf die Bahnen, und reiches Grundwasservorkommen haben viel Industrie nach Oftringen gezogen. Die wichtigeren Industriezweige stellen Klebstoffe und Kreide, Elastikbänder und Textilmaschinen her. Die Firma Plüss-Staufer liegt im Aargau umsatzmässig an dritter Stelle. In neuester Zeit

Verkehrsanlagen im Raum Oftringen/Rothrist

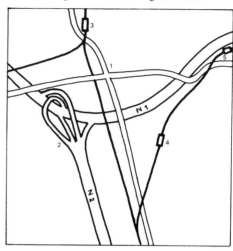

1 Kreuzstrasse Zürich–Bern	3 Bahnhof Aarburg-Oftringen
und Luzern–Basel	4 Station Küngoldingen
2 Abzweigung Autobahn	5 Haltestelle Walterswil
N2 von N1	

ist in Oftringen die Kehrichtverbrennungsanlage der Region Wiggertal in Betrieb genommen worden. Mit fast 9000 Einwohnern ist Oftringen die bevölkerungsreichste Gemeinde des Wiggertals, die damit den nahen Städten den Rang abläuft.

Das Arbeitszentrum für Behinderte in Strengelbach

Die erste und wichtigste berufliche Eingliederungsstätte für schulentlassene Behinderte ist das Arbeitszentrum für Behinderte in Strengelbach (AZB). Hier wurde 1962 die Schulungsarbeit mit einer ersten Gruppe körperlich und geistig Behinderter in einer ehemaligen Fabrikanlage aufgenommen.

Die Grundidee des Arbeitszentrums liegt darin, dass der Behinderte einen Platz in unserer Industriegesellschaft nicht durch unser Mitleid erhalten soll, sondern durch eine ihm angepasste

Arbeit und Leistung. In den Ausbildungswerkstätten werden die Behinderten vorerst auf eine Arbeit eingeschult, die von ihrer Begabung und Neigung her bestimmt wird. Verschiedene Ausbildungskurse werden angeboten, z. B. für Mechaniker, Hilfsmechaniker, Maschinen- und Bauzeichner, für Montagearbeiten (Staubsaugermotoren, Haartrockner usw.), für Einpakken von Wäsche, Heften von Kartonschachteln. Die Kursdauer schwankt zwischen sechs Monaten und drei Jahren. Es ist möglich, dass der Ausbildungskurs mit der normalen Lehrabschlussprüfung abgeschlossen werden kann. Ende 1977 standen 48 Behinderte in der Ausbildung.

Auf die Ausbildungszeit folgt die Eingliederung entweder an einem geschützten Arbeitsplatz in einem Industriebetrieb oder in der Dauerwerkstätte des Arbeitszentrums Strengelbach; seit 1972 gibt es auch in Lenzburg eine solche Werkstätte. Hier wie dort arbeitet der Behinderte als Arbeitnehmer und Lohnempfänger. Die Dauerwerkstätte existiert von Werkaufträgen verschiedener industrieller Unternehmen. Ende 1977 waren in ihr 169 erwachsene Behinderte beiderlei Geschlechts beschäftigt.

1966 wurden an die bestehenden Fabrikbauten das Wirtschaftsgebäude und das Wohnheim angebaut. Im Wohnheim finden Schwerbehinderte, die in der Regel an den Rollstuhl gebunden sind, in Einer- oder Zweierzimmern Unterkunft. Mannigfache Einrichtungen und Räume (z. B. Turnhalle, Schwimmbassin) erlauben den ungefähr 60 Vollpensionären, ihre Freizeit nach freiem Willen zu gestalten und ihr Hobby zu pflegen.

Zwillinge im Wiggertal

Auf der Landkarte fällt auf, dass sich im Wiggertal in der Regel zwei Gemeinden gegenüberliegen, zwischen sich die früher oft überschwemmte Ebene freilassend: Im Luzernischen etwa Altishofen und Nebikon, Langnau und Reiden, und das aargauische *Brittnau* ist das Gegenstück zum luzernischen Wikon. Weitere Zwillinge sind Strengel-

bach und Zofingen, Rothrist und Oftringen.

Die Täler der Suhre und der Wyne

Die Gletscher wirkten auch im Wynen- und im Suhrental landschaftsgestaltend; das Suhrental, wo die Stirnmoräne zwischen *Staffelbach* und *Kirchleerau* 40 Meter hoch ist, liefert geradezu das Schulbeispiel: Gletscher aus den frühern Eiszeiten hatten das Tal in den Sandstein geformt, so dass eine breite Talsohle zurückblieb (U-förmiges Tal im Gegensatz zum V-förmigen Bachtal). In der letzten Eiszeit drang ein Arm des Reussgletschers in das Suhrental vor und lagerte an der Gletscherzunge die Stirnmoräne und auf beiden Seiten die Seitenmoräne ab.

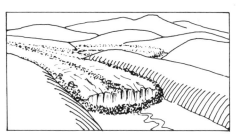

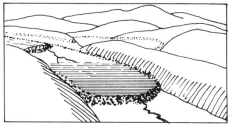

Als sich der Gletscher zurückzog, bildete sich oberhalb der Stirnmoräne durch Stauung ein See. In diesem See wurde von den Bächen Geschiebe und Lehm abgelagert. Erst als das Wasser an der Stirnmoräne eine Abflussstelle fand,

entleerte sich der See. Zurück blieb eine
weite Ebene.

Durch die Ablagerung von Lehm
wurde der Boden oberhalb der Stirnmoräne wasserundurchlässig. So konnte
und kann sich hier kein grosses Grundwasservorkommen bilden. Hingegen
bietet die etwa 30 Meter mächtige
Schotterschicht unterhalb der Stirnmoräne ein ausgezeichnetes Anreiche-
rungsgebiet für Grundwasser. Davon
zehren die zahlreichen Grundwasserfassungen von Staffelbach bis nach Suhr,
Buchs und Aarau hinunter.

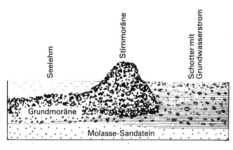

Im Wynental bildet die Endmoräne
bei Zetzwil einen Halbkreis durch das
Tal. Hinter und auf der Seitenmoräne
liegt *Gontenschwil*. Unterhalb der Endmoräne verengt sich das Wynental.

Das Suhrental bis hinunter ins Mündungsgebiet an der Aare wurde früher,
in einigen Gegenden noch vor nicht allzu langer Zeit häufig überschwemmt
und war vielfach versumpft; im Wynental war dies weniger ausgeprägt der
Fall. So aber ist wiederum die zweizeilige Anordnung der Dörfer zu verstehen.
So liegen *Muhen, Hirschthal, Schöftland,
Kirchleerau und Moosleerau* auf der rechten Seite des Suhrentals, *Unterentfelden,
Holziken, Staffelbach mit Wittwil, Attelwil und Reitnau* mit seiner schön gelegenen Kirche auf der linken Seite. Diese

Dorfketten finden ihre Fortsetzung im
Luzernischen. Die zweizeilige Ansiedlung lässt sich im oberen Wynental
ebenfalls verfolgen, so bei *Zetzwil und
Leimbach* auf der einen Seite und *Gontenschwil* auf der andern Seite.

Wynen- und Suhrentalbahn (WSB)

Für die Entwicklung der beiden Täler
war die Erschliessung durch die Bahn
von grosser Bedeutung; sie sind durch
die Wynen- und Suhrentalbahn mit
Aarau verbunden. Es ist eine schmalspurige Privatbahn (Spur 1 m breit), die
1958 aus dem Zusammenschluss der ehemaligen Aarau-Schöftland-Bahn (AS,
10 Kilometer Länge, 1901 eröffnet) und
der Wynentalbahn (WTB, 22 Kilometer, 1904) entstanden ist. Zu Beginn dieses Jahrhunderts glaubte man, der Strassenverkehr (Pferdefuhrwerke) werde
durch die Bahn, das neue Verkehrsmittel, völlig verdrängt, weshalb diese in
die bestehende Strasse gelegt, also als
Strassenbahn erstellt wurde. Dafür muss
man heute büssen, indem schrittweise
für teures Geld die vollständige Eigentrassierung der Bahn verwirklicht werden muss. Dort, wo die Bahn auf dem
Trassee der Strasse fährt, ereignen sich
erwiesenermassen weit mehr Unfälle als
auf eigentrassierten Strecken. Auch
wird der Bahnbetrieb empfindlich gestört (längere Fahrzeiten, damit Verlust
der Konkurrenzfähigkeit), und die Un-
terhaltskosten für die Strassenbahnstrek-
ken werden immer grösser.

Die WSB und ihre Linienführung
wurde immer wieder grundsätzlich in
Frage gestellt. Ein 1966 abgeschlossener
Planungsbericht beispielsweise sah vor,
das Bahntrassee in den beiden Tälern
(übrigens auch im Suhrental) vollstän-

dig unabhängig vom kantonalen und kommunalen Strassennetz niveaufrei und mit grossen Radien am Rande der bestehenden Siedlungen zu führen; dabei rechnete man mit einer weit stärkeren und schneller sich abwickelnden Besiedlung der Täler, als sie nun eingetreten ist. Diese Radikallösung wurde angesichts der voraussehbaren Schwierigkeiten bei der Realisierung und der Finanzschwierigkeiten Anfang der siebziger Jahre fallengelassen.

Bahn bis nach Sursee?

Immer wieder kam auch die Frage einer durchgehenden Suhrentalbahn von Schöftland bis nach Sursee aufs Tapet, und noch bis 1973 studierte eine Planungsgruppe die Möglichkeiten einer Umstellung der Bahn im Suhrental auf einen Busbetrieb. Die Arbeitsgruppe kam dann aber zum Schluss, eine Eigentrassierung der Bahn entlang der bestehenden Kantonsstrasse sei einer Buslösung wie auch einer vollständig neuen Linienführung vorzuziehen. Dadurch würden die heutigen Siedlungsschwerpunkte optimal durch das öffentliche Verkehrsmittel bedient, und der Aufwand für die Sanierung bleibe in einem vernünftigen Rahmen. 1977 gewährte der Grosse Rat der WSB eine Investitionsspritze von fast 10 Millionen Franken (zusammen mit Bundesgeldern über 14 Millionen Franken), womit vor allem die Eigentrassierung und die Sanierung von Niveauübergängen weiter vorangetrieben werden kann. 1977 waren 16 Kilometer oder 50 Prozent der insgesamt 32 Kilometer langen Strecke der WSB noch nicht eigentrassiert. Das obere aargauische Suhrental bleibt weiterhin ohne Bahnlinie. Eine Postauto-

kurslinie verbindet die Ortschaften mit *Schöftland* und *Sursee*. Die Sursee-Triengen-Bahn dient nur noch dem Güterverkehr.

Die WSB ist vor allem für den Pendlerverkehr zu den Industrieorten der beiden Täler und zur Kantonshauptstadt wichtig. Im Güterverkehr können normalspurige Güterwagen der SBB von der WSB übernommen werden, indem die SBB-Güterwagen auf einer besondern Anlage auf Rollböcke der WSB gebracht werden (in Suhr und Oberentfelden).

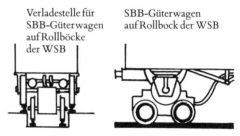

Verladestelle für SBB-Güterwagen auf Rollböcke der WSB

SBB-Güterwagen auf Rollbock der WSB

Schwerpunkt im oberen Wynental

Die beiden Gemeinden *Ober- und Unterkulm* bilden heute zusammen mit *Teufenthal* ein ganz respektables Zentrum; der eigentliche Schwerpunkt im Wynental liegt aber doch am oberen Ende. Diese Agglomeration umfasst die Gemeinden *Reinach, Menziken, Burg und Pfeffikon*; die Besiedlung wird aber auch in Richtung *Gontenschwil, Leimbach und Beinwil* (dieses bereits im Seetal), ja auch hinauf bis nach *Beromünster* kaum unterbrochen. Auf der Karte erscheint die Zugehörigkeit Pfeffikons zum Kanton Luzern widersinnig; diese Grenzziehung erfolgte 1415. Menziken trennte sich 1747 von «Rynach», Burg 1751 von Menziken. Dieser eigenartige Gemeindename weist auf die Burg der Herren

von Rynach hin, die im Sempacherkrieg
zerstört wurde. An ihrer Stelle wurde
vor gut einem Jahrhundert das Schul-
haus errichtet, von wo aus man eine
wunderbare Aussicht geniesst.

Das «Stumpenland»

Im 17. und 18. Jahrhundert wurde im
obern Wynental die Baumwollspinne-
rei und -weberei heimisch. Diese Industrie fand im Raume Reinach–Menziken
genügend Arbeitskräfte aus kleinbäuerlichen Familien. Die fortschreitende
Mechanisierung führte jedoch zu einer
Abwanderung dieser Industrie an die
grossen Flüsse, wo genügend Wasserkraft zur Verfügung stand. Zudem hatte
eine Absatzkrise in den dreissiger Jahren
des 19. Jahrhunderts Arbeitslosigkeit zur
Folge. Die Bevölkerung verarmte; ganze Familien wanderten nach Amerika
aus. Fabrikant Samuel Weber suchte
neue Arbeit für seine Arbeiter; 1838 begann er in seinem Betrieb mit der Herstellung von Pfeifentabak, später mit der
Zigarrenfabrikation. Andere Betriebe
folgten seinem Beispiel, und bald erlebte die Tabakindustrie eine Blütezeit.
Stillgelegte Webereien wandelten sich
in Tabakfabriken; einstige Textilarbei-
ter wurden Tabakarbeiter. Gegen 3000
Personen fanden in der neuen Industrie
Verdienst.

Um 1870 wurde die Fabrikation der
Zigarren hauptsächlich als Heimarbeit
geleistet. Ursache dieser Entwicklung
war der 1862 eingeführte gesetzliche
Schutz des Fabrikarbeiters, der die Ar-
beitszeit begrenzte und ein Mindestalter
von 13 Jahren vorsah. Diese Bestim-
mungen konnten bei Heimarbeit um-
gangen werden. Die Entwicklung der
Tabakindustrie ging vom obern Wy-

nental aus, sie breitete sich aber auch das
Tal hinunter und an den Hallwilersee
(Beinwil) hinüber aus.

Vorerst wurden Waadtländer und Pfälzer
Tabake verarbeitet; man erzählt, die Tabak-
fuhren seien ebenso häufig gewesen wie die
Heufuder. Später setzte der Import von Roh-
tabaken aus dem Ausland ein. Aus Nordamerika
gelangt zum Beispiel der Kentucky-Tabak in
Holzfässern zu 600 Kilogramm ins Wynental,
edlere Sorten in Juteballen zu 60 bis 100 Kilogramm stammen aus Brasilien, Kuba, Java und
Sumatra.

Die Tabakindustrie hat in neuer Zeit eine
rückläufige Entwicklung genommen; 1965
zählte man im Aargau 39 Betriebe mit 1944 Beschäftigten. 1974 waren es nur noch 27 Betriebe
mit 984 Beschäftigten. Der Rückgang scheint
begründet zu sein in der starken Besteuerung des
Tabaks (AHV!), in der Konkurrenzierung
durch das Zigarettenrauchen und in der allgemeinen Kampagne gegen den Nikotingenuss.
Mit Exportanstrengungen hat man in den letzten Jahren schöne Erfolge erzielt. Heute werden
im Ausland mehr Zigarren von Schweizer Mar-
ken abgesetzt als in der Schweiz selbst. Erschwe-
rend im Konkurrenzkampf fällt ins Gewicht,
dass in der Tabakindustrie die Handarbeit wichtig ist. Vor allem das Überrollen der Stumpen-
füllung (Wickel) mit den wertvollen und ver-
letzlichen Deckblättern ist nicht beliebig auto-
matisierbar. Trotz erheblichen Fortschritten bei
der Mechanisierung bleibt der Lohnanteil bei
den Herstellungskosten hoch. Das obere Wy-
nen- und das Seetal sind aber Schwerpunkt der
schweizerischen Zigarrenindustrie geblieben.
Mehr als zwei Drittel der gesamten Produktion
stammen immer noch aus dem aargauischen
«Stumpenland», und immer noch beherrscht der
traditionsreiche Stumpen, eine qualitativ hoch-
wertige Schweizer Spezialität, den Markt, obwohl viele Fabrikanten vor einigen Jahren in
den Cigarillos das einzige zukunftsträchtige
Produkt der Branche sahen.

Wie eine Zigarre entsteht
In den Tabakplantagen ferner Länder werden
die Tabakblätter zur Blütezeit der Pflanzen von

den Stengeln geschnitten. Man hängt sie an langen Stangen zum Trocknen auf. Die getrockne-
ten Blätter werden drei bis sechs Monate lang in
Schuppen gelagert. Während dieser Zeit machen sie eine Gärung durch. Nun werden sie
sorgfältig verpackt, denn eine lange Reise steht
bevor: übers Meer nach Rotterdam in Holland,
und von dort aus per Bahn oder Schiff nach Basel oder weiter per Bahn oder Auto an den Bestimmungsort im Wynental.

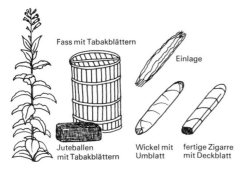

Fass mit Tabakblättern

Einlage

Juteballen
mit Tabakblättern

Wickel mit
Umblatt

fertige Zigarre
mit Deckblatt

In der Zigarrenfabrik kommen die schönen
Deckblätter unter eine feine Dusche, hierauf
werden sie von der Hauptrippe befreit. Der Einlagetabak für das Innere der Zigarren gelangt in
Bottiche, wo er eingeweicht wird. In einer Zentrifuge wird dem Einlagetabak die stark nikotin-
haltige Tabaklauge entzogen. Diese Lauge findet in der Schädlingsbekämpfung weitere Verwendung. Der Einlagetabak wird abgeteilt zu
Zigarreneinlagen. Arbeiterinnen umwickeln
diese Einlagen mit dem Umblatt. So entsteht der
sogenannte Wickel. Andere Arbeiterinnen rollen die Wickel in die Deckblätter ein. Die Zigarren erhalten ihre endgültige Form und Länge
in den Pressformen. Hierauf werden sie verpackt und vor dem Versand noch vier bis fünf
Monate lang im Trockenraum gelagert.

Die Wirtschaft des Wynentals wird
aber heute mehr durch die Metallindustrie geprägt. Bedeutende Unternehmen finden wir in Gränichen (Radiatoren, Heizwände), Teufenthal (Halbfa-
brikate aus Druckguss und Kunststoff-
spritzguss), Unterkulm (Armaturen für

Sanitär- und Heizungsanlagen), Reinach (zwei Drahtwerke), Aluminium-
fabrik Menziken mit Werken in Reinach und Gontenschwil (Aluminium-
rohre, -stangen, -bänder, -bleche,
-halbfabrikate). Diese sieben Metall-
fabriken beschäftigten 1975 ungefähr
3000 Mitarbeiter.

«Böhler» und «Strigel»

Die Aargauer Pässe lassen sich natürlich niemals mit den spektakulären
Strassenwindungen im Alpengebiet
vergleichen. Immerhin weist auch unser
Mittelland einige ganz markante Stras-
senführungen auf, so etwa den «Böhler»
(612 Meter über Meer), der das Wynen-
mit dem Suhrental verbindet, oder den
«Strigel» (506 Meter), über den früher
der Weg des Automobilisten von der
Kantonshauptstadt nach Zofingen, in
die Westecke des Kantons, führte. Seit
die N 1 dieses Gebiet durchquert (Oftringen–Kölliken), hat der «Strigel» seine Bedeutung verloren. Den vorherrschenden Eindruck von *Safenwil* prägt
heute für den Vorbeifahrenden der grosse Toyota-Wagenpark der Firma Emil
Frey AG. Im alten Pfarrhaus von Safenwil, dessen Renovation 1977 beschlossen
wurde, wirkte übrigens während einiger Jahre der berühmte Theologe Karl
Barth.

Das Wanderparadies des Ruedertals

Das Suhrental weist zwei nennens-
werte Seitentäler auf, das Rueder- und
das Ürketal. Beides sind enge Bachtä-
ler. Die Ürke, die reich an Forellen sein
soll, hat sich stark in den weichen Sandstein eingefressen; im Ürketal stösst
man auf viele Höhlen und Keller. Die
Ruedere bildet ein enges V-Tal, in wel-

chem wenig Raum für grössere Siedlungen vorhanden ist. Dafür sind die Hügelrücken zu beiden Seiten und im Quellgebiet der Ruedere breit, reichlich Platz für die Anlage von Bauernhöfen bietend. Das Ruedertal ist ein Gebiet mit ausgesprochener Streusiedlungsweise. Im Talgrund finden sich nur wenige weilerartige Siedlungen, die etwa aus Schule, Wirtschaft, Käserei und gewerblichen Betrieben bestehen; an den Berghängen und auf den Bergrücken stösst man auf zahlreiche bäuerliche Einzelhöfe. Die Siedlungen sind zu den beiden politischen Gemeinden Schlossrued (mit dem Weiler Kirchrued und etwa 50 Einzelhöfen) und Schmiedrued (mit den Weilern Eggschwil, Lören, Bodenrüti, Walde, Schiltwald, Rehhag, Hasel, Reechte, Waldertsholz und etwa 30 Einzelhöfen) zusammengeschlossen.

Deutung der Ortsnamen:
Schlossrued: Schloss Rued auf der rechten Talseite, im Hochmittelalter auf der linken Talseite (Herren von Ruoda, bis 1369).
Kirchrued: Einzige Kirche im Tal mit Friedhof, älteste Teile 11./12. Jahrhundert. An der Aussenwand der Kirche findet man eine Grabplatte für den Prediger Johan Leonhard Voegelin (Todesjahr 1685) mit dem geradezu humorvollen Spruch:
Hier lieg ich schwaches Voegelin
Dört sing ich mit den Cherubin
Gehab dich wol min liebe Gmein
Und stehe vest im Glauben rein.
Schmiedrued: Hammerschmitte bis 1915.

Im Ruedertal ist die Bauart der ältern Häuser nach Berner Stil (Giebelseite mit Krüppelwalm und Rùnde) verbreitet; die Häusergruppe am Fuss des Schlosshügels mit Wirtschaft und Mühle sticht besonders hervor. Das Gebiet des Ruedertales ist bekannt als eines der schönsten Wandergebiete im Aargau.

Wo das Wynen- und das Suhrental enden

Im untern Teil des Wynen- und des Suhrentals breiten sich einige stattliche Dörfer aus. *Ober- und Unterentfelden, Suhr und Buchs* sind gewichtige Vororte von Aarau. Hier finden sich schöne Wohnlagen, welche manche Aarauer oder in Aarau Tätige angezogen haben. Diese Gemeinden sind grossenteils mit der Hauptstadt zusammengewachsen. Von Entfelden aus, wo die Schweizerische Schwerhörigen-Schule Landenhof das Ortsbild dominiert, führt ein Autobahnzubringer auf einem aufgeschütteten Damm und durch eine Waldschneise in die Stadt; um diese Strasse, die erst wenige Jahre alt ist, war ein jahrelanger Kampf entbrannt. In Suhr fällt das grosse Gebäude von Möbel-Pfister auf; über der Gemeinde, weithin sichtbar, erhebt sich die Kirche; ihr Standort verrät, dass sie lange Zeit im Zentrum der ganzen Region stand. Suhr ist eine Urpfarrei, zu welcher ursprünglich *Rupperswil, Hunzenschwil, Gränichen, Buchs, Rohr, Ober- und Unterentfelden und Muhen,* ja auch *Aarau* gehörten.

Auch als politische Gemeinde war Suhr früher einmal grösser; erst 1810 wurden Buchs und Rohr von Suhr abgetrennt. In der Dorfpolitik scheint man dies manchmal heute noch zu spüren. Es gibt in der Schweiz sechs Ortschaften mit den Namen Buchs; die Bezeichnung ist aber auch als Flurname geläufig. Überall schliesst man auf Römersiedlungen, weil die Römer die Buchsbäume als Zier- und Nutzholz schätzten und das feste, gelbgefärbte Holz für Schnitzereiarbeiten benutzten. Mit einem Drei-M-Migros macht Buchs heute dem Einkaufszentrum Aarau Konkurrenz.

West–Ost-Verkehrsstrang mit wichtigen Abzweigungen

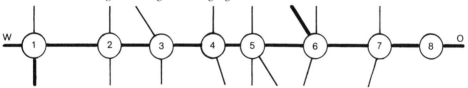

1 Oftringen/Rothrist: Einkaufszentrum, Autoverteilzentrum
2 Oberentfelden: Autoverteilzentrum Safenwil, Möbellager
3 Suhr: Möbellager, Zentralmolkerei, Zentrallager und
  Grossbäckerei Migros (Gränichen)
4 Hunzenschwil/Schafisheim: Grossbäckerei Coop, Lager-
  haus, Kantonales Verkehrsamt

5 Lenzburg: Lebensmittel
6 Mägenwil/Birrfeld: Zentrallager Denner, Lagerhäuser, Autoverteilzentrum
7 Baden/Mellingen: Grosstanklager
8 Spreitenbach: Shopping Center, Lagerhäuser

In bezug auf die Ausdehnung ist allerdings *Gränichen* die grösste Gemeinde des Bezirks Aarau; das Gemeindegebiet ist zu fast 60 Prozent von Wald bedeckt.

Wichtige Betriebe für die Lebensmittelversorgung

Die Autobahn und die alte Hauptstrasse im Ost-West-Verkehr sind für die Verteilung von Gütern von grosser Bedeutung. Überall, wo andere wichtige Strassen einmünden oder wo Bahnanschlüsse bestehen, entstanden Produktions- und Verteilbetriebe, die unsere Bevölkerung mit lebensnotwendigen Gütern versorgen.

Zwei Betriebe der Nahrungsmittelindustrie, die Milchprodukte und Brot herstellen, seien im folgenden dargestellt:

Grossbäckereien in Gränichen und Schafisheim

Zwei Grossbäckereien (Migros in Gränichen, Coop in Schafisheim) stellen Brot und andere Backwaren in grossen Mengen her. In

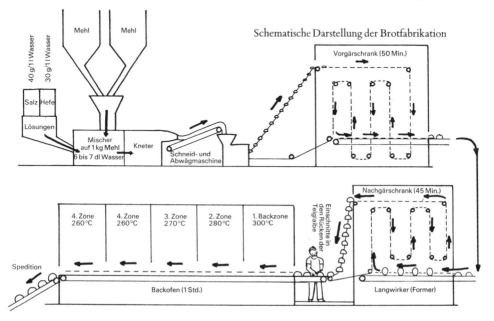

Schematische Darstellung der Brotfabrikation

Schafisheim liefert die Feinbäckerei in der Stunde 700 Torten. Nachts ist die Brotstrasse in Betrieb. Pro Stunde werden ungefähr 1000 kg Brot gebacken. Für die Brotherstellung werden von der Teigaufbereitung bis zum gebackenen Brot vier Stunden benötigt.

Die schematische Darstellung zeigt die Brotherstellung in einer Grossbäckerei. Aus Platzgründen konnte die sogenannte Brotstrasse, die um die 100 m lang ist, nicht auf einer Ebene gezeichnet werden. Die Herstellung der Brote erfolgt maschinell, gewissermassen auf dem Fliessband, und wird automatisch gesteuert. Lediglich ein einziger Arbeiter ist damit beschäftigt, von Hand die Einschnitte in den Rücken der Brote auszuführen.

Aargauische Zentralmolkerei Suhr

Täglich werden im Mittel 100 000 Liter Vollmilch, 30 000 Liter Magermilch und 10 000 Liter Rahm angeliefert (¾ mit Lastautos, ¼ per Bahn; 85 Prozent im Tank, 15 Prozent in Kannen). Der Inhalt der Tanks und Kannen wird gewogen und im Betriebslabor einer Qualitätskontrolle unterzogen. Der Fettgehalt der Milch ist bestimmend für die Ansetzung der Preise. In der Mischerei werden in der Stunde 18 000 Liter Milch gereinigt und auf 5 °C abgekühlt. Nun erfolgt die Pasteurisierung: 12 000 Liter pro Stunde werden auf 85 °C erhitzt und hernach wieder auf 5 °C abgekühlt. In der Homogenisierungsanlage werden die Fettkügelchen der Milch um das Zehnfache verkleinert. Die Milch wird nun je nach der Rezeptierung der Milchprodukte gemischt. In der Fabrikationshalle erfolgt die Herstellung und Verpackung von Pastmilch und Milchdrink (80 000 Liter pro Tag, in Brik-Pakkungen), Joghurt (120 000 Becher täglich), Milchpulver, Kaffee- und Vollrahm, Butter.

Nach der Kontrolle der Produkte im Betriebslabor erfogt die Lagerung in Kühlräumen. Der Versand wird je nach Bestellungseingang und Lieferrouten (9 Verladestellen für Kühlautos) geregelt.

Geographische Mitte bei Lenzburg

Im Jahre 1977 liess die Kulturstiftung Pro Argovia durch Schüler der HTL Windisch das geographische Zentrum des Aargaus errechnen. Es fiel nicht etwa in den «Mittelbezirk» Brugg, sondern in die Ebene des Lenzhardes bei Lenzburg, in den Gemeindebann von *Niederlenz* (Koordinaten 654,217/251,240). Die Niederlenzer Ortsbürger sorgten im Jubiläumsjahr für einen Gedenkstein an dieser Stelle. Neben diesem computermässig ermittelten Zentrum bietet sich das nahe Schloss Lenzburg mit seiner unübertrefflichen Lage allerdings ebensosehr als «Kernpunkt des Aargaus» an und ist zu einer bekannten «Stätte der Begegnung» geworden.

Unübersehbare Zeugenberge

Auffällig in der Lenzburger Landschaft sind die Molassehügel, die wie Inseln aus der Schotterebene herausragen: der *Staufberg*, der *Schlossberg* und der *Goffersberg*. Sie werden als Zeugenberge bezeichnet; es sind Reste einer Molassedecke, die vor den Eiszeiten zusammengehangen hatte. Der Staufberg ist gekennzeichnet durch eine schöne Häusergruppe auf der Kuppe: Kirche, Pfarrhaus, Sigristenhaus. Im Waschhäuschen dazwischen steht noch das Tretrad, mit dessen Hilfe man früher das Wasser aus einem tiefen Sod zutage förderte. Ein Schmuck der Kirche sind die schönen Glasmalereien aus dem 15. Jahrhundert.

Dem Staufberg gegenüber stehen der Schloss- und der Goffersberg (Gofi), die durch einen Sattel miteinander verbunden sind. In dieser Einsenkung bestatteten die ersten Bewohner dieser Gegend

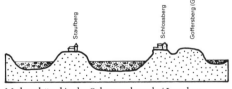

Molassehügel in der Schotterebene bei Lenzburg

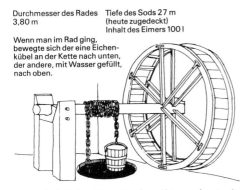

Durchmesser des Rades 3,80 m | Tiefe des Sods 27 m (heute zugedeckt) Inhalt des Eimers 100 l

Wenn man im Rad ging, bewegte sich der eine Eichenkübel an der Kette nach unten, der andere, mit Wasser gefüllt, nach oben.

Tretrad mit Sod auf dem Staufberg (bis 1911 benützt)

(etwa 2000 v. Chr.) ihre Toten in Steinkistengräbern, meistens in Hockerstellung.

Auf dem Lindfeld, von der heutigen Autobahnzufahrt bei Lenzburg aus gut erkennbar, stiess man bei Strassen- und Bahnbauten auf Hausruinen, ein halbrundes Theater und Gräber aus der Römerzeit. Diese Zeugen aus der Zeit von 50 bis 250 n. Chr. weisen auf das Bestehen eines helvetisch-römischen Dorfes (Vicus) hin. Vermutlich hat es «Lentia» geheissen. Der in der Nähe liegende gewaltige Findling aus Gotthardgranit trägt bezeichnenderweise den Namen «Römerstein».

Burg und Stadt Lenzburg

Die *Burg* ist die grösste Höhenburg weitherum (siehe auch S. 62). Sie war um das Jahr 1000 herum Sitz des Aargau-Grafen. Die Grafen von Lenzburg starben 1173 aus; die Burg kam als Erbschaft an den deutschen Kaiser Friedrich Barbarossa. Von seinen Nachkommen ging sie vorerst an die Grafen von Kyburg über, 1273 an Rudolf von Habsburg, den neugewählten deutschen König. Nach der Eroberung des Aargaus durch die Eidgenossen richteten die Berner 1444 im Schloss die Landvogtei ein (Berner Wappen an der Aussenseite des Bernerhauses!). Bis 1798 regierten die Berner Landvögte von hier aus über ein Untertanengebiet, das die heutigen Bezirke Lenzburg und Kulm sowie Teile der Bezirke Aarau und Zofingen umfasste. Mit dem Untergang der Alten Eidgenossenschaft kam die Lenzburg an den neugegründeten Kanton Aargau. Von 1860 bis 1956 war sie in Privatbesitz; zuerst gehörte sie dem Zürcher Konrad Pestalozzi, später Dr. F. R. Wedekind, dem Vater des deutschen Schriftstellers und Dramatikers Frank Wedekind, der einen Teil seiner Jugendjahre auf der Burg verbrachte; von hier aus besuchte er die Aarauer Kantonsschule. Er, der seinerzeit mit «Lulu, der männerverzehrenden Frau», die Bürgerwelt schockierte, dürfte auch im Städtchen und auf dem Schloss für Leben gesorgt haben. Weitere Schlossherren waren A. E. Jessup aus Philadelphia und Lincoln Ellsworth, der Vater des Polarforschers, aus Chicago. Seit 1956 ist das Schloss wieder öffentlicher Besitz, es gehört zu gleichen Teilen dem Kanton Aargau und der Stadt Lenzburg. Es dient als Museum (Kantonale Historische Sammlung) und als Ort kultureller Veranstaltungen (Begegnungsstätte im Stapferhaus, ehemals Bernerhaus). 1978 genehmigten der Grosse Rat und die Stadt Lenzburg ein Sanierungsprojekt, dank welchem die Bedeutung des Schlosses als Kunstdenkmal garantiert wird und dieses wohl noch intensiver genutzt werden kann.

Die *Stadt* Lenzburg ist aus dem frühmittelalterlichen Dorf Lenz (eigentlich Oberlenz, womit auch der Name Niederlenz verständlich wird) entstanden.

Lenta war der Name des Aabaches und bedeutete «die Biegsame». Um 1230 suchten die Kyburger den wichtigen West-Ost-Verkehrsweg durch die Stadtgründung zu sichern; die Stadt ist also etliche Zeit nach der Burg errichtet worden. Das geschriebene Stadtrecht erhielten die Lenzburger 1306 von den Habsburgern. Unter ihnen waren sie beteiligt an den kriegerischen Auseinandersetzungen mit den Eidgenossen; nach der Eroberung des Aargaus hatten sie ein eidgenössisches Truppenkontingent zu stellen (z. B. bei Murten 180, bei Nancy 82 Mann).

Drehscheibe Lenzburg

Was Aarau für das Wynen- und Suhrental bedeutet, ist Lenzburg für das See- und Bünztal, nämlich «Auffangstelle» für die Talbewohner und «Verkehrs-Drehscheibe» zu den grösseren Orten. Auffallend viele Bahnlinien treffen sich im Raume Lenzburg, und die Stadt hat seit der Eröffnung der Heitersberglinie eine weitere Aufwertung als Bahnknotenpunkt erhalten. Der Konkurs der Nationalbahn hatte Lenzburg sehr getroffen, war die Stadt doch die schwächste unter den vier «Garantiestädten» Winterthur, Baden, Lenzburg und Zofingen.

Obwohl verkehrsmässig ausgezeichnet erschlossen und industriell keineswegs im Rückstand, gilt Lenzburg für viele als «die» Kleinstadt, die dank einer starken Tradition noch mancherlei Idyll bietet. Dafür sorgen etwa die guterhaltene Altstadt und hier insbesondere die Rathausgasse, die auf der Nordseite zahlreiche an der Front nur etwa fünf Meter breite Häuser aufweist, die aber

Entwicklung von Lenzburg in den letzten 200 Jahren

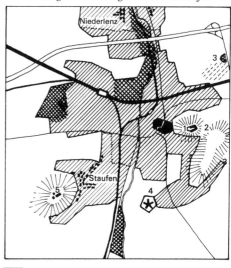

■■■ Altstadt Lenzburg

▣▣▣ Dorfkerne Staufen und Niederlenz

▨▨▨ Ausdehnung der Ortschaften mit neuen Wohn- und Geschäfts-Quartieren

▦▦▦ Industriequartier

1 Schloss Lenzburg, 2 Prähistorische Begräbnisstätte, 3 Römisches Dorf mit Theater, 4 Strafanstalt, 5 Kirche Staufen

bis gegen 20 Meter tief sind. Auch die beidseitigen, dreistufigen Trottoirs fallen auf. Sie stammen erst aus dem letzten Jahrhundert und nicht etwa aus dem Mittelalter, aus welcher Zeit solche baulichen Eigenarten vielleicht noch mit Naturkatastrophen (Überschwemmungen) hätten begründet werden können. Das Lenzburger Jugendfest steht an Bedeutung den entsprechenden Anlässen in Aarau, Brugg und Zofingen nicht nach; obwohl auch in Lenzburg für die Kadetten das letzte Stündlein vor einigen Jahren geschlagen hat, führen die Lenzburger unbeirrt noch alle zwei Jahre ihre Freischarenmanöver durch, ein riesiges Spektakel, bei dessen Vorbereitung und Durchführung ganz Lenzburg auf den Beinen ist. Auch die Kadettenuniformen werden dann wieder aus der Mottenkiste geholt. Ein ebenfalls besonderer Brauch ist der Lenzburger Joggeliumzug (siehe S. 152).

Die Konservenfabrik

Viele industrielle Unternehmungen in Lenzburg gehen auf die Familie Hünerwadel zurück, die im 17. und 18. Jahrhundert in Lenzburg eine grosse Rolle spielte. Verglichen mit diesen Industrieunternehmungen ist die Konservenfabrik Hero geradezu jung; sie wurde 1885 gegründet und hat ihren Namen nach den Inhabern zu Anfang dieses Jahrhunderts, Henckell und Roth. Die günstige Verkehrslage, genügend Bauland, geeigneter Boden für Beeren- und Obstkulturen und schliesslich ein ausreichendes Angebot an Arbeitskräften schufen die Voraussetzungen für die Niederlassung dieses Zweiges der Nahrungsmittelindustrie. Das Produktionssortiment ist mannigfaltig: Über zwei Dutzend Sorten Konfitüren und Gelee, über ein Dutzend Früchtekompotte, Fruchtsäfte und Sirupe, Gemüse-, Tomaten-, Pilz-, Gurken- und Cornichon-Konserven, Ravioli, Weisse Bohnen, Fleischkonserven.

Die Haltbarkeit der Konserven ist unterschiedlich, sie variiert von anderthalb Jahren bei den nichtentsteinten Früchtekompotten bis zu fünf Jahren bei Erbsen und Karotten. Der Herstellungsgang der Produkte ist von unterschiedlicher Dauer; am längsten ist der Weg bei den Kompotten: Kontrolle der Früchte durch Frauen am Verleseband – schälen, halbieren und vom Kerngehäuse befreien in der Schälmaschine – Reinigen und Kontrollieren der Früchte im Wasserkanal – Frauen füllen die Früchte in Blechdosen aus der betriebseigenen Dosenfabrik ein – Gewichtskontrolle – Zugabe von Zuckersirup – Erhitzen der offenen Dosen im Wasserbad auf 85 °C, damit Luftblasen entweichen – Dosen mit Deckel verschliessen – Sterilisieren der verschlossenen Dosen im Sterilisator (Dampfdruckkocher) – rasch abkühlen im Wasserbad – Etikettieren der Dosen – Verpacken in Kartonschachteln und Stapeln in der Lagerhalle.

Die Strafanstalt Lenzburg

In der gleichen Ortschaft, wo 1854 bei den Fünflinden zum letztenmal im Aargau ein Todesurteil vollstreckt wurde (der berühmt-berüchtigte Bernhart Matter wurde hier geköpft), ist zehn Jahre später die kantonale Strafanstalt eröffnet worden. In dem sternartig angelegten Gebäude mit der hohen Ummauerung verbüssten 1975 etwa 150 männliche Strafgefangene ihre vom Gericht ausgesprochene Strafzeit.

Ziel des Strafvollzuges ist, auf den Gefangenen erziehend einzuwirken und ihn auf den Wiedereintritt in das bürgerliche Leben vorzubereiten. Werkmeister, Aufsichtspersonal, Psychologen und Pädagogen suchen dieses Ziel durch den Einsatz sinnvoller Erziehungsmittel zu erreichen, z. B. durch Arbeit (mit Entlöhnung) inner- und ausserhalb der Gefängnismauern, durch Ausbildung in der Holz- und der Metallbranche sowie in der Gärtnerei und der Landwirtschaft, durch Erziehung zur Selbständigkeit und Übernahme von Verantwortung, durch Gewährung von Besuchen ohne Aufsicht, durch Bewilligung von Urlaubstagen, durch ein mannigfaches Angebot an Freizeitbeschäftigung und Kontaktfindung.

Tagesablauf in der Strafanstalt:

5.45 Uhr	Tagwache
6.15 Uhr	Morgenessen in der Zelle
7.00 Uhr	Arbeitsbeginn
11.30 Uhr	Mittagessen in der Zelle
12.45 Uhr	Mittagspause (mit Mitgefangenen spazieren, jassen, plaudern)
13.30 Uhr	Arbeitsbeginn
17.45 Uhr	Nachtessen in der Zelle, nachher Freizeit (Sport, basteln, Fitnesstraining, Sprachkurse, Orchester, Gruppendiskussionen usw.)
20.00 Uhr	Aufenthalt in der Zelle
24.00 Uhr	Lichterlöschen

Die Gefangenen stellen die Anstaltsleitung vor schwer zu lösende Probleme: Die durch die Gefangenschaft hervorgerufene Aggressivität, der unbefriedigte Sexualtrieb, die Vereinsamung, die geheime Bandenbildung, Fluchtversuche, Vorbereitung auf die Entlassung, Entlassenenfürsorge. Wer von den Strafentlassenen den Weg in unsere Gesellschaft und Arbeitswelt nicht mehr findet, erhält Unterkunft und Arbeit in der Arbeitskolonie Murimoos im obern Bünztal.

Die Visitenstube des Aargaus

Natürlich ist dieser Ausdruck eine Klischeebezeichnung für das Seetal. Niemand aber wird bestreiten und die Aargauer sind stolz darauf, dass der Hallwilersee im Seetal Touristen über die Kantonsgrenze hinaus anzieht. Der hübsche See mit seinen Rebbergen und «Fressbeizen», der in milden Zeiten viele Segler, Badefreudige und Schulklassen anzieht, wertet den Aargau doch noch etwas als Fremdenverkehrskanton auf.

Im Vergleich zu den übrigen Schweizer Seen nimmt der Hallwilersee allerdings eine bescheidene Rangstellung ein; mit seinen 10,3 km² steht er an 15. Stelle. Der Zürichsee ist rund neunmal, der Vierwaldstättersee elfmal, der Boden- oder der Genfersee mehr als fünfzigmal grösser. Die grösste Tiefe des Hallwilersees beträgt 48 m; das ist wenig – verglichen mit den andern Seen der Schweiz. Der Zürichsee etwa ist 143 m, der Vierwaldstättersee 214 m, der Langensee gar 372 m tief. So ist es begreiflich, dass auch der Wasserinhalt des Hallwilersees bescheiden ist. Er beträgt 215 Millionen Kubikmeter. Der Zürichsee weist demgegenüber 3900 Millionen, der Vierwaldstättersee 11 820 Millionen Kubikmeter auf.

Der einzige «richtige» See des Kantons (Egelsee und Klingnauer Stausee haben wenig eigentlichen Seecharakter) gehört dem Aargau nicht einmal ganz, sondern nur zu etwa vier Fünfteln (8,7 km²); der übrige Teil liegt im Kanton Luzern und ist übrigens heute noch im Besitz der Hallwil-Stiftung (siehe Seite 214). Der Aargauer Anteil ging hingegen 1859 durch Kauf von der Grafenfamilie von Hallwil an den Kanton Aargau über.

Der Hallwilersee (auch der benachbarte Baldeggersee) ist vermutlich in der letzten Eiszeit entstanden. Vom Arm des Reussgletschers, der sich zurückzog, brachen hier gewaltige Gletscherteile ab und blieben als sogenanntes Toteis noch während Jahrhunderten liegen. Dieses Eis verhinderte die Auffüllung der Mulde mit Schotter. Die Schmelzwasser stauten sich an den Stirnmoränen bei Seengen-Boniswil und bei Ermensee.

Gefährdete Schönheit

Die Schönheit der Hallwilersee-Landschaft ist von Dichtern (J. C. Meyer, J. Scheffel) besungen worden. Heute muss um die Offenhaltung des Seeufers für die Allgemeinheit und gegen die Wasserverschmutzung gekämpft werden. Darum leiten alle aargauischen Anliegergemeinden ihr Abwasser durch Sammelkanäle in eine Kläranlage unterhalb des Schlosses Hallwil. Glücklicherweise hat der Kanton Luzern die Zeichen der Zeit auch erkannt und holt in den nächsten Jahren in bezug auf die Abwasserreinigung beim Baldegger- und Hallwilersee nach, was jahrelang versäumt worden ist. Immer noch steigt jeden Frühling die sogenannte Burgunderblutalge an die Seeoberfläche und bedeckt grosse Teile mit ihrer stinkigen violettroten Schlammhaut. Die Sauerstoffarmut hat dazu geführt, dass die einst geschätzte Fischart der Hallwiler-Balchen (auch Ballen) fast ausgestorben ist.

Schiffe und Boote

Der Hallwilersee ist der kleinste Schweizer See mit regelmässigen Schiffskursen während des Sommers und des Winters. 1888 wurde die Schifffahrt mit Schraubendampfbooten aufgenommen. Heute verkehren vier mit Dieselmotoren betriebene Schiffe; die beiden grösseren heissen «Hallwil» (150 Personen) und «Fortuna» (200 Personen). Die Zahl der Anlegestellen hat in den letzten Jahrzehnten zugenommen; 1888 gab es deren vier (Meisterschwanden Delphin und Seerose, Beinwil, Birrwil), dazu kamen 1927 Seengen, 1950 Aesch LU, 1960 Mosen LU und Boniswil. Jährlich benützen etwa 40 000 Personen die Hallwilerseeschiffe.

Nicht diese Schiffe, sondern die in immer grösserer Zahl auf dem See feststellbaren Motorboote haben die Behörden des Kantons und der Region in den letzten Jahren stark beschäftigt. Ein 1973 vom Grossen Rat beschlossenes Motorbootverbot wurde später wieder ausgesetzt, weil man ein neues eidgenössisches Gewässerschutzgesetz abwarten will. Dass Beschränkungen hinsichtlich des Motorbootverkehrs notwendig sind, ist weniger umstritten als die Frage ihres Ausmasses; die gleiche Problematik stellt sich allmählich auch beim umweltfreundlicheren Segelbootsverkehr.

Das Seetal als allgemeine Erholungslandschaft weist einige bekannte Punkte auf: das von den Hallwilern erbaute Schlosshotel Brestenberg, die Restaurants Delphin und Seerose, den «Hafen» von Beinwil, dann aber auch die Aussichtspunkte Eichberg und Homberg, von denen aus man eine prächtige Aussicht auf die Alpen, vor allem zum Rigi, hat. Der breite Rücken des Lindenbergs,

an dessen Fuss und Flanke einige stattliche Dörfer liegen, zieht sich weit in den Kanton Luzern hinein. An der Strasse von Hallwil ins Wynental, gleich unterhalb *Dürrenäschs*, befindet sich eine schlichte Gedenkstätte: Sie erinnert an den Absturz eines Swissair-Flugzeuges im Jahre 1963 und damit an eine der grössten schweizerischen Flugzeugkatastrophen.

Das Seetal, in dessen oberem Teil die Textilindustrie, wenn auch lange nicht mehr wie früher, verbreitet ist, zeichnet sich auch durch einen besonderen Dialekt aus, der von Auswärtigen als etwas rauh empfunden wird; kennzeichnend hiefür etwa die Mundartsbezeichnung für einige Dörfer: *Böiiu (Beinwil), Birbu (Birrwil), Bonischwiu (Boniswil), Lüpu (Leutwil), Haubu (Hallwil), Tembu (Tennwil), Eglischwiu (Egliswil)* und *Schofise (Schafisheim)*.

Das von den Herren von Wildegg im 15. Jahrhundert erbaute Schlösschen von *Schafisheim* dürfte übrigens das erste Schloss im Kanton Aargau gewesen sein, bei welchem weitgehend auf Verteidigungsanlagen verzichtet wurde.

Seit Jahren steht auch die Zukunft der Seetalbahn, die den Anforderungen der Verkehrssicherheit nicht mehr entspricht, zur Diskussion. So wurden Varianten für eine Bahnsanierung im heutigen Trassee oder mit einer Streckenänderung ab Beinwil über Menziken–Ermensee untersucht. Auch eine Buslösung auf Aargauer Gebiet wird in Betracht gezogen. Ein Entscheid für eine bestimmte Variante, der auch die Pläne der WSB beeinflusst, fällt möglicherweise noch im Jahre 1978. Der Bundesrat hat allerdings noch im Frühjahr 1978 betont, er wolle zunächst den Bericht

über die schweizerische Gesamtver-
kehrskonzeption abwarten, bevor er
seinen endgültigen Entscheid treffe.
Sehr wahrscheinlich wird die Bahn-
strecke Wildegg–Lenzburg aufgehoben
und durch einen Bus ersetzt. Man denkt
daran, bei einer allfällig bleibenden
Bahnlinie Lenzburg–Beinwil–Luzern
das Trassee um den Staufberg herumzu-
führen.

Das Wasserschloss Hallwil

Unweit der Ausflussstelle aus dem Hallwilersee teilt sich der Aabach in zwei Arme, die kurz
darauf wieder zusammenfliessen. Es wird vermutet, dass auf der Insel zwischen den Flussar-
men ein Alemanne namens Halo aus dem nahen
Sewingun (= Dorf der Seeanwohner, heute
Seengen) einen Hof errichtet hat (Halowflare).
Diese Siedlung ging um das Jahr 1000 an einen
Adeligen über, der unter den Gaugrafen von
Lenzburg Vogt über das Gebiet des Seenger Sees
wurde. Er liess westlich der bestehenden Hof-
siedlung einen künstlichen Wassergraben erstellen, so dass ein dritter Flussarm und eine zweite
Insel entstanden. Auf dieser Insel baute er einen
mächtigen Burgturm, ähnlich dem Schlössli-
turm in Aarau. Etwa 100 Jahre später wurde bei
der Brücke noch ein Palas errichtet. Der See-
vogt nannte sich nach dem Hof auf der vordern
Insel Herr von Hallwil; der See erhielt den Namen Hallwilersee.

Vermutlich zur Zeit, als die Herren von Hallwil Teile ihres bisherigen Lehensgebietes in
Eigenbesitz brachten (12./13. Jahrhundert),
wurden beide Inseln durch eine Ringmauer befestigt. Die Strohhäuser auf der vordern Insel

Vordere Insel mit Hof,
hintere Insel mit Bergfried
(11. Jh.) und Palas (12. Jh.)

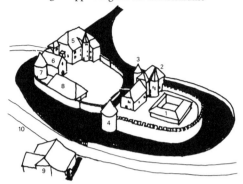

Die heutige Doppelburg mit der Schlossmühle

1 Bergfried (11. Jh.)	6 Kornhaus
2 Wohnhaus	7 Befestigungsturm (Efeuturm)
3 Archivturm	8 Scheune
4 Verliesturm	9 Schlossmühle
5 Wohnhaus	10 Strasse Seengen–Boniswil

machten Steinbauten Platz; vorerst wurden ein
Tor und ein runder Befestigungsturm errichtet,
später folgten eine Kapelle, zwei Palasbauten,
ein Kornhaus, eine Scheune und Ställe. Unterhalb des Zusammenflusses der drei Flussläufe
baute man die Schlossmühle.

Die Herren von Hallwil herrschten über weite Gebiete des See- und Bünztales (Richtstätte in
Fahrwangen) und hatten Besitzungen bis an den
Bodensee und nach Deutschland hinein. Ihr
Wappen, das auf goldenem Grund einen
schwarzen Flug (Flügelpaar) aufweist, findet
man auf Kirchenfenstern ihres frühern Herr-
schaftsbereiches oder in Schlössern, zum Beispiel auf Schloss Wildegg. Der bekannteste
Hallwiler Ritter war Hans von Hallwil. Er führte die Berner Vorhut an beim Sieg über die Burgunder bei Murten. Die Familie derer von Hallwil, welcher noch bis ins letzte Jahrhundert hinein der ganze Hallwilersee gehört hatte, hat
nicht mehr in der Schweiz Wohnsitz. 1925 gründete Wilhelmina von Hallwil eine Stiftung zur
Wiederherstellung und Erhaltung der Stammburg. Das Schloss darf nicht mehr bewohnt werden, und seine Räume sind gemäss einer Bestimmung der Stiftung kahl, aber es befindet sich
heute wieder in einem guten Stand und ist eine
der schönsten Nieder- oder Wasserburgen der
Schweiz. Nach dem Tod des letzten männlichen Familiengliedes der Familie von Hallwil
geht das Schloss an die Eidgenossenschaft über.

3. Das Reusstal und das obere Bünztal

Das Wasser der Innerschweiz

Die Reuss entwässert die Urschweiz; ihre entferntesten Quellen liegen im Gotthardmassiv. Die Gesamtlänge der Reuss beträgt 160 km. Ungefähr ein Drittel (57 km) entfällt auf den Aargau. Die Bünz dagegen ist vom Anfang bis zum Ende ein aargauischer Fluss; auch ihre Quellen liegen innerhalb des Kantons. Die Reuss ist im obern Teil eher geradlinig (korrigiert), im untern Teil von Bremgarten an abwärts weist sie viele Schlaufen auf (natürlicher Lauf). Sie bildet auf einer langen Strecke die aargauische Grenze gegenüber den Kantonen Luzern, Zug und Zürich.

Das Bünztal, das flussaufwärts gleichsam dem Reusstal zuwandert, erstreckt sich von *Möriken* bis Muri. Man glaubt es eigentlich kaum, dass das Wohndorf Möriken auch noch zu diesem Tal gehört. Das obere Bünztal ist geschichtlich, kulturell und politisch mit dem obern Teil des Reusstales verbunden; zusammen bilden sie das Freiamt.

Moränenlandschaften

Das Reusstal und das obere Bünztal sind ausgesprochene Gletschertäler. Die Talsohle ist entsprechend breit. In beiden Tälern liegen Stirnmoränen, die ausgeprägtesten im Bünztal bei *Othmarsingen*, im Reusstal bei *Mellingen* und *Bremgarten*. Längs der Talhänge erkennt man Seitenmoränen. Die Täler werden begrenzt durch die Molassehügel (Sandstein), etwa den Heitersberg, den Lindenberg und den Wagenrain, welcher die beiden Täler voneinander trennt.

Der Wagenrain beginnt beim Meiengrün und fällt gegen Süden zum Kapf hin ab. Auf dem Kapf, dem höchsten Punkt des Moränenrückens im Süden, auf der Scheide zwischen dem Reusstal und dem obern Bünztal, lebt die Dichterin Erika Burkart. Sie ist vor allem bekannt als Lyrikerin, schreibt aber auch Romane. Einer der Romane trägt den Titel «Moräne». Sie bewohnt ihr Vaterhaus, das ehemals ein Sommersitz der Klosteräbte von Muri gewesen war und nach der Klosteraufhebung 1841 eine Tavernenwirtschaft wurde.

Bei *Mülligen-Birmenstorf* (Eiteberg-Brännholz/Nettelberg) durchbricht die Reuss die Jurakette und erreicht bald danach die Aare. Ihren Lauf kann man in drei Abschnitte unterteilen; den obersten von *Dietwil* bis zur Endmoräne *Bremgarten*, den mittleren von Bremgarten bis zur Endmoräne *Mellingen* und den untersten von Mellingen bis zur Reussmündung.

Der Finger, der in die Innerschweiz zeigt

Auf der Karte fällt auf, dass zwei wichtige Verkehrsstränge (Bahn, Autobahn, Hauptstrassen) quer zum Tal verlaufen, so zwischen Othmarsingen und Mellingen und Wohlen und Bremgarten.

Das Reusstal ist verkehrsmässig nicht optimal erschlossen. Das mag ebenfalls dazu beigetragen haben, dass sich im obern Freiamt wenig Industrie niedergelassen hat und in einzelnen Dörfern starke Bevölkerungsrückgänge festzustellen waren. Dafür ist die Landwirtschaft immer noch sehr verbreitet. Das Reusstal ist das südlichste Kantonsgebiet. Es weist auf der Karte wie ein Finger gegen die Innerschweiz hin, deren

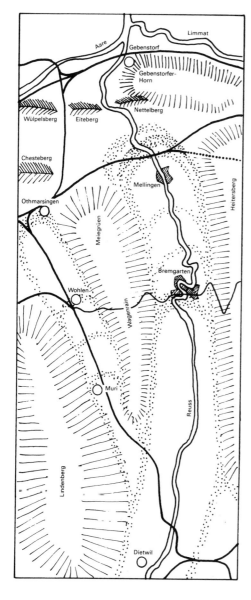

Molasseberge (Sandstein) des Mittellandes

Kalkberge des Kettenjuras

Seiten- und Stirnmoränen
der letzten Eiszeit

Einfluss in mancher Hinsicht unverkennbar ist. Das Klima ist ähnlich, die Feuchte fördert den Graswuchs und damit die Vieh- und Milchwirtschaft, neben welcher der Getreidebau zurücktritt. Damit verbunden ist die im oberen Freiamt verbreitete Art der Streusiedlung (siehe hiezu auch Seite 97). Daneben entstehen im Reusstal und an dessen Seitenhängen im Bannkreis von Baden (Rohrdorf) und Zürich (Berikon, Widen, Zufikon) immer neue Wohngebiete.

Das Freiamt und seine Grenze

Das Freiamt besteht aus den Bezirken Bremgarten und Muri. Dieses Gebiet heisst erst seit der Kantonsgründung Freiamt. Vorher wurde es mit der Mehrzahlform «Freie Ämter» bezeichnet. Im Mittelalter hiess die Gegend zwischen Dietwil und Bremgarten Krummamt oder Wag(g)ental (Wagenrain!).

Nach der Eroberung des Aargaus setzten die Eidgenossen in Bremgarten einen Landvogt über die Freien Ämter ein (Ämter waren bis 1712: Meienberg, Muri, Richensee-Hitzkirch, Bettwil, Boswil, Villmergen, Wohlen, Hermetschwil, Dottikon, Hägglingen, Niederwil, Wohlenschwil). Der Name Freie Ämter trügt allerdings; die Bewohner waren mit der Eroberung des Aargaus nicht freie Eidgenossen geworden, sondern wie die Bewohner der Grafschaft Baden Untertanen der Eidgenossen (Gemeine Herrschaften bis 1798).

Von alters her war das Kloster Muri der Mittelpunkt des Freiamtes, religiös, kulturell, wirtschaftlich und rechtlich. Während gut 800 Jahren gingen von ihm Strömungen aus, die das Leben und Denken der Freiämter weitgehend bestimmten. So ist es zu verstehen, dass nach der Einführung der Reformation durch die Berner die Grenze zwischen Freiamt und Berner Aargau nicht nur die landesherrliche Obrigkeit markierte, sondern zur konfessionellen und kulturellen Abgrenzung wurde. Fast 400 Jahre dauerte diese «innere» Grenzziehung. Sie ist heute glücklicherweise überwunden.

Grenzstein Dintikon–Villmergen

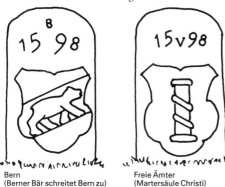

Bern
(Berner Bär schreitet Bern zu)

Freie Ämter
(Martersäule Christi)

An die alte Zeit erinnern die von den Bernern gesetzten Marksteine und das Villmerger Schlachtdenkmal, das auf die unselige Zeit der Glaubenskriege

unter den Eidgenossen hinweist (s. S. 71). Auch unter dem Bauernkrieg (1653) hatte das Freiamt zu leiden. Schliesslich haben die Klosteraufhebung (1841) und der Sonderbundskrieg (1847) das Freiamt hart getroffen.

Das Kloster Muri und sein altes Osterspiel

Muri ist durch sein Kloster weiterum bekanntgeworden. Die Benediktinerabtei zählte mit Wettingen und Königsfelden zu den bedeutendsten Klöstern auf aargauischem Boden. Das Kloster Muri wurde 1027 von den Habsburgern Graf Radbot und Bischof Werner von Strassburg auf Drängen von Radbots Gemahlin, Ita von Lothringen, gestiftet. Im 12. und 13. Jahrhundert stand es mit seiner Schule in hohem Ansehen. Etwa um 1250 wurde hier das erste deutsche Theaterspiel geschrieben, das man kennt. Es ist ein Osterspiel, dessen Szenen zur Osterzeit an verschiedenen Stellen der Klosterkirche aufgeführt wurden. Der folgende Ausschnitt stammt aus jener Szene, in welcher die Grabwächter vor Pilatus erzählen, was ihnen am Grab begegnet ist.

Pilatus:	Sint willechome, ir heren mir, selfiu got, nu sagent ir, waz geschalles ist bi iuh gewesen?	Seid willkommen mir, ihr Herren, Gott helfe euch; nun saget, was für ein Lärm ist bei euch gewesen?
1. Wächter:	Da sin wir chume genesen! wir waren vil nah alle tot und sin endrunnen mit not, und wie uns geshehen ist, daz sage ih dir in churcer vrist: do wir hinaht lagen als wir des grabes phlagen mit vil grozem vlize, do cham en engel wize, der begunde zuo zuns gahen, und duo er uns wolte nahen, do cham vor im en tonrshal, da von ershein da uber al von dem blicheshoze en viur:	Da sind wir kaum davongekommen! Wir waren beinah alle tot und sind entronnen mit Müh und Not; und wie uns geschehen ist, das berichte ich dir während kurzer Frist: wo wir lagen heute nacht, als wir das Grab bewachten mit sehr grossem Eifer, da kam ein weisser Engel, der begann, auf uns zuzustossen, und als er sich uns nähern wollte, da kam vor ihm ein Donnerschlag, daraus erglänzte überall von dem Blitzesstrahl ein Feuer:

	da von wart da so ungehiur, daz wir vil chume endrunnen sin. ih sprihez uf triuwe min, daz wir des gelihe iehen. dar zuo han wir oh gesehen daz der engel den stein von dem grabe ruhte en ein, und Ihesus ist erstanden uns und iuch ce shanden: des mugen wir gelougen niht!	so schrecklich wurde es da deshalb, dass wir fast nicht entronnen sind. Ich sage es bei meiner Treu, dass alle wir die Wahrheit sprechen. Zudem haben wir auch gesehen, dass der Engel den Stein mit einer Bewegung vom Grabe rückte, und Jesus auferstanden ist, schmachvoll für uns und euch: wir können es nicht anders sagen!
Pilatus:	Daz ist en wunderlih geshiht, ub iuh der wan niht hat getrogen.	Das ist eine wunderliche Geschichte, wenn euch die Einbildung nur nicht getäuscht hat.
2. Wächter:	Wir han niht umb en wort gelogen, des sol min lip sin din phant: du heiz uns marteren cehant, ub wir niht war han geseit!	Wir haben nicht um ein Wort gelogen, mein Leben sei dafür dein Pfand: sogleich befehle, uns zu foltern, wenn wir die Wahrheit nicht gesagt!
3. Wächter:	Here, ez ist en warheit gar ane lougen!	Herr, so ist es in Wahrheit, ganz ohne Lügen!
4. Wächter:	Ih sah mit minen ogen Ihesum von dem grabe uf stan und vil shone dannen gan als im nie beshehe leit.	Ich sah mit eigenen Augen Jesus aus dem Grabe aufstehn und ganz unversehrt von dannen gehn, als sei ihm nie ein Leid geschehn.

Nach einer Periode des Niederganges zur Zeit der Reformation erlebte das Kloster eine neue Blütezeit im 17. und 18. Jahrhundert, im Zeitalter des Barocks und des Rokokos. Unter Abt Placidus Zurlauben wurde das Kloster Muri 1701 zur Fürstabtei des Deutschen Reiches erhoben (Sitz und Stimme für den Fürstabt im deutschen Reichstag). Aus dem 18. Jahrhundert stammt die heutige Ausgestaltung der Klosterkirche, die zu den schönsten Barockbauten der Schweiz zählt.

Im Jahre 1841 beschloss der junge Kanton Aargau die Aufhebung der Klöster. Der Konvent (Gemeinschaft der Mönche) musste das Kloster verlassen. Er fand im Südtirol einen neuen Wohn- und Wirkungsort (Kloster Muri-Gries bei Bozen). Der Klosterbesitz ging an den Aargau über; die Gebäude wurden neuen Zwecken (öffentliche Schulen, Verwaltung, Altersheim) zugeführt.

Die Klosterkirche ist neuerdings vom Staat in den Besitz der katholischen Kirchgemeinde Muri übergegangen. Der Familie der einstigen Stifter des Klosters, den Habsburgern, die heute noch besteht, aber im Exil (fern von Österreich) lebt, ist zugestanden worden, ihre Toten in einem Seitenraum der Klosterkirche zu bestatten.

Neben Muri dürfen andere bedeutende Kirchenbauten der Gegend nicht vergessen werden: etwa das Benediktinerinnen-Kloster *Hermetschwil*, dessen freigelegte Rokoko-Deckengemälde nach der bedeutsamen Gesamtrestaurierung 1975/76 der Pfarr- und Klosterkirche zur Ehre gereichen, oder die Pfarrkirche *Göslikon*, die als schönste Rokoko-Kirche des Aargaus gilt. Auch sie weist sehr beachtenswerte Fresken von Franz Anton Rebsamen auf.

Sins – die grösste Gemeinde des Kantons

Mit 2028 ha ist Sins im oberen Freiamt flächenmässig die grösste Gemeinde des Kantons Aargau. Sie besteht aus einer Reihe von Dörfern und Weilern: Ättenschwil, Alikon, Fenkrieden, Gärischwil, Holderstock, Meienberg, Reussegg, Sins. Dazwischen eingestreut sind zahlreiche Einzelhöfe. Bis zum Jahre 1940 wurde die Gesamtgemeinde mit Meienberg bezeichnet, nach dem ehemaligen habsburgischen Städtchen, das im Sempacherkrieg 1386 von den Eidgenossen zerstört worden war. Mit Ausnahme weniger Häuser, z. B. Amtshaus (mit Schandpfahl, Kerker, Krämerladen), wurde das Städtchen nicht mehr aufgebaut; es blieb eine abgegangene Siedlung, eine sogenannte Wüstung. Die Überreste der ehemaligen Stadtmauer sind noch vorhanden, jedoch mit Gras und Buschwerk überwachsen. Die Geländeformen weisen eindeutig auf die einstige Stadtlage hin. Weniger deutlich ist der Standort der ehemaligen Doppelburg Rüssegg zu erkennen. Die imposanten Ruinen wurden im 19. Jahrhundert abgetragen und die Steine für Haus- und Strassenbau verwendet.

Interessant ist die vermutlich prähistorische Grenzsetzung im Wald zwischen Reussegg und Auw, die sogenannte Rüssegger Mauer. Auf einer Länge von über 1000 Metern stecken in Abständen von 20 bis 50 Metern Granitfindlinge in gerader Linie im Boden.

In der Mitte des 20. Jahrhunderts hat sich im einst rein bäuerlichen obern Freiamt Industrie niedergelassen. Sins mit seiner Bahnstation und mit genügend Wasservorkommen hat sich als geeigneter Standort für eine chemische Fabrik erwiesen. In einem Tochterbetrieb der Lonzawerke wird aus Erdöl und Kochsalz ein Kunststoff hergestellt, der durch Wärme verformbar und für die Fabrikation von Kabeln, Röhren, Schläuchen, Bodenbelägen, Flaschen und Folien geeignet ist. In einer weitern Fabrik wird Schaumstoff produziert, der Luft in geschlossenen Zellen enthält und deshalb vor allem als Isolationsmaterial Verwendung findet.

Beinwil mit dem Schloss Horben

Beinwil/Freiamt ist eine Gemeinde, die wie Sins aus mehreren Dörfern und vielen Einzelhöfen besteht; der Dialekt hat diese Namen ganz nett verändert: Beinwil/Beuu, Wiggwil/Witu, Winterschwil, Brunnwil/Brouu, Wallenschwil/Walischwil. Der bekannteste

Rüssegger Mauer

Bildstöckli   Prankenkreuz

Hof ist der Horben mit dem Schloss hoch auf dem Lindenberg. In der Krypta der Beinwiler Pfarrkirche ist der heilige Burkhard begraben, ein Priester, der hier ums Jahr 1200 gewirkt hatte und schon zu Lebzeiten verehrt worden war. Zu seinem Grab pilgern auch heute noch Gläubige, die vom Heiligen Fürbitte in Sorgen und Leid erflehen. Das Bauernvolk hat hier oben im Freiamt seine Gläubigkeit durch die Errichtung von zahlreichen Wegkreuzen und Bildstöcken zum Ausdruck gebracht.

Obstsaft aus Äpfeln und Birnen

Die Bauern des Freiamts betreiben vor allem Milchwirtschaft. Auf den Wiesen stehen aber unzählige Kernobstbäume, die hauptsächlich Mostobst

liefern. Der Tafelobstbau gewinnt allmählich ebenfalls an Bedeutung. Der grösste Teil des Mostobstes wird mehreren Mostereien zugeführt, vor allem der Freiämter Mosterei in Muri. Sie gehört zu den fünf grössten Obstverwertungsbetrieben der Schweiz. Sie sorgt dafür, dass die Genossenschafter und Lieferanten nur noch die besten und ertragreichsten Obstsorten anpflanzen. So lässt sich die Qualität der Obstsäfte (Süssmost) und der Apfelweine (vergorener Most) erhöhen. Bevorzugte Sorten bei den Birnen sind die Theilers- und Wasserbirnen, bei den Äpfeln Sauergrauech, Thurgauer Weinapfel, Bohnapfel, Boskoop, Jonathan, Wilerrot. Das Mostobst muss ausgereift, gesund und baumfrisch abgeliefert werden.

Schematische Darstellung der Süssmostherstellung in der Freiämter Mosterei Muri

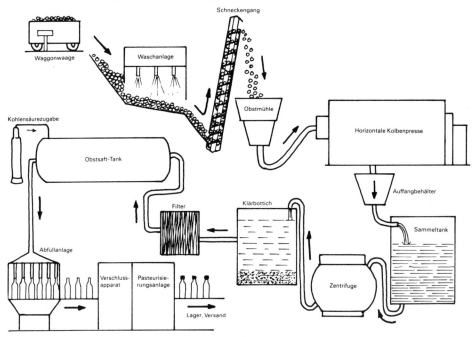

Entspricht es den Anforderungen nicht, so kann es nur noch als Brennobst zur Herstellung von Obstschnaps verwendet werden.

Wie Süssmost in der Freiämter Mosterei hergestellt wird

Im Herbst werden in der Freiämter Mosterei Muri 500 bis 1500 Bahnwagen zu 10 Tonnen verarbeitet. Nach dem Antransport werden die Waggons mit dem Mostobst gewogen und nach der Qualitätskontrolle entleert. Die Früchte werden gewaschen und durch einen Schneckengang der Obstmühle zugeführt. Hier wird das Obst zerstückelt und zur sogenannten Maische gemahlen. Eine Pumpe fördert die Maische zur Horizontalpresse. Sie fasst 10 bis 12 Tonnen Maische. Ein Kolben presst sie aus; der Obstsaft fliesst durch schlauchförmige Nylonfiltertücher einem Auffangbehälter zu. Die Presszeit für Birnen beträgt 45 Minuten, für Äpfel 90 Minuten. 100 kg Obst ergeben ungefähr 78 Liter Obstsaft. Vom Auffangbehälter fliesst der Obstsaft dem Sammeltank zu. Von hier gelangt er in die Zentrifuge, wo er von den gröbern Schwebeteilchen befreit wird. Nach dieser Vorklärung wird er dem Klärbottich zugeleitet. Dort setzen sich die weiteren Festteilchen, die der Obstsaft noch enthält. Es ist ein trüber Satz, der Trub (Druese), der sich am Boden des Bottichs ansammelt. Der Obstsaft wird endlich in der Filtrieranlage von den restlichen und feinsten Festteilchen befreit. Als klarer und glanzheller Saft fliesst er dem Lagertank zu, wo ihm Kohlensäure zugegeben wird. Dadurch erhöht sich die Haltbarkeit des Obstsaftes. Die Lagerung dauert höchstens ein Jahr. Das Tanklager der Mosterei Muri besteht aus 40 Tanks zu 30000 bis 40000 Litern. In der Abfüllanlage werden täglich 25000 Liter Obstsaft in Flaschen zu 2 dl, 3 dl, 6 dl und 1 Liter abgefüllt.

Süssmost wird noch in einem andern Verfahren gewonnen: Dem Obstsaft wird in einer Verdampfungsanlage das Aroma entzogen, dann wird er zu einem Konzentrat eingedickt. Im folgenden Jahr wird der Obstsaft rückverdünnt und durch Zugabe des Aromas zu vollwertigem Süssmost aufbereitet.

Wohlen – ehemals «Klein-Paris»

Wohlen, die bevölkerungsmässig viertgrösste Gemeinde des Kantons, ist eine Scharnierstelle Richtung Aarau–Lenzburg einerseits und Muri–Innerschweiz anderseits. Von hier aus werden andere Täler (Seetal/Meisterschwanden, Reusstal/Bremgarten) bahn- und strassenmässig erschlossen. In Wohlen treffen sich folgende Bahnen (siehe auch Seite 126):

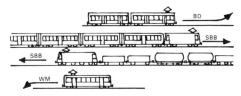

BD   Bremgarten–Dietikon-Bahn. Der Name ist irreführend, weil sie ja auch Wohlen mit Bremgarten und Dietikon verbindet.
SBB Ehemals aargauische Südbahn, erstellt 1874 bis 1882. Heute Doppelspur. Wichtig für den Transitverkehr Deutschland–Italien.
WM Wohlen–Meisterschwanden-Bahn seit 1916.

Wohlen ist bekannt als Mittelpunkt der Strohindustrie (Strohhüte, Geflechte). Schon im 16. Jahrhundert gab es im Freiamt das Strohgeflechtgewerbe, aber erst im 18. Jahrhundert wurden Strohgeflechtprodukte in aller Welt bekannt, was zur Bildung von industriellen Betrieben und Handelsfirmen führte. Mitte des 19. Jahrhunderts erlebte die Strohindustrie eine Blüte sondergleichen; eine Statistik von 1857 berichtet von 55 Fabrikbetrieben, 4377 Fabrikarbeitern und 24054 Heimarbeitern auf Kantonsgebiet. Diese industrielle Blütezeit brachte grossen Reichtum und trug dem Dorf den Zunamen Klein-Paris ein. Heute noch trifft man in Wohlen Villen mit weiten Privatparks in enger Verbindung zu Fabriken. Aber ebensorasch wie der Aufschwung erfolgte der

Abstieg. Das Strohgeflecht kam in den achtziger Jahren aus der Mode, und nur noch ein Fünftel der bisherigen Arbeiterschaft fand Beschäftigung. Nach einem Wiederaufleben in der ersten Hälfte des 20. Jahrhunderts setzte der Niedergang dieses modeanfälligen Industriezweiges erneut ein, und heute sind nur noch einige hundert Arbeiter und Arbeiterinnen in der Geflechtindustrie tätig. An die Stelle des Roggenstrohs sind schon längst andere, vor allem künstliche Rohstoffe getreten. Ein Strohmuseum erinnert an die einstige goldene Zeit der Strohindustrie.

Heute verdienen in Wohlens Fabriken von 100 Arbeitern nur noch 18 ihr Auskommen in der Hut- und Geflechtindustrie; 16 von 100 sind im grossen Eisenwerk beschäftigt, 22 in Kunststoffwerken und 25 in Maschinen- und Instrumentefabriken.

Versorgung mit Brot- und Futtergetreide

Im Jahre 1972 gab es im Aargau 13 Handels- und 41 Kundenmühlen. Während die Kunden- oder Genossenschaftsmühlen hauptsächlich das Getreide der einheimischen Bauern vermahlen und sie mit Brot- und Futtermahlgut versorgen, verarbeiten die Handelsmühlen weit grössere Getreidemengen (500 bis 20000 Tonnen jährlich) und treiben Handel mit dem Mahlgut. Sie bieten ein reiches Sortiment an: Griess aus ausländischem Hartweizen als Speisegriess und für die Herstellung von Teigwaren, über ein Dutzend verschiedene Mehlsorten für die Herstellung von Brot und Backwaren, Viehfutter aus verschiedenen Getreidearten (insbesondere aus Gerste und Hafer), Mais und Sojabohnen.

Im Raume Wohlen fällt die Massierung von Mühlen und vor allem die riesige Siloanlage für Brot- und Futtergetreide in Dintikon auf. Silobauten erinnern daran, dass die Betriebe vom Bund aus gehalten sind, grosse Pflichtlager für Notzeiten anzulegen.

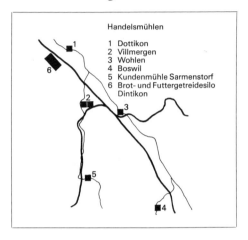

Der Brot- und Futtergetreidesilo Dintikon

Der Silo der Rheinischen Silogemeinschaft AG in Dintikon ist ein Verteilzentrum für Brot- und Futtergetreide. Mit seinen 170 m Länge, 23 m Breite und 50 m Höhe (Lagertrakt) ist das Gebäude der grösste Getreidesilo der Schweiz. In ihm werden ca. 100 000 Tonnen, auf 535 Silozellen verteilt, gelagert. Das meiste Getreide stammt aus dem Ausland. Es wird zum grossen Teil mit Silowagen der SBB von den Hafenanlagen in Basel nach Dottikon transportiert. Die zweiachsigen Silowagen der SBB fassen 28 Tonnen (zwei Silos zu 21 000 Liter, 100 Liter Getreide wiegen etwa 78 kg), die vierachsigen Silowagen dagegen 63 Tonnen. Der Umschlag beträgt im Mittel pro Tag 300 bis 500 Tonnen. Etwa drei Zehntel des Lagerraums sind für das Brotgetreide reserviert, die übrigen sieben Zehntel für das Futtergetreide. Das Lagergut wird ständig kontrolliert (Feuchtigkeit, Temperatur, Ungeziefer). Inländisches Brotgetreide kann etwa zwei Jahre, ausländisches fünf Jahre gelagert werden.

Die Mühlenwerke Dambach in Villmergen

Die Mühlenwerke Dambach in Villmergen besitzen neben einer Weizen- auch eine Hafermühle. Es ist die zweitgrösste Hafermühle der Schweiz (1. Kemptthal, 2. Villmergen, 3. Kaiseraugst). In den Silozellen werden 4500 t Hafer gelagert. Er stammt hauptsächlich aus Nord- und Südamerika, aus Kanada und Australien. Die vollautomatische Hafermühle vermag in 24 Stunden 72 t Hafer zu verarbeiten. Für die Überwachung der gesamten Fabrikation genügt ein Mann. Ein Zehntel der Haferprodukte «Gusto» dient der menschlichen Ernährung (Speisehaferflöckli, Speisehaferflocken, Hafergrütze), neun Zehntel der tierischen Ernährung (Futterhaferflocken, Haferzuchtmehl, Haferabfallmehl, Haferspreuer, 6-Korn-Hundeflocken).

Roggenstroharbeiten aus Rottenschwil

Die einst für das Freiamt so bedeutende Strohflechterei ist verschwunden. Nur noch in einem Familienbetrieb in Rottenschwil wird Stroh nach alter Väter Art gewonnen und verarbeitet:

Zur Zeit der Milchreife wird der Roggen mit der Sense geschnitten, auf dem Boden ausgebreitet und dann zu Schäubchen (kleine Garben) gebunden. Auf dem Heuboden der Tenne werden die Schäubchen an Haltestangen aufgestellt, damit sie an der Luft trocknen können. Nach fünf bis acht Wochen breitet man sie an der Son-

ne aus, wo sie durch Morgentau genetzt und durch Sonnenbestrahlung getrocknet und gebleicht werden. Der nächste Schritt ist das «Schaubushaue»: Ein Arbeiter befreit die Halme von Blatthüllen und Knoten und schneidet sie auf eine bestimmte Länge zu. Mit grosser Fingerfertigkeit leimt, schnürt, knickt und schneidet die Besitzerin des Betriebs die Strohröhrchen zu prächtigen Strohsternchen und andern Figuren.

Torfstechschaufel

Turbenstöckli

Torfstich in Boswil

Östlich des grossen, zwischen Wohlen und Muri gelegenen Bauerndorfes Boswil im Forrenmoos und westlich in einer Geländemulde am Lindenberg (Feldenmoos) wurde früher, vor allem während der beiden Weltkriege, in grossem Mass Torf als Kohleersatz und Torfmull zum Streuen im Stall gewonnen. Heute sind nur noch wenige Hektaren zur Ausbeutung übriggeblieben.

Es wird nicht mehr Torf gestochen, sondern nur noch Trockentorf (Gusel, Torfmull) ausgebeutet. In Baumschulen und Gärtnereien verwendet man den Trockentorf zur Veränderung der Bodenqualität.

Torf ist eine Vorstufe der Steinkohle. Holz- und Pflanzenfasern blieben während etwa 2000 Jahren, von Wasser durchtränkt, ohne Zufuhr von Luft im Boden, so dass sie nicht vermodern konnten. Beim Abbau der Torffelder stiessen die Törbeler gelegentlich auf mächtige, uralte Eichenstämme oder sogar auf Hirsch- und Elchgeweihe.

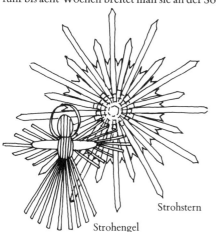

Strohstern

Strohengel

Der Heizwert von 100 kg Torf entspricht etwa 30 bis 50 kg Steinkohle. Wegen des hohen Wassergehaltes und der reichlichen Aschenbildung ist Torf für Zentralheizungen ungeeignet. Bis in die sechziger Jahre unseres Jahrhunderts erhielt jeder Ortsbürger als Bürgernutzen neben einer Holzgabe einen «Kopf» Torfboden (einige Quadratmeter, bei einer Mächtigkeit von drei bis fünf Metern). Zwischen Heuet und Emdet zog man «id Forre». Mit der schmalen Torfstechschaufel, auch Torfmesser genannt, wurde der butterweiche Torf ausgestochen. Der Törbeler schleuderte die Torfziegel oder Turben (30 cm lang, 8 bis 10 cm breit und hoch) mit Schwung aus der Grube, geschickte Hände fingen sie auf und luden sie auf Schubkarren. Nun wurden die Turben auf eine Riedwiese gefahren, für eine Woche auf den Boden gelegt und hernach kreuzweise zu Torfstöckli aufgeschichtet. Während des Sommers trockneten die Turben zu harten Torfklötzen aus. Der Törbeler holte sie im Herbst und lagerte sie in einem gut durchlüfteten Raum.

Die Reussebene oberhalb Bremgartens

Die Ebene im obern Reusstal ist eine Aufschüttungsebene der letzten Eiszeit (Würm). Eine Stirnmoräne bei Bremgarten staute das Wasser auf, und es konnte sich ein etwa 20 km langer See bilden. Im Laufe der Zeit sammelte sich hier Geschiebe an, vor allem von der Kleinen Emme, im obern Teil gröberer Kies, in untern Teil Sand. Daraus entstand die Reussebene.

Stirnmoräne bei Bremgarten
Schnitt durch die Reussebene in der Längsrichtung

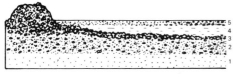

1 Molasse, 2 Schotter der vorletzten Eiszeit, 3 Grundmoräne der letzten Eiszeit, 4 Seelehm, 5 nacheiszeitliche Geschiebeablagerung

Die Ebene wurde zu einem typischen Überschwemmungsgebiet. Die Kleine Emme und die Bäche vom Lindenberg traten alljährlich über die Ufer. Der Reusslauf wies hier viele Schlingen, Ar-

Querschnitt durch das Reusstal

1 Vor der Korrektion (Überschwemmung)

me, Inseln und Altwasser (durch die Natur abgetrennte Schlaufen) auf. Die Ebene konnte landwirtschaftlich kaum genutzt werden, bildeten sich doch viele Sumpfgebiete und Torfmoore. Man begreift darum auch, dass sich die Siedlungen am Rande der Ebene, an den Talhängen befinden, wo einigermassen Schutz vor Überschwemmung bestand.

Schon im Mittelalter wurde ein Hochwasserdamm auf der linken Reussuferseite, von *Rickenbach/Merenschwand* bis *Rottenschwil* errichtet. Im 19. Jahrhundert (1857 bis 1860) erstellte man ein vertieftes, meist geradliniges Flussbett, das den alten Reusslauf korrigierte. Zur Abführung des Bachwassers vom Lindenberg her legte man Entwässerungskanäle an.

2 Nach der Korrektion (Hochwasserdamm, Seitenkanäle)

Im Zusammenhang mit dem Kraftwerkbau Bremgarten (1975) und dem Aufstau der Reuss wurde durch die Erstellung von Pumpwerken und neuen Dämmen die Erhaltung des Kulturlandes sichergestellt. Zudem wurde der

Grundwasserspiegel reguliert. Durch diese Meliorationsarbeiten soll der fruchtbare Boden verbessert werden.

Reussstau 1975 (Kraftwerk Bremgarten-Zufikon)

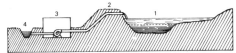

1 Gestaute Reuss mit früherem Wasserniveau (gestrichelt), 2 neuer Damm, 3 Pumpenhaus, 4 Seitenkanal

Naturschutzgebiete im obern Reusstal

Die Reussebene von *Mühlau* bis *Hermetschwil* ist reich an Altwassern früherer Reussläufe, an Weihern und Riedwiesen. Diese Gebiete stellen ausgezeichnete Lebensräume für wasserliebende Pflanzen und Tiere dar. Etwa 100 seltene Wasser- und Sumpfpflanzen

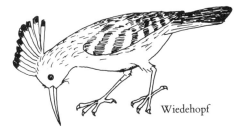

Wiedehopf

kommen nur noch in der Reussebene vor. Bei der Melioration der Reussebene hat der Regierungsrat des Kantons Aargau eine Reihe von ursprünglichen Biotopen unter Naturschutz gestellt. Die geschützte Fläche misst insgesamt 280 ha. Mit dieser Massnahme kann der Lebensraum einer reichen, zum Teil vom Aussterben bedrohten Pflanzen- und Tierwelt erhalten und eine Naturlandschaft zum Erholungsgebiet werden.

Naturschutzgebiet   O Pumpwerk

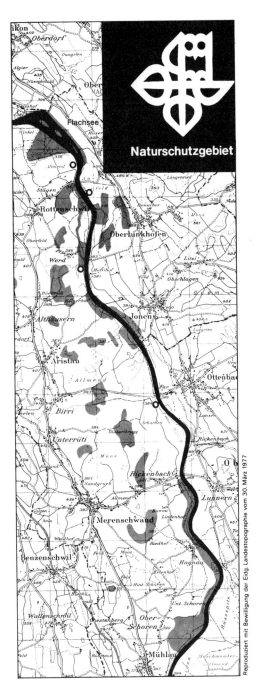

Besonders schön sind die Riedwiesen anfangs Juni, wenn die Blaue Schwertlilie, die Kuckuckslichtnelke, die Gelbe Schwertlilie und der Klappertopf in grösseren Beständen blühen. Von den seltenen Tieren sind zu erwähnen: Brachvogel, Kiebitz, Bekassine, Wachtelkönig, Grauammer, Pirol, Nachtigall, Schwanzmeise, Wacholderdrossel, Fasan, Rohrsänger, Wiedehopf, Gelbbäuchige Unke, Geburtshelferkröte, Laubfrosch, Ringelnatter.

Bremgarten in der Reussschlinge

Die Stadt Bremgarten wurde durch die Habsburger gegründet. Zunächst entstand die Oberstadt auf dem Moränenplateau (um 1200), später die Unterstadt am Rande der Au (13. Jahrhundert). Die Reussschlaufe bot eine günstige Verteidigungslage; Vergleiche mit den Städten Bern (Aare) und Freiburg (Saane) drängen sich auf. Als Brückenstadt entwickelte sich Bremgarten zu einem Verkehrsknotenpunkt; hier wurde ab 1287 Brückenzoll erhoben. Die Altstadt ist auch heute noch gut erhalten und weist verschiedene sehenswerte Gebäude auf: den Spittelturm (bedeutendste Wehranlage am obern Stadteingang), den Hexen- und den Kessel- oder Hermansturm (Rundtürme an der Stadtmauer der Unterstadt), die Reussbrücke (gedeckte Holzbrücke mit den zwei Brückenkapellen St. Nepomuk und St. Agatha, Bollhaus als Befestigungsanlage), die Stadtkirche St. Nikolaus in der Unterstadt (13. Jahrhundert), Muri-Amthof (Sitz des klösterlichen Verwalters, heute Privatbesitz, Turm anfangs 20. Jahrhundert), das Schlössli (Privatbesitz). Bremgarten besass bis 1802 einen sogenannten Platzturm, der

noch älter als die Stadt war. 1740 schlug ein Blitz in den Turm, der in den darauffolgenden Jahrzehnten zerfiel und schliesslich an einem Fasnachtstag zusammenstürzte.

Berühmte Bremgarter Bürger in der Vergangenheit waren Werner Schodoler (1490 bis 1541), welcher die dreibändige Eidgenössische Chronik verfasste (1978 als Faksimiledruck erschienen), und Heinrich Bullinger (1504 bis 1575), der Reformator und der Nachfolger Zwinglis in Zürich.

Aus der Schodoler-Chronik:
Berner und Solothurner kehren von einem Beutezug aus Burgund zurück

Bremgarten ist auch heute noch wichtig als Marktort; bekannt sind der Oster- und der Pfingstmarkt. Schon im Mittelalter war Bremgarten ein Marktzentrum, das stark nach Zürich ausgerichtet war. Auch die Reformation konnte nicht verhindern, dass das katholische Bremgarten mit Zürich verbunden blieb.

Seit 1903 gibt es am linken Ufer der Reussschlaufe gegenüber der Au die Fohlenweide, wo um die 50 Zuchtpferde gehalten und Jungtiere aufgezogen werden. In neuester Zeit ist Bremgarten Waffenplatz geworden; es gibt je eine Kaserne für die Genietruppen und für den Zivilschutz. Im Jahre 1975 erfolgte die Inbetriebnahme des neuesten und wohl letzten Flusskraftwerkes des Aargaus (Bremgarten-Zufikon). Es dient mit seinem Flussstau neben der Elektrizitätsversorgung auch der Melioration der Reussebene oberhalb Bremgartens.

Das St. Josefsheim

Das St. Josefsheim ist eines der zahlreichen Kinderheime im Aargau, die sich in den Dienst am geistig oder körperlich geschädigten Kind stellen. Im Gebäude des ehemaligen Kapuzinerklosters Bremgarten nahmen 1889 Schwestern aus dem Kloster Ingenbohl die Pflege von sechs behinderten Kindern auf. Die Zahl der Pflegekinder nahm rasch zu, so dass wiederholt Neubauten angegliedert werden mussten, zuletzt (1975) das neue Pflege- und Therapieheim. Das Josefsheim ist das grösste Kinderheim im Aargau; es beherbergt etwa 200 geistig behinderte und schwergeschädigte Kinder. Der Personalbestand, zu dem etwa 50 Schwestern aus dem Kloster Ingenbohl gehören, ist annähernd gleich hoch wie die Anzahl der Pflegekinder.

Die schwergeschädigten Kinder bedürfen der andauernden Pflege und Betreuung. Ihre Behandlung erfordert vor allem Einzelförderung, z. B. müssen falsche Bewegungsverhalten abgewöhnt und neue Bewegungsmuster eingeübt, Verkrampfungen gelöst und lebenspraktische Fähigkeiten (Essen, Trinken, An- und Ausziehen, Toilettenbenützung, Waschen usw.) erworben werden.

Geistig behinderte Kinder, die schul- und praktisch bildungsfähig sind, werden in Familiengruppen zu acht Kindern zur Gemeinschaft und zu sinnvoller Beschäftigung erzogen. Je nach dem körperlichen oder seelischen Leiden werden jeweils zwei bis drei Kinder zusammen regelmässig therapeutisch behandelt. In der heilpädagogischen Sonderschule erhalten etwa 80 praktisch Bildungsfähige und 70 Schulbildungsfähige in Kleinklassen Unterricht im Werken oder in den Schulfächern.

Die Bremgarten-Dietikon-Bahn (BD)

Die Bremgarten-Dietikon-Bahn verbindet drei Täler miteinander und hat dabei Höhenunterschiede von über 100 Meter zu überwinden.

Die BD verbindet drei Täler

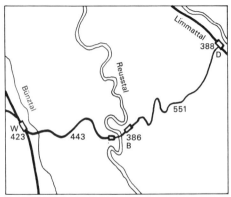

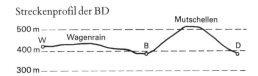

Streckenprofil der BD

So weist die Bremgarten-Dietikon-Bahn eine interessante Entstehungsgeschichte auf. Vor über 100 Jahren, 1876, wurde der Verkehr auf der normalspurigen Strecke Bremgarten-West-Wohlen als Dampfbetrieb aufgenommen. Die Baukosten, inklusive Rollmaterial, beliefen sich auf 1,2 Millionen Franken, was für damalige Verhältnisse eine hohe Summe war. Die Bahn wies hohe Betriebsdefizite auf und kam deshalb 1902 an die Eidgenossenschaft; sie wurde damit Bundesbahnstrecke. Im gleichen Jahr wurde die elektrische, schmalspurige Strassenbahn Dietikon – Bremgarten – Obertor, BD genannt, in Betrieb genommen. Dies war eine Privatbahn. Eine Postkutsche sorgte für die Überbrückung der bahnlosen Strecke zwischen Bremgarten-West und Bremgarten-Obertor. 1910 übernahm die BD die Bundesbahnstrecke Bremgarten-West – Wohlen. Der Betrieb wurde elektrifiziert, die Gleisanlage auf Schmalspur ausgebaut. Zwei Jahre später wurde in Bremgarten die Bahnbrücke errichtet, welche den durchgängigen Bahnverkehr Wohlen–Bremgarten–Dietikon durch die BD ermöglichte. Von Wohlen nach Bremgarten-West besteht noch heute ein dreischieniges Gleis, so dass schmal- und normalspurige Wagen (Güterwagen) verkehren können. Im Gegensatz zur Wohlen–Meisterschwanden-Bahn (WM) wird die BD gut frequentiert.

BD zwischen Wohlen und Bremgarten-West
(Schmal- und Normalspur)

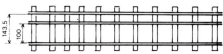

Mutschellen – bevorzugtes Wohngebiet der Zürcher

Das Mutschellengebiet eignet sich vorzüglich zum Wohnen: Es ist sonnig und ruhig, weist wenig Nebel auf und bietet eine schöne Aussicht auf den Jura, das Mittelland und die Alpen. Diese Region wird von Zürich aus mehr und mehr besiedelt. Die Mutschellenge-

meinden weisen in den letzten Jahren eine starke Bevölkerungszunahme auf:

	1960	1974	Zunahme
Berikon	1 156	1 842	59%
Rudolfstetten	1 106	3 077	178%
Widen	759	1 816	139%
Zum Vergleich:			
Aarau	17 045	16 430	–4%
Baden	14 553	14 097	–3%
Zürich	437 273	396 261	–9%

Die starke Bevölkerungszunahme stellt die Gemeinden vor grosse Probleme. Die schwierigste Aufgabe für die Mutschellengemeinde war die Versorgung mit genügend Trinkwasser. Da die eigenen Quellen und die Grundwasservorkommen im Reusstal keineswegs genügten, musste versucht werden, Fremdwasser zu beziehen. Es gelang, sich an die Wasserversorgung der Stadt Zürich anzuschliessen. So können heute nach Vertrag täglich bis 4 Millionen Liter Wasser vom zürcherischen Birmensdorf auf den Mutschellen gepumpt werden. Man trinkt in Berikon, Rudolfstetten und Widen also aufbereitetes Zürichseewasser, das mit Quell- und Grundwasser vermischt ist. Es ist mög-

Fremdwasserversorgung auf dem Mutschellen

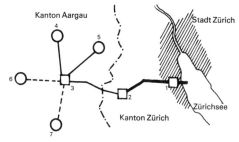

1 Aufbereitungsanlage Zürich   5 Rudolfstetten
2 Pumpwerk Birmensdorf   6 Zufikon
3 Reservoir Berikon   7 Oberwil
4 Widen

lich, dass auch andere Berggemeinden im Kelleramt (Zufikon, Oberwil) noch an diese Fremdwasserversorgung angeschlossen werden.

Das Taumoos in Niederrohrdorf

Eingebettet zwischen Moränenhügeln liegt das Taumoos, ein Hochmoor von ungefähr 100 × 100 m Ausdehnung. Es steht unter Naturschutz. Auf dem moorigen Grund gedeihen seltene Pflanzen, zum Beispiel die Moosbeere (1), die Rosmarinheide (2) und der Sonnentau (3). Unter den Moosen ist das Torfmoos (4) am häufigsten zu finden. Während die untern Teile der Torfmoospflanze absterben, bilden sich oben fortwährend neue Triebe. Allmählich hebt sich der Boden; aus dem Flachmoor entsteht ein Hochmoor. Wenn man über das Moos geht, spürt man den wassergesättigten Moorboden. Bei jedem Tritt schwankt der Untergrund; man glaubt, auf einer schwimmenden Insel zu wandern.

Mellingen und die vierfache Endmoräne

Unterhalb Mellingens liegt eine vierfache Endmoräne des Reussgletschers aus der Würmeiszeit. Die Reuss hat sich gut 40 m tief in die Moränenlandschaft eingefressen. Ihr Lauf ist ursprünglich und unverfälscht. Im Flussbett und an den Hängen der Flussrinne befinden sich zahlreiche Findlinge, vor allem granitene aus dem Gotthardgebiet. Die Reusslandschaft unterhalb Mellingens gilt als eines der schönsten Flussgebiete der Schweiz.

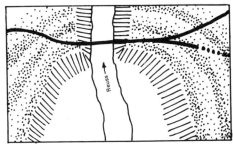

Moränenlandschaft unterhalb von Mellingen mit der 40 m hohen Eisenbahnbrücke

Seitenmoränen ziehen sich längs des Wagenrains und des Heitersbergs hin. Zum Teil sind es Drumlins; das sind Moränenhügel früherer Eiszeiten, die durch den Gletscherstrom einer spätern Eiszeit überfahren und elliptisch geformt wurden.

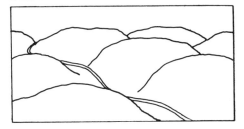

Drumlins westlich von Niederrohrdorf

Das Städtchen Mellingen liegt in der Aufschüttungsebene zwischen den Endmoränen von Mellingen und Bremgarten. Wie Aarau und Lenzburg ist es von den Grafen von Kyburg gegründet worden. Die Stadt wurde erstmals 1242, die Brücke 1243 erwähnt. 1273 ging Mellingen durch Kauf an Rudolf von Habsburg über. 13 Mellinger fielen bei der Schlacht bei Sempach auf der Seite der Österreicher.

Mellingen ist ein Brücken- und Mühlenstädtchen. Die Stadtanlage weist die Form eines Dreieckes auf. Die Altstadt mit dem Schloss Iberg, mit der Kirche, dem Rathaus und dem Zeit- und Hexenturm ist sehr gut erhalten. Die Hauptstrasse ist die Marktgasse, welche vom Lenzburger- zum Reusstor führt. Wer beim Lenzburgertor stolpert, erreicht mit dem Kopf bereits das Reusstor, so wird etwa gewitzelt; damit wird auf die Kleinheit der Altstadt hingewiesen. Früher führte eine schöne Holzbrücke über die Reuss; sie ist schon vor einigen Jahrzehnten durch eine moderne Konstruktion ersetzt worden. Die Stadt wurde im Mittelalter innerhalb von nur 150 Jahren von fünf schweren Feuersbrünsten heimgesucht (viele Häuser bestanden aus Holz und Schindeln).

Das grösste Tanklager der Schweiz

Beim Bahnhof Mellingen ausserhalb des Stadtkerns befindet sich ein Grosstanklager für flüssige Treib- und Brennstoffe, das grösste Tanklager der Schweiz (Avia, BP, Esso).

Auf zwei Abstellgleisen der SBB werden täglich durchschnittlich sechs Blockzüge zu 1000 t entleert. Für die Entleerung eines Zuges braucht es drei Stunden. Superbenzin, Normalbenzin, Dieseltreibstoff und Heizöl fliessen durch besondere Leitungen den entsprechenden Tanks zu: 10 Tanks für Benzin weisen ein Fassungsvermögen von 223 126 m³ auf, 3 Tanks für Dieselöl fassen 93 399 m³, 12 Tanks für Heizöl 434 756 m³. Zum Füllen eines Tanks werden 30 bis 40 Blockzüge

zu 1000 t benötigt. Das gesamte Lager mit seinen 751 Millionen Litern reicht für zwei Wochen des schweizerischen Bedarfs. 80 Prozent unseres Energiebedarfs werden gedeckt durch den Erdölimport.

Monotoner Stausee bei Windisch-Gebenstorf?

Anfangs 1978 entwickelte sich um den untersten Reussabschnitt bei Windisch-Gebenstorf eine heftige Diskussion. Dem Vorhaben der dort ansässigen Spinnerei, das bestehende Reusswehr durch ein neues Wehr mit vier Schützen zu ersetzen, erwuchs grosse Opposition. Die Gegner befürchten schwerste Eingriffe ins Reusslandschaftsbild und sind der Ansicht, das Projekt verstosse gegen das Gesetz über die Freie Reuss, das Neuanlagen zwischen Bremgarten und der Einmündung in die Aare verbiete; aus der ursprünglichen Flusslandschaft würde ein monotoner Stausee.

Das Birrfeld: Von der Kornkammer zum Verteilzentrum

Das Birrfeld ist eine auffallende Ebene im untern Reusstal, nordwestlich von Mellingen, südlich von Brugg, umrahmt vom Chestenberg, Wülpelsberg und Eiteberg und von der Flussrinne der Reuss. Die Ebene hat erst in den letzten Jahrzehnten eine umwälzende Wandlung erfahren. Im 19. Jahrhundert wurde sie ausschliesslich von der Landwirtschaft genutzt, und man nannte sie die Kornkammer des Aargaus. In der zweiten Hälfte unseres Jahrhunderts setzte eine in diesem Ausmass nie erwartete Grossüberbauung mit Industrie- und Wohnbauten ein (Kabelwerke, BBC-Grösstmaschinenbau, Mühlebach-Papier, Autoverteilzentrum der Amag,

Reichhold-Chemie). Auf der Karte fällt auf, dass die ursprünglichen Dörfer *Birr, Lupfig, Scherz, Mülligen, Birrhard* am Rande der Ebene liegen. Die grossen Neubauten hingegen wurden in der Mitte der Ebene, deren Charakter sich vollständig verändert hat, errichtet. Das Birrfeld ist verkehrsmässig ausgezeichnet gelegen. Die Bahnlinien Aarau – Wettingen und Aarau – Zürich streifen die Ebene zwar nur am Rande, die Bahnlinie Brugg – Othmarsingen – Wohlen hingegen führt mitten durch sie hindurch, und dazu kommen die Autobahn Zürich – Bern (N 1) und verschiedene Hauptstrassen. Hier im Birrfeld soll die Autobahn Zürich – Basel (N 3) an die N 1 angeschlossen werden. Damit dürfte die Bedeutung des Birrfeldes als Verteilzentrum noch mehr zunehmen (jetzt schon Amag, Lupfig, und Denner, Mägenwil).

Der Bevölkerungszuwachs der letzten Jahre in den Birrfeld-Gemeinden ist beträchtlich. Die Gemeinde Birr beispielsweise hatte 1975 über viermal mehr Einwohner als 15 Jahre vorher, wobei die Ausländer gut die Hälfte ausmachten.

Das Birrfeld ist auch eine geschichtlich interessante Gegend: Hier wurde beim Bau der Transformatorenstation der Nordostschweizerischen Kraftwerke (NOK) zwischen Brunegg und Birr ein 310 t schwerer erratischer Block aus Gotthardgranit ausgegraben; vom Chestenberg nach Vindonissa führte zur Römerzeit und führt heute noch eine unterirdische Wasserleitung durch das Birrfeld; das Eigenamt mit dem Birrfeld war das eigentliche habsburgische Stammland; schliesslich ist der Neuhof bei Birr zur langjährigen Wirkungsstätte Pestalozzis geworden.

Pestalozzi im Aargau

1769 wurde der 23jährige Johann Heinrich Pestalozzi (1746 bis 1827) mit der um acht Jahre älteren Zürcher Patriziertochter Anna Schulthess in der Kirche Gebenstorf getraut. Pestalozzi wohnte zunächst in einem alten Herrenhaus im Dorfe Mülligen an der Reuss. Von hier aus begann er, Land im Birrfeld zusammenzukaufen, um dort ein landwirtschaftliches Mustergut schaffen zu können. Der Versuch misslang; Pestalozzi wurde das Opfer betrügerischer Ratgeber und seiner kaufmännischen Unbeholfenheit. Hierauf wollte er aus dem Neuhof eine Anstalt zur Erziehung und Schulung armer Kinder machen. Auch dieses menschenfreundliche Unternehmen schlug nach einigen Jahren fehl. 1780 brach der Neuhof als Erziehungsstätte zusammen; ein Teil des Gutes wurde verkauft, der Rest verpachtet.

Um sich seinen Lebensunterhalt zu verdienen und um seine sozialkritischen und pädagogischen Gedanken der Welt mitzuteilen, wurde Pestalozzi zum Schriftsteller. Er begann sein

Das Birrfeld

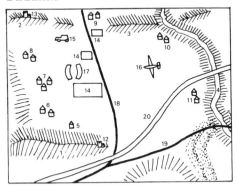

1 Chestenberg	13 Schloss Habsburg
2 Wülpelsberg	14 Industriebauten
3 Eiteberg	15 Autoverteilzentrum
4 Reuss	16 Flugplatz
5 Neuhof	17 Wohnquartier BBC
6 Birr	(2000 Personen)
7 Lupfig	18 Bahnlinie Brugg–Wohlen
8 Scherz	19 Bahnlinie Aarau–Wettingen
9 Hausen	und Aarau–Zürich
10 Mülligen	20 Autobahn N1 Genfersee–
11 Birrhard	Bodensee
12 Schloss Brunegg	

Neuhof zu Pestalozzis Zeiten (nach Felix Hoffmann)

vierbändiges Werk «Lienhard und Gertrud», das zu einem weltberühmten Volksbuch wurde. Das Dorf Birr (es heisst in dem Buch Bonnal) und seine Bewohner, Pestalozzis Erlebnisse und Erfahrungen während seiner Neuhofzeit von 1769 bis 1780 lieferten den Stoff zu diesem aufrüttelnden Buch.

In seinen alten Tagen, im März 1825, nachdem er mit wechselndem Erfolg während Jahrzehnten in Stans, Burgdorf, Münchenbuchsee und Yverdon gewirkt hatte, kehrte Pestalozzi auf den Neuhof zurück. Als fast Achtzigjähriger begann er nochmals mit dem Bau eines Hauses für eine Armenanstalt (heutiges Herrenhaus). Aber er erlebte dessen Fertigstellung nicht mehr. Am 17. Februar 1827 starb er in Brugg. Schullehrer aus Birr und aus den nächsten Dörfern trugen den Sarg über das Birrfeld. Seinem Wunsche gemäss fand Pestalozzi seine letzte Ruhestätte an der Schulhausmauer in Birr.

1846, zur Jahrhundertfeier von Pestalozzis Geburtstag, wurde über seinem Grab durch den Kanton Aargau die Nordfassade des Birrer Schulhauses zu einem Erinnerungsmal für den grossen Menschenfreund und Volkserzieher ausgestaltet. 1885 brannten der Neuhof und die Scheune nieder. Die Häuser wurden möglichst den Altbauten getreu wieder aufgebaut. Der Hof wechselte noch achtmal den Besitzer, bis er mit Hilfe einer Geldsammlung der Schuljugend von einer gemeinnützigen Stiftung aufgekauft und 1912 in eine Erziehungsanstalt für schwererziehbare Jugendliche umgewandelt werden konnte.

Heute werden auf dem Neuhof durchschnittlich 70 sozialgeschädigte Burschen nach dem Erziehungsprinzip Pestalozzis erzogen, wonach Kopf, Herz und Hand eine gleichmässige Ausbildung erfahren sollen. Die Burschen leben mit den Leiterehepaaren in Gruppenhäusern in einer Familiengemeinschaft. Sie stammen aus verschiedenen Kantonen und sind hauptsächlich durch Jugendanwaltschaften eingewiesen worden. Sie erhalten die Möglichkeit, zu charakterlich gefestigten Menschen heranzureifen und eine Lehrzeit als Landwirt, Gärtner, Schneider, Schreiner oder Schlosser zu absolvieren.

Der Flugplatz Birrfeld

Im östlichen Teil des Birrfeldes besteht seit 1935 ein Flugplatz. Es ist heute der betriebsintensivste Regionalflugplatz der Schweiz. Weil er in öffentlichem Interesse steht (im Gegensatz zu einem Privatflugfeld), ist er vom Bund rechtlich geschützt, das heisst, es dürfen keine Hochbauten oder Mastenleitungen in der Nähe des Flugplatzes errichtet werden, die die normale Abwicklung des Flugverkehrs behindern könnten.

Der Flugplatz verfügt über zwei 800 m lange Pisten, die nördliche ist eine Hartbelagspiste für den Motorflugverkehr, die südliche eine Graspiste für den Segelflugbetrieb. In verschiedenen Hangars sind rund 80 Motor- und Segelflugzeuge eingestellt.

Regionalflugplatz Birrfeld

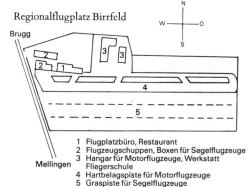

1 Flugplatzbüro, Restaurant
2 Flugzeugschuppen, Boxen für Segelflugzeuge
3 Hangar für Motorflugzeuge, Werkstatt
   Fliegerschule
4 Hartbelagspiste für Motorflugzeuge
5 Graspiste für Segelflugzeuge

Träger oder Platzhalter des Flugplatzes ist die Sektion Aargau des Aero-Clubs der Schweiz. Ihre 800 Mitglieder und etwa 1500 Kunden sorgen für eine rege Benützung des Flugplatzes. Sie alle sind Privatpiloten, welche die Motorflugzeuge für sportliche und geschäftliche Zwecke benötigen. Sie müssen ihren Ausweis (Brevet) bis zum Alter von 40 Jahren jeweils nach zwei Jahren, mit über 40 Jahren alljährlich erneuern.

Motorflugzeug Piper (Cherokee Cruiser)

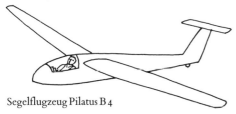

Segelflugzeug Pilatus B 4

Vor allem wichtig ist die Fliegerschule Birrfeld. Sie widmet sich der Motor- und Segelflug-
schulung. Drei ständig angestellte Motorflug-
lehrer und ein bis zwei Segelfluglehrer schulten
im Jahre 1976 ihre Flugschüler bis zur Brevetie-
rung. Für den Motorflug sind mindestens 35
Flugstunden erforderlich, für den Segelflug ein
14tägiger Grundkurs und mehrere Weiterbil-
dungskurse an Wochenenden. Das Mindestalter
für Motorflugschulung beträgt 17 Jahre, beim
Segelflug können schon 16jährige mit der Schulung beginnen.

Von den Motorflugzeugtypen sind auf dem
Flugplatz Birrfeld am häufigsten anzutreffen:
Cessna 150, Bravo, Piper-Cherokee, Robin.
Wer sich ein privates Flugzeug anschaffen will,
hat bei einem einmotorigen Typ mit zwei bis
vier Sitzplätzen je nach Ausstattung mit Ausgaben von 60 000 bis 120 000 Franken zu rechnen.

4. Das Limmattal

Ein Fluss ändert seinen Namen

Am Tödi (1), einem der markantesten
Berge der Schweizer Ostalpen, entspringt die Linth. Der Fluss trägt diesen
Namen nur bis zum Zürichsee, nachher
heisst er Limmat. Der Linth-Teil (2)
misst ungefähr 60 km, der Limmat-Teil

(Zürich–Brugg) dagegen nur 34 km.
Die Linth durchfliesst zunächst den
Kanton Glarus (3). Früher gelangte sie
dann direkt in den Zürichsee (7), überschwemmte dabei aber häufig einen
Grossteil der Ebene zwischen Walensee
(5) und Zürichsee. Das Land zwischen
den Seen war unfruchtbarer Ried- und
Sumpfboden. Mit der Linthkorrektion

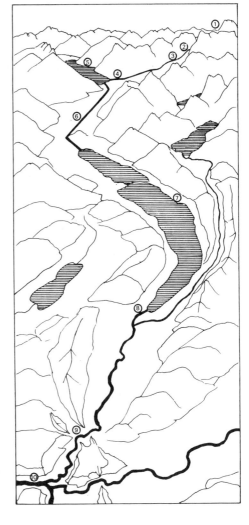

(4) wurde der Fluss in den Walensee als Ausgleichsbecken geleitet und von hier aus in einem Kanal (6) in den Zürichsee. Zürich (8) als grösste Stadt der Schweiz hat mit nahezu 400 000 Einwohnern eine Bevölkerungszahl, die beinahe derjenigen des ganzen Kantons Aargau entspricht. Bei Baden (9) durchbricht die Limmat die Kalkkette des Juras. Der Zusammenfluss von Aare, Reuss und Limmat wird auch Wassertrichter oder Wassertor (10) genannt.

Kloster Fahr – aargauische Exklave

Von Zürich her ist das Kloster Fahr das erste aargauische Gebiet. Es liegt an der Limmat, neben Unterengstringen, im Kanton Zürich, ist also eine Exklave des Kantons Aargau. Wie konnte es zu diesem Kuriosum kommen?

1130 schenkte der Freiherr Lütold II. von Regensberg dem Kloster Einsiedeln seinen ausgedehnten Grundbesitz an der Limmat und knüpfte daran die Bedingung, es sei ein Frauenkloster nach dem Muster der bei Muri oder St. Blasien bestehenden Benediktinerinnenklöster zu errichten. So entstand das Kloster Fahr. Sein Name leitet sich von der Fähre ab, die hier über die Limmat führte.

Als die in der Schweiz einmarschierten Franzosen 1798 das Kloster Einsiedeln aufhoben, konnte das Kloster Fahr gleichwohl weiterbestehen. Seine Verwaltung wurde dem damaligen neuen Kanton Baden übertragen. Als die Mediationsakte den Bestand der Klöster in der Schweiz wiederum sicherte, wurde Einsiedeln wiederhergestellt und erhielt auch seine Besitzung Fahr zurück. Weil Fahr aber früher zur Grafschaft Baden gehört hatte, wurde es bei der neuen Kantonseinteilung dem Aargau zuge-

wiesen. Deshalb bildet das Kloster selbst, soweit seine Gebäulichkeiten reichen (Kloster, Wirtshaus, Scheune), eine Exklave des Kantons Aargau, während sämtliche Güter im Kanton Zürich liegen.

Im Jahre 1841 erfolgte die Aufhebung der aargauischen Klöster. Die Klosterfrauen des Fahr mussten binnen acht Tagen das Kloster verlassen. Sie verteilten sich auf verschiedene Frauenklöster, bis der Aargau 1843 die Wiederherstellung wenigstens der Frauenklöster zugestand.

Zürcher Gras – Aargauer Milch

Aus der Zugehörigkeit zu zwei Kantonen ergeben sich auch heute noch mitunter merkwürdige Situationen, die geradezu anekdotischen Charakter besitzen: Die grosse Viehscheune des Klosters steht auf Aargauer Boden, die Rinderscheune aber auf Zürcher Gebiet. Als 1963 die

Kloster Fahr

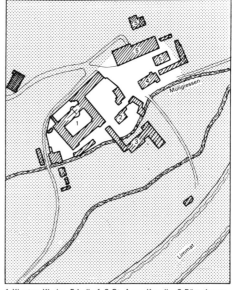

1 Kloster, Kirche, Friedhof, 2 St.-Anna-Kapelle, 3 Bäuerinnenschule, 4 Wirtshaus, 5 Scheunen, Stallungen.

Maul- und Klauenseuche ausbrach, musste für die eine Scheune der Aargauer Kantonstierarzt, für die andere sein Zürcher Kollege gerufen werden – und dabei stehen die beiden Scheunen dicht nebeneinander. Ein anderes Müsterchen: Das Fahrer Gras wächst ausschliesslich im Kanton Zürich, die Kühe aber stehen alle im Kanton Aargau und geben dort auch die Milch. Diese Situation bereitete der Steuerverwaltung Kopfzerbrechen, bis man die Lösung fand, die beiden kantonalen Steuerämtern gerecht wurde: Die Fahrer Steuern werden zwischen den beiden Kantonen brüderlich geteilt. Und noch ein Kuriosum: Zum Klosterbetrieb gehört auch ein Restaurant mit einer grossen Gartenwirtschaft. Das Haus steht auf Aargauer Boden, der Garten liegt auf zürcherischem Gebiet. Die Wirtin benötigt deshalb zwei Wirtepatente, eines für drinnen und eines für draussen. Ein Glück, dass beide Kantone die gleiche Polizeistunde vorschreiben!

Die St.-Anna-Kapelle ist das älteste Gebäude der Klosteranlage und hat einen romanischen Charakter. In der Kapelle befinden sich Freskenreste aus dem 14. Jahrhundert; der eigentliche Schmuck stammt jedoch aus unserem Jahrhundert. In der Kirche fällt der reiche dekorative Rokoko-Schmuck auf, der italienische Art verrät. Die Friedhofmalerei an der Aussenwand der Kirche ist eine kunsthistorische Seltenheit ersten Ranges für Gegenden nördlich der Alpen.

Silja Walter, die als Schwester Hedwig im Kloster Fahr lebt, ist eine bekannte Schriftstellerin. Im «Kloster am Rande der Stadt» beschreibt sie das Leben im Kloster Fahr. Jeder Nonne stehe eine Zelle zur Verfügung. Man wohne darin, aber sei darin nicht zu Hause, denn in der Klausur gehöre einem nichts mehr, auch die Zelle nicht. Die Nonnen würden im Haushalt, im Garten, im Feld, in Schule, Werkstätten und in den Zellen arbeiten. Dabei werde man nach Art und Mass seiner Fähigkeiten eingesetzt. Zur Feldarbeit werde man aber auch ohne besondere Fähigkeiten abbeordert, ebenso in die Weinberge über Weiningen.

Ein Tag in der Klausur verläuft in der folgenden Ordnung:

5.00	Aufstehen.
5.30	Vigil (Nachtgottesdienst am frühen Morgen).
6.00	Frühstück.
6.30	Laudes (Morgenlob).
7.00	Eucharistiefeier.
7.30	Terz (Chorgebet zur dritten Tagesstunde).
7.45	Meditation, Betrachtung.
8.15	Schriftlesung, geistliches Studium.
9.00	Arbeit.
11.15	Mittagshore (Gotteslob zur sechsten Tagesstunde).
11.30	Mittagessen, unter Silentium (Schweigen) mit Tischlesung. Anschliessend Erholungszeit.
13.15	Arbeit.
15.00	Kaffee.
15.15	Geistliche Lesung.
15.45	Arbeit
17.45	Vesper, anschliessend Salve-Regina in der Salve-Kapelle.
18.15	Nachtessen, Lesung wie am Mittag. Anschliessend Erholungszeit mit Handar-

Heutige Klosterstruktur:

Probst
Vertreter des Abtes
von Einsiedeln,
Ingenieur-Agronom
und Theologe

Landwirtschaft	Verwaltung	Bäuerinnenschule
Laienhelfer:	Rechnungs-	36 Schülerinnen
Meisterknecht,	wesen	Fächer: Haushalt,
Rebmeister.	Wirtschaft	Garten, Kranken-
80 Stück Vieh		pflege, Weben,
100 Schweine		Bauernmalerei,
30 ha Acker		Keramik usw.
3 ½ ha Reben		

Priorin
(Vorsteherin)

46 Klosterfrauen
(Kandidatinnen,
Novizinnen, Nonnen)
arbeiten:

In der Werkstatt	In der Schule	Auf dem Feld
Paramenten	Lehrerinnen	Landarbeit
(Messgewänder,	für verschie-	für alle
Altartücher)	dene	(siehe Lese-
6 Handwebstühle	Fächer	text)

Verlandung:
Fieberklee, Uferseggen,
Torf (aus verwesenden
Pflanzen)

Schilfgürtel
Schwingrasen
(Matte aus Pflanzen
über dem Wasser)

S   N

Schnitt durch den Egelsee

beit, Gesellschaftsspiel, im Sommer im
Garten.
20.00 Komplet (Gotteslob zum Tagesschluss).
20.30 Zeit für Nachtruhe.
21.00 Lichterlöschen.

Noch ein See: Der Egelsee

Die Gemeinde *Bergdietikon* gehörte
vor 1803 zu Dietikon ZH, was man
heute noch merkt, denn die höher gelegene Gemeinde besitzt kein eigentliches
Zentrum. Oberhalb Bergdietikons liegt
der Egelsee, der einzige Aargauer See,
der vollständig auf Kantonsgebiet liegt.
Er ist allerdings nur 320 m lang, 100 m
breit und 10 m tief. Er entstand am Rande eines Rutsch- und Sturzgeländes. Der
See verlandet von Süden her mehr und
mehr. Heute weist er nur noch einen
Drittel seiner ursprünglichen Länge auf.
Der Egelsee, beliebtes Ausflugsziel vieler Schulreisen, wird von keinem sicht-
baren Bach gespeist. Der Ausflussbach
ist aber der Beweis, dass unter dem
Seespiegel Quellwasser zufliesst. Für
Nichtschwimmer kann der morastige,
verschlammte Seegrund gefährlich
werden.

Spreitenbach und sein Einkaufszentrum

Spreitenbach und weitere Dörfer
zwischen den Ballungsräumen Zürich
und Baden verlieren mehr und mehr ihren Dorfcharakter. Zudem wird der
Wohnwert durch verschiedene Ver-

kehrsimmissionen, besonders durch den
Fluglärm, in Frage gestellt.

Geschichtliche Zeugnisse in Spreitenbach gehen auf die Römer und die Alemannen zurück. Jahrhundertelang blieb
das Dorf am Rande der Limmatebene
aber vom Verkehr wenig berührt, ja
die Spanisch-Brötli-Bahn-Gesellschaft
musste den Bahnhof auf dem Gebiet von
Killwangen bauen, weil Spreitenbachs
Bauern der neuen Einrichtung misstrau-
ten. Spreitenbachs grosse Entwicklung
setzte erst in den sechziger Jahren dieses
Jahrhunderts ein, dann aber in einem
unbeschreiblichen Tempo. 1972 wies
die Ortschaft mit über 7000 Einwohnern siebenmal mehr Bewohner als fün-
zig Jahre vorher auf.

In Spreitenbach gibt es zwei grosse
Einkaufszentren, die von weit her besucht werden. Im Jahre 1970 wurde das
ältere der beiden, das «Shopping Center» eröffnet; das jüngere nennt sich «Ti-
voli».

Jeden Tag besuchen Zehntausende das Shopping Center. Am meisten wird es am Samstag
sowie allgemein an den Abenden frequentiert.
Dies zeigt, dass sich hier ein neues Einkaufsden-
ken durchgesetzt hat: Das grosse Angebot lockt
zum Verweilen, darum wählt man einen Zeitpunkt, da man sich nicht gedrängt fühlt. 48 Prozent der Besucher stammen aus dem Kanton Zürich, 39 Prozent aus dem Aargau, 3 aus dem angrenzenden Ausland und die übrigen aus andern
Kantonen.

Die (stark vereinfachte) Anlage des Shopping Centers

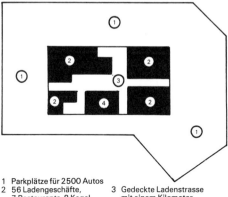

1 Parkplätze für 2500 Autos
2 56 Ladengeschäfte,
  7 Restaurants, 8 Kegel-
  bahnen, Kinderhort,
  Andachtsraum
3 Gedeckte Ladenstrasse
  mit einem Kilometer
  Schaufensterfront
4 Hallenbad

Mit solchen Einkaufszentren (neben den beiden ist der MMM Buchs das nächstgrössere Zentrum im Aargau) ist eine grosse Problematik verbunden: Als Vorteil wird empfunden, dass man hier mit dem Auto bequem zum Grosseinkauf fahren kann, alles unter einem Dach findet, grosse Auswahl hat und dabei erst noch Zeit sparen kann; auch die Zulieferung ist vereinfacht. Anderseits wird damit der Einkauf für Kinder und alte Leute erschwert, es stellen sich zahlreiche Verkehrs- und damit Umweltprobleme; viele Läden in den organisch gewachsenen Städten, die ja auf ihre Art auch Einkaufszentren darstellen, fühlen sich in ihrer Existenz gefährdet, ja viele Quartier- und Kleinläden, welche noch persönliche Kontaktmöglichkeiten boten, sind verschwunden.

Der Rangier- und Verschiebebahnhof Limmattal

Der Rangier- und Verschiebebahnhof Limmattal, der zu einem guten Teil auf Spreitenbacher Boden liegt, ist das grösste Einzelbauprojekt der SBB. Er wird täglich rund 5200 Wagen von 120 ankommenden Zügen zu verarbeiten haben. Daraus sind wieder etwa 120 Züge zu bilden, nämlich 77 Ferngüterzüge und 43 Nahzüge. Die gesamte Gleiseanlage misst nach dem Endausbau (1981) 120 km. Es sind 395 Weichen geplant. Die Baukosten wurden mit 330 Millionen Franken errechnet.

Würenloser Muschelsandstein

Die Einkaufsbrücke über der Autobahn mit Läden und Restaurants bleibt wahrscheinlich für die meisten durchfahrenden Schweizer der einzige Eindruck von Würenlos. Die heute rund 3000 Einwohner zählende Gemeinde war früher ein reines Bauerndorf, das sich zur Wohngemeinde vieler Pendler entwickelt hat. Würenlos weist nur noch wenige landwirtschaftliche Betriebe auf; dagegen wird ein Teil des fruchtbaren Landes durch grosse Gärtnereien (Gemüsebau, Baumschulen) genutzt. Auch hat sich in den letzten Jahrzehnten Industrie in Würenlos angesiedelt.

Die Gemeinde am Unterlauf des Furtbaches, der in die Limmat mündet, feierte 1970 das Jubiläum ihres 1100jährigen Bestehens. Eine Urkunde im St. Galler Stiftsarchiv belegt das Alter des Dorfes. Im Jahre 1421 wurde der Abt des Klosters Wettingen «Zehnth-, Zins-, Gerichts- und Grundherr» von Würenlos. Fast 400 Jahre lang wurde das Leben des Dorfes durch die Zugehörigkeit zum Kloster Wettingen bestimmt. Das fand in der Würenloser «Offnung» (Dorfrecht) seinen Ausdruck; diese hat internationale Beachtung gefunden, da sie vom bekannten Märchensammler Jakob Grimm teilweise veröffentlicht worden ist.

Der Würenloser Steinbruch hatte über Jahrhunderte grosse Bedeutung, und schon die Römer schätzten den Muschelsandstein, den sie beispielsweise für

die Meilensteine verwendeten. Im gelb-
braunen Würenloser Stein werden die
Sandkörner durch ein kalkiges Bindemittel zusammengehalten, so dass man
von Muschelkalkstein spricht. Dieses
Material wird auch heute noch verwendet, vor allem dort, wo Bildhauerarbei-
ten eine gewisse Vornehmheit ausstrah-
len sollen. Der Begriff Muschelsandstein deutet auf die Versteinerungen hin,
die in Würenlos und in andern aargauischen Steinbrüchen (z. B. Mägenwil) in
reichem Masse zu finden sind.

Das Strassendorf Neuenhof

Neuenhof, eine Gemeinde, die schon
ganz zur Agglomeration Baden/Wet-
tingen gehört, entwickelte sich entsprechend der Verkehrslage. Das Dorf
wächst längs der Hauptstrasse Baden –
Zürich. Die N 1 und die Bahnlinie Baden – Zürich durchqueren Neuenhof
und lassen ganz vergessen, dass früher

Neuenhof

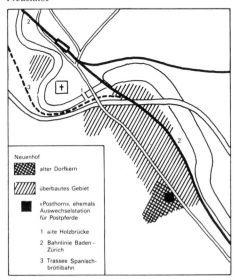

Neuenhof

▓▓▓ alter Dorfkern

▨▨▨ überbautes Gebiet

■ «Posthorn», ehemals
Auswechselstation
für Postpferde

1 alte Holzbrücke

2 Bahnlinie Baden –
Zürich

3 Trassee Spanisch-
brötlibahn

eine Fähre und später eine Holzbrücke
die Verbindung nach Wettingen herstellten und Neuenhof eine Postpferde-
Wechselstation besass. Neuenhof ist eine
der in den letzten Jahren am meisten gewachsenen aargauischen Gemeinden.
Das Dorf zählt heute ungefähr 7000 Einwohner; vor dreissig Jahren waren es
nur 1400.

Wettingen – die grösste Gemeinde des Kantons

Wettingen ist in seiner Entwicklung
von drei Siedlungsschwerpunkten her
bestimmt worden: vom Kloster (1),
vom Dorf (2), das schon von Römern
und Alemannen besiedelt war, und vom
Quartier Langenstein (3), das mit der
Gründung der BBC Baden als Wohngegend um die Jahrhundertwende entstand. Zwischen diesen drei Schwer-
punkten wuchs diese Gemeinde, was
selten anzutreffen ist, sozusagen von
aussen nach innen zusammen. Dadurch
ergab sich die Gelegenheit, ein modernes Zentrum (4) mit Rathaus, Bezirksschule und Hochhäusern zu schaffen.
Wettingen hat darum trotz seinem un-
gestümen Wachstum den Charakter einer geordneten Gartenstadt angenommen, die sich über die ganze Ebene zwischen Lägeren und Limmat ausbreitet
(5). Eine Hauptverkehrs- und Ge-
schäftsstrasse, die Landstrasse (6), teilt
den Ort deutlich in zwei Teile.

Wettingen ist seit einigen Jahren die
bevölkerungsreichste Gemeinde des
Kantons. Mitte der siebziger Jahre war
sie nahe daran, als erste aargauische Gemeinde die 20 000er-Grenze zu überschreiten; 1977 lag die Zahl aber schon
wieder unter 19 000. Um so mehr ist es

Siedlungsschwerpunkte der Gemeinde Wettingen

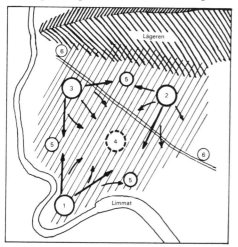

als schweizerisches Kuriosum zu betrachten, dass Wettingen im Personenverkehr geringe Bedeutung als Bahnhof
hat. Wettingen ist vorwiegend Wohn-
stadt. Mehr als die Hälfte der Wettinger
Berufstätigen sind ausserhalb ihrer
Wohngemeinde beschäftigt, der Grossteil in Baden, viele aber auch in Zürich.

In Wettingen steht eine der schönsten
und modernsten Sportanlagen des Kantons, das «Sportzentrum Tägerhard».
Neben einem grossen Freibad umfasst
das Zentrum ein Hallenbad, eine Mehr-

zweckhalle, Eisplätze (im Sommer Ten-
nisplätze) und ein grosses Restaurant.

Das Kloster Wettingen

Das Kloster wurde 1227 durch den Grafen
Heinrich von Rapperswil gestiftet, als Nieder-
lassung der Zisterzienser. Im Jahre 1507 zerstörte
ein Brand einen Grossteil der Gebäulichkeiten.
Das Brandunglück fiel in eine Zeit des allgemeinen Niederganges klösterlichen Lebens. Erst
Abt Peter II. Schmid (1594 bis 1633) brachte das
Kloster zu neuer Blüte. Ihm verdanken wir
Kunstschätze, die einzigartig geblieben sind.
Rund 150 Jahre später kam der Abt Peter III. Kälin (1745 bis 1762) an die Spitze der Mönchsge-
meinschaft. Er drückte dem künstlerischen
Klosterschmuck einen weiteren Stempel auf.
1841 wurde das Kloster Wettingen aufgehoben.
Die Mönche lebten fortan in Mehrerau im österreichischen Vorarlberg. Das dortige Kloster
besteht bis heute und nennt sich Wettingen-
Mehrerau. Zu den damals vertriebenen Mön-
chen gehörte auch Pater A. Zwyssig, der Schöp-
fer des «Schweizerpsalms».

Kunsthistorische Besonderheiten (Auswahl)

Romanik/Gotik: Grundriss der Kirche mit
Haupt- und Nebenschiffen (römische Basilika)
und einem Querschiff, was die für Zisterzienser-
klöster typische Kreuzform ergibt; Masswerk
der Kreuzgangfester mit einer imponierenden
Mustervielfalt; einige der ältesten Glasgemälde
der Schweiz (um 1250 entstanden); Sarkophag
(Kirche), in dem der bei Königsfelden ermorde-

Geschichtsfries Kloster Wettingen

Zeit	1200	1300	1400	1500	1600	1700	1800	1900
Ereignis	1227 Gründung		Zürichkrieg Verwüstung	Brand Zerstörung	Abt Peter II.	Abt Peter III.	1841 Aufhebung	
Stil-epoche		Romanik	Gotik	Renaissance	Barock			

Die im Fries gezeichneten Wappen bedeuten:

– Rose: Heinrich von Rapperswil (Rosenstadt!)
– Hammer: Abt Peter II. Schmid

– «Chäliise» (hufeisenförmiges Eisen, das zum Zuggeschirr von
Kühen und Ochsen gehörte, hing vor der Brust): Abt Peter III.
Kälin
Diese Wappen sind im Kloster Wettingen häufig anzutreffen.

te König Albrecht bestattet war, später auch Rudolf von Habsburg.

Renaissance: Chorgestühl, neben St. Urban eines der reichsten Schnitzkunstwerke der Schweiz, 1602/03 durch Meister Hans Jakob geschaffen; Gipsfiguren und -stukkaturen in der Kirche; Winterabtei mit Renaissance-Getäfer von seltener Vollkommenheit; Mehrzahl der Glasgemälde (180 Scheiben) im Kreuzgang.

Barock/Rokoko: Figuren über dem Kirchenhaupteingang (hl. Robert, hl. Bernhard, Maria mit Muschelhintergrund; Rokoko kommt vom französischen Wort «Rocaille» = Muschelwerk); Bilder und Altäre in der Kirche; Hauptteil des Schmuckes im Mönchschor; Zeremonien- oder Prozessionsbilder an den Seitenwänden der Kirche (kulturhistorisch selten und interessant) erinnern an die Überführung von Reliquien in die Klosterkirche.

Ein bekannter Wettinger Brauch ist das Sternsingen in der Advents- und Weihnachtszeit. Vor den Wettinger Kirchen treten die Sternsinger mit ihren Lichtern auf und spielen und singen vom Weihnachtsgeschehen.

Baden – Zentrum des Aargaus im Osten

1975 zählte die Stadt Baden, welche Rütihof und Dättwil mit Münzlishausen eingemeindet hat, ungefähr 14000 Einwohner. Die Stadt selbst ist damit die drittgrösste Gemeinde des Kantons, aber dank Wettingen und andern grossen Nachbargemeinden in mancher Hinsicht der östliche Gegenpol zur Kantonshauptstadt Aarau im Westen des Kantons. Badens Gesicht und Bedeutung ist durch vier Akzente bestimmt: durch seine Geschichte und Lage, seine Bäder, seine Industrie und sein Kulturleben.

Die Engnis der Lägerenklus war schon in früher geschichtlicher Zeit als günstiger Siedlungsort erkannt worden. Die Lägeren selbst ist mit ihrem mar-

kanten Grat, der auf der Nordseite steil abfällt, und mit ihrer reichen Vegetation (Südhang mit Rebbergen, viele Orchideenarten) geologisch interessant. Heute besteht von diesem Juraberg eigentlich nur noch der «Pfeiler und Beginn eines Brückenbogens, der zusammengebrochen ist», wie Charles Tschopp dies formuliert hat. Der Gegenpfeiler ist der Geissberg/Hertenstein (Antilägeren), und über dem heutigen Höhtal, dem Übergang zwischen Limmat- und Surbtal, hätte vor Jahrtausenden der eigentliche Lägerengipfel gelegen, wenn nicht durch Erosion die Urlägeren bis auf die heutigen Reste abgebaut worden wäre.

Klus von Baden im stummen Höhenlinienbild

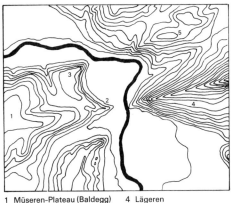

1 Müseren-Plateau (Baldegg)   4 Lägeren
2 Schlossberg   5 Geissberg
3 Martinsberg

Geschichtliche Schwerpunkte Badens

Helvetierzeit: Baden, eine der grössten Ortschaften.

Römerzeit: Als Aquae Helveticae ein beliebter Badeort.

Mittelalter: Habsburgerfeste und Verwaltungsplatz; Baden wurde von den Habsburgern gegründet, für welche die Burg Stein und die Stadt als Talsperren wichtig waren und die damit einen Stützpunkt gegenüber der Eidgenossenschaft bildete.

1415 Eroberung des Aargaus: Baden wird Mittelpunkt der «Gemeinen Herrschaften» und Tagsatzungsort; hier konnten sich die Tagsatzungsherren an günstiger Lage, sozusagen auf gemeinsamem Boden, und erst noch an einem Ort, der gewisse Annehmlichkeiten (Bäder) bot, treffen. War Aarburg mehr oder weniger die reformierte Festung, welche den Zusammenschluss Luzerns und Solothurns verhindern sollte, war der Stein zu Baden das katholische Gegenstück, die Sperrfestung zwischen dem Berner Aargau und Zürich. 1712, nach dem für die Reformierten günstig verlaufenen Villmergerkrieg, wurde deshalb gerade diese Festung zerstört, nachdem sie bereits 1415 geschleift, später aber wieder aufgebaut worden war.

1798 bis 1803: Baden als Hauptstadt des Kantons Baden.

1847: Eröffnung der ersten schweizerischen Eisenbahnlinie (Spanisch-Brötli-Bahn).

1891: Gründung der Weltfirma BBC.

Badens geschichtliche Blütezeit lag also im späten Mittelalter. Diese Zeit hat das heutige Bild der Badener Altstadt wesentlich geprägt. Heute ist der Brugger Turm einer der am meisten fotografierten Tortürme der Schweiz. An bewegte Zeiten erinnert auch heute noch der Tagsatzungssaal mit seinen Wappenbildern und Butzenscheiben, in dem heute das Bezirksgericht tagt. Ein anderes Bauwerk, das in der Zeit der Gemeinen Herrschaften Bedeutung erlangte (gebaut wurde es schon von den Lenzburger Grafen in frühmittelalterlicher Zeit), ist das Landvogteischloss am Limmatufer neben der alten Holzbrücke. Da bei der Eroberung des Aargaus das Schloss Stein geschleift worden war, musste man den eidgenössischen Landvogt im «Niderhus» standesgemäss unterbringen. Das Landvogteischloss beherbergt heute ein reichhaltiges Museum.

Woher kommt das Thermalwasser?

Die Herkunft des Badener Thermalwassers ist bis heute wissenschaftlich nicht geklärt. Es gibt dazu lediglich einige Hypothesen; einige davon:

a) Das Wasser stammt aus den Alpen (Tödigebiet), fliesst unter dem Mittelland durch und tritt im tief eingeschnittenen Flusstal zutage.

b) Das Wasser stammt aus dem westlichen Jura.

c) Die Sickergegend liegt westlich von Baden im Müserenwald.

d) Der Hegau (Süddeutschland) mit seinen erloschenen Vulkanen ist Herkunftsland der Wasser.

Die konstante hohe Temperatur des austretenden Wassers (47 bis 48 °C) lässt darauf schliessen, dass das Wasser in grosser Tiefe (1500 m) fliesst. Weil sich stärkere Niederschläge bei den Thermalquellen erst nach rund neun Monaten auswirken, scheinen sich eine entferntere Sickergegend und eine grosse Fliesstiefe zu bestätigen. Die 19 Quellen liefern gegen eine Million Liter Wasser pro Tag; darin sind fast fünf Tonnen Mineralien aufgelöst (Gips, Kochsalz, Phosphor, Brom, Silber, Zinn usw.). Das Wasser wird in 600 Piscinen (Ein-

Die mittelalterliche Stadt Baden, von Norden gesehen (nach Merian)

zel- und Doppelkabinen) und in
Schwimmbäder geleitet und so lange
stehen gelassen, bis es auf die Badetem-
peratur von 37°C abgekühlt ist.

Im Mittelalter war eine Badenfahrt –
vor allem für vornehme Zürcher – ein
beliebtes und häufiges Ereignis. Zur Erinnerung an die Eröffnung der Bahnlinie
Zürich-Baden 1847, wohl aber auch zur
Erinnerung an diese Badekur-Flussfahr-
ten, wird in Baden alle zehn Jahre ein
Stadtfest, die Grosse Badenfahrt, gefeiert
(letzte Badenfahrt: 1977); dazwischen
gibt es bisweilen auch kleine Badenfahr-
ten. Der Sage nach entdeckte ein helvetischer Jüngling die Badener Heilquellen. Er wollte seiner kranken Braut einen Strauss Frühlingsblumen schenken
und schöpfte, weil sie rasch welken
wollten, mit seinem Helm aus einem nahen Bächlein Wasser, worauf sich die
Blumen sofort erholten und hell leuch-
teten. Der Jüngling, Siegawyn, gab
hierauf seiner Braut Ethelfrida den Rat,
in diesem Wasser zu baden, und siehe da,
sie wurde wieder gesund.

Zu den Berühmtheiten, die in Baden
zur Kur weilten, gehört auch Hermann
Hesse, der sich hier zur Erzählung «Kur-
gast» inspirieren liess. Heutzutage besuchen jährlich etwa 35000 Gäste die Ba-
dehotels; sie machen zumeist eine Drei-
wochenkur. Das Thermalwasser eignet
sich besonders zur Behandlung rheuma-
tischer Erkrankungen und von Verlet-
zungsnachwirkungen. Zur Verstärkung
des Heilerfolges gibt es Unterwasser-
strahlmassagen, Wickel, Inhalationsap-
parate, Elektrotherapie.

Das erste Theater der Schweiz

In Baden wurde 1833 das erste Theater der Schweiz gebaut. Seit 1952 steht

ein gut eingerichteter Theaterbau im
Kurpark; dieses Kurtheater ist auch heute noch der einzige eigentliche Gross-
theaterbau im Kanton; andere grössere
Theatersäle im Kanton dienen auch andern Zwecken. Im Kurtheater gibt es
eine hydraulische Hebebühne, einen
Orchesterraum für 40 Musiker, 52
Schminktische in den Garderoben, einen Bühnenturm von 16 m Höhe für die
Seilzüge und 665 Sitzplätze. In einem
Studiogebäude stehen zwei Ballettsäle,
Kostüm- und Kulissenraum und Büros
zur Verfügung. Hier gastiert vor allem
das St. Galler Stadttheater, das bis vor
kurzem in Baden einen eigentlichen
Sommerspielbetrieb führte; daneben
treten auch andere Tournee-Gruppen
im Kurtheater auf.

Die Weltfirma BBC

Die von Charles Brown und Walter Boveri
im Jahre 1891 gegründete BBC ist heute das
grösste schweizerische Maschinenbauunterneh-
men mit 21000 Angestellten und Arbeitern. Neben den aargauischen Werken gehören zur Kon-
zerngruppe auch die Maschinenfabrik Oerlikon
mit 4000 Angestellten und die Firma Sécheron,
Genf, mit 1200 Mitarbeitern.

Aargauer BBC-Werke mit Beschäftigtenzahl

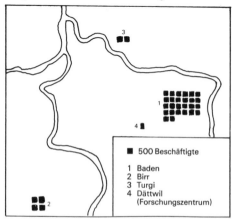

■ 500 Beschäftigte

1 Baden
2 Birr
3 Turgi
4 Dättwil
  (Forschungszentrum)

In Europa gibt es in zehn Ländern BBC-Fabriken: in Oslo, Rotterdam, Brüssel, Paris, Mannheim, Wien, Mailand, Madrid, Kent und Baden. Weitere Werke bestehen in Nord-, Mittel- und vor allem Südamerika sowie in Afrika und Asien.

In den BBC-Fabriken werden fast alle Bereiche der Elektrotechnik erfasst. Weltberühmt sind vor allem die riesigen Dampfturbogruppen. In der Werkhalle in Birr (370 m lang und 32 m hoch) lassen sich Maschinenteile von 14 m Durchmesser und 270 t Gewicht bearbeiten. In der BBC werden die stärksten Generatoren der Welt hergestellt. Aber auch Kühlschränke, Radiosender, elektronische Bausteine, Starkstromkabel usw. entstehen hier. Im ganzen gibt es 400 verschiedene Produktegruppen.

Was für ein Grossbetrieb BBC ist, belegen weitere Einzelheiten: Die Fabrik in Baden hat eine eigene Gewerbeschule mit rund 1000 Lehrlingen, eine eigene Arztstation, das Gemeinschaftshaus «Martinsberg», wo in zwei Schichten bis zu 3000 Angestellte billig verpflegt werden können, ein Klubhaus mit Bibliothek und fabrikeigene Sportplätze.

Ausser BBC gibt es in Baden weitere namhafte Unternehmen: Motor-Columbus (Projektierung und Bau von Kraftwerken, Spitälern usw.), NOK (Nordostschweizerische Kraftwerke AG), Merker AG (Waschmaschinen, Geschirrspülautomaten).

Das Spannungsverhältnis Baden–Aarau

Baden und Aarau leben in einem netten Spannungsverhältnis, das von den Bewohnern beider Städte, Politikern und Zeitungen liebevoll gepflegt wird. Es dürfte schon stimmen, dass die Charakterunterschiede historisch begründet sind und sich auch heute noch nicht wegleugnen lassen: Die Bewohner der Verwaltungsstadt Aarau sind nun einmal nüchterner und gouvernementaler (das haben sie von den Bernern gelernt) als die weltoffeneren Badener. In Aarau

werden Veränderungen mit dem Stimmzettel abgelehnt, in Baden werden sie mit Festen gefeiert; so könnte man den Unterschied knapp formulieren. Das Spannungsverhältnis, welches gelegentlich an die «Feindschaft» Zürich-Basel erinnert, wirkt mitunter im aargauischen Leben befruchtend.

Ennetbaden mit der Goldwand

Ennetbaden ist seit 1819 eine selbständige Gemeinde. Sie trennte sich damals wegen eines Streites um das Ortsbürgergut von Baden. Als günstige Wohngegend, vor allem am Geissberg-Abhang, hat sie heute ungefähr 2800 Einwohner.

An der Goldwand wächst ein bekannter Aargauer Wein, der Goldwändler. Er erinnert daran, dass Baden und seine Umgebung, bevor die Industrie hier mächtig wurde, ein eigentliches Rebbauerngebiet war. Die gelbe Grundfarbe im Ennetbadener Wappen deutet auf den Namen des Rebhanges hin. Allerdings hat dieser Name ursprünglich nichts mit Gold zu tun; Gol-Wang bezeichnete einen Hang mit grobem Schutt, Geröll, ähnlich wie Golattenmatt in Aarau.

«Der Garten des Aargaus»

Die Gemeinde *Obersiggenthal* besteht aus den früher klar voneinander getrennten Dörfern und Weilern Rieden, Hertenstein, Nussbaumen, Kirchdorf und Tromsberg. In der Umgangssprache der Einheimischen ist der Gemeindename eher selten zu hören; man verwendet zumeist die alten Dorfnamen. In früheren Zeiten wurde die Siggenthaler Sonnenterrasse (grosse Kiesmassen als Untergrund) auch «Garten des Aargaus» genannt, weil vor allem das Korn ausgezeichnet gedieh. Heute sind die weiten Felder den Häuserzeilen gewichen; Obersiggenthal zählte 1975 7300 Einwohner. *Untersiggenthal* wies im gleichen Jahr 4100 Einwohner auf.

Ähnlich wie die Spreitenbacher wollten die *Würenlinger* von einer Eisenbahn nichts wissen. So kamen die Untersiggenthaler zu einer Bahnstation, die aber weit ausserhalb des Dorfes liegt. Sie nennt sich Siggenthal-Würenlingen.

Der Siggenberg ist eines der grössten zusammenhängenden Waldgebiete des Aargaus. Ein grosser Teil davon gehört zur Gemeinde Untersiggenthal. Besonders markant und auf der Karte leicht zu erkennen ist der felsige Abbruch des Siggenberges bei der Flue (Risi) über der Station Siggenthal.

Turgi hat mit dem Thurgau zu tun

Turgi ist die jüngste selbständige Gemeinde des Kantons. Sie wurde 1883 von *Gebenstorf* abgetrennt. Der Name Turgi hängt mit Thurgau zusammen. Wenn man im frühen Mittelalter aus dem «Aargau» kommend die Reuss überschritt, kam man in den Thurgau.

Zum Wachstum Turgis in den letzten Jahrzehnten hat eine ansehnliche eigene Industrie beigetragen, so die BBC-Fabrik für Hochfrequenz und Elektronik und die Firma BAG (Gemeindebann Gebenstorf), die Beleuchtungskörper aller Art herstellt. Turgi ist wichtig als Verkehrsknotenpunkt im Eisenbahnverkehr. Die Linie Turgi–Koblenz (früher bis Waldshut) zweigt von der Stammlinie Brugg–Baden ab. Heute fahren zwar die meisten Züge mit dem Bestimmungsort Koblenz bereits von Baden weg (umgekehrt Koblenz–Turgi–Baden), so dass man das Umsteigen

in Turgi vermeiden kann. Der Bahnhof Turgi ist der einzige Inselbahnhof des Aargaus, das heisst, auf beiden Längsseiten des Bahnhofes sind durchgehende Geleiseanlagen.

5. Das Rheintal

Hochrhein im Aargau

Der Rhein bildet im Aargau die natürliche Grenze zwischen der Schweiz und der Bundesrepublik Deutschland. Die Strecke von Stein am Rhein bis Basel bezeichnet man als Hochrhein. Oberhalb des Bodensees nennt man den Fluss Alpenrhein, der im bündnerischen Reichenau vom Vorder- und Hinterrhein gebildet wird. Von Basel bis Mainz spricht man vom Oberrhein, von Mainz bis Bonn vom Mittelrhein und von Bonn bis Rotterdam vom Niederrhein. Der Fluss weist eine Gesamtlänge von 1200 km auf; davon entfallen auf die Schweiz 375 km, auf den Aargau 70 km.

Der Rhein hat grosse Bedeutung als Schiffahrtsstrasse vom Meer bis nach Basel. Von hier aus erreichen kleinere Lastschiffe auf dem Rhein die Anlegestellen *Kaiseraugst* und Badisch-Rheinfelden, Personenschiffe das aargauische *Rheinfelden*. Dabei müssen die Schleusenanlagen Birsfelden und Augst passiert werden. Zur Diskussion steht immer noch der Ausbau der Flussschiffahrt am Hochrhein von Basel bis ins Mündungsgebiet der Aare bei Koblenz (siehe Seite 131).

Der Rhein erreicht schon bei uns bisweilen die majestätische Grösse, die man von einem «Weltfluss» erwartet. Dank verschiedenen Engnissen wird er aber mitunter noch recht wild und ursprünglich.

Von Kaiserstuhl bis zur Aaremündung

Zwei alte Brückenorte ähnlichen Namens empfangen und verabschieden den Rhein in unserem Kanton: Bei *Kaiserstuhl* kommt er in den Aargau, bei *Kaiseraugst* verlässt er ihn. Im obersten Rheinabschnitt, zwischen Kaiserstuhl und der Aaremündung, durchfliesst der Rhein den Tafeljura zum Teil in einer engen Talfurche, zum Beispiel bei Mellikon, zum Teil in einer bis drei Kilometer breiten Schotterebene, zum Beispiel bei Zurzach und Rietheim.

Querschnitte durch das Rheintal

bei Mellikon   Zurzach–Dangstetten   Rietheim–Kadelburg

Rheinstädtchen in Dreiecksform

Kaiserstuhl ist eine mittelalterliche Kleinstadt am steilen Rheinufer, eine typische Hangsiedlung in eigenartiger Dreiecksform. Die Stadt wurde 1255 durch die Freien von Regensberg gegründet und ging 1294 an den Bischof von Konstanz über. Aber bereits im 11. Jahrhundert bestand hier eine Burg als Wohnturm der Freien von Kaiserstuhl. Kaiserstuhl war in früheren Jahrhunderten ein wichtiger Brückenort an der Strasse Ulm–Schaffhausen–Baden–Bern. Der Rheinübergang, früher eine Holz-, jetzt eine Eisenbrücke, wurde im Norden durch das Schloss Röteln, auch Rotwasserstelz genannt, geschützt. Nach der Französischen Revolution wurde das rechtsrheinische Gebiet abgetrennt, der Rhein also zum Grenzfluss und Kaiserstuhl damit auch zum abgelegenen Grenzort des neuen Kantons Aargau. Hoch über dem deutschen Ufer gibt es auch eine Ruine Weisswasserstelz, und mitten im Rhein auf einer Felseninsel stand vor wenig mehr als 100 Jahren das stolze Schlösschen Schwarzwasserstelz, das an die berühmte Pfalz am Mittelrhein erinnerte. Diese Burg, in welcher Hadlaubs Geliebte Fides in Gottfried Kellers Novelle gelebt haben soll, wurde leider 1875 auf Abbruch verkauft; die Steine verwendete man für das Stationsgebäude in Zurzach und für einen Tunnel im Kanton Zürich! Das barocke Schlossportal findet man an einem Haus in Zurzach. Heute sitzt ein wegen des Rheinstaus «halb ertrunkener» Betonbunker auf dem Felsen.

Die Gemeinde Kaiserstuhl hat mit 32 ha den kleinsten Gemeindebann im Aargau. Die kleine Stadt vermag sich nicht mehr zu entwickeln. 1850 zählte sie 448 Einwohner, 1975 deren 413. 1890 erhielt die Stadt eine neue Eisenbrücke. Hier befindet sich auch ein Zollamt.

Als nächste aargauische Gemeinden am Rhein folgen *Rümikon*, ein früheres Fischerdorf (Salm im Wappen), und das Bauerndorf *Mellikon*. In letzterer Gemeinde befindet sich der Kalksteinbruch der Sodafabrik Zurzach.

Das aargauische *Rekingen* schreibt sich ohne, das deutsche mit ck, ebenso das Elektrizitätswerk Reckingen, denn die Betriebsleitung ist in Deutschland domiziliert. In Rekingen, am Fusse des Nurrenberges, liegt das 1975 eröffnete grösste Zementwerk des Aargaus. Täglich werden bis zu 2000 t Zement gewonnen und zur Hälfte von Lastwagen und per Bahn weggeführt. Der damit verbundene Kalkabbau erfolgt im Musital bei Baldingen. Rekingen ist ein

Zweigbetrieb des Werks Holderbank, das nicht mehr über genügend Rohstoffe verfügt.

Stille Seitentäler des Rheintals

Von Kaiserstuhl, Mellikon und Rekingen zweigen bescheidene Täler ab, die zusammen das Studenland ausmachen. Im *Bachsertal* oberhalb von Kaiserstuhl findet man Fisibach mit den Höfen Hägelen und Waldhusen; den Namen des letzteren trägt auch eine Ruine an der Grenze zwischen den Kantonen Aargau und Zürich. Neben der Landwirtschaft gibt es hier auch Industrie (Ziegelei, Eisenkonstruktionen). Im *Tägerbachtal* liegt *Wislikofen* mit der ehemaligen Propstei des Klosters St. Blasien im Schwarzwald. Der schlichte Bau wurde in den Jahren 1974 bis 1976 gründlich restauriert und erweitert und gilt heute als Musterbeispiel für die Wiederbelebung eines historischen Baudenkmals, die komplexe Anlage hat eine neue Zweckbestimmung als «Bildungszentrum der römisch-katholischen Landeskirche des Kantons Aargau» gefunden. In diesem Tal finden sich auch die Höfe Uechmorgen, Goldebüel und Mülibach sowie die Gemeinde *Mellstorf*, in deren Kapelle wertvolle Holzschnitzereien die Weihnachtsgeschichte erzählen, und das Bauerndorf *Siglistorf* an der alten Strasse Kaiserstuhl–Baden, von wo aus früher Pferde als Vorspann für die Fahrt über den Belchen bereitgestellt wurden. Im

Chrüzlibachtal gelegen sind schliesslich das Bauerndorf *Baldingen,* das sich aus Ober- und Unterbaldingen zusammensetzt, und *Böbikon* mit den Höfen Güggehü und Rütihof; hier stösst man sogar auf eine Burgruine aus dem 11. Jahrhundert, deren Herrengeschlecht jedoch unbekannt geblieben ist.

Zurzach – vom Messe- zum Badeort

Zurzach dürfte zu den 12 helvetischen Städten (Oppida) gehören, welche die Helvetier vor ihrem unglücklichen Auszug nach Gallien zerstört hatten. Aber auch zur Römerzeit hatte Tenedo, wie Zurzach damals hiess, grosse Bedeutung. Schon zur Zeit der Geburt Christi befand sich hier ein Rheinübergang zum römischen Truppenlager Dangstetten am rechten Rheinufer, und im 4. Jahrhundert wurde die Grenze mit Befestigungen (Kastellen) gesichert.

Über dem Grab der heiligen Verena, die in der Schweiz und in Süddeutschland sehr verehrt wurde, entstand um das Jahr 800 ein Benediktiner-Doppelkloster, das erste Kloster im Aargau. Nach einem Brand im 13. Jahrhundert wurde die Kirche mit Buntsandstein in gotischem Stil neu gebaut, wobei die Schiffe und das Innere später barockisiert wurden. Etwa 1000 Jahre lang war Zurzach ein weitbekannter Wallfahrtsort. Besonders am 1. September, dem Verenentag, betete man am Grab der Heiligen vor allem für die Gesundung bei Krankheiten und Gebrechen sowie für gute Mutterschaft.

Die Zurzacher Messe

In Verbindung mit den Wallfahrten hatte sich Zurzach zum Marktflecken (Dorf, ohne Ringmauer, aber mit Marktrecht) und zum wichtig-

Schnitt vom Aaretal durch das Studenland

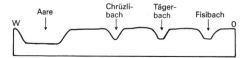

C.33.

Sarkophag der hl. Verena in der Gruft der Stiftskirche
(nach einem Stich des Verena-Stiftes)

sten Messeort am Hochrhein entwickelt. Der
Grossmarkt anfangs September und nach
Pfingsten dauerte ursprünglich einen, dann drei
Tage, schliesslich eine Woche und im 18. Jahr-
hundert gar 14 Tage. Verkäufer und Käufer aus
weiten Teilen Europas strömten zusammen. Ge-
handelt wurde in Messehäusern und an Markt-
ständen, vor allem um Tuch, Leinen, Barchent,
Seide, Leder, Eisenwaren, Bücher, Gewürze,
Nahrungsmittel, auf dem Viehmarkt um Pferde.
Der Rhein war die wichtigste Verkehrsader; die
Waren wurden durch die Schaffhauser Schiff-
leuten-Gesellschaft, die Koblenzer Stüdler und
die Laufenburger Laufenknechte transportiert.
Der Landvogt von Baden war zugegen, um
über Betrüger und Diebe Gericht zu halten
(Schelmenturm!). Jeder Zurzacher Hausbesitzer
durfte während der Messe Gäste beherbergen
und verpflegen. Darum erhielt jedes Haus einen
besonderen Namen, zum Beispiel Elefant,

Tiergarten, Paradies, Meerfräulein, Zum süssen
Winkel, Blauer Himmel. Das Aufkommen des
Eisenbahnverkehrs bedeutete das Ende des Mes-
sewesens in Zurzach (letzte Messe 1856).

Bemerkenswert sind in Zurzach die Messe-
häuser aus dem 17. und 18. Jahrhundert. Solche
Gebäude findet man nördlich der Alpen selten.
Um einen rechteckigen Innenhof mit einem
Brunnen stehen die zweistöckigen Gebäude: auf
der Strassenseite das Torhaus mit der rundbogi-
gen Einfahrt und den Verkaufslokalen, seitlich
die beiden Flügel mit den Magazinen, hinten das
Hinterhaus mit Stallungen und Schuppen. Im
ersten Stock führte auf der Hofseite ein Lauben-
gang ringsum; von ihm aus sind die Schlafräume
der Kaufleute und Messebesucher zu erreichen.
Über den Stallungen fanden sich die Messegäste
im Saal zu Tanz und Gelage ein.

Zurzacher Messehaus

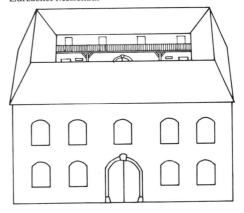

Die Sodafabrik

Die Entdeckung einer Steinsalzschicht bei
Zurzach (1892, in 132 m Tiefe) führte 1914 zur
Gründung der Sodafabrik. Sie wurde 1922 vom
belgischen Industriekonzern Solvay übernommen, dem sie heute noch gehört.

Als Rohstoffe für die Sodaherstellung dienen
Salz und Kalk. Als Hilfsstoffe werden verwendet: Heizöl oder Kohle, Koks, Ammoniak,
Wasser zu Kühlzwecken und zur Dampferzeu-
gung. Salz, Kalk und Wasser sind bei Zurzach
reichlich vorhanden. Salz wird in Form von
Sole aus dem Untergrund westlich von Zur-

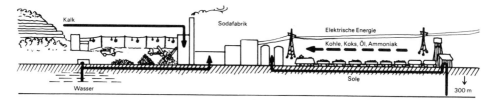

zach gewonnen und durch unterirdische Leitungen der Fabrik zugeführt. Noch steht eine Reihe hölzerner Fördertürme aus früherer Zeit. Für die Salzgewinnung ist dem Staat Aargau eine jährliche Abgabe von ungefähr 120000 Franken zu leisten.

Kalkstein wird im nahen Steinbruch in Mellikon gebrochen und gemahlen, hierauf mit der Seilbahn zur Fabrik gefahren. Eine fabrikeigene Grundwasserfassung liefert Wasser. Die übrigen Hilfsstoffe müssen grossenteils aus dem Ausland beschafft werden.

Die Sodafabrikation ist ein komplizierter chemischer Vorgang: Aus der sorgfältig durch Ausfällung der Verunreinigungen und durch Kristallisation gereinigten, mit enthärtetem Wasser wieder hergestellten Salzlösung wird mit Kohlendioxid und Ammoniak Natriumbicarbonat hergestellt. Durch Entfernung des Ammoniaks und durch Kalzination entsteht Soda. Soda findet hauptsächlich Verwendung in der chemischen Industrie, in der Glas-, Seifen- und Papierindustrie sowie neuerdings wieder für Waschpulver.

Die Sodafabrik ist eine chemische Fabrik, die ausser Soda noch viele andere Stoffe herstellt, zum Beispiel Säuren und Laugen, Chlor (Schwimmbäder!) Wasserstoffgas (auch zum Füllen von Luftballons, wie in Lenzburg).

Junges Thermalbad und Mineralquelle

Im Zusammenhang mit der Gründung der Sodafabrik wurde 1914 bei Sondierbohrungen in 416 m Tiefe eine Thermalquelle erschlossen (300 l/min, 38,3 °C). Man verschloss die Austrittsstelle wieder, da man keine Verwendung für das Thermalwasser sah. 1955 wurde mit der Absicht, Thermalwasser zu nutzen, erneut danach gebohrt, mit grossem Erfolg: In 430 m Tiefe stiess man am 5. September um 20.20 Uhr auf eine Therme von 40 °C und 1700 l/min Ergiebigkeit. Damit war die Grundlage gegeben, dass

sich Zurzach zum Thermalkurort entwickeln konnte. Seit 1970 steht ein modernes Thermalbad mit Wannenbädern und zwei Freiluftbassins zu 250 m² und 200 m² zur Verfügung. Ein Rheumazentrum mit 200 Betten dient der Behandlung von Pflegepatienten und der wissenschaftlichen Forschung. Mit Auto und Eisenbahn erreichen täglich um die 5000 Badegäste Zurzach.

Ein Teil des Thermalwassers wird mit einer Temperatur von 32 bis 34 °C der Mineralquelle AG zugeführt. Dort wird das Wasser vorerst filtriert. Nachdem Fluor und Arsenat abgebaut sind, wird wenig Kohlensäure zugegeben. Bei einer Abfülltemperatur von 6 bis 8 °C können in der Stunde maximal 8000 l Mineralwasser abgefüllt werden. In den Handel kommt das Mineralwasser unter dem Namen «Zurzacher Mineral»; es wird ärztlich empfohlen bei Gallen-, Leber- und Magenleiden sowie bei Darmerkrankungen (Flaschen mit grüner Etikette: leichter Kohlensäurezusatz; blaue Etikette: ohne Kohlensäure).

Unterhalb Zurzachs liegt das Bauerndorf *Rietheim*. Hier hat sich durch die Auslaugung der Salzvorkommen der Boden der Talsohle um zwei bis drei Meter gesenkt. Risse in den Hauswänden deuten dies an, ja einzelne Gebäude sind unbewohnbar geworden, und Kulturland ist zum Teil unter den Grundwasserspiegel gesunken. Für die Schäden hat die Sodafabrik Zurzach aufzukommen.

Koblenz: Zusammenfluss und Zoll

Der Name Koblenz stammt aus dem Lateinischen: confluentes = die Zusammenfliessenden (Aare und Rhein). Auf einer kleinen Insel im Rhein befand sich früher ein Judenfriedhof, der aber 1750 wegen der Abtragung des Geschiebematerials und wegen Überschwemmungen aufgegeben wurde. Koblenz war früher Fischer- und Flösserdorf. Koblenzer «Stüdler» lotsten Warenschiffe über den sogenannten Kleinen Laufen (Kalksteinplatten im Rheinbett, mit Rinnen, nach unten abgestuft, für Schiffahrt gefährliche Rheinpartie). Der Name «Stüdler» ist wohl entstanden von der Tätigkeit der Lotsen, die sich bei ihrer Arbeit am Ufer an Stauden festhielten. Heute ist Koblenz ein Brükkenort im Quer- und Längsverkehr am Rhein (vier Brücken) sowie ein Beamtendorf mit Bahn- und Zollbeamten.

Das Hauptzollamt Koblenz ist das wichtigste Zollamt im Aargau. Im Tag werden durchschnittlich 5000 Autos abgefertigt. Den Hauptteil macht der Touristenverkehr aus, aber ungefähr 500 Personenautos fallen immerhin auf deutsche Grenzgänger, die in der Schweiz ihren Verdienst finden. Im Jahre 1971 lieferte das Zollamt Koblenz dem Bund 15,5 Millionen Franken an Zollgebühren ab.

Mündungsgebiet der Aare in den Rhein

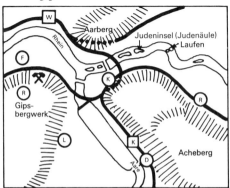

Die Zollorganisation im Aargau

Erst 1848 wurden die bisherigen 470 Stadt-, Gebiets- und Brückenzölle aufgehoben, der Zoll an die Landesgrenze verlegt und ein einheitliches Zollsystem angewendet. An der 1881 km langen Landesgrenze befinden sich in sechs Zollkreisen Zollinspektorate, Haupt- und Nebenzollämter sowie Grenzwachtposten. Die Bezirke Baden und Zurzach gehören zum Zollkreis Schaffhausen, die übrigen Bezirke zum Zollkreis Basel. Der Aargau zählt zwei Hauptzollämter, nämlich Koblenz (mit einer Dienststelle im Bahnhof Waldshut) und Aarau (einige wichtige Zollämter befinden sich im Landesinnern); daneben gibt es im Aargau sieben Nebenzollämter: Kaiserstuhl, Zurzach, Full, Schwaderloch, Laufenburg, Stein und Rheinfelden.

Man unterscheidet zwischen den uniformierten, bewaffneten Grenzwächtern und den Zollbeamten in Zivilkleidung; ihre Arbeitsgebiete sind verschieden und genau umschrieben.

1971 waren die Zolleinnahmen bei folgenden Importgütern am ergiebigsten: Treibstoffe 1370 Millionen Franken, Autos 220 Millionen Franken, Maschinen und Apparate 80 Millionen Franken, Früchte und Gemüse 56 Millionen Franken, Eisen und Stahl 50 Millionen Franken, Zucker 50 Millionen Franken, Milchprodukte 30 Millionen Franken, Möbel 26 Millionen Franken, Schuhe 20 Millionen Franken.

Von der Aaremündung zur Sissle

Das Gebiet des Bezirks Laufenburg erstreckt sich vom Rhein bis zum Bänkerjoch und zur Salhöchi nahe der Kantonshauptstadt, schliesst also im wesentlichen das Tal der Sissle und ihre Nebentäler, dann aber auch die Seitentäler südlich des Rheins, das Mettauer-, das Sulzer- und das Kaistenbachtal ein. Das erste Teilstück des nun um die Aare mächtiger gewordenen Rheins gehört allerdings noch zum Bezirk Zurzach.

Zwischen *Full* und *Waldshut* verkehrt, allerdings nur über die Wochenenden, eine von deutscher Seite betriebene Fähre. In Bernau bei *Leibstadt* findet man die Loretokapelle, die Begräbnisstätte einiger Glieder der adligen Familie von Roll, die nebenan auf einer ehemaligen Burgruine im 17. Jahrhundert ein Schloss hatte erbauen lassen. In Leibstadt ist seit Anfang 1976 ein Kernkraftwerk im Bau. Zwar erwuchs auch diesem Kernkraftwerk Opposition, doch ist hier die Realisierung schon weit fortgeschritten. Erhobene Beschwerden hatten keine aufschiebende Wirkung. Ende 1977 rechnete die Kernkraftwerk-Leibstadt AG damit, das Werk im Jahre 1980 in Betrieb nehmen zu können. Es wird eine elektrische Bruttoleistung von 1000 Megawatt aufweisen und 6,12 Milliarden kWh Energie erzeugen. Der Kapitalbedarf für seine Erstellung beträgt – einschliesslich Bauzinsen und Kosten für die erste Kernladung – rund 2,6 Milliarden Franken (Preisbasis Anfang 1977).

Grosse Bedeutung, vor allem für die aargauische Zementfabrikation, hat das Gipsbergwerk in Full-Reuenthal erhalten.

Das Gipsbergwerk in Full-Reuenthal

Im Jahre 1880 wurde mit dem Abbau von Gips an den Fullerhalden begonnen. Zunächst wurde über Tag abgebaut, seit 1910 wird der Gips jedoch unter Tage gewonnen. Anfangs arbeiteten 40 bis 50 Mann in den Stollen, wobei das Gesteinsmaterial von Hand auf Rollwagen geladen und ans Tageslicht befördert werden musste. Heute ist der Betrieb voll mechanisiert, so dass nur noch fünf Arbeiter zur Bedienung der Maschinen benötigt werden.

Die Abbaustollen sind fünf Stockwerke tief angelegt. Sie sind durch den Förderstollen, der 8 m breit und 4,5 m hoch ist, miteinander verbunden. Durch diese Tunnelstrassen befördern Lastautos den Gips an die Oberfläche und anschliessend an den Bestimmungsort.

Die Stollen im Bergwerk weisen eine Gesamtlänge von ungefähr 18 km auf. Es wird bei einer Temperatur von 13 °C gearbeitet. Pro Tag werden im Sprengverfahren 100 t Gips abgebaut. Dieser Rohgips findet vor allem für die Zementfabrik bei der Herstellung von sogenanntem Portlandzement Verwendung. Abnehmer von Rohgips aus diesem Bergwerk, das der Firma Gips-Union Felsenau-Leuggern gehört, sind die Zementfabriken Rekingen und Würenlingen-Siggenthal.

Gips entstand durch Ablagerung in seichten Meeren. Zur Bildung einer Gipsschicht von 1 m Dicke ist eine Zeitdauer von etwa 10000 Jahren erforderlich (für 1 m Kalkstein 7000 Jahre, für 1 m Sandstein 1200 Jahre). Für die Bildung der etwa 50 m mächtigen Gipsschicht in den Fullerhalden brauchte es also eine halbe Million Jahre.

Rohgips dient neben der Verwendung in Zementfabriken der Landwirtschaft zur Düngung nährstoffarmer Böden. Früher gab es im Aargauer Jura zahlreiche Gipsgruben (Birmenstorf, Mülligen, Schinznach, Windisch, Ehrendingen, Küttigen, Frick, Wegenstetten, Sulzer- und Gansingertal). In Gipsstampfen und -mühlen wurde das Gestein zu Düngermehl verarbeitet. In Gipswerken wird Rohgips durch Erhitzen (Brennen) zu Bau- und Modellgips verarbeitet. Je nach Brenntemperatur bindet der gebrannte Gips schnell oder langsam ab (Abbinden = nach der Wasseraufnahme austrocknen und erhärten). Modell-, Anstreich- und Stuckgips binden schnell ab (Brenntemperatur 105 bis 200 °C); Baugips für den Innenausbau dagegen langsam (Gipsdielen, Gipsplatten; Brenntemperatur 900 bis 1100 °C).

In den leeren Stollen hat man Champignonzuchten angelegt. Sie benötigen eine mit Pferdemist (hauptsächlich aus Holland bezogen) gedüngte Erde und profitieren von der gleichmässigen Stollentemperatur.

Die Laufenburger Seitentäler

Aus drei Südtälern im Gebiete Laufenburgs erhält der Rhein Zufluss: aus dem *Mettauer-, dem Sulzer- und dem Kaistenbachtal*. Das grösste von ihnen ist das Mettauertal mit einigen noch urtümli-

Schnitt durch das Rheintal mit Förderstollen (F) und Abbaustollen (A) des Gipsbergwerks Full-Reuenthal

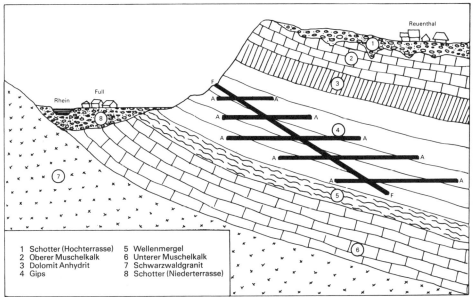

1 Schotter (Hochterrasse)	5 Wellenmergel
2 Oberer Muschelkalk	6 Unterer Muschelkalk
3 Dolomit Anhydrit	7 Schwarzwaldgranit
4 Gips	8 Schotter (Niederterrasse)

chen Bauerndörfern in den beiden Seitenästen. Die Bevölkerung dieser Gemeinden hat in den letzten 100 Jahren auffallend abgenommen, sind doch viele Bewohner in Industriegemeinden und in Städte abgewandert.

1970 waren von den Einwohnern des Dorfes Wil 32 reformiert und 501 katholisch; Hottwil zählte 164 Reformierte und 4 Katholiken. Dieser Unterschied ist einfach zu erklären: Die Bezirksgrenze bildet auch hier immer noch die konfessionelle Grenze. Wil gehört zum katholischen Fricktal, Hottwil – obwohl noch eindeutig im Mettauertal – zum reformierten Berner Aargau (Bezirk Brugg). Der Name Gansingen hat wenig

mit einer Gans zu tun, obwohl das Gemeindewappen eine solche zeigt; der Name wird vielmehr zurückgeführt auf den Alemannen Chanzo, der sich bei der grossen Völkerwanderung mit seiner Sippe hier im Tale niederliess.

Weniger weitläufig ist das Sulzertal, dessen Siedlungen alle zusammen die Gemeinde Sulz bilden. Sulz entspricht in der Anlage Gansingen. Früher waren die Nagelschmiede des Sulzertales weitherum bekannt. Im Jahre 1900 gab es im Tal 35 Schmitten, in denen Schuhnägel hergestellt wurden. Es war eben die Zeit, da die Ledersohlen der Arbeitsschuhe, der Berg- und Militärschuhe noch genagelt wurden. Heute ist nur

	Mettau	Wil	Hottwil	Oberhofen	Gansingen
1870:	359	638	266	246	902
1970:	251	539	171	212	717

noch ein Nagelschmied an der Arbeit, und dies nur zeitweise.

Am Ausgang des dritten Tals, gleichsam im Tor zur Ebene, liegt *Kaisten,* eine seit der Römerzeit bestehende Siedlung, die sich immer mehr in das Kaisterfeld hinaus entwickelt. Im Jahre 1730 wanderten 30 Familien aus Kaisten, als Opfer der Güterzerstückelung, nach dem unter Kaiserin Maria Theresia von den Türken eroberten Banat aus. Heute noch gibt es im rumänischen Ort Saderlach Geschlechter mit fricktalischen Familiennamen: Lützelschwab, Metzger, Näf, Nef, Oeschger, Siebenhaar, Soder, Spuhler, Stäuble, Trayer, Urich, Weber, Weiss, Welti, Winter. Der Kaisterbach entspringt im Marchwald ob *Ittenthal,* welche Gemeinde in Mundart den originellen Namen «Üetlete» trägt. March ist ein altes Wort für Mark (= Grenze, Markstein). Man findet hier Marksteine mit Wappen von Österreich (rot-weiss-rote waagrechte Teilung) und von Bern (aufsteigender Bär), die im 17. Jahrhundert gesetzt worden sind.

Laufenburg und sein kleiner Rheinfall

Der Laufen hat der Stadt nicht nur den Namen gegeben, er hat über Jahrhunderte hinweg auch ihre Entwicklung bestimmt. Unter dem Laufen versteht man die einstige Stromschnelle im Einschnitt des Rheins in den Schwarzwaldgneis, einer Schlucht, die im Mittel 75 m, an der engsten Stelle 12 m breit und 1300 m lang war. Das Gefälle dieser Stromschnelle über drei Felsklippen und durch Felsklötze betrug nur 3,5 m, weshalb er im Gegensatz zum Rheinfall (Grosser Laufen) Kleiner Laufen genannt wurde.

Der Laufen zwang die Schiffer – die Schiffahrt war im Mittelalter und bis ins 19. Jahrhundert hinein sehr wichtig –, ihre Fahrt zu unterbrechen. Die Schiffe wurden an der obern Schifflände (Giessen) entladen, die Ware wurde auf dem Landweg durch die «Karrer» zur untern Schifflände (Schäffigen) gefahren und dort wieder auf die Schiffe gebracht, die inzwischen von den «Laufenknechten» an Seilen durch die gefährlichen Wasserstrudel gelotst worden waren. Langholzflösse wurden oberhalb des Laufens aufgelöst, die Stämme einzeln die Stromschnelle hinuntergeschickt und danach wieder zusammengesetzt.

Der Laufen bewirkte, dass Laufenburg neben der Bedeutung als Umschlagplatz auch ein weit herum bekannter Fischerort wurde. Mit Reusen und Netzen fingen die Fischer die Salme, die auf ihrem Zug in die Bergflüsse (Laichgewässer) durch den Laufen aufgehalten wurden und sich in den Wasserlöchern (Kolken) ansammelten. Am Montag, Mittwoch, Donnerstag und Freitag war in Laufenburg Fischmarkt. Salme wurden bis nach Paris und Wien gehandelt; sie wurden eingesalzen und in Fässern an ihren Bestimmungsort transportiert.

Schnitt durch das Rheintal bei Laufenburg

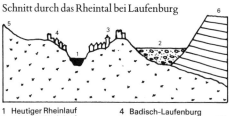

1 Heutiger Rheinlauf
2 Früherer Rheinlauf
3 Laufenburg mit Burghügel
4 Badisch-Laufenburg
5 Schwarzwald (Hotzenwald)
6 Tafeljura

Mit dem Aufkommen der Eisenbahn im 19. Jahrhundert und dem Bau von Flusskraftwerken im 20. Jahrhundert wurden Flösserei und Schiffsverkehr zum Verschwinden gebracht. Als 1908 bis 1914 die Gneisbänke und -felsen im Laufen gesprengt wurden, das Elektrizitätswerk Laufenburg erstellt und der Rhein aufgestaut wurde, war eine grossartige Naturlandschaft beseitigt worden. Dies bedeutete auch den Untergang der Salmenfischerei.

Der Salm

Mit «Salm» wird im Rheingebiet der andernorts als Lachs bezeichnete Wanderfisch
benannt. Er wird 1,5 m lang und bis 40 kg
schwer. Er lebt in den nördlichen Meeren und
zieht zum Laichen in die Quellgebiete der ins
Meer mündenden Ströme. Früher war der
Rhein mit seinen Zuflüssen ein bevorzugtes
Laichgebiet der Salme. Sie zogen jeweils aare-,
reuss- und limmataufwärts bis auf 1000 m über
Meer. In den Bergbächen stiessen die Weibchen
(Rogener) die Eier (Rogen) in Aushöhlungen
von Sand- und Kiesbänken aus; die Männchen
(Milchner) befruchteten die Eier mit ihrer mil-
chigen Samenflüssigkeit. Die Jungfische lebten
etwa drei Jahre im Süsswasser und suchten dann
das Meer auf. Der Geruch des Geburtsgewässers
hatte sich den jungen Salmen so fest eingeprägt,
dass sie es auf ihren spätern Laichzügen wieder
fanden.

Das rosafarbene Fleisch der bergwärts ziehenden Salme war sehr geschätzt, das weisse
Fleisch der meerwärts ziehenden Fische war dagegen kaum geniessbar. Da der Rhein heute
stark verschmutzt ist, meidet der Salm dieses
Gewässer. Stauwehre würden ihm ohnehin den
Weg in die einstigen Laichgewässer in der
Schweiz verunmöglichen. An sein Vorkommen
in früherer Zeit erinnern noch Gemeindewappen (z. B. Rümikon), der Name «Salmenbräu»
und Wirtschaften mit dem Namen «Salmen».

Aus der Stadtgeschichte

11. Jh. Fischersiedlung an den Stromschnellen
(Laufen), im Besitz des Klosters Säckingen.

Um 1200: Habsburger, als Schirmvögte des
Klosters, erstellen zu beiden Seiten des Flusses
eine Burg und umgeben die Siedlung mit einer
Ringmauer.

1207: Brücke erstmals erwähnt.

1249: Burg auf dem Gneishügel von Gross-
laufenburg wird Stammsitz der jüngern Habs-
burglinie unter Rudolf III.; seine Nachfolger
nennen sich fortan Grafen von Habsburg-
Laufenburg.

1270: Erweiterung des linksrheinischen Laufenburg durch Vorstadt «im Wasen».

1363: Laufenburg prägt eigene Münzen.

Das mittelalterliche Laufenburg

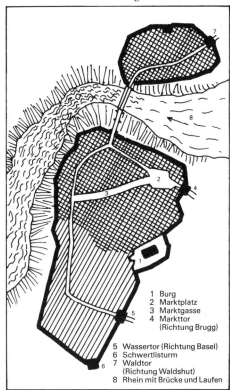

1 Burg
2 Marktplatz
3 Marktgasse
4 Markttor
  (Richtung Brugg)

5 Wassertor (Richtung Basel)
6 Schwertlisturm
7 Waldtor
  (Richtung Waldshut)
8 Rhein mit Brücke und Laufen

1386: Verkauf von Laufenburg an Herzog
Leopold III. von Österreich (ältere Habsburger-
linie), gefallen bei Sempach 1386.

Bis 1801: In österreichischem Besitz. Kriege-
rische Ereignisse: 1443 Belagerung durch die
Berner und Solothurner; 1499 Gefecht zwischen
kaiserlichen Truppen und Eidgenossen im
Schwabenkrieg; 1618 bis 1648 mehrmals Schä-
digung und Ausplünderung im Dreissigjährigen
Krieg; 1776 bis 1800 Ausplünderung im Franzo-
senkrieg, Zerstörung der Brücke; 1801 Abtrennung von Österreich.

Seit 1803: Hauptort des aargauischen Bezirks
Laufenburg.

Laufenburg hatte während sechs Jahrhunderten auch grosse Bedeutung als Handelsplatz für
Eisen. Fricktaler Eisenerz und Roheisen, vor
allem aus Wölflinswil, wurde nach Laufenburg

gefahren und dort an den Schwarzwaldbächen in Schmelzöfen und in Hammerschmitten verarbeitet. Bereits 1748 war nur noch eine Hammerschmitte in Betrieb; dem phosphorhaltigen Fricktaler Erz wurden die Erze in Lothringen und im Ruhrgebiet vorgezogen, wo sie gleichenorts verhüttet werden konnten. Heute bringen andere Industrien, die sich vor allem in Bahnhofnähe niedergelassen haben, Verdienst: Keramische Fabrik, Sägewerk und Holzbearbeitung, Strumpffabrik, Schalt- und Verteilanlage für elektrischen Strom, Elektrizitätswerk.

Frick und das Fricktal

Das Fricktal im engeren Sinne ist das Tal der Sissle; seit 1802 fasst man aber die Bezirke Laufenburg und Rheinfelden, die weit darüber hinaus gehen, unter dem Namen «Fricktal» zusammen. Die Sissle mündet bei Sisseln in den Rhein. Sie entwässern einen grossen Teil des Tafeljuras. Bäche aus der Gegend von Kienberg SO, Oberhof, Densbüren, Zeihen, Bözen, Effingen und Elfingen vereinigen sich in Frick und münden gemeinsam bei Sisseln in den Rhein.

Frick bildet das Zentrum des Fricktals. Mit rund 3000 Einwohnern ist dieser Marktort auch bevölkerungsmässig grösser als der Bezirkshauptort Laufenburg, dessen Bevölkerungszahl seit 1970 wieder unter die 2000er-Grenze gerutscht ist.

Das grösste Tonwerk des Aargaus

In Frick steht das grösste Tonwerk des Aargaus. Kleinere Tonwerke gab es 1975 noch in Fisibach und Attelwil. Seit 1970 sind die Betriebe in Döttingen, Holderbank und Kölliken eingegangen. Das Tonwerk Frick wies 1973 eine Maximalproduktion von 34 Millionen Backsteinen auf. In Frick werden Backsteine (Normalsteine für verputztes Mauerwerk und Sichtbacksteine für nichtverputztes Mauerwerk), Vollsteine, Deckenhohlsteine und Fensterstürze für Stahlton und Tonröhren hergestellt. Aus einer feinkeramischen Werkstätte stammen Tongefässe. Die Belegschaft des Tonwerks Frick beträgt 100 Mann.

In Frick und in andern Fricktaler Gemeinden findet man in der katholischen Kirche über dem Hauptaltar als Schmuck eine grosse Krone. Sie ist das Zeichen für Christus (Christkönig), erinnert aber zugleich an die weltliche kaiserliche Herrschaft der Österreicher, vor allem an die Kaiserin Maria Theresia (1717 bis 1780), die stark mit dem Fricktal verbunden war.

Das wichtigste Seitental der Sissle ist dasjenige mit den Dörfern *Ueken, Herznach* und *Densbüren*.

Pestsarg – Erinnerung an schreckliche Zeiten

Bekannt ist in Herznach der Pestsarg aus dem 17. Jahrhundert, der im Beinhaus der katholischen Kirche aufbewahrt wird. Im Jahr 1656 suchte eine schlimme Pestepidemie ganz Europa heim; um die 30 Millionen Menschen wurden dahingerafft. Die eigentliche Pestverbreiterin war die Ratte, in deren Pelz sich der Ratten- oder Pestfloh einnistete und das bereits vergiftete Blut der Ratte aussaugte. Die Flöhe stachen hernach die Menschen. Neben der Beulenpest gab es die Lungenpest, die von Mensch zu Mensch durch Tröpfcheninfektion übertragen wurde und schon nach wenigen Stunden oder Tagen zum Tod führte. Beim Herznacher Pestsarg ist der Boden als Falltür konstruiert. Er wurde bei der Bestattung eines Pesttoten über dem Massengrab geöffnet, so dass der Tote in die Grube fiel. Sofort wurde er mit Kalk überstreut und mit Erde zugedeckt.

Ehre für ein Juradorf

Im nächsten, westlichen Seitental der Sissle liegen *Wölflinswil* und *Oberhof*; die beiden Gemeinden erhielten mit der neuen Benkenstrasse die lange gewünschte direkte Verbindung zur Kantonshauptstadt. Im Jahr der festlichen

Strasseneröffnung (1977) widerfuhr der Gemeinde Wölflinswil auch noch andere grosse Ehre: Ihr Bürger und früherer Gemeindeammann Robert Reimann wurde zum Ständeratspräsidenten gewählt, welches Amt bisher nur wenige Aargauer versahen. Das Aargauer Jubiläumsjahr 1978 wird also wenigstens im Ständerat als «Aargauer Jahr» in die Geschichte eingehen.

In Wölflinswil spielte früher, in Herznach bis in die neuere Zeit die Erzausbeutung eine Rolle.

Eisenerz im Fricktal

Die grössten Eisenerzlager der Schweiz finden wir im Fricktal. Rötliche Ackererde deutet auf Erzvorkommen hin. In den Kalkschichten des obern Doggers sind zwei Erzflöze eingelagert: das Herznacher Flöz (Flöz ist wortverwandt mit Fladen) mit einer Mächtigkeit von 2 bis 3 m und das Wölflinswiler Flöz mit einer Dicke von 1 m. Beide Flöze überlagern sich zum Teil; sie sind durch eine eisenhaltige Mergelschicht voneinander getrennt.

Das Eisenerz besteht aus sogenanntem oolithischem Gestein von rostroter bis violetter Farbe. Die schalig gebauten Erzkörnchen von 0,1 bis 1 mm Durchmesser liegen in einer kalkigen Grundmasse. Da das Gestein als Ablagerungsgestein in einem Flachmeer gebildet wurde, finden sich darin zahlreiche Versteinerungen, z. B. Ammoniten und Belemniten.

Im Mittelalter wurde im Fricktal Eisenerz im Tagebau gewonnen, vor allem in den Erzgruben von Wölflinswil: Der Flurname «Fürberg» deutet darauf hin, dass das Erz in der Nähe der Erzgruben geschmolzen wurde. Aber schon 1603 mussten infolge Holzmangels die letzten Blasöfen (Blajen) in Gipf, Frick ·und Eiken aufgegeben werden. Das Erz wurde an die Schwarzwaldbäche bei Säckingen und Laufenburg transportiert, wo es weder an Holzkohle für die Schmelzöfen noch an Antriebskraft für die Hammerwerke mangelte. Die Erzausbeutung und der Erztransport unterstanden den Satzungen der Fricktaler Erznergemeinde, einer Organisation von etwa 400 Mitgliedern.

Die Eisenerzgewinnung im Fricktal ging im 17. und 18. Jahrhundert stark zurück, da das Eisen unerwünschte Mängel (Brüchigkeit) aufwies.

Anstelle von Eisenerz begann man Bohnerz auszubeuten, das vor allem im Baderbiet und bei Aarau (Hungerberg) gewonnen wurde. Verhüttet wurde das Bohnerz in den Eisenwerken Albbruck und Wehr am Südfuss des Schwarzwaldes. Unwirtschaftlichkeit führte zur Aufgabe des Bohnerzabbaus in der Schweiz.

Nach dem Ersten Weltkrieg ging man daran, wieder eigene Erzvorkommen im Aargau auszubeuten. In Herznach entstand ein Erzbergwerk, das von 1937 bis 1967 in Betrieb war und im Kriegsjahr 1941 mit 210000 t die grösste Jahresförderung erbrachte. Bis 1946 wurde das Erz in Deutschland verhüttet, hernach bis zur Schliessung des Bergwerks in den Von-Rollschen Eisenwerken in Choindez im Berner Jura (elektrischer Niederschachtofen). Der Hauptgrund zur Einstellung des Erzabbaus in Herznach lag in der Unmöglichkeit, den Abbau rationell zu betreiben. Der Schichtverlauf war ungünstig für den Abbau (Schräglage, zu nahe an der Oberfläche), und zudem bedurfte das Erz für die Verhüttung einer speziellen Aufbereitung wegen seiner chemischen Zusammensetzung.

Es darf angenommen werden, dass die Erzvorkommen, die nach den neusten Forschungen etwa 15 Millionen Tonnen betragen, nicht mehr ausgebeutet werden.

Im benachbarten Tal liegt *Wittnau* und darüber der Tiersteinberg (749 m). Auf einem seiner Plateauvorsprünge, dem Wittnauerhorn, entdeckte man Spuren altertümlicher, dreimal hintereinander erstellter Besiedlungen. Wittnau gehört mit *Hornussen, Bözen, Herznach und Gipf-Oberfrick* zu den typischen Fricktaler Strassendörfern, die mit ihrer langen Häuserzeile zu beiden Seiten der Strasse auffallen (siehe hiezu S. 97).

Unterhalb Fricks im Haupttal befinden sich *Oeschgen* mit seinem Schönauerschlösschen sowie das Strassendorf

Eiken am Eingang des verästelten Sissletales. Zur Kirschenzeit herrscht hier in der Niederlassung des Volg (Verband Ostschweizerischer Landwirtschaftlicher Genossenschaften) Hochbetrieb.

Fricktaler Kirschen

Die Tafeljuralandschaften des Fricktals und des Baselbietes eignen sich besonders für den Steinobstbau. Im April sind die Fluren übersät von blühenden Kirschbäumen. Ende Juni setzt die Ernte der köstlichen Früchte ein. Fricktaler Kirschen sind begehrt als Tafelkirschen, aber ebenso als Konserven- und Brennkirschen.

Die Kirschbäume brauchen eine gute Pflege; Spritzungen vor dem «Blühet» und zur Zeit der Nachblüte schützen vor tierischen Schädlingen und vor Pilzbefall. Die Äste und Triebe erfordern einen gekonnten Schnitt; die Kronenform sollte alle vier bis fünf Jahre durch starken Schnitt verjüngt werden.

Frühlingsfröste setzen den blühenden Kirschbäumen oft arg zu; ebenso schlimm sind Regenperioden und Hagelschläge zur Erntezeit. Da die Ernte nur wenige Tage dauert und sehr viele Arbeitskräfte erfordert, ist es nicht verwunderlich, dass die Kirschen die teuersten Baumfrüchte sind.

Tafelkirschen

Tafelkirschen: Sie machen im Fricktal ungefähr 25 Prozent des Kirschenanbaus aus; ein grösserer Anteil kommt wegen des Mangels an Arbeitskräften nicht in Frage. Geeignet sind nur festfleischige Sorten mit Kirschengrösse von mindestens 21 mm Breite. Es gibt frühe Sorten (Alfa, Magda, 487), mittlere Sorten (Beta, Basleradler, Schumacher) und späte Sorten (Hedelfinger, Schauenburger, Heidegger).

Die Bauern von 29 landwirtschaftlichen Genossenschaften sortieren die gestielten Früchte und füllen sie in 1-kg-Schachteln ab, seltener in Spankörbe zu 10 kg. An den örtlichen Sammelstellen werden die Kirschen kontrolliert und

von hier aus zur zentralen Sammelstelle (Volg) in Eiken transportiert. Noch in der gleichen Nacht erfolgt der Versand an die Grossverbraucher. Die zentrale Sammelstelle Eiken setzt bei einer mittleren Ernte 150 bis 200 t Tafelkirschen um.

Konservenkirschen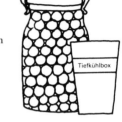

Tiefkühlbox

Konservenkirschen: Die ungestielten Konservenkirschen werden in 10-kg-Spankörben der Zentrale Eiken angeliefert. Täglich sind es um die 30 bis 40 t, im ganzen bei einer Mittelernte ungefähr 400 bis 500 t.

Zum grossen Teil werden diese Kirschen in einer leistungsfähigen Entsteinungsanlage der Zentrale entsteint (1500 kg/h) und in Haushaltschachteln zu 2,5 kg und 4 kg abgefüllt. Grosshaushalte beziehen Konservenkirschen in Kannen zu 20 bis 40 kg Inhalt, Konservenfabriken Gebinde zu 50 kg. Entsteinte Konservenkirschen können wie Tafelkirschen am Tag nach dem Pflücken schon morgens um 8 Uhr in Chur oder St. Gallen (Absatzgebiet: Raum Zürich und Ostschweiz) von der Hausfrau gekauft werden.

Brennkirschen

Brennkirschen: Ungefähr die gleiche Menge wie bei den Konservenkirschen wird in der Zentrale Eiken als Brennkirschen verwertet. Sie lagern während zweier Monate in grossen Behältern, wo der Fruchtzucker vergärt. In der Brennanlage werden darauf während fünf Monaten täglich 5 t Kirschenmaische gebrannt. Aus der Kirschenmaische können ungefähr 6 Prozent als Kirsch ausgebeutet werden. Der Kirsch wird in Flaschen abgefüllt und als Fricktaler Kirsch dem Markte zugeführt. Für einen Liter 100prozentigen Alkohol sind dem Bund gegenwärtig (1975) Fr. 18.50 an Steuern abzuliefern.

Sisslerfeld – Zentrum der Chemie-Industrie

Nach dem Zweiten Weltkrieg entwickelte sich die chemische Industrie in Basel so stark, dass sie im engen Raum von Basel-Stadt nicht mehr genügend Platz fand. Für die Erweiterung der Betriebe liess sie sich im mittleren aargauischen Rheintal nieder, das über genügend freies und ebenes Land für rationell ausgebaute Fabrikanlagen verfügte, keine Schwierigkeiten für den sehr grossen Wasserbezug (Grundwasser, Kühlwasser aus dem Rhein) bot und leicht an die Energiequellen (Erdgasleitung, Stromnetz) und an das Verkehrsnetz (Bahn, Autobahn) angeschlossen werden konnte. Das Sisslerfeld, einst eine nicht überbaute Ebene mit einem Flugplatz, ist deshalb im Begriff, ein Zentrum der Chemie-Industrie zu werden. In den neuen chemischen Fabriken findet die einheimische fricktalische Bevölkerung willkommene Beschäftigung (1975 gegen 2000 Arbeitsplätze). Aber auch der Zuzug badischer Grenzgänger ist beträchtlich (etwa ein Drittel der Arbeitsplätze).

Zwei Firmen sind am Ausbau der chemischen Industrie im Fricktal beteiligt: Ciba-Geigy in Stein, Münchwilen und Kaisten, und La Roche in Eiken/Sisseln. Schon von weitem sind heute der 62 m hohe Wasserturm und der 140 m hohe Kamin (9 m Durchmesser) der Roche AG sichtbar. In das Reservoir des Wasserturms, das 1300 m³ fasst, wird Kühlwasser aus dem Rhein gepumpt. Pro Sekunde werden in der Fabrik maximal 1200 l Kühlwasser gebraucht.

Kühlwasser aus dem Rhein für die chemische Fabrik Roche

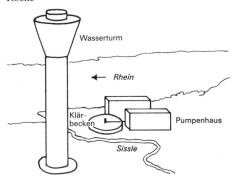

Das Areal der Chemiefabrik Roche AG ist auf drei Gemeinden verteilt: Sisseln 341 264 m², Eiken 549 273 m², Münchwilen 3743 m². Das gesamte Fabrikareal der Roche in diesen drei Gemeinden umfasst mehr als 900 000 m², d. h. 90 ha. Damit ist das Areal dreimal grösser als der Gemeindebann der flächenmässig kleinsten Gemeinde des Aargaus, Kaiserstuhl (32 ha).

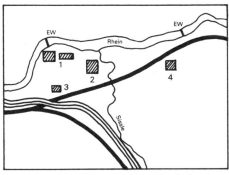

1 Ciba-Geigy Stein 3 Ciba-Geigy Münchwilen
2 Roche Eiken/Sisseln 4 Ciba-Geigy Kaisten

Ciba-Geigy, Stein: (1975 1150 Beschäftigte). Das Schwergewicht liegt bei den pharmazeutischen Produkten (Tabletten, Kapseln usw.), von denen 1973 90 Prozent exportiert wurden. In der Abteilung Pharma-Forschung werden Versuchstiere für die Forschungslaboratorien gezüchtet und an ihnen Versuche und Untersuchungen durchgeführt. In andern Laboratorien und in Gewächshäusern werden Stoffe auf ihre biologische Wirkung untersucht, die zur Herstellung von Herbiziden (Unkrautvernichtung), Fungiziden (Pilzbekämpfung) und Insektiziden (Vernichtung tierischer Schädlinge) in Frage kommen. Im Werk Kaisten mit ungefähr 250 Beschäftigten werden vor allem diese Produkte aus der Agrarchemie hergestellt.

Roche, Eiken/Sisseln: (1975 430 Beschäftigte, davon zwei Drittel angelernt). Roche stellt etwa 70 Prozent der gesamten Weltproduktion an Vitaminen her. Im Werk Eiken/Sisseln werden auf synthetischem Wege die lebenswichtigen Wirkstoffe C und E produziert. Eine Vitamin-C-Brausetablette enthält so viel Vitamin C wie der Saft von 70 Zitronen zusammen. Hier wird auch das Futterzusatzmittel Rovimix hergestellt, dank dem die Haustiere auch im Winter den Karotingehalt (Vitamin A) des Grünfutters bekommen. Innerhalb von zehn Jahren (1953 bis 1962) hat sich die Produktion von Rovimix versechshundertfacht!

Heute lässt die chemische Industrie vergessen, dass Sisseln lange Zeit eine bescheidene Fischer- und Schiffersiedlung gewesen ist. Im letzten Jahrhundert war Sisseln eine Zeitlang bekannt als Sammelpunkt der auswanderungswilligen Schweizer, denn hier hatte sich in einem Wirtshaus eine Auswandereragentur installiert. Eigentliche Eingangsstation zum Fricktal ist aber eher *Stein,* das zur besseren Unterscheidung von Stein am Rhein auf der Bahnhoftafel mit «Stein-Säckingen» bezeichnet wird. Bei der wichtigen Strassengabelung Basel–Zürich–Winterthur steht das Gasthaus «Adler». Dieser Wirtshausname findet sich im Fricktal ver-

schiedenenorts, während im Berner Aargau der «Bären» vorherrscht. Das Wirtshausschild mit dem Doppeladler weist auf die österreichische Herrschaft hin; das Fricktal war bis 1801 vorderösterreichisches Gebiet. Der Doppeladler war das Wappentier sowohl für das Deutsche Reich bis 1806 als auch für das österreichische Kaisertum bis 1918.

Die längste gedeckte Holzbrücke Europas

Die Brücke Stein-Säckingen ist mit 200 m Länge die längste gedeckte Holzbrücke Europas. Die sechs steinernen Pfeiler stammen aus dem Jahr 1570. In den Jahren 1960 bis 1963 wurden sie wegen Tieferlegung des Rheinbettes (Kraftwerkbau) durch Betonkerne neu fundiert. Das Holzwerk musste infolge von Bränden mehrmals erneuert werden (1633, 1678, 1799). Die Fahrbahn misst in der Breite 2,30 m. Die Brücke ist nur für Personenautos im Einbahnverkehr benützbar (2500 Pw pro Tag). Wenn die neue Betonbrücke, die unterhalb der Holzbrücke entsteht, in Betrieb genommen wird, dürfte die alte Holzbrücke dem Fussgängerverkehr reserviert bleiben.

Die Holzbrücke gehört seit 1868 mitsamt dem Brückenkopf auf Schweizer Seite dem Lande Baden-Württemberg. Vorher war sie Eigentum der Stadt Säckingen. Als Landesgrenze gilt der Talweg des Rheins, das heisst die tiefste Flussrinne. Im Aargau gibt es heute noch sieben gedeckte Holzbrücken: Baden, Bremgarten, Murgenthal, Sins, Stein-Säckingen, Turgi, Wettingen.

Zwei bis drei Kirchen pro Dorf

Münchwilen liegt noch im Bezirk Laufenburg, das benachbarte Stein bereits im Bezirk Rheinfelden. Von hier aus gelangt man durch die Enge zwischen Rhein und Mumpferflue, einem bekannten Aussichtspunkt, nach *Mumpf.* Von Mumpf und Möhlin aus verlaufen zwei Paralleltäler in südöstlicher Richtung vom Rhein weg, das

Mumpfer- und das Wegenstettertal. Hier, wie überhaupt im ganzen Bezirk Rheinfelden, fallen die vielen Kirchen auf. Das kommt daher, dass die christkatholische Konfession in diesem Bezirk stark verbreitet ist:

Von 100 Einwohnern waren im Bezirk 1974 15 christkatholisch, 53 römisch-katholisch und 31 protestantisch. Viele Gemeinden haben deshalb zwei oder gar drei Kirchen; das kleine Dorf *Obermumpf* beispielsweise mit seinen 787 Einwohnern hat zwei Pfarrkirchen, eine römisch- und eine christkatholische.

Kirchen der christlichen Konfessionen im Bezirk Rheinfelden

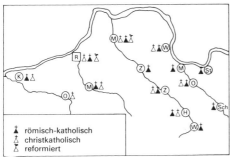

römisch-katholisch
christkatholisch
reformiert

Im Gemeindebann von *Schupfart* findet man an erhöhter Lage einen Sportflugplatz für Motor- und Segelflieger mit einer eigentlichen Fliegerschule. Daneben gibt es im Aargau in Buttwil bei Muri einen ähnlichen Flugplatz und auf dem Birrfeld den Regionalflugplatz. Wegen des Fluglärms ist den Anlagen in den letzten Jahren Opposition erwachsen, was beispielsweise in der Ablehnung von Baubewilligungen für Hartbelagspisten durch Behörden ihren Ausdruck fand.

Von Wegenstetten bis Möhlin

Das Wegenstettertal mit seinen Gemeinden *Wegenstetten, Hellikon, Zuzgen*

und *Zeiningen* ist trotz seiner breiten Asphaltstrasse ein ursprüngliches Tal und weist immer noch eindrucksvolle Weinberge auf. Hellikon war vor über 100 Jahren in aller Munde, als 1875 das Treppenhaus der Schule unter der Last der zur Weihnachtsfeier erschienenen Dorfbewohner eingestürzt war. Dieses schreckliche Schulhausunglück in den Weihnachtstagen kostete 76 grösstenteils jungen Leuten des etwa 700 Einwohner zählenden Dorfes das Leben. *Möhlin* ist ein langgezogenes Dorf. Im Gegensatz zu vielen Fricktaler Gemeinden ist es aber nicht ein Strassendorf, sondern eher ein Bachzeilendorf, zieht es sich doch dem Möhlinbach entlang. Die Garbe im Möhliner Wappen weist darauf hin, dass sich das fruchtbare Möhlinerfeld besonders für den Getreidebau eignet. Heute hat aber auch die Industrie in Möhlin Fuss gefasst, so die grosse Schuhfabrik Bata.

Wüstungen im Rheinbogen

Am Rheinbogen unterhalb des Dorfes *Wallbach* befinden sich zwei Wüstungen (das sind sogenannte abgegangene Siedlungen): Abbizüs und Rappertshüseren. Eine dritte Wüstung mit dem Namen Höflingen liegt südlich von Rheinfelden. Rappertshüseren und Höflingen sind vermutlich im Dreissigjährigen Krieg zerstört worden; das damals österreichische Fricktal litt stark unter dem Krieg zwischen Schweden, Frankreich und den deutschen Fürsten gegen die habsburgische Vorherrschaft im Aargau. Von Abbizüs berichtet eine Sage, dass dessen Bevölkerung durch die Pest dahingerafft worden ist. Auch andernorts im Aargau weisen Sagen auf Wüstungen hin, so Wil bei Erlinsbach.

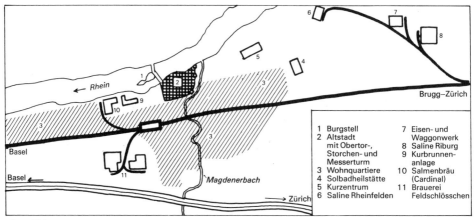

1 Burgstell	7 Eisen- und
2 Altstadt	Waggonwerk
mit Obertor-,	8 Saline Riburg
Storchen- und	9 Kurbrunnen-
Messerturm	anlage
3 Wohnquartiere	10 Salmenbräu
4 Solbadheilstätte	(Cardinal)
5 Kurzentrum	11 Brauerei
6 Saline Rheinfelden	Feldschlösschen

Rheinfelden

Rheinfelden – Stadt der Salinen und Solbäder

Die Stadt Rheinfelden ist heute vorwiegend als Kurzentrum und wegen seiner Bierbrauereien bekannt. Auch hat das Städtchen am Rhein von sich reden gemacht, als es bei seinen Bemühungen um eine zukunftsgerichtete Altstadterhaltung und -sanierung mit einem europäischen Preis ausgezeichnet wurde. Die Stadt hatte schon in früheren Jahrhunderten einige Bedeutung, vor allem für die Österreicher als wichtiger Brükkenort nahe der Grenze Frankreichs.

Aus der Stadtgeschichte

11. Jh.: Burg «Stein auf der Rheininsel». Sitz der hochadligen Herren von Rheinfelden.

1077: Graf Rudolf von Rheinfelden, Herzog von Schwaben, wird als Gegenkönig zu Heinrich IV. gewählt; verliert 1080 im Kampf sein Leben.

1090: Der «Stein» geht als Erbe an die Grafen von Zähringen.

ca. 1125: Berchtold II. von Zähringen gründet die Stadt Rheinfelden.

1225: Rheinfelden wird freie Reichsstadt.

1330: Unter habsburgischer Herrschaft.

Der Stein, ein österreichisches Bollwerk gegen Frankreich

1444: Bündnis mit Basel, Zerstörung der Burg.

1449: Nach Verwüstung durch die Österreicher (Hans von Rechberg) wieder unter österreichischer Herrschaft.

1633: Wiederholt belagert und geplündert.

1744, 1796 und 1799: Rheinfelden von Franzosen besetzt.

1802: Rheinfelden wird Hauptort des neugegründeten Kantons Fricktal.

Seit 1803: Hauptort des Bezirks Rheinfelden im Kanton Aargau.

Der vorderösterreichische Breisgau um 1790
mit den Herrschaften Laufenburg und Rheinfelden
und den vier Waldstädten Rheinfelden, Säckingen,
Laufenburg und Waldshut

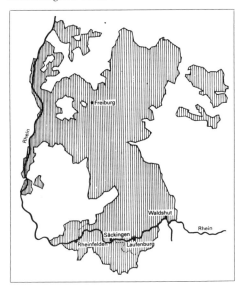

Die Saline Rheinfelden liefert Sole an die Sol-
badhotels, an die Solbadheilstätte und das 1974
eröffnete Kurzentrum mit Schwimmbad. Mit
Solebädern und -packungen, Massagen, Inhala-
tionsbehandlungen und Trinkkuren (kochsalz-
freie Mineralwasser der Kapuziner- und Magda-
lenenquelle) sucht man zum Beispiel folgende
Krankheiten zu heilen: Abnützungsleiden und
Entzündungen an Gelenken und an der Wirbel-
säule, Haltungsschäden, Erkrankungen der
obern Luftwege, Leber- und Nierenleiden.

Die Salzgewinnung im Rheintal

Salz ist in den üblichen Nahrungsmitteln in
ungenügender Menge vorhanden. Es muss den
Speisen zugesetzt werden. Ein gesunder Mensch
benötigt 10 bis 40 Gramm Salz im Tag; Salzver-
armung des Körpers führt zu schweren Schädi-
gungen, ja zum Tod. Durch Zusatz von Jod und
Fluor werden Kropf und Zahnkaries bekämpft.

Ebenso wichtig ist Salz für die tierische Ernährung, es wird salzarmem Futter beigegeben.
Salz findet noch weitere Verwendung: zum
Konservieren von Fleisch, bei der Herstellung
von Käse, als Grundstoff für die chemische Indu-

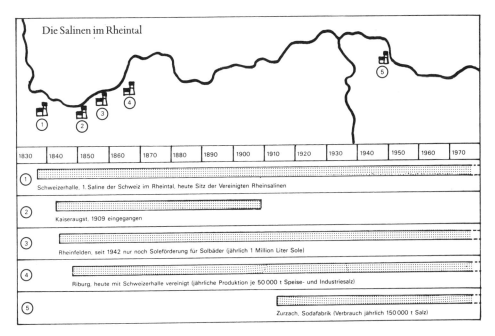

Die Salinen im Rheintal

| 1830 | 1840 | 1850 | 1860 | 1870 | 1880 | 1890 | 1900 | 1910 | 1920 | 1930 | 1940 | 1950 | 1960 | 1970 |

① Schweizerhalle, 1. Saline der Schweiz im Rheintal, heute Sitz der Vereinigten Rheinsalinen

② Kaiseraugst, 1909 eingegangen

③ Rheinfelden, seit 1942 nur noch Soleförderung für Solbäder (jährlich 1 Million Liter Sole)

④ Riburg, heute mit Schweizerhalle vereinigt (jährliche Produktion je 50 000 t Speise- und Industriesalz)

⑤ Zurzach, Sodafabrik (Verbrauch jährlich 150 000 t Salz)

strie, als Auftaumittel bei Bahnweichen und Strassen, bei der Herstellung von Eis, als Heilmittel.

Bis zum Jahre 1836 war die Versorgung unseres Landes mit dem lebensnotwendigen Salz vom Ausland abhängig. Die Einfuhr des Salzes aus verschiedenen Gebieten Europas war umständlich und kostspielig. Immer wieder gab es wegen dieser Abhängigkeit vom Ausland Spannungen und Streit. Oft kam die Salzfrage auf der Tagsatzung zur Sprache. Zwar hatte die Alte Eidgenossenschaft ein Salzwerk in Bex, das seit 1554 ausgebeutet wurde, aber es reichte im Ertrag nur gerade für die Versorgung des Waadtlandes aus.

Im 19. Jahrhundert erhielt der deutsche Bergfachmann Glenck die Erlaubnis, auf eidgenössischem Boden nach Salz zu bohren. Nach 17 vergeblichen Bohrversuchen, deren jeder auf 120 000 Franken zu stehen kam, gelang es ihm endlich 1836, in der Gemeinde Muttenz BL ein Salzlager von 7 m Mächtigkeit in 107 m Tiefe zu erbohren. Schon 1837 wurde an dieser Stelle eine Saline mit dem Namen Schweizerhalle eröffnet. 1843 folgte die Saline Kaiseraugst, 1844 Rheinfelden, 1848 Riburg. Die Saline Kaiseraugst ging 1909 ein, die Saline Rheinfelden lieferte seit 1942 nur noch Sole für die Solbäder. 1909 wurden Schweizerhalle und Riburg zu den Vereinigten Schweizerischen Rheinsalinen zusammengeschlossen; sie sind Eigentum sämtlicher Kantone mit Ausnahme der Waadt.

Seit 1914 wird auch bei Zurzach Salz gewonnen; Salz und Kalk dienen dort als Rohstoffe für die Sodaherstellung.

Wie die Salzlager im Rheintal entstanden sind

Die Salzlager liegen in einer Mächtigkeit von 20 bis 50 m in einer Tiefe von 150 bis 400 m unter der heutigen Talsohle. Gemäss der sogenannten «Barren-Theorie» gab es in der Gegend des heutigen Rheintales vor etwa 200 Millionen Jahren ein Meeresbecken, dessen Wasser wegen einer Barre nicht mehr durch Meeresströmungen aus dem offenen Ozean erneuert wurde. Durch starke Verdunstung entstand eine zunehmende Konzentration an Salzen im Wasser. Als der Sättigungsgrad der Löslichkeit des Salzes im Meerwasser überschritten war, setzte die chemische Ausfällung ein, das heisst, das Salz trennte sich

vom Wasser und setzte sich am Grund des Meeres nieder. Schon vorher – und auch nachher wieder – wurden auf ähnliche Weise Kalk und Gips aus dem Meerwasser ausgeschieden. Die über dem Salz liegenden Gesteinsschichten schützten die Salzlager vor der Auslaugung durch Wasser. Nur durch Bohrungen bis in 400 m Tiefe kann heute das Salz erreicht und der Ausbeutung zugeführt werden.

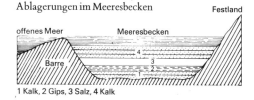

1 Kalk, 2 Gips, 3 Salz, 4 Kalk

Wie das Salz gewonnen wird

Das Bohrloch wird mit Stahlrohren ausgekleidet. Sie sind auf der Höhe des Grundwassers mit Löchern versehen, so dass Wasser zum Salzlager hinunterfliessen kann. Dort wird Salz aufgelöst bis zur vollen Sättigung des Wassers zu Sole. Ein Liter Sole enthält ungefähr 300 Gramm Salz. Eine Elektropumpe fördert die Sole nach oben und durch unterirdische Leitungen zu den Solereservoirs der Saline. Hier wird die Sole von Verunreinigungen, zum Beispiel Gips, gereinigt. Darauf wird die Rheinsole aufgewärmt und in Entgasern von Luft befreit. In der Verdampferanlage wird sie mit Heizdampf zum Kochen gebracht. Salzbrei sammelt sich im Unterteil der Anlage, der periodisch entleert wird. Der entweichende Dampf wird durch einen Kompressor auf höheren Druck und damit auf 140 °C gebracht und in geschlossenem Kreislauf wieder der Verdampferanlage zugeführt. In Zentrifugen wird dem Salzbrei das Wasser bis auf einen kleinen Rest entzogen. Das getrocknete Salz gelangt durch Transportrinnen in die Salzmagazine und Abfüllanlagen.

Wie Bier hergestellt wird

Rheinfelden hat eine vielfältige Industrie. Die wichtigste neben den Salinen und einer Spezialfabrik für Güterwagen ist die Bierbrauerei. Zwei Brauereien stellen seit 100 und mehr Jah-

Bierherstellung (Brauschema)

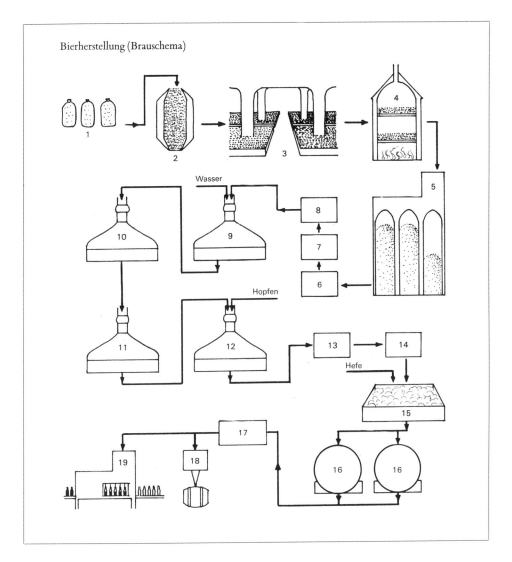

1 Braugerste, grösstenteils importiert
2 Weiche, Gerstenkörner mit Wasser aufgeweicht
3 Tenne, Gerstenkörner während 6 bis 8 Wochen zur Keimung gebracht
4 Darre (Tröckne), gekeimte Gerste (Grünmalz) wird langsam getrocknet und wird dadurch Braumalz
5 Braumalz im Silo gelagert
6 Braumalz wird gereinigt (Malzputzmaschine)
7 Malzwaage
8 Malzschrotmühle, Malzschrot zum Sudhaus geleitet

9 Maischbottich, Malzschrot mit heissem Brauwasser vermengt (Maische)
10 Erhitzen der Maische in der Maischpfanne auf 70 bis 76 °C (Stärke wandelt sich in Zucker)
11 Läuterbottich: Festbestandteile der Maische werden ausgeschieden (Treber)
12 Würzepfanne: Zugabe von Hopfen, während zweier Stunden kochen
13 Filtrierung: Maische wird zur Würze
14 Kühlapparat (5 bis 6 °C)

15 Gärbottich im Gärkeller: Durch Zugabe von Hefe verwandelt sich der Malzzucker in Alkohol und Kohlensäure. In 8 bis 12 Tagen entsteht Jungbier
16 Jungbier in Tanks des Lagerkellers bei 1 °C 2 bis 3 Monate gelagert (Nachgärung)
17 Bier wird filtriert
18 Abfüllmaschine in Fässer (Fassfüller)
19 Abfüllmaschine für Flaschen- und Dosenbier

ren Bier her. Die grössere heisst «Feldschlösschen» (schlossähnliche Fabrikanlage); die kleinere «Salmen» (gehört heute zu «Cardinal»). «Feldschlösschen» beschäftigt 600 Mitarbeiter und ist die grösste Brauerei der Schweiz. Der Ausstoss an Bier beträgt jährlich über eine Million Hektoliter, davon sind 50 000 hl alkoholfrei. Das Bier wird zu 15 Prozent als Fassbier und zu 85 Prozent als Flaschen- und Dosenbier zum Verkauf gebracht (Gastwirte 60 Prozent, Detailhandel 40 Prozent).

Fabrikationsprozess: Im Sudhaus mit seinen riesigen kupfernen Pfannen wird Malz (geweichte, gekeimte und dann getrocknete Gerste) mit Hopfen (getrocknete Blüten = Gewürz) und Wasser zusammengebracht, gemischt, gekocht und filtriert. Die Flüssigkeit («Würze») gelangt in den 2 Millionen Liter fassenden Gärkeller, wo durch Hefepilze der Malzzucker in Alkohol und Kohlensäure zerlegt wird (8–12 Tage). In gewaltigen Lagertanks mit insgesamt 20 Millionen Litern Inhalt wird das Jungbier monatelang gelagert und einer Nachgärung unterzogen. Darauf wird es filtriert und der neuen Abfüllanlage zugeführt. Jede der beiden Maschinen füllt pro Stunde 72 000 Flaschen zu 6 oder 3 dl ab. An Sommerspitzentagen können täglich 1,5 Millionen Flaschen gereinigt, gefüllt und zum Versand gebracht werden. Dem Versand dienen 150 Lastwagen, 45 Plattformgüterwagen zur Aufnahme von 140 Bahncontainern zu 50 hl, 5 Grosszisternenwagen zu 540 hl und 64 Kühlwaggons für Fass- und Flaschenbier.

Schiffahrt oberhalb Basels

Unterhalb der Brücke von Rheinfelden befindet sich die Anlegestelle für den Personenverkehr Basel–Rheinfelden. Es verkehren vier Personenschiffe (zwei zu 405 Plätzen, je eines zu 235 und 223 Plätzen) von Mai bis September. Die Fahrt ist vor allem auch wegen der Schleusen bei den Kraftwerken Augst und Birsfelden interessant. Die Anlegestelle am deutschen Ufer dient dem Güterverkehr; es werden jährlich etwa 200 000 t umgeschlagen.

Schiffsschleuse bei Augst
(Talfahrt eines Schiffes von 90 m Länge)

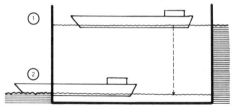

1 Schiff von oben in die Schleusenkammer eingefahren
2 Schleusenkammer wird bis zum Niveau des Rheins unterhalb der Schleuse entleert, Schiff verlässt die Schleusenkammer

Magden, gleichsam im Hinterland Rheinfeldens, ist ein sehr altes Dorf. Es war zur Helvetierzeit von Leuten aus dem keltischen Stamm der Rauracher oder Rauriker, welche sich dem Auszug der Helvetier nach Gallien angeschlossen hatten, bewohnt und hiess Magidunum. Die christkatholische Dorfkirche ist dem heiligen Martin geweiht, wie noch viele Kirchen im Fricktal und auch im Reusstal. Martinskirchen gehen ins frühe Mittelalter zurück, in die Zeit der fränkischen Kaiser.

Kaiseraugst – am Ausgang des Aargaus

Kaiseraugst ist die letzte Ortschaft des Aargaus – oder die erste, wie man es nimmt. Im ersten und zweiten Jahrhundert muss es sich um einen Flusshafen der nahen römischen Stadt Augusta Raurica gehandelt haben, die sich im 3./4. Jahrhundert zu einer befestigten römischen Stadtanlage entwickelte (284 m lang, 142 m breit, 3 bis 4 m dicke Ringmauer mit 16 Türmen). Dieses Rechteck, in welchem 500 Mann Platz hatten, dürfte das grösste römische Kastell in der Schweiz gewesen sein. Aus dieser Zeit sind in Kaiseraugst wertvolle Funde

(Silberschatz, frühchristlicher Grabstein) gemacht worden. Um 400 n. Chr. wies Kaiseraugst eine frühchristliche Kirche (Bischofssitz) auf. Lange Zeit gehörten das baslerische Augst und Kaiseraugst zusammen, bis 1440 die Ergolz zur Grenze wurde. Kaiseraugst kam zur österreichischen Herrschaft Rheinfelden, und weil damals gerade das Haus Habsburg den deutschen Kaiserthron besetzte, ergab sich der Name Kaiseraugst.

Heute sind allerdings ganz andere Einrichtungen im Dorfe bekannt: die Schiffsanlegestelle der Klingenthalmühle (jährlich 30 000 t Getreide), die Autoshredderanlage, vor allem aber das geplante Kernkraftwerk. Mit der Besetzung des Baugeländes und der damit verbundenen leidenschaftlich geführten Diskussion um die Kernkraftwerke wurde «Kaiseraugst» schlagartig zu einem weltweiten Begriff. Über das Schicksal des geplanten Kernkraftwerkes ist noch nichts entschieden.

Ein «rückwärtiger» Ort von Kaiseraugst ist das Einzeldorf *Olsberg*. Unterhalb dieser Gemeinde liegt das ehemalige Zisterzienserinnenkloster, das schon im 12. Jahrhundert bestand. Heute ist es ein von der Staatlichen Pestalozzistiftung getragenes Erziehungsheim für schwererziehbare Knaben, die normalbegabt sind.

Aarau und Wettingen
1976–1978

Max Schibli
Josef Geissmann
Ulrich Weber

Die Gemeindewappen

Das Gemeindewappen ist nach Nold Halder das sichtbare Zeichen der Eigenpersönlichkeit der Gemeinde. Mit dem Wappen werden öffentliche Gebäude, Grenzsteine, Brunnen, An- und Inschriften gekennzeichnet; mit dem Wappen werden Fahnen und Flaggen geschmückt, und damit wird es zum Ausdruck des kulturellen Lebens der Gemeinde; in Schriftstücken der Gemeindebehörden wird mit dem Wappen die rechtsverbindliche Kraft der Gemeinde dokumentiert.

Die Gemeindewappen geniessen eidgenössischen Rechtsschutz; Private und Geschäfte dürfen sie nicht auf Verpackungen und Erzeugnissen verwenden. Haben zwei Gemeinden die gleiche Wappenzeichnung (Beinwil/Freiamt – Auw; Endingen – Unterendingen), so unterscheiden sie sich durch die Farbgebung.

Die Gemeindeversammlung beschliesst auf Antrag des Gemeinderates über Inhalt und Farbgebung des Wappenbildes. Für geringfügige heraldische Verbesserungen dürfte der Gemeinderat zuständig sein. Dem aargauischen Regierungsrat steht die Befugnis zu, Richtlinien über den Inhalt amtlicher Siegel, also auch der Gemeindesiegel und damit der Gemeindewappen, aufzustellen. Als beratende Stelle fungiert das Staatsarchiv in Aarau.

Bei der Bildung des Kantons Aargau besassen ausser einigen Landgemeinden nur die Städte ein eigenes Wappen, herrührend vom althergebrachten Siegelrecht. Landgemeinden durften vor 1803 Wappen nur zur Ausschmückung führen, zum Beispiel für öffentliche Gebäude und Kirchenfenster. Wohl erhielten 1803 alle Gemeinden das Recht auf ein eigenes Siegel und Wappen, doch verstrichen über 150 Jahre, bis jede Gemeinde ihr Wappen besass. 1872 siegelten 166 Gemeinden mit eigenem Ortswappen, die übrigen begnügten sich mit dem Kantonswappen oder verzichteten auf ein Wappen. Im Jahre 1915 besassen noch 59 Gemeinden kein eigenes Wappen. Auf die Landesausstellungen 1939 und 1964, auf die 150-Jahr-Feier des Kantons 1953 und schliesslich für das Wappenfenster

im Lesesaal der Kantonsbibliothek (1967) wurden die restlichen Gemeindewappen geschaffen. Um das Wappenwesen im Aargau haben sich besonders Oberrichter Walther Merz und die Staatsarchivare Hektor Ammann, Nold Halder, Georg Boner und Jean-Jacques Siegrist verdient gemacht, ferner die Wappenkommission der Aargauischen Historischen Gesellschaft.

Nach ihrer Herkunft lassen sich die Gemeindewappen in folgende Kategorien einteilen:
1. Wappen von der Herrschaft übernommen, z. B. Bremgarten, Laufenburg, Mellingen.
2. Wappen eines am Ort ansässigen Adelsgeschlechtes, z. B. Hilfikon, Reinach.
3. Wappen eines Adelsgeschlechtes, das einen andern Namen führt, aber in der Gemeinde angebliche Herrschaftsrechte besass, z. B. Schöftland.
4. Wappen eines gleichnamigen angeblichen Adelsgeschlechtes, z. B. Hendschiken, Schafisheim.
5. Wappen eines gleichnamigen, aber an einem andern Ort ansässigen Adelsgeschlechtes, z. B. Boswil, Brunegg, Oftringen.
6. Wappen des Patronatsherrn der Ortskirche oder Emblem des Kirchenpatrons, z. B. Abtwil, Oberehrendingen, Schwaderloch.
7. Früheres Amtswappen, z. B. Oberlunkhofen, Schupfart, Sins.
8. Wappenzeichen, die auf rechtliche und politische Beziehungen hinweisen. Die Verwendung des Sterns deutet Beziehung zum Kloster Wettingen oder zum Aargau an; die Verwendung des Doppelkreuzes weist in der Regel auf das Kloster Königsfelden hin; der weiss-rot geschachte Balken oder Pfahl erinnert an die Zugehörigkeit zu einem Zisterzienserkloster.
9. Redende Wappen mit natürlichen Figuren ohne Bezug zu einem Adelswappen:
a) durch Deutung des Ortsnamens, z. B. Aarau, Aarburg, Biberstein, Münchwilen;
b) durch falsche, aber volksetymologisch originelle Namendeutung, z. B. Geltwil,

Hägglingen, Mägenwil, Möriken, Oberflachs, Schinznach-Dorf;
c) auf ein geschichtliches Ereignis hinweisend, z. B. Wohlenschwil;
d) auf landschaftliche oder bauliche Besonderheiten hinweisend, z. B. Besenbüren,
   Hellikon, Habsburg;
e) auf den Haupterwerb der Bevölkerung
   hinweisend, z. B. Lupfig, Rietheim, Turgi,
   Villnachern.
Häufig sind im Wappen die Merkmale kom-
biniert dargestellt, z. B. Koblenz, Mumpf.
10. Heroldsbilder, die eine farbige Aufteilung
    der Schildfläche aufweisen, aber ohne Bezug
    auf ein Adelsgeschlecht, z. B. Baden, Ennet-
    baden, Oberkulm.

Viele Gemeindewappen wurden vor allem
im Zusammenhang mit der Ausstellung der Ge-
meindefahnen an den Landesausstellungen in
Zürich und Lausanne heraldisch verbessert, d. h.
der Inhalt wurde auf ein oder zwei Zeichen reduziert und die Schildfigur(en) einfacher und
klarer gestaltet, so dass das Wappen auf Distanz
wirken kann.

Nachdem der Erziehungsrat dem Druck der
vorliegenden Wappensammlung zugestimmt
hat, wurden in enger Zusammenarbeit zwischen
dem Lehrmittelverlag des Kantons Aargau, dem
Staatsarchiv und den Gemeinden die Wappen
bereinigt und vom Zofinger Grafiker Wilfried
Hochuli gezeichnet. Wo keine Übereinstim-
mung vorlag, hielt sich der Künstler an die von
Felix Hoffmann geschaffenen Wappenbilder im
Lesesaal der Kantonsbibliothek.

Im folgenden gelangen die Wappen des Kantons, der 11 Bezirke und der 231 Gemeinden zur
Darstellung.

Zum *Aargauer Wappen* ist zu bemerken, dass
sein Inhalt im Jahre 1803 von der Aargauischen
Regierungskommission auf Vorschlag ihres Mit-
gliedes Samuel Ringier, Zofingen, festgelegt
wurde: Das Wappen besteht aus einem der Länge nach geteilten Schild; im rechten schwarzen
Feld ein weisser Fluss, im linken blauen Feld drei
fünfstrahlige weisse Sterne.

Über die Bedeutung der Wappenzeichen
fehlen protokollarische Angaben; im Lauf der
Zeit sind nach Nold Halders Schrift «Standesfar-

ben, Siegel und Wappen des Kantons Aargau»
vier verschiedene Deutungen entstanden, eine
mythische, eine volkstümliche, zwei historische.

1. Mythische Deutung: Vier Elemente.
   Schwarzes Feld = Erde; blaues Feld = Luft;
   Wellenbalken = Wasser (Meer); Stern =
   Feuer (Himmel).
2. Volkstümliche Deutung: Rechte Schildhälfte mit Wellenbalken = Aare-Gau; Sterne in
   der linken Schildhälfte = brüderliche Vereinigung der drei Konfessionen katholisch, reformiert und jüdisch.
3. Erste historische Deutung: Schwarzes Feld =
   Kanton als Ganzes mit Aarefluss; Sterne im
   blauen Feld = helvetische Kantone Aargau,
   Baden, Fricktal.
4. Zweite historische Deutung, die heute von
   allen vier Erklärungen am verbreitetsten ist:
   Rechtes Feld mit Wellenbalken = Berner
   Aargau mit Aare; Sterne im blauen Feld =
   Grafschaft Baden, Freie Ämter, Fricktal.

Die Anordnung der Sterne stand von Anfang an nicht fest. Je nach Form und Rundung
des Schildes und nach Verwendungszweck (Siegel, Münzen, Medaillen, Fahnen, Stempel,
Drucksachen) ergab sich eine heraldisch wir-
kungsvolle Verteilung der Sterne in der Anord-
nung 2,1 ($\overset{*\,*}{*}$) oder 1, 1, 1 ($\overset{*}{*}\!_{*}$) oder in
der Pfahlstellung $\overset{*}{\overset{*}{*}}$.

Bei ausgeschnittenen Schilden findet man
gelegentlich die Anordnung $*\overset{*}{*}$, was als un-
heraldische Modeform zu bezeichnen ist.

Die Frage nach der Richtigkeit der Sternstel-
lung erübrigt sich; gut ist jene Anordnung der
Sterne, die sich der gegebenen Schildform am
besten anpasst.

Um das Kantonswappen als Hoheitszeichen
gegen markenmässigen Gebrauch zu schützen,
hat der Regierungsrat im Jahre 1930 dekretiert,
dass «vorab im amtlichen Gebrauch» die Dar-
stellung nach der Formel 2, 1 ($\overset{*\,*}{*}$) zur Verwendung gelangen soll.

Bei den *Bezirkswappen* wurde mit einer Ausnahme (Zurzach) das Wappen des Bezirks-
hauptortes gewählt. Das Wappen des Bezirks
Zurzach weist einen von Weiss und Grün ge-
spaltenen Schild auf, der mit einem schwarzen
gotischen Z belegt ist.

Die *Gemeindewappen* sind nach Bezirken in alphabetischer Reihenfolge dargestellt. Bei der Wappenbeschreibung (Blasonierung) gilt es, folgende Punkte zu beachten:

a) Das Wappenbild, herrührend vom Schild als Waffe, wird in der Wappenkunde (Heraldik) vom Schildträger aus beschrieben:

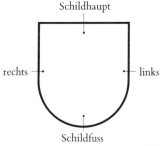

Schildhaupt

rechts | links

Schildfuss

Schildaufteilung und Benennung

b) Bei den Wappenfiguren unterscheidet man natürliche (Tiere, Pflanzen, Menschen, Sonne, Mond, Sterne) und künstliche Figuren (Burgen, Kreuze, Kronen, Werkzeuge usw.). Zu beachten ist, dass die Wappentiere in der Regel nach rechts gerichtet und männlichen Geschlechts sind. Durch Hervorheben der Zähne, Krallen und Geschlechtsteile wird auf die Kraft und Gefährlichkeit des Wappentieres und damit des Schildträgers hingewiesen.

c) Wappen, bei denen der Schild nur in farbige Flächen aufgeteilt ist, werden als Heroldsbilder bezeichnet. Die heraldische Farbgebung verwendet Metalle (Gold = Gelb, Silber = Weiss) und Farben (Rot, Blau, Grün, Schwarz), wobei als Regel gilt, dass nie Farbe an Farbe oder Metall an Metall grenzen soll.

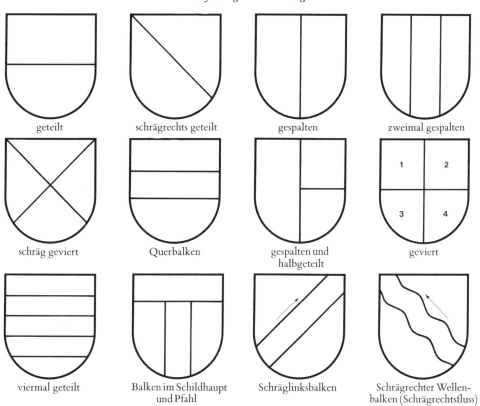

geteilt | schrägrechts geteilt | gespalten | zweimal gespalten

schräg geviert | Querbalken | gespalten und halbgeteilt | geviert

viermal geteilt | Balken im Schildhaupt und Pfahl | Schräglinksbalken | Schrägrechter Wellenbalken (Schrägrechtsfluss)

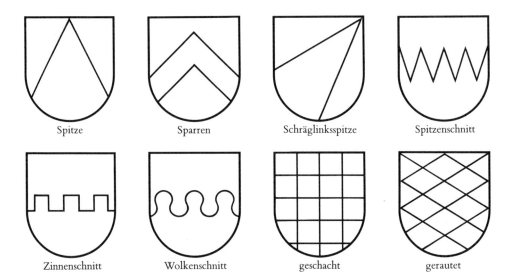

Spitze	Sparren	Schräglinksspitze	Spitzenschnitt

Zinnenschnitt	Wolkenschnitt	geschacht	gerautet

Der Textteil nach der Darstellung der Gemeindewappen enthält neben der Blasonierung [1] noch Angaben über die erste schriftliche Erwähnung der Ortschaften [2], den mundartlichen Ortsnamen [3] und alte Bürgergeschlechter [4]. Bei den Angaben über die *erste schriftliche Erwähnung* des Ortes [2] ist zu beachten, dass nur die Jahrzahlen und Ortsnamen genannt werden (Quellenangaben in der Fachliteratur).

Der Ursprung der Siedlungen liegt – mit Ausnahme der Städte – fast durchwegs in der Zeit der Landnahme durch die Alemannen, also im 5. und 6. Jahrhundert. Die erste schriftliche Erwähnung stammt vorwiegend aus klösterlichen und herrschaftlichen Urbaren (Güterverzeichnisse, Erwerbsregister) und aus Urkunden des 12. bis 14. Jahrhunderts. Die frühesten Angaben gehen in die fränkische Zeit zurück; sie geben zum Beispiel Aufschluss über die Güter der Fraumünsterabtei Zürich im Aargau (9. Jh.).

Eine Besonderheit stellen die Namen der «Acta Murensia» dar, einer Geschichte des Klosters Muri, die um 1160 entstanden ist. Das Original ist heute verschollen, jedoch ist eine Abschrift aus dem 14. Jahrhundert erhalten. Weil die Namen der Abschrift nicht die ursprüngliche Schreibweise aufweisen, sind die Ortsnamen samt der Jahrzahl in eckige Klammern gesetzt.

Das Kleine Urbar des Klosters Wettingen stammt aus dem Jahr 1248, das Kyburger Urbar aus der Mitte des 13. Jahrhunderts (um 1250), das Habsburger Urbar aus der Zeit kurz nach 1300 (habsburgische Güter im Aargau 1306).

Die *mundartliche Namengebung* der Orte und ihrer Einwohner [3] lässt auf sprachliche Besonderheiten schliessen. Die Mundartnamen kommen der mittelalterlichen Benennung oft nahe und sind damit viel ursprünglicher als die Verhochdeutschungen der letzten Jahrhunderte, zum Beispiel Gaueschtei – Auenstein, Meischderschwang – Meisterschwanden.

Für die Zusammenstellung der *Bürgergeschlechter,* die schon um 1800 erwähnt sind und heute noch in der gleichen Ortschaft vorkommen [4], war das Familiennamenbuch der Schweiz von Robert Oehler, Zürich, 1940, massgebend. In gewissen Fällen ist es möglich, dass die Familien von 1800 und 1977 genealogisch nicht identisch sind, zum Beispiel die Herzog in Aarau. Auch dürfen die Angaben nicht Anspruch auf Vollständigkeit und absolute Richtigkeit erheben; einzelne Gemeinden waren nicht in der Lage, die ihnen vorgelegten Angaben zu verifizieren.

Aarau

Bezirk Aarau

Biberstein

Buchs

Densbüren

Erlinsbach

Gränichen

Hirschthal

Küttigen

Muhen

Oberentfelden

Rohr

Suhr

Unterentfelden

Bezirk Baden

Baden

Bellikon

Bergdietikon

Birmenstorf

Ennetbaden

Fislisbach

Freienwil

Gebenstorf

Killwangen

Künten

Mägenwil

Mellingen

Neuenhof

Niederrohrdorf

Oberehrendingen

Oberrohrdorf

Obersiggenthal

Remetschwil

Spreitenbach

Stetten

Turgi

Unterehrendingen

Untersiggenthal

Wettingen

Wohlenschwil

Würenlingen

Würenlos

Arni-Islisberg

Bezirk Bremgarten

Berikon

Bremgarten

Büttikon

Dottikon

Eggenwil

Fischbach-Göslikon

Hägglingen

Hermetschwil-Staffeln

Hilfikon

Jonen

Niederwil

Oberlunkhofen

Oberwil

Rudolfstetten-Friedlisberg

Sarmenstorf

Tägerig

Uezwil

Unterlunkhofen

Villmergen

Widen   Wohlen   Zufikon

Bezirk Brugg

Auenstein

Birr

Birrhard

Bözen

Brugg

Effingen

Elfingen

Gallenkirch

Habsburg

Hausen

Hottwil

Linn

Lupfig

Mandach

Mönthal

Mülligen

Oberbözberg

Oberflachs

Remigen

Riniken

Rüfenach

Scherz

Schinznach-Bad

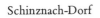

Schinznach-Dorf

Stilli

Thalheim

Umiken

Unterbözberg

Veltheim

Villigen

Villnachern

Windisch

Bezirk Kulm

Beinwil am See

Birrwil

Burg

Dürrenäsch

Gontenschwil

Holziken

Leimbach

Leutwil

Menziken

Oberkulm

Reinach

Schlossrued

Schmiedrued

Schöftland

Teufenthal

Unterkulm

Zetzwil

Eiken

Bezirk Laufenburg

Etzgen

Frick

Gansingen

Gipf-Oberfrick

Herznach

Hornussen

Ittenthal

Kaisten

Laufenburg

Mettau

Münchwilen

Oberhof

Oberhofen

Oeschgen

Schwaderloch

Sisseln

Sulz

Ueken

Wil

Wittnau Wölflinswil Zeihen

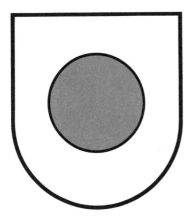

Bezirk Lenzburg

Ammerswil

Boniswil

Brunegg

Dintikon

Egliswil

Fahrwangen

Hallwil

Hendschiken

Holderbank

Hunzenschwil

Lenzburg

Meisterschwanden

Möriken-Wildegg

Niederlenz

Othmarsingen

Rupperswil

Schafisheim

Seengen

Seon

Staufen

Bezirk Muri

Abtwil

Aristau

Auw

Beinwil/Freiamt

Benzenschwil

Besenbüren

Bettwil

Boswil

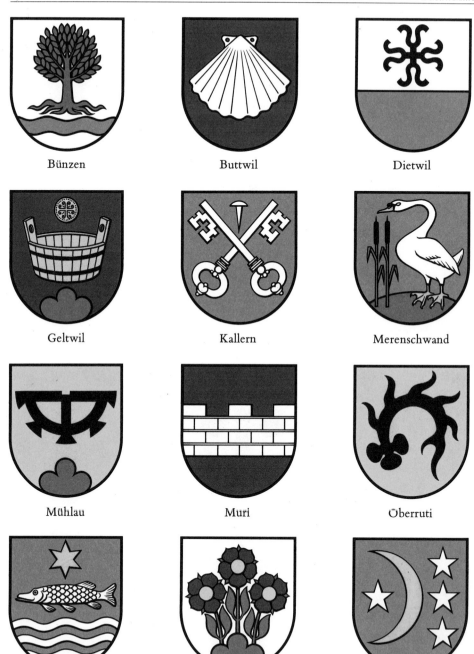

Bünzen	Buttwil	Dietwil
Geltwil	Kallern	Merenschwand
Mühlau	Muri	Oberruti
Rottenschwil	Sins	Waltenschwil

Bezirk Rheinfelden

Hellikon

Kaiseraugst

Magden

Möhlin

Mumpf

Obermumpf

Olsberg

Rheinfelden

Schupfart

Stein

Wallbach

Wegenstetten

Zeiningen

Zuzgen

Bezirk Zofingen

Aarburg

Attelwil

Bottenwil

Brittnau

Kirchleerau

Kölliken

Moosleerau

Mühlethal

Murgenthal

Oftringen

Reitnau

Rothrist

Safenwil

Staffelbach

Strengelbach

Uerkheim

Vordemwald

Wiliberg

Zofingen

Bezirk Zurzach

Baldingen

Böbikon

Böttstein

Döttingen

Endingen

Fisibach

Full-Reuenthal

Kaiserstuhl

Klingnau

Koblenz

Leibstadt

Lengnau

Leuggern

Mellikon

Rekingen

Rietheim

Rümikon

Schneisingen

Siglistorf

Tegerfelden

Unterendingen   Wislikofen   Zurzach

Heimatkundliche Angaben zu den einzelnen Gemeinden

[1] Wappenbeschreibung (Blasonierung), Weiss = Silber, Gelb = Gold
[2] Erste schriftliche Erwähnung des Ortes
[3] Mundartlicher Name des Ortes und seiner Einwohner
[4] Bürgergeschlechter, die schon im Jahre 1800 in der Gemeinde vorkamen und heute noch im Heimatort ansässig sind.

Bezirk Aarau

Aarau

[1] In Weiss schwarzer, rotbewehrter Adler (Aar) unter rotem Schildhaupt. Ursprünglich im Stadtsiegel bildliche Darstellung des Namens Aarau: In einem Schild oben wachsender Aar, unten Pflanze (Symbol für Au). [2] 1248 Arowe, 1256 Arowo. [3] Aarau; Aarauer. [4] Andres, Beck, Brunner, Brunnhofer, Buser, Dürr, Ernst, Fischer, Frey, Gamper, Gränicher, Gysi, Hässig, Häuptli, Hagenbuch, Hagnauer, Hassler, Hemmeler, Henz, Herzog, Hunziker, Käser, Keller, Kieser, Landolt, Müller, Nüsperli, Oelhafen, Richner, Rothpletz, Rüetschi, Schäfer, Schmid, Schmuziger, Siebenmann, Spengler, Stephani, Wärtli, Wanger, Wassmer, Wydler.

Biberstein

[1] In Rot auf weissem Fels ein weisser Biber, an gelbem Holz nagend. [2] 1315 Biberstein. [3] Büberschtei; Büberschteiner. [4] Frey, Häuptli, Käser, Müller, Nadler, Ott, Schärer, Schärli, Wehrli.

Buchs

[1] In Weiss ausgerissener grüner Buchsbaum auf grünem Dreiberg. [2] um 1250 Buchsa. Erst seit 1810 selbständige Gemeinde, vorher zu Suhr gehörig. [3] Buchs; Buchser. [4] Bächli, Gysi, Hächler, Hediger, Lienhard, Maurer, Rohr, Roth, Rüetschi, Schmid, Speich, Stirnemann, Suter, Wildi.

Densbüren

[1] In Weiss mit rotem Schildrand grüne Tanne auf grünem Dreiberg. [2] 14. Jh.: Tensbuirron.

[3] Deischbere; Deischberer. [4] Amsler, Fasler, Frey, Hochstrasser, Muster, Nussbaum, Pfister, Senn, Wehrli, Windisch.

Erlinsbach

[1] Weisser schrägrechter Fluss, oben schwarzer schräglinker Balken in Gelb (nach der frühern Herrschaft Küngstein), unten weisser fünfzackiger Stern in Blau. [2] 1173 Arnlesbah, 1220 Erndesbah, 1289 Erlisbach. [3] Ärlischbach (Spottname: Speuz); Ärlischbacher. [4] Blattner, Bodmer, Bürgi, Erb, Heller, Kyburz, Lüthy, Roth, Schmid.

Gränichen

[1] Dreimal von Gelb und Blau schräglinks geteilt (nach dem Wappen der Herren von Grenchen [Granges]). [2] 1184 Cranechon, 1190 Cranichun, 1236 Grenechon. [3] Gräneche; Gränecher. [4] Arber, Bircher, Brunner, Gautschi, Gloor, Hächler, Hilfiker, Hohl, Kaufmann, Läuppi, Lehner, Lüscher, Müller, Richner, Sager, Sandmeier, Schaffner, Stirnemann, Suter, Wasser, Weber, Widmer, Zehnder.

Hirschthal

[1] In Weiss auf grünem Boden ein roter steigender Hirsch. [2] 9. Jh. Hirztale, 1310 Hirzstal. [3] Herschtu; Herschtler. [4] Brugger, Gall, Hauri, Klauenbösch, Kleiner, Lüscher, Müller.

Küttigen

[1] Schrägrechts geteilt von Schwarz mit schräglinkem weissem Balken und von Gelb

(nach dem Wappen der Herren von Kienberg). [2] 1036 Chutingen, 1045 Chutingun, 1173 Chötingen. [3] Chöttige; Chöttiger. [4] Basler, Bircher, Blattner, Bolliger, Dubs, Frey, Graf, Iberg, Stänz, Uebelmann, Wehrli.

Muhen

[1] In Blau über weissem, gewelltem Wasser eine dreibogige weisse Brücke, überhöht von zwei fünfstrahligen gelben Sternen. [2] 1045, 1173 Mucheim, 1295 Muchein. [3] Muhe; Müheler. [4] Bähny, Baumann, Erismann, Hilfiker, Hunziker, Knechtli, Künzli, Lehmann, Lüscher, Lüthy, Matter, Müller.

Oberentfelden

[1] In Rot über Weiss und blauem Wellenschnitt schwimmende weisse Ente, überhöht von zwei gelben sechsstrahligen Sternen im Schildhaupt. [2] 965 Endiueld, 1045 Endeuelt, 1173 Eindevelt. [3] Oberämpfäud; Oberämpfäuder. [4] Baumann, Bodmer, Haberstich, Häfliger, Holliger, Huggenberger, Knoblauch, Kyburz, Lindegger, Lüscher, Matter, Müller, Roland, Schweizer, Suter, Thut, Walther, Widmer, Winkenbach, Zahn.

Rohr

[1] In Weiss auf grünem Dreiberg drei schwarze Rohrkolben an grünen Stengeln mit grünen Blättern. [2] 1036 Rore. Rohr wurde erst 1810 selbständige Gemeinde durch Loslösung von Suhr. [3] Rohr; Rohrer. [4] Graf, Hächler, Richner, Rohr, Schmid, Weiersmüller.

Suhr

[1] In Rot über grünem Dreiberg schwebendes getatztes weisses Kreuz, oben beidseits je ein fünfstrahliger weisser Stern. [2] 1045 Sura, 1173 Suro. [3] Sohr; Sohrer. [4] Bär, Baumann, Brugger, Christen, Gysi, Hallauer, Imhof, Kuhn, Kyburz, Lienhard, Meyer, Richner, Rüetschi, Schmid, Schneider, Suter, Steiner, Wassmer, Weiersmüller, Widmer, Wildi, Zehnder.

Unterentfelden

[1] In Gelb auf grünem Dreiberg eine Ente in Brauntönung; im Schildhaupt drei balkenweis gestellte sechsstrahlige rote Sterne. [2] 965 Endi-

ueld, 1045 Endeuelt, 1173 Eindevelt, ca. 1306 ze Nideren Entvelt. [3] Underämpfäud; Underämpfäuder. [4] Burger, Dätwiler, Frey, Haberstich, Müller, Scheibler, Stauffer, Styner, Weber, Zimmerli.

Bezirk Baden

Baden

[1] Unter rotem Schildhaupt in Weiss schwarzer Pfahl (vom Feldzeichen 14. Jh. übernommen). Das Stadtsiegel weist badendes Paar unter einer Rebe auf. [2] 1040, 1127 Baden. [3] Bade; Badener. [4] Diebold, Dorer, Frei, Frey, Heimgartner, Herzog, Jeuch, Kappeler, Kaufmann, Keller, Lang, Mäder, Markwalder, Meier, Meyer, Müller, Scherer, Schleuniger, Senn, Straub, Suter, Wanger, Weber. Aus dem 1961 eingemeindeten Dättwil: Anner, Busslinger, Kaiser, Meier, Obrist, Renold.

Bellikon

[1] In Blau weisse Burg. [2] 12. Jh. Pellikon, 1240 Bellichoven. [3] Bällike; Bälliker. [4] Frei. Hügli, Isler, Karpf, Kaufmann, Steffen, Steger, Wettstein, Zeindler, Zimmermann.

Bergdietikon

[1] In Weiss auf grünem Dreiberg eine ausgerissene grüne Eiche mit grünen Eicheln. [2] Im Mittelalter keine Gesamtgemeinde, sondern einzelne Weiler: 12./13. Jh. Paltoswflare, Seguinden, Kindehusen, Schöinberch. 1803 als Berggemeinde Dietikon bezeichnet; seit 1840 Bergdietikon. [3] Bergdietike; Bergdietiker («Bergler»). [4] Boll, Bürchler, Müllhaupt, Peyer, Schmid.

Birmenstorf

[1] In Grün gelbe Korngarbe. [2] 1146 Birbovermersdorf, 1248 Birmomisdorf, 1275 Birbonstorf, Birbenstorf, 1297 Birboumstorf. [3] Bermischtorf; Bermischtorfer (Übername: Wildsäu). [4] Biland, Bopp, Busslinger, Humbel, Meier, Meyer, Müller, Notter, Rey, Schneider, Würsch, Zehnder, Zimmermann.

Ennetbaden

[1] In Gelb schwarzes Schildhaupt und schwarzer Pfahl. [2] Um 1250 Alio Badin, 1281 Baden zem dorfe, das im Sickenthal lit. 1819 selbständige Gemeinde durch Loslösung von Baden. [3] Ännepade; Ännepadener. [4] Bertschi, Herzog, Küpfer (Köpfer), Mäder, Wetzel.

Fislisbach

[1] In Blau doppeltes getatztes weisses Kreuz mit dreigespitztem Fuss (nach dem Ungarnkreuz), Fislisbach gehörte vom 15. bis 19 Jh. dem von der ungarischen Königin Agnes gestifteten Spital zu Baden. [2] 1184 Viclisbach, 1190 Fizzilisbach. [3] Fislischbach; Fislischbacher (Übername: Gugugger). [4] Heimgartner, Koller, Muntwiler, Peterhans, Schibli, Wettstein.

Freienwil

[1] In Blau eine gelbe Korngarbe, links begleitet von weisser Sichel mit gelbem Griff. [2] 1247 Wrienwile, 1306 Wile. [3] Freyewil; Freyewiler. [4] Burger, Suter, Vogt, Zeller.

Gebenstorf

[1] Gespalten von Rot mit weissem Rebmesser und Weiss mit roter Pflugschar. [2] um 1250 Gebistorf. [3] Gäbischtorf; Gäbischtorfer (Übername: Schmalzpicker). [4] Buck, Busslinger, Fuchs, Grimm, Killer, Küng, Meier, Pabst, Stierli, Vogelsang, Wiedemeier.

Killwangen

[1] In Rot ein weisser Sparren, im Schildfuss ein sechsstrahliger weisser Stern. [2] ca. 1234 Culliwanch, 1262 Chulewangen. [3] Chillwange; Chillwanger. «Chillwange - Isestange (= härti Grind)». [4] Füglister, Meier, Schaufelberger, Scherer, Schibli, Widmer, Würsch.

Künten

[1] Gespalten von Weiss mit rotem Hochkreuz und von Rot mit weissem Schrägrechtsfluss. (Der Fluss deutet auf den an der Reuss gelegenen Dorfteil Sulz hin.) [2] [um 1160 Chunten], ca. 1305 Kuintenah. 11. Jh. Chuntina, Sulzo. [3] Chönte; Chöntener. [4] Gehrig, Hafner, Kohler, Meier, Schürmann, Staubli, Steger, Stenz, Wendel, Wettstein, Zeier, Zimmermann.

Mägenwil

[1] In Rot gelbe Fruchtkapsel des Mohns (Mägi) an gelbem Stiel mit zwei gelben Blättchen. [2] 9. Jh. Maganwilare, um 1250 Maginwiler. [3] Mägewil; Mägewiler. [4] Attiger, Huber, Kuhn, Michel, Rohr, Seiler, Stofer, Strebel.

Mellingen

[1] Unter dem rot-weiss-roten Schildhaupt (Österreich) roter aufsteigender Habsburgerlöwe in Gelb. Das frühere Stadtwappen weist eine weisse Kugel auf rotem Grund auf. [2] 1045 Mellingen, 1245 Mellingin. [3] Melige; Meliger. [4] Brunner, Frey, Gredinger, Gretener, Halter, Huber, Hümbelin, Iten, Kappeler, Meier, Müller, Schwarz, Seiler, Wassmer, Winkelmann, Zumstein.

Neuenhof

[1] Geteilt von Gelb mit rotem fünfzackigem Stern und von Rot mit gelbem fünfzackigem Stern. (Der Stern erinnert an die frühere Gerichtsherrschaft des Klosters Wettingen [Maris stella = Meerstern].) [2] 1393 Ob dem nuiwen Hof ennent dem Fahr zu Wettingen. [3] Neuehof; Neuehofer, Neuehöfler (Übername: Schnägge). [4] Benz, Berz, Schibli, Voser, Zürcher.

Niederrohrdorf

[1] In Rot auf gewölbtem grünem Boden ein weisses Lamm mit Kreuzfahne (durchgehendes rotes Kreuz auf weissem Grund, gelbe Stange). – Hergeleitet vom Klosterwappen Gnadenthal. [2] 1159 Rordorf, 1190 Ruordorf, ca. 1306 Nideren Rordorf. Seit 1854 als politische Gemeinde von der Gesamtgemeinde Rohrdorf abgetrennt. [3] Rodlef; Rodlefer. [4] Blunschi, Egloff, Heimgartner, Hertach, Huser, Irniger, Koch, Notter, Rymann, Schuppisser, Wiederkehr.

Oberehrendingen

[1] In Blau nach rechts schreitender gelber Hirsch auf grünem Grund. – Herkunft: Klosterwappen St. Blasien im Schwarzwald, das in Ehrendingen begütert war. Kirchenpatron von Ehrendingen: St. Blasius. [2] 982 Aradingin, 1040 Aradingin in Ciurichgowe, ca. 1306 Obern Eredingen. 1825 Trennung der Gesamtgemeinde Ehrendingen in Ober- und Unterehrendin-

gen.[3] Äredinge; Äredinger. [4] Duttwiler,
Frei, Meier, Schmid, Wiederkehr, Willi, Willi-
mann.

Oberrohrdorf

[1] In Rot auf grünem Dreiberg ein gelber
Reichsapfel mit Doppelkreuz, überhöht von einem sechsstrahligen weissen Stern, beseitet von
zwei schwarzen Rohrkolben auf grünen Stengeln mit grünen Blättern. – Das Doppelkreuz
weist auf Königin Agnes von Ungarn hin, der
Stern auf das Kloster Wettingen, das die Gerichtsherrschaft zu Staretschwil innehatte. [2]
1159 Rordorf, 1190 Ruordorf, ca. 1306 Oberen
Rordorf. [3] Rodlef; Rodlefer. Übername für
Staretschwiler: Holzbirlibuebe. [4] Attiger,
Blunschi, Egloff, Eichler, Gsell, Holenweger,
Humbel, Itel, Keller, Müller, Philippe, Rimann,
Rymann, Schürmann, Schuppisser, Trost, Vog-
ler, Widmer.

Obersiggenthal

[1] In Rot drei gekreuzte weisse Schlüssel. – Die
Schlüssel weisen vermutlich auf das Attribut des
hl. Petrus hin, der mit dem hl. Paulus Kirchenpatron in Kirchdorf ist. Drei Schlüssel entsprechen den drei Hauptdörfern von Obersiggenthal: Kirchdorf, Nussbaumen, Rieden. [2] ca.
1306 Sickental, 1150 Nussboumen. Seit 1803 ist
die Gesamtgemeinde Siggenthal in Ober- und
Untersiggenthal getrennt. [3] Obersigetal;
Sigetaler, Segitaler. [4] Baumgartner, Birchmeier, Drack, Frunz, Füglister, Hitz, Kraushaar,
Markwalder, Meier, Minikus, Müller, Scherer,
Schneider, Senn, Spörri, Widmer, Willi.

Remetschwil

[1] Geteilt von Gelb mit rotem, nach rechts
schreitendem zurückblickendem Rehbock und
von Rot mit gelbem Reichsapfel. – Reh vermutlich bildliche Darstellung der ersten Silbe;
Reichsapfel vom Rohrdorfer Wappen übernommen. Remetschwil gehörte bis 1854 zur
Gesamtgemeinde Rohrdorf. [2] 1190 Reimirs-
wîlare, um 1250 Reimerswiler, 1160 Busnang
(das zu Remetschwil gehörige Busslingen). [3]
Remetschwil, Bueslige; Remetschwiler, Buesli-
ger. [4] Baumann, Friedrich, Hagenbuch, Has-
limeier, Hüser, Konrad, Leimgruber, Locher,
Wetter, Wettstein.

Spreitenbach

[1] Geviertet von Blau mit gekröntem gelbem
Leopardenkopf und von Rot mit sechsstrahligem weissem Stern. – Die Leopardenköpfe nehmen Bezug auf die Herren von Schönenwerd
auf Burg Kindhausen, die Sterne auf das Kloster
Wettingen. [2] 1111 Spreitinbach, 1124 Spreitenbach. [3] Schpreitebach; Schpreitebacher.
[4] Baumann, Bumbacher, Burner, Fritschi,
Füglister, Hintermann, Lienberger, Lips, Locher, Muntwiler, Weber, Widmer, Wiederkehr.

Stetten

[1] In Rot ein doppeltes angetatztes Kreuz mit
dreigespitztem Fuss, im Schildhaupt begleitet
von zwei weissen fünfzackigen Sternen. – Doppelkreuz = Ungarnkreuz; Königin Agnes von
Ungarn, Stifterin des Spitals zu Baden, das in
Stetten begütert war. [2] um 1160 Stetin, 1255
Stettin. [3] Schtette; Schtetter.[4] Fischer, Hüsser, Humbel, Koch, Meier, Scheuermann,
Schürmann.

Turgi

[1] In Rot ein schräglinkes weisses Flussband,
begleitet von einem schwarzen Zahnrad und einer liegenden, leicht gebogenen gelben Ähre.
[2] Ehemals zu Gebenstorf gehörig, seit 1884
selbständige politische Gemeinde. – Ortsname
Turgi bedeutet Grenzangabe für die westlichste
Ausdehnung des frühmittelalterlichen Thur-
gaus. [3] Turgi; Turgemer. [4] Buck, Grimm,
Killer, Küng, Stierli, Vogelsang.

Unterehrendingen

[1] In Weiss eine ausgerissene grüne Tanne. [2]
892, 1040 Aradingen, 1306 Nider Erendingen.
1825 Trennung der Gesamtgemeinde Ehrendingen in Unter- und Oberehrendingen.[3] Under-
äredinge; Äredinger, [4] Büchi, Ernst, Meier,
Suter, Wiederkehr, Zimmermann.

Untersiggenthal

[1] In Rot zwei gekreuzte weisse Schlüssel. –
Vermutlich hergeleitet vom Attribut des Kirch-
dorfer Kirchenpatrons, St. Petrus. Die zwei
Schlüssel weisen auf Ober- und Untersiggingen
hin. [2] 833 Sickinga, 850 Sickingun im Vaninc-
tale, 1306 Sickental. Seit 1803 politische Ge-

meinde Untersiggenthal. [3] Ondersigetal; Sigetaler, Segitaler. [4] Beier, Hitz, Humbel, Keller, Knecht, Meier, Müller, Rotzinger, Scherer, Spörri, Umbricht, Widmer, Willi, Zehnder.

Wettingen

[1] Geteilt im Wellenschnitt von Rot mit gelbem, sechsstrahligem Stern und von Weiss mit drei blauen Wellenbalken. – Der Stern über dem Wasser weist auf das Kloster Maris stella (= Meerstern) hin. [2] 1227 Wettingin. [3] Wettige; Wettiger. [4] Benz, Berz, Bopp, Bosshardt, Brühlmeier, Bürgler, Egloff, Fischer, Graf, Güller, Hartmeier, Huser, Käufeler, Keller, Kramer, Meier, Merkli, Schweizer, Spörri, Steimer, Süssli, Ursprung, Widmer, Wörndli.

Wohlenschwil

[1] In Rot eine weisse Muskete mit gelbem Schaft, gekreuzt von weisser Stützgabel mit gelbem Stiel, überhöht von einer gelben Sonne. – Die Waffe erinnert an die Schlacht bei Wohlenschwil, 3.6.1653. [2] 9. Jh. Woleeswflare, um 1250 Büblinchon (Büblikon 1906 eingemeindet). [3] Woleschwil; Woleschwiler. Büeblike; Büebliker (Übername: Frösche). [4] Ducret, Geissmann, Huber, Hübscher, Meier, Meyer, Pfister, Rohr, Saxer, Schmid, Seiler, Steinmann, Strebel, Thomann, Wietlisbach, Zimmermann.

Würenlingen

[1] In Weiss eine grüne Eichel mit grünem Stiel und zwei grünen Blättern. [2] 828 Wirnaningum in pago Durgauve et in sito Waninctale (Wehntal), ca. 1245 Wirnalingen. [3] Würelinge; Würelinger. [4] Bächli, Birchmeier, Erni, Frei, Hirt, Künzi, Meier, Merki, Mülli, Schmid, Schneider, Suter.

Würenlos

[1] Geteilt von Weiss und Rot mit nach links gekehrtem Schlüssel in gewechselten Farben. – Der Schlüssel geht vermutlich auf das Wappen der Herren von Steinbrunn im Elsass zurück, die ihre Rechte zu Würenlos im 14. Jh. dem Kloster Wettingen verkauften. [2] 870 Wirchilleozha, 1296 Wirgloz, 1306 Wuirkenlos. 1899 Eingemeindung von Kempfhof und Oetlikon. [3] Wörelos; Wöreloser. [4] Brunner, Dillinger,

Ehrsam, Ernst, Güller, Lienammer, Markwalder, Moser, Müller, Neracher, Wetzel, Wiedemeier, Wiederkehr, Zimmermann.

Bezirk Bremgarten

Arni-Islisberg

[1] Geteilt von Gelb mit schreitendem rotem Löwen und von Blau mit doppelbartigem weissem Schlüssel. – Schlüssel bedeutet Zugehörigkeit zum zürcherischen Kelleramt (seit 1415); Habsburger Löwe weist auf Bremgarten hin, das die niedere Gerichtsbarkeit innehatte. [2] 1246 Arne, 1240 Nidolsperch, 1305 Isbolzberg. [3] Arni-Ischlisbärg; Arner, Ischlisbärger. [4] Huber, Kaufmann, Rütimann, Stutz.

Berikon

[1] In Weiss ein grünes Kleeblatt mit drei Teilblättern (Hinweis auf die drei Berghöfe zu Berikon). [2] 1153 Bercheim, 1184 Berchein, 1306 Berchein, 1387 Berkein. [3] Berike; Beriker. [4] Angstmann, Brunner, Gehrig, Groth, Hüsser, Keller, Koch, Koller, Welti.

Bremgarten

[1] In Weiss aufrecht schreitender roter Löwe. – Der rote Löwe weist auf die Stadtgründer, die Habsburger, hin. [2] [um 1160 Bremgarten], 1238 Bremgarten, 1266 Bremegarton. [3] Brängarte; Brängarter, bisweilen Brängartner. [4] Bürgisser, Gerwer, Hartmeier, Honegger, Martin, Schaufelbühl, Villiger, Weissenbach.

Büttikon

[1] Von Rot und Weiss fünfmal schrägrechts geteilter Schild mit 2, 3, 1 blauen Eisenhüten in Weiss. – Herkunft: Siegelwappen der Herren von Büttikon, 13. Jh. [2] 9. Jh. Putinchova, 1045 Potinchouen, 1255 Buttincon. [3] Büttike; Büttiker [4] Hartmann, Koch, Sax.

Dottikon

[1] In Gelb auf grünem Dreiberg ein wachsendes rotes Pferd. [2] [um 1160 Totinchon], 1179 Totinchon. [3] Dottike; Dottiker. [4] Fischer, Furter, Hübscher, Kuhn, Lochinger, Meier, Meyer, Michel, Nauer, Schmidli, Stutz, Wietlisbach.

Eggenwil

[1] In Rot eine bis an den Schildfuss reichende gezinnte weisse Mauer, überhöht von einem sechsstrahligen gelben Stern. – Die Mauer im Wappen weist auf das Kloster Muri hin, zu dessen ältestem Besitztum Eggenwil zählte. [2] 1159 Egenwîlare. [3] Egewil; Egewiler. [4] Belser, Hartmann, Hausherr, Meier.

Fischbach-Göslikon

[1] In Rot gekrümmter weisser Fisch. [2] [um 1160 Visbach, Göslichoven], 1159 Cozelinchon, 1306 Vischpach, Goslinkon. [3] Fischbach; Fischbacher. Göslike; Gösliker. [4] Lang, Meier, Ruppli, Seiler, Stierli.

Hägglingen

[1] In Blau eine gelbe Hechel mit schwarzen Nägeln. – Volksetymologische Deutung des Namens Hägglingen. [2] 1036 Hekelingen, 1045 Hackelingen, 1189 Hechilingin, 1306 Heggelingen. [3] Hägglige; Häggliger. [4] Borner, Christen, Eppisser, Geissmann, Hochstrasser, Huber, Meyer, Müller, Nauer, Richner, Saxer, Schmid, Stutz, Wassmer, Wirth.

Hermetschwil-Staffeln

[1] In Blau eine nach rechts gewendete gelbe Schlange mit gelber Krone. – Herkunft: Klosterwappen Hermetschwil. [2] 1159 Hermoustwîlare, 1279 Hermozwile. [3] Hermetschwil; Hermetschwiler. [4] Abbt, Heimhofer, Huber, Keusch, Stöckli.

Hilfikon

[1] In Weiss ein schwarzer Elefant mit gelben Stosszähnen und gelbem Gurt mit rotem Turm. – Herkunft: Wappen der Herren von Hilfikon. [2] 9. Jh. Hilfinswîlare, um 1250 Hilfinchon. [3] Hilfike; Hilfiker. [4] Brunner, Meyer.

Jonen

[1] Durch weissen Wellenpfahl gespalten von Blau mit drei pfahlweis gestellten sechsstrahligen weissen Sternen und von Rot mit nach links gewandtem weissem Schlüssel. – Bedeutung der Zeichen: Wellenpfahl = Reuss oder Jone, Sterne = Aargau, Schlüssel = Kelleramt. [2] 1243 Jonun, ca. 1290 Jonon. [3] Jone; Joner. [4] Bürgisser, Fischer, Fröhli, Füglistaller, Gugerli, Haas,

Hausherr, Huber, Karpf, Keusch, Rüttimann, Spettig, Staubli, Widler.

Niederwil

[1] Geteilt durch einen schwarzen Balken, der mit rot-weiss geschachtem Stab belegt ist (Zisterzienserinnenkloster Gnadenthal); die obere Schildhälfte in Rot mit zwei schrägrechten weissen Balken (Herren von Wil); die untere Schildhälfte in Grün mit weissem waagrechtem Wellenband (Nesselnbach). [2] 9. Jh. Wîlo, 1045 und 1178 Wilo. 9. Jh. Nezelinispah, 1306 Nesselibach. Nesselnbach wurde 1900 eingemeindet. [3] Nederwil; Nederwiler. Nesslebach; Nesslebacher. [4] Blattmer, Ender, Gauch, Gratwohl, Hubschmid, Hufschmid, Hunn, Mäder, Notter, Schmid, Seiler, Stutz, Vock.

Oberlunkhofen

[1] Geteilt von Gelb mit schwarzem, nach rechts schreitendem Löwen mit roter Zunge und roten Krallen und von Rot mit zwei gekreuzten weissen Schlüsseln. – Löwe weist auf Stift St. Leodegar zu Luzern hin, das im Mittelalter Besitzer des Kellerhofes Oberlunkhofen war. Die Schlüssel sind das Zeichen für den Kellerhof oder für das von ihm abgeleitete Wort «Kelleramt». [2] [ca. 860 Lunchunft], 1291 Lunkuft; 1309 Obern Lunchuft. [3] Lunkofe; Lunkofer. [4] Bächer, Bürgisser, Eichholzer, Fröhli, Füglistaller, Gumann, Hagenbuch, Huber, Karpf.

Oberwil

[1] In Weiss auf grünem Dreiberg ein grüner, stilisierter Birnbaum mit gelben Früchten. – Ableitung: Oberwil liegt am Holzbirliberg. [2] 1040 Willare, 1178 Wilare, 1184 Weilere, 1315 Obern Wile. [3] Oberwil; Oberwiler. Lieli (1908 eingemeindet); Lieler. [4] Bochsler, Füglistaler, Huber, Keller, Koller, Steiner, Strebel, Wetli, Zubler.

Rudolfstetten-Friedlisberg

[1] Seit der Vereinigung der beiden Ortsgemeinden Rudolfstetten und Friedlisberg im Jahre 1966: Senkrecht gespaltener Schild, rechts in Rot ein Mönch mit schwarzer Kutte (Friedlisberg, hl. Fridolin); links in Gelb ein aufrecht stehender roter Löwe, ein rotes Ruder in den Vorderpranken haltend (Habsburgerlöwe). [2] 1190

Ruodolfstetin, 1306 Ruodolfstetten. Ca. 1321 Fridelisperg. [3] Ruedistette; Ruedistetter. Fredlischberg; Fredlischberger. [4] Brem, Füglistaller, Hüsser, Koller, Oggenfuss, Schambron, Wiederkehr.

Sarmenstorf

[1] In Rot zwei gekreuzte gelbe Pilgerstäbe. – Hergeleitet von der Angelsachsensage, d.h. von den bei Büelisacher ermordeten und in Sarmenstorf begrabenen Pilgern Kaspar von Brunnaschwyl (Brunnschwedel) und Erhart von Sax (Sachsen). [2] 1173 Sarmarsdorf, 1185 Sarmannesdorf, 1306 Sarmarsdorf. [3] Sarmischdorf; Sarmischdorfer. [4] Baur, Döbeli, Huber, Hunn, Keller, Koch, Köchli, Kündig, Leuppi, Meier, Melliger, Müller, Ruepp, Saxer, Schmid, Schüepp, Sprunger, Stalder, Stapfer, Stettler, Strebel, Stutz, Vock, Waldburg, Widmer.

Tägerig

[1] In Blau zwei gekreuzte weisse Schlüssel, überhöht von einem fünfstrahligen gelben Stern. – Herkunft: Fahne des Papstes Julius II., die 1512 der Stadt Mellingen geschenkt wurde.[2] 1189 Tegeranc, 1306 Tegerang. [3] Tägerig; Tägliger. [4] Blattmer, Huber, Meier, Seiler, Stöckli, Zimmermann.

Uezwil

[1] Gespalten von Gelb und Blau mit drei nach rechts gerichteten roten Pfeilspitzen. – Die Pfeilspitzen weisen auf den Kapellenpatron St. Sebastian hin. [2] 1306 Uezwile. [3] Üezmel; Üezmeler. [4] Koch, Meyer, Müller, Strebel.

Unterlunkhofen

[1] Fünfmal geteilt von Weiss und Blau, überdeckt von rotem Pfahl. – Herkunft: Wappensiegel der Herren von Lunkhofen, 1255. [2] [ca. 860 Lunchunft], 1291 Lunkuft, 1311 Nidrun Lunkoft. [3] Lunkhofe; Lunkhofer (Übername: Laubchäber). [4] Bieler, Brumann, Füglistaller, Huber, Staubli.

Villmergen

[1] In Weiss eine rote Rose mit gelbem Butzen und grünen Kelchblättern. – Nach alten Wappenbüchern vom Wappen der Herren von Vilmaringen hergeleitet. [2] 1185 Vilmaringen, um 1250 Vilmeringen. [3] Villmärge; Villmärger. [4] Beyli, Brem, Brunner, Fischbach, Gsell, Hegi, Hoffmann, Isenegger, Koch, Kuster, Leuppi, Lochiger, Meyer, Michel, Müller, Schmidli, Sprüngli, Stäger, Wey, Wiederkehr, Wirth, Zubler.

Widen

[1] In Weiss eine ausgerissene grüne Korbweide. [2] Ende 12. Jh. Wida, 1356 Widen. [3] Wyde; Wyder. [4] Brun, Koch, Sami.

Wohlen

[1] In Weiss mit rotem Schildhaupt eine aufsteigende schwarze Spitze. – Herkunft: Siegelwappen der Ritter von Wohlen, 14. Jh. [2] [um 1160 Wolen], 1178 Wolon, 1179 Wolon, 1245 Wolun, 1270 Wolon. [3] Wole (Übername: Chliparis); Woler. [4] Breitschmid, Bruggisser, Donat, Dubler, Flori, Frey, Hübscher, Hümbeli, Hunn, Isler, Käppeli, Koch, Kuhn, Lüthi(y), Meier, Meyer, Michel, Müller, Muntwiler, Weber, Wietlisbach, Wildi, Wohler. Angliker (Anglikon wurde 1912 eingemeindet): Engel, Konrad, Moser, Steinmann, Vock.

Zufikon

[1] In Weiss rotes Schildhaupt mit schwarzem Pfahl, beseitet von je einem blauen Schlüssel. – Unterzufikon gehörte zur Grafschaft Baden (Schildhaupt, Pfahl); Oberzufikon zum Kelleramt (Schlüssel). [2] [um 1160 Zuffikon], 1353 Zuffinkon. [3] Zufike; Zufiker (früherer Übername: Räbeschwänz). [4] Brunner, Gut, Juchli, Karli, Kaufmann, Keller, Lüthard, Müller, Schüepp, Stettler, Wertli.

Bezirk Brugg

Auenstein

[1] Gespalten von Rot mit zwei pfahlweis gestellten weissen Rosen mit gelbem Butzen und grünen Kelchblättern und von Weiss. – Herkunft: Wappen der Herren von Gouwenstein. [2] 1212 Gowenstein; 1317 Gouwenstein. [3] Gaueschtei; Gaueschteiner. [4] Brugger, Frei, Frey, Hochstrasser, Joho, Kirchhofer, Ott, Salm, Schwammberger, Senn.

Birr

[1] In Blau eine gelbe Birne an grünem beblättertem Zweig. – Sprechendes Wappen nach dem mundartlichen «Bire»; richtigerweise müsste Birr von Birch (Birke) abgeleitet werden. [2] 1270 Bire. [3] Birr; Birrer. [4] Angliker, Eichenberger, Frey, Gloor, Gysi, Mattenberger, Müller, Roth, Schoder, Setz.

Birrhard

[1] In Rot über gewelltem weissem Schildfuss· ein ausgerissener grüner Birnbaum mit gelben Früchten. [2] 1254 Birhart. [3] Birret; Birreter. [4] Dürsteler, Haller, Hirt, Schmid, Wüst.

Bözen

[1] In Gelb schwarzer Querbalken. – Herkunft: Wappen der Herren von Rotberg, der früheren Twingherren von Bözen. [2] 1284 Boze, 1306 Boetzen. [3] Böze; Bözer. [4] Amsler, Brack, Büchli, Frey, Fuchs, Heuberger, Kistler, Pfister, Rüthi, Trinkler.

Brugg

[1] Zweitürmige schwarze Brücke im weissen Feld. – Nach dem ältesten Stadtsiegel 1358. [2] 1164 Brucca. – 1254 Altinburch (Altenburg 1901 eingemeindet). 1281 Lunvar (Lauffohr 1970 eingemeindet). [3] Brogg; Brogger. [4] Barth, Baur, Belart, Brugger, Finsterwald, Frei, Frey, Fricker, Frölich, Füchslin, Hafner, Hoppeler, Märki, Rebmann, Schwarz, Vögtlin, Wassmer, Zimmermann, Zulauf.
Lauffohrer: Büchler, Eichenberger, Hirt, Märki, Müller, Nussbaum.

Effingen

[1] Geteilt von Rot mit weissem Flügel und von Weiss mit fünfzackigem rotem Stern über grünem Dreiberg. [2] 1306 Evingen. [3] Efige; Efiger. [4] Bossart, Brack, Hubeli, Kistler, Schaffner, Schwarz, Weibel.

Elfingen

[1] In Rot auf grünem Dreiberg weisses Doppelkreuz. – Das Doppelkreuz weist auf das Kloster Königsfelden hin, dem 1322 der Hof Elfingen von Königin Agnes von Ungarn geschenkt wurde. [2] 1259 Eolfingen, 1306 Elvingen. [3] Elfige; Elfiger. [4] Brack, Büchli, Fuchs, Heuberger, Käser, Siegrist, Wehrli.

Gallenkirch

[1] Gespalten von Gelb mit braunem Holzstamm und von Blau mit gelbem Kreuz. – Der Holzstamm erinnert an den hl. Gallus, dem nach der Legende ein Bär Holz zugetragen hat; das Kreuz weist auf eine abgegangene Galluskapelle hin (Name!). [2] 15. Jh. Gallenkilch. [3] Galechilch; Galechilcher. [4] Erismann, Gasser, Kistler, Müller, Wächter.

Habsburg

[1] In Blau auf grünem Hügel die Habsburg, weiss mit rotem Dach. [2] 1108 Havichsberch, 1124 Habesburc. [3] Haschbrg; Haschbrger. [4] Erismann, Riniker, Senn, Werder.

Hausen

[1] In Blau auf grünem Boden ein weisses Haus mit Treppengiebel, schwarzer Türe und zwei dreiteiligen gotischen Fenstern im Erdgeschoss und einem zweiteiligen Fenster im Giebel. [2] 1254 Husen. [3] Huse; Huser, bisweilen auch Husener oder Husemer. [4] Hartmann, Meier, Meyer, Rohr, Schaffner, Schatzmann, Widmer.

Hottwil

[1] In Weiss auf grünem Boden ein äsender roter Hirsch. [2] 1150 Hotiwilare, 1330 Hotwile. [3] Hottel; Hotteler. [4] Fischer, Haus, Keller, Schaffner, Senn, Wernli.

Linn

[1] In Weiss auf grünem Boden eine grüne Linde mit braunem Stamm und braunen Wurzeln. – Wappen weist auf die Riesenlinde hin. [2] 1306 Linne. [3] Linn; Linner. [4] Bläuer, Bossard, Keller, Kohler, Roth, Wülser.

Lupfig

[1] In Blau drei gelbe Ähren. [2] 1273 Luphang, 1306 Lupfang, 1365 Lupphang. [3] Lopfig; Lopfiger. [4] Bopp, Brehm, Gysi, Leutwyler, Meier, Seeberger, Vogt, Werder, Wolleb, Wüst.

Mandach

[1] Geteilt von Weiss mit aus der Teilung wachsender Mohrenbüste mit roten Lippen und weissem Halsschmuck und von Rot. – Nach dem Schild der Herren von Mandach, 13. Jh.* [2]

1218 Mandacho. [3] Mandech; Mandecher. [4]
Geissmann, Keller, Märki, Vogt.
*Volkstümliche Deutung: Der Mohr stellt
Mauritius dar, Legionsführer der Thebäischen
Legion und Märtyrer (St. Mauritius ist der
Schutzpatron der Kirche zu Mandach).

Mönthal

[1] In Blau über drei aus dem Schildfuss wach-
senden gelben Spitzen drei sechsstrahlige gelbe
Sterne. [2] ca. 1273 Muenuntal, 1306 Muonen-
tal. [3] Müendel; Müendeler. [4] Birrfelder,
Brack, Fehlmann, Meier, Rudolf, Schweizer,
Wächter, Wüthrich.

Mülligen

[1] In Gelb über grünem Dreiberg ein schwarzes
Mühlrad. – Hergeleitet vom Wappen der Herren von Mülinen. [2] 1256 Mulinon, 1306 Mulinon. [3] Mölige; Möliger. [4] Barth, Baumann,
Huber, Knecht, Schneider.

Oberbözberg

[1] In Weiss ein nach links schreitender, rückwärts schauender roter Hirsch auf grünem Boden, auf dem rechts eine grüne Tanne wächst.
[2] 1189 Bozeberch, 1306 Botzberg, 1872 Trennung der Gesamtgemeinde Bözberg in Ober-
und Unterbözberg. [3] Bözbrg; Bözbrger. [4]
Brändli, Dambach, Fehlmann, Keller, Müller,
Ott, Siegrist, Zimmermann.

Oberflachs

[1] In Weiss drei gekreuzte blaue Flachsblumen
mit grünen beblätterten Stengeln. [2] 1301
Obrenflacht (Flacht = Fläche, Ebene). [3]
Oberflachs; Oberflachser. [4] Fricker, Käser,
Leder, Süess, Weber, Zimmermann.

Remigen

[1] In Rot auf grünem Dreiberg ein weisser steigender Steinbock. – Hergeleitet vom Wappen
der um 1300 erloschenen Herren von Remigen,
einem habsburgischen Dienstmannenge-
schlecht. [2] 1064 Ramingen, 1256 Remingen.
[3] Remige; Remiger. [4] Baumann, Fehlmann,
Geissberger, Hauser, Hinden, Keller, Läuchli,
Schmid, Süss, Vogt, Wächter.

Riniken

[1] In Gelb auf grünem Dreiberg eine grüne
Tanne mit braunem Stamm. [2] 1253 Rinichon,
1296 Rinchon, 1306 Rinikon. [3] Rinike; Riniker. [4] Ackermann, Geissberger, Gross, Kull,
Obrist, Schaffner, Schlatter, Wernli, Wüthrich.

Rüfenach

[1] In Blau eine gelbe Korngarbe. [2] 1247 Ruo-
wenache, 1306 Ruifenach. Der Name Rüfenach
geht zurück auf römisch Fundus Rufiniacus
(Landgut des Rufiniacus). 1897 wurde Rein eingemeindet. [3] Rüfenach; Rüfenacher. [4] Bel-
di, Hirt, Märki, Müller, Steiner, Suter, Tanner,
Vogt.

Scherz

[1] In Weiss ein rotes Herz, aus dem eine rote
und zwei gelbe Federn wachsen. [2] 1240 Sher-
niz. [3] Schärz; Schärzer. [4] Hartmann, Hum-
mel, Meyer, Rey, Stoll, Wild.

Schinznach-Bad

[1] In Blau drei weisse Wellen, darüber zwei
fünfstrahlige gelbe Sterne und eine liegende gelbe Mondsichel. – Schinznach-Bad hiess bis 1937
Birrenlauf. Birrenlaufer Wappen: Fährmann im
Kahn stehend mit Ruder, überhöht von zwei
Birnen. [2] [um 1160 Biralophon]. [3] Schinznach-Bad; Schinznach-Bader. [4] Werder.

Schinznach-Dorf

[1] Gespalten von Schwarz mit gelbem unge-
sichtetem Halbmond und von Blau mit drei
pfahlweis gestellten sechsstrahligen weissen
Sternen. – Volksetymologische Deutung des
Namens: «Schint z Nacht». [2] 1189 Schincen-
nacho. [3] Schinznach-Dorf; Schinznacher.
[4] Amsler, Byland, Deubelbeiss, Hartmann,
Herrmann, Hiltpold, Lüem, Müri, Riniker,
Schaffner, Schmid, Simmen, Zulauf, Zurmühle.

Stilli

[1] In Blau ein weisser Anker, überdeckt von
kreuzweise gestelltem weissem Ruder und weissem Stachel. [2] 1453 Stilli, 1466 Stille. [3] Stilli;
Stillemer. [4] Baumann, Finsterwald, Lehner,
Müller, Strössler.

Thalheim

[1] In Weiss eine blaue Weintraube an grünem Stiel mit zwei Blättern. [2] 1064 Taleheim. [3] Tale; Talner. [4] Dietiker, Ging, Härdi, Lerchmüller, Schmidli, Schneider, Umiker, Weniger, Wernli.

Umiken

[1] Geteilt von Rot mit wachsendem gelbem Löwen und von Gelb mit dreiblätterigem rotem Klceblatt. [2] 1306 Umiken. [3] Umike; Umiker. [4] Horlacher.

Unterbözberg

[1] In Grün ein weisser rechter Schrägbalken, der von je zwei gelben Lindenblättern begleitet ist. – Deutung: Weisser Schrägbalken = Bözbergstrasse; vier Lindenblätter = Vierlinden. [2] 1189 Bozeberch, 1306 Botzberg. [3] Onderbözbrg; Onderbözbrger. [4] Brändli, Dätwiler, Fehlmann, Felber, Frei, Häni, Kohler, Märki, Merz, Müller, Schälkli, Siegrist, Suter, Wächter, Zimmermann.

Veltheim

[1] In Blau auf grünem Boden ein nach rechts schreitender weisser Hahn mit rotem Kamm und Bart und gelben Beinen, überhöht von sechsstrahligem weissem Stern. [2] um 1250, 1271, 1286 Veltheim. [3] Välte; Vältner. [4] Brugger, Byland, Fricker, Keller, Rischgasser, Salm, Weber, Wildi, Ziegler.

Villigen

[1] In Blau über grünem Dreiberg eine abgehauene gelbe Bärentatze, begleitet von drei sechsstrahligen gelben Sternen. – Herkunft: Wappen der Herren von Vilingen, habsburgische Ministerialen im 13./14. Jh. [2] 1247 Viligen, 1254 Vilingen. [3] Velige; Veliger. [4] Baumann, Fehlmann, Finsterwald, Hirt, Karli, Keller, Kern, Märki, Müller, Schödler, Schwarz, Süss, Vogt, Zimmermann.

Villnachern

[1] In Blau eine gelbe gewendete Pflugschar, im Schildhaupt begleitet von zwei fünfzackigen gelben Sternen. [2] 1141 Filnaccer, 1306 Wilnach. [3] Vellnachere (Übername: Algier; i go is Algier = nach Villnachern); Vellnacherer. [4]

Dülli, Hartmann, Horlacher, Läuchli, Pauli, Peter, Rihner, Spillmann, Stahel.

Windisch

[1] In Gelb auf fünf grünen Bergen eine schwarze Burg, links begleitet von einem aufgerichteten roten Löwen. – Die Burg weist auf das römische Vindonissa oder auf den Dorfteil Oberburg hin, der Löwe auf die Herrschaft der Habsburger. [2] 1. Jh. Vindonissa (Legionslager), 6. Jh. Vindonissa (Bischofssitz), 1067 Windisso, 1160 Windisso, 1175 Vindisse. [3] Windisch; Windischer. [4] Braun, Emmisberger, Hoffmann, Huber, Kämpf, Keller, Koprio, Laupper, Meier, Rauber, Richner, Rohr, Schatzmann, Spillmann.

Bezirk Kulm

Beinwil am See

[1] In Weiss eine schräglinke blaue Spitze. – Herkunft: Wappen der Herren von Beinwil, deren Geschlecht um 1350 erlosch. [2] 1045 Peinuuflare, um 1250 Beinwiler. [3] Beuu; Beuuer. [4] Baur, Eichenberger, Erismann, Gloor, Graf, Haller, Halter, Hintermann, Mcrz, Weber.

Birrwil

[1] In Blau über grünem Dreiberg eine weisse Birne an grünem Blätterzweig. [2] 1185 Beriwflare, Beriwillare, 1237 Birnwile, 1282 Birrwile, 1306 Byrwile. [3] Berrbu; Berrbuer. [4] Gloor, Graf, Härri, Leutwiler, Nussbaum, Räber, Stadler, Steiner.

Burg

[1] In Weiss auf grünem Boden eintürmige durchbrochene schwarze Burg mit weissen Fugen, links beseitet von grüner Tanne. [2] Ab 1751 selbständige Gemeinde, vorher zu Reinach gehörig (Burghöfe). 1045 Rinacha. [3] Burg; Burger. [4] Aeschbach, Burger, Eichenberger, Heinrich, Sommerhalder.

Dürrenäsch

[1] In Gelb auf grünem Dreiberg ein roter Löwe, einen geasteten schwarzen Baumstumpf

haltend. – Der Baumstumpf weist auf die ur-
kundliche Erwähnung «türren Esch ob Tros-
perg» (1400) hin, der Löwe auf den kyburgisch-
habsburgischen Herrschaftsbereich. [2] 9. Jh.
Aske inferior, 1190 Asce, 1300 Eschi. [3] Äsch;
Äscher. [4] Alpstäg, Bertschi, Brunner, Gloor,
Hochstrasser, Lüscher, Roth, Schaub, Senn,
Stauffer, Steiner, Walti, Wirz.

Gontenschwil

In Weiss auf grünem Boden eine grüne Tanne,
oben begleitet von zwei roten Herzen. [2] 1173
Gundoltswflere, 1306 Gundoltzwile. [3] Gondi-
schwiu; Gondischwiur, [4] Bolliger, Erismann, Ernst, Frey, Gautschi, Giger, Häfeli, Haller, Holliger, Hunziker, Klaus, Läser, Leutwyler, Müller, Peter, Schlatter, Sommerhalder,
Steiner, Weber, Wiederkehr, Wildi, Würgler.

Holziken

[1] In Weiss ein schwarzer, mit drei gelben
Scheiben belegter Sparren. – Nach dem Wap-
penbuch von Mumenthaler, Ende 18. Jh. [2]
1361 Holtzikon. [3] Houzike; Houziker. [4]
Ernst, Lienhard, Lüscher, Lüthy.

Leimbach

[1] In Rot ein weisser Schräglinksfluss, im
Schildhaupt begleitet von einem sechsstrahligen
weissen Stern. [2] 1306 Leimbach. [3] Leim-
bech; Leimbecher. [4] Eichenberger, Hunziker,
Maurer, Merz, Siegrist, Weber.

Leutwil

[1] In Blau eine weisse Glocke. [2] 1273 Lütwile.
[3] Lüpu; Lüpuer. [4] Aeschbach, Baumann,
Baur, Bolliger, Buchser, Gloor, Graf, Kaspar,
Scheurer.

Menziken

[1] In Rot auf grünem Dreiberg ein Krieger in
weisser Rüstung, den Kopf nach links gewendet,
in der Rechten einen weissen Speer mit gelbem
Schaft, in der Linken einen fünfstrahligen gelben Stern haltend. [2] 1045 Manzinchouen, 1330
Mentzinkon. Seit 1747 von Reinach getrennt.
[3] Mänzike; Mänziker. [4] Ammann, Bär, Eichenberger, Fehlmann, Haller, Heiz, Merz, Sager, Siegrist, Vogt, Weber, Wirz.

Oberkulm

[1] Schild zweimal gespalten von Schwarz,
Weiss und Blau. – Vor 1953 führte Oberkulm
das gleiche Wappen wie Unterkulm. [2] 1045
Cholumbari (vom gallorömischen Columba-
rium = Taubenhaus hergeleitet), Chulenbare,
1173 Chulbare, 1178 Cholenbare, 1306 Nideren
und Oberen Kulme. [3] Oberchoom; Ober-
choomer. [4] Bolliger, Erismann, Fäs, Fehlmann, Gloor, Hächler, Huber, Hunziker, Kaspar, Kuhn, Müller, Speck, Steiner.

Reinach

[1] In Gelb ein roter steigender Löwe mit blau-
em Haupt. – Herkunft: Wappen der Herren von
Rinach. [2] 1045 Rinacha, 1173 Rinacho. [3] Ri-
nech; Rinecher. [4] Aeschbach, Bauhofer, Bu-
hofer, Eichenberger, Engel, Erismann, Fischer,
Fuchs, Gautschi, Haller, Hauri, Hediger, Heiz,
Keller, Leutwiler, Lüscher, Merz, Soland,
Wildi.

Schlossrued

[1] In Blau auf grünem Dreiberg ein weisser,
rotbedachter Turm mit schwarzem Tor, überhöht von zwei gekreuzten weissen Rudern und
einem weissen sechsstrahligen Stern. – Turm
und Ruder weisen auf das Schloss und die Herrschaft Rued hin. [2] [um 1160 Ruodan], 1227
Ruoda. [3] Schlossrued; Schlossrueder. [4]
Aeschbach, Berchtold, Bolliger, Buchser, Erismann, Härdi, Haller, Hofmann, Klaus, Müller,
Neeser, Schlatter, Sommerhalder, Steiner,
Wirz.

Schmiedrued

[1] In Blau weisser Hammer mit schwarzem
Stiel, überhöht von zwei gekreuzten weissen
Rudern und einem weissen sechsstrahligen
Stern. – Der Hammer weist auf die ehemalige
Hammerschmitte hin, die Ruder sind das Wap-
penzeichen der Herren von Rued. [2] [um 1160
Ruodan], 1227 Ruoda. [3] Schmedrued;
Schmedrueder, Rueder. [4] Berchtold, Bolliger,
Brunner, Goldenberger, Häfeli, Hunziker,
Klaus, Maurer, Steiner, Weber, Würgler.

Schöftland

[1] In Gelb ein rotes Andreaskreuz. – Herkunft:
Schild der Herren von Hatstatt, die allerdings in

Schöftland nie Herrschaftsrechte besassen. [2]
1254 Schoflach, 1266 Schopflanc, 1268 Schefte-
lanch. [3] Schöftle; Schöftler. [4] Bolliger,
Buchser, Christen, Dutly, Ernst, Fäs, Gall,
Gloor, Hochuli, Knechtli, Lüthy, Morach,
Müller, Suter, Wälty, Wellenberg, Wirz.

Teufenthal

[1] In Gelb eine gekehrte blaue Spitze mit lie-
gendem gelbem Halbmond, überhöht von fünfzackigem gelbem Stern. [2] 1173 Toufendal,
1306 Thufental. [3] Teufetu; Teufetaler. [4]
Bruder, Fritschi, Hächler, Karrer, Kröni,
Mauch, Säuberli, Widmer.

Unterkulm

[1] Zweimal geteilt von Schwarz, Weiss und
Blau. – Zugleich Bezirkswappen; bis 1953 auch
gemeinsames Wappen mit Oberkulm. [2] 1045
Chulenbare, 1179 Cholunbare, 1190 Chulimba-
re, 1268 Chulumbe, 1306 Nideren Kulme. [3]
Choom; Choomer. [4] Berner, Elsasser, Gaut-
schi, Hartmann, Hofmann, Huber, Kyburz,
Leutwyler, Meier, Müller, Senn, Spirgi, Suter,
Wälti.

Zetzwil

[1] In Blau über grünem Dreiberg eine gewendete weisse Pflugschar, im Schildhaupt begleitet
von zwei weissen fünfstrahligen Sternen. [2]
1173 Zeinwile, 1236 Ezwile, 1246 Zezwflere.
[3] Zetzbu; Zetzbuer. [4] Burgherr, Gloor,
Götti, Haller, Hirt, Kasper, Kiener, Läubli,
Roth, Stauber, Stenz, Wirz.

Bezirk Laufenburg

Eiken

[1] Gelber Pfahl in Rot, belegt mit einem
schwarzen Vogtstab und beseitet von je zwei
gelben schräggestellten Ähren. – Der Vogtstab
weist auf die ehemalige Vogtei Eiken hin; die
Ähren symbolisieren die vier Vogtsgemeinden
Eiken, Münchwilen, Obermumpf und Schupfart. [2] 1254 Etchon, 1306 Eitchon. [3] Eike;
Eiker. [4] Bachofer, Bergdorf, Berger, Brut-
schi, Bussinger, Dinkel, Giess, Jegge, John, Ries,
Rohrer, Schmid, Schwarb, Schwarz.

Etzgen

[1] In Blau über drei weissen Wellenbalken ein
gelbes Fährschiff, überhöht von einem fünfzak-
kigen weissen Stern. – Deutung: Wellenbalken
= Rhein, Fährschiff = Fähre nach dem deut-
schen Hauenstein, Stern = Fricktaler Stern im
Aargauer Wappen. [2] 1425 Etzkon. 1832 durch
Abtrennung von der Gesamtgemeinde Mettau-
Etzgen-Oberhofen selbständige Gemeinde. [3]
Etzge; Etzger. [4] Brogli, Kalt, Leber, Mühl-
egg, Müller, Schlachter, Schmid, Zumsteg.

Frick

[1] In Weiss ein roter springender Fuchs. – Herkunft: Wappen der Herren von Frikke, die im
13. Jh. Dienstmannen der Grafen von Homburg
und der Grafen von Tierstein waren. [2] 1064
Fricho. [3] Frick; Fricker. [4] Baldesberger,
Benz, Erb, Fricker, Gerle, Häseli, Herzog, Hohler, Hollinger, Käser, Kalt, Meier, Meng, Mettauer, Mösch, Rüggi, Schernberg, Schillig,
Schilling, Schmid, Schmidle, Suter, Vogel.

Gansingen

[1] In Blau auf grünem Dreiberg eine weisse
Gans mit gelbem Schnabel und gelben Füssen,
Flug gespreizt. [2] 1240 Gansungen. [3] Gausi-
ge; Gausiger. [4] Boutellier, Erdin, Gränacher,
Hollinger, Hüsler, Jappert, Kern, Obrist,
Oeschger, Senn, Steinacher, Zumsteg.

Gipf-Oberfrick

[1] In Gelb auf grünem Dreiberg eine rote Hin-
din (Hirschkuh). – Abgeleitet vom Wappen der
Grafen von Tierstein, deren Stammburg im Ge-
meindebann Gipf-Oberfrick lag. [2] 1259 Cubi-
be (Abschrift 15. Jh., vermutlich Lesefehler,
sollte Cipffe oder Ciphfe heissen, nach Pfr.
Egloff), 1318 Gipfe (nach dem lateinischen ci-
pus). 1271 in superiori villa Friko (im obern
Dorf Frick), 1288 zi Obiren Vrieche, 1320 ze
Obern Fricke. [3] Gipf; Gipfer. Oberfrick;
Oberfricker. [4] Benz, Erb, Häseli, Hinden,
Husner, Meier, Meng, Mettauer, Mösch, Rik-
kenbach, Rietschi, Rüetschi, Schillig, Schmid,
Suter, Villinger, Vogel, Welti.

Herznach

[1] In Rot ein grünes Verenakrüglein mit gelbem
Henkel. – Krüglein ist Attribut der hl. Verena,

der die Kapelle zu Herznach geweiht ist (Kruzi-
fix-Steinrelief aus dem 10. Jh.). [2] 1097 Herce-
nah, 1143 Hercina, 1306 Heirzena, 1372 Hercz-
nach. [3] Herznach; Herznacher. [4] Acklin,
Basler, Biri, Deiss, Ecknauer, Eggnauer, Hartmann, Herde, Hossle, Jäger, Kläusler, Leimgruber, Müller, Ott, Schmid, Treyer, Wernle.

Hornussen

[1] In Rot ein gestürztes weisses Pflugeisen unter
weissem, mit drei fünfstrahligen roten Sternen
belegtem Schildhaupt. [2] 1296 Hornusken,
1306 Horneschon. [3] Hornusse; Hornusser. [4]
Adler, Bürge, Frei, Fuchs, Herzog, Huber, Keller, Märke, Oeschger, Schilling, Sommerhalder, Ursprung.

Ittenthal

[1] In Blau der obere Teil eines Lilienstabes mit
weisser Lilie auf einem gelben, mit vier gelben
Blättern bestandenen Stengel, begleitet von
zwei gelben sechsstrahligen Sternen. – Lilienstab
= Josefsstab; die Ittenthaler Kirchenpatrone sind
die hl. Maria und der hl. Josef. [2] 1297 Uiten-
dal. [3] Üetetle; Üetetler. [4] Grenacher, Lütold, Meier, Näf, Weber, Welte.

Kaisten

[1] In Gelb ein rotes Rebblatt. [2] 1311 Keysten,
ca. 1325 Keiston, 1357 Keisten. Der Name Kaisten ist vermutlich vom römischen Castellum
abgeleitet. [3] Chaischde; Chaischder (Übername: Chaischderchröpf). [4] Ackermann, Amsler, Freudemann, Gertiser, Höin, Merkofer,
Müller, Rebmann, Refer, Rehmann, Rohner,
Schmid, Schnetzler, Siebenhaar, Weiss, Winter,
Zumsteg.

Laufenburg

[1] In Gelb ein roter aufsteigender Löwe. – Herkunft: Wappentier der Habsburger, die die
Stadt Laufenburg gründeten. [2] 1207 Loufen-
berc. [3] Laufeburg; Laufeburger. [4] Baltisch-
weiler, Huber, Meier, Meyer, Probst, Rüscher,
Schmid, Spiess, Tröndle.

Mettau

[1] Geteilt von Rot mit wachsendem gelbem Löwen und von Weiss mit ausgerissenem fünfblät-
terigem grünem Lindenbaum. – Der Löwe weist

auf die Herrschaft der Habsburger hin, die Linde
auf die frühere Herrschaft der Homburger. [2]
1254 Mettow, ca. 1325 Mettouwe. [3] Mätteb;
Mätteber. [4] Brogli, Essig, Jehle, Ipser, Kiehl-
holz, Mühlegg, Müller, Oeschger, Schmid,
Schraner, Vögeli, Winkler, Zumsteg.

Münchwilen

[1] In Blau ein nach rechts schreitender Mönch
mit braunem Hut und brauner Kutte samt Kapu-
ze, in der Rechten einen gelben Pilgerstab füh-
rend; Hände, Füsse und Kopf sind fleischfarbig.
– Mönch (Münch) weist darauf hin, dass
Münchwilen eine Ablage des Bruderhauses zu
Säckingen war. [2] 1306 Munchwille, 1351
Münchwile. [3] Münchwile; Münchwiler. [4]
Denz, Gertiser, Hassler, Rufli, Waldmeier.

Oberhof

[1] In Blau auf 5 grünen Hügeln ein weisses Haus
zwischen zwei grünen Tannen. [2] Bis zum Jahr
1802 Wölflinswil zugehörig. [3] Oberhof;
Oberhöfler. [4] Böller, Erb, Frey, Fricker, Herzog, Lenzin, Meier, Reimann, Ruf, Studer.

Oberhofen

[1] In Gelb blauer Handfäustel mit schwarzem
Stiel, überhöht von zwei gekreuzten blauen
Spitzhacken mit schwarzen Stielen. – Die
Werkzeuge weisen auf die Sandsteingewinnung
hin (sogenannter Schilfsandstein aus der Trias-
zeit mit dem Hauptfossil Riesenschachtelhalm).
[2] Bis zum Jahr 1832 Glied der Gesamtgemeinde Mettau-Etzgen-Oberhofen, seither selbständige Gemeinde. [3] Oberhofe; Oberhofer, bisweilen Oberhöfner. [4] Müller, Oeschger, Weber, Zumsteg.

Oeschgen

[1] Geteilt von Schwarz mit zwei gelben Ringen
und von Gelb mit einem schwarzen Ring. – Herkunft: Wappen der Herren von Schönau, die seit
1475 Herrschaftsrechte in Oeschgen besassen.
[2] 1234 Escecon, 1242 Eschinkon, 1270 Eschi-
kon. [3] Öschge; Öschger. [4] Bäumlin, Binkert, Döbeli, Fahrländer, Gerle, Hauswirth,
Jauch, Kienberger, Kuprecht, Lämmli, Lauber,
Meier, Meyer, Reimann, Sprenger, Zundel.

Schwaderloch

[1] In Gelb auf grünem Dreiberg drei rote Flammen. – Zeichen des hl. Polykarp, Märtyrer, neben dem hl. Antonius Schutzpatron der Dorfkapelle. [2] ca. 1325 Swatterla. [3] Schwatterle, scherzweise «Swaterlo» genannt; Schwatterler. [4] Brutsche, Ebner, Fuchs, Häusler, Hug, Kalt, Knecht, Kohler, Kramer, Meier, Vögeli.

Sisseln

[1] In Grün ein schräglinks fliessendes weisses Flussband (Rhein) mit schmalem weissem Nebenfluss (Sissle) im linken untern Viertel, im rechten Obereck ein weisses schräggestelltes dreizackiges Fischspeereisen (Fischger für Salmenfang). [2] ca. 1450 Syslen. [3] Sissle; Sissler. [4] Brogle, Dinkel, Jegge, Käser, Vogt.

Sulz

[1] In Rot ein schwarzer, mit Silber beschlagener und mit einem silbernen S überdeckter Salzbottich, beseitet von je einem sechsstrahligen weissen Stern. – Der Salzbottich weist auf Sulz = Salzwasser hin. [2] 1390 Sulcz, 1260 Rinsultz (früherer Standort der Kirche). [3] Solz; Solzer. [4] Hug, Kalt, Obrist, Rheinegger, Rüede, Schraner, Schumacher, Stäuble, Wächter, Weber, Weiss.

Ueken

[1] In Gelb ein schwarzes Wasserrad mit acht Schaufeln. [2] 1406 Üken, 1449 Ütkon. [3] Üke; Üker. [4] Ackle, Birri, Deiss, Herde, Holzreuter, Hossle, Leimgruber, Riner, Ursprung.

Wil

[1] Geteilt von Gelb mit wachsendem rotem Löwen und von Grün mit drei weissen fünfzackigen Sternen. – Der Löwe weist auf die Zugehörigkeit zur Herrschaft Laufenburg hin; die Sterne symbolisieren die Dorfteile Wil, Oedenholz, Egg oder die ehemaligen Dorfsiedlungen Steinhof, Niederhof, Oberhof. [2] ca. 1325 Wile, 1361 Wile. [3] Wil; Wiler. [4] Essig, Hilfiker, Hollinger, Huber, Leber, Müller, Oeschger, Schmid, Schraner, Sibold, Vögeli, Weber, Winkler, Zumsteg.

Wittnau

[1] In Blau übereinander zwei rotbewehrte weisse Adler. – Brisüre (Farbänderung) des Wappens der Grafen von Homberg (schwarze Adler auf gelbem Grund), deren Stammburg im Gemeindebann Wittnau lag. [2] 1259 Wittnowe, 1306 Witenowa. [3] Wittnau; Wittnauer. [4] Beck, Brogle, Businger, Fricker, Herzog, Hochreuter, Hort, Husner, Liechti, Müller, Rüetschi, Schmid, Speiser, Studer, Tschudi, Uebelmann, Walde.

Wölflinswil

[1] In Gelb ein roter Wolf, nach rechts schreitend und rückwärts schauend. [2] 1288 Wile, 1306 Wulfiswile, 1444 Wöfeswil, 1488 Wolfswiler. [3] Wölfliswil; Wölfliswiler. [4] Belser, Bircher, Böller, Emmenegger, Frei, Herzog, Hort, Lenzin, Meier, Ramisberger, Reimann, Schmid, Schmidli, Treier, Waldmeier.

Zeihen

[1] In Grün ein schwarz und gelb geschachter Pfahl mit 12 Feldern, beseitet von je einer gelben Ähre. – Der Pfahl weist auf die 12 säckingischen Rodungshöfe im Gemeindebann hin; die zwei Ähren sind das Zeichen für die Rodungsgemeinschaft «Gebuhrsami»; die grüne Grundfarbe bedeutet fruchtbares Land. [2] 1337 Zeiien. Seit 1852 sind Ober- und Niederzeihen zu einer Gemeinde vereinigt. [3] Zeije; Zeijer. [4] Basler, Birri, Bürgi, Deiss, Herde, Hossli, Meier, Neuhaus, Riner, Schmid, Suter, Wülser.

Bezirk Lenzburg

Ammerswil

[1] In Weiss auf grünem Dreiberg wachsender roter Hirsch. [2] 9. Jh. Onpretiswïlare, 1275 Umbrechtswile. [3] Ammerschwil; Ammerschwiler. [4] Amweg, Gehrig, Steiner.

Boniswil

[1] In Rot auf grünem gewölbtem Boden eine stehende weisse Sumpfschnepfe mit gelbem Schnabel und schwarzen Beinen. [2] 1275 Bonolswile, 1306 Alaswile (Alliswil 1898 eingemeindet). [3] Bonischwiu; Bonischwiuer. [4] Döbeli, Fehlmann, Gloor, Holliger, Huggenberger, Humbel, Wild.

Brunegg

[1] In Weiss ein blauer Lilienzepterstern (Lilien-haspel). – Stumpfs Chronik entnommen, geht aber auf eine hohenlohesche Besitzung zurück. [2] 1273 Brunegge, 1306 Brunekke (zum habsburgischen Eigenamt gehörend). [3] Brunegg; Brunegger. [4] Renold, Urech.

Dintikon

[1] In Schwarz ein weisser Schräglinksbalken, belegt mit drei roten Rosen mit gelben Butzen und grünen Kelchblättern. [2] 9. Jh. Tintincho-va, 1179 Tintinchon, 1297 Tintinkon. [3] Tinti-ke; Tintiker. [4] Meier, Meyer, Rätzer, Setz, Tanner.

Egliswil

[1] In Blau drei übereinander gekreuzte weisse Fische, begleitet von drei weissen fünfstrahligen Sternen. [2] 9. Jh. Egirichiswflare, 1306 Egliswi-le. [3] Eglischwyl (Übername: «Büzirych» oder «Zirych»); Eglischwyler. [4] Bolliger, Häfeli, Häggi, Härdi, Häusermann, Hunn, Kleiner, Staufer, Weber, Wipf.

Fahrwangen

[1] Geteilt von Gelb mit schreitendem rotem Löwen und von Rot. – Der Löwe weist auf die ehemalige Herrschaft Kyburg hin. [2] 831 Far-nowanch, 9. Jh. Farnewanc, 1173 Pharnewanch, um 1250 Varewanch. [3] Fahrwange; Fahrwan-ger. [4] Döbeli, Fischer, Hochstrasser, Lindenmann, Müller, Rey, Rodel, Sandmeier, Schlat-ter, Siegrist.

Hallwil

[1] In Rot auf grünem Dreiberg eine grüne Palme mit gelben Früchten zwischen den Blättern. [2] 1167 Allewflare, 1305 villa Halwile, 1566 Niderhallwyl, bis 1950 Niederhallwil, seither Hallwil. [3] Haubu; Haubuer. [4] Gloor, Meier, Meyer, Stauffer, Suter, Urech.

Hendschiken

[1] In Blau innensichtiger linker gestulpter gelber Handschuh. – Hergeleitet vom Wappen der Familie von Hendschikon, Bürger von Beromünster, 1326. [2] [um 1160 Hentschikon], 1264 Haensichon, 1306 Hentschinkon. [3] Häntschi-ke; Häntschiker. [4] Ackermann, Baumann,

Häusler, Hunziker, Meier, Schmid, Senn, Zobrist.

Holderbank

[1] In Rot ein grüner Holunderbusch mit fünf weissen Blütendolden, umgeben von einer weissen Rundbank. [2] 1259 Halderwangen, ca. 1273 Halderwanch, 1291 Halderwank (= Feld an der Halde). [3] Houderbank; Houderbanker. [4] Baldinger, Deubelbeiss, Frey, Gütiger, Leder, Meyer, Wildi, Wyss.

Hunzenschwil

[1] In Blau ein steigender gelber Windhund mit gelbem Halsband. [2] [um 1160 Hunziswil], 1201 Hunzeliswilre, 1283 Hunziswile. [3] Hon-zeschwiu; Honzeschwiuer. [4] Berner, Fricker, Härdi, Rohr, Zubler.

Lenzburg

[1] In Weiss eine blaue Kugel. – Nach dem Stadtsiegel von 1333 und 1415. [2] [ca. 1077 Len-ceburc]. [3] Länzbrg; Länzbrger. [4] Baumann, Bertschinger, Dietschi, Dürst, Eich, Fischer, Frei, Furter, Hächler, Hämmerli, Härdi, Häusler, Halder, Hemmann, Hünerwadel, Kieser, Kull, Rohr, Scheller, Schwarz, Spengler, Urech.

Meisterschwanden

[1] Im Wolkenschnitt geteilt von Blau und Weiss. – Herkunft: Siegel der Edelknechte von Meisterswang, 14. Jh. [2] 1173 Meistersvanc, 1311 Meisterswang (= Feld des Meisters). 1899 Eingemeindung der bisher selbständigen Gemeinde Tennwil (1189 Tennenwile). [3] Meischderschwang; Meischderschwanger. Tämmbu; Tämmbuer. [4] Döbeli, Fischer, Siegrist, Thut.

Möriken-Wildegg

[1] In Gelb Negerkopf mit roten Lippen und Ohrringen. – Volksetymologische Deutung des Namens Möriken (Mohr), nach einer Steinmetzfigur am Marchstein Lenzburg-Othmarsingen-Möriken, 1570. [2] 1242 Wildecken, 1292 Mörinkon. Seit 1803 bilden beide Dörfer eine politische Gemeinde mit dem Namen Mö-riken, seit 1947 heisst die Gemeinde Möriken-Wildegg. [3] Mörke; Mörkner. Wildegg; Wild-

egger. [4] Bryner, Burger, Byland, Fehlmann, Fischer, Frey, Gebhard, Gysi, Hartmann, Lüpold, Rey, Säuberli, Schärer, Schmid, Zingg.

Niederlenz

[1] In Gelb über grünem Dreiberg ein grünes Lindenblatt. – Vermutlich Beziehung zum Flurnamen Lindwald.[2] 9. Jh. Lencis, 1291 villa Nidernlentz, 1306 Nider Lenz. [3] Nederlänz; Nederlänzer. [4] Angliker, Kern, Kull, Widmer.

Othmarsingen

[1] In Blau eine gemauerte weisse Brücke mit einer rotbedachten weissen Kapelle. [2] 1189 Otwizingen, 1190 Otewizzingin, 1306 Otwissingen. [3] Otmisinge; Otmisinger. [4] Bossard, Bossert, Frei, Frey, Hächler, Härri, Kull, Marti, Melliger, Meyer, Schaufelberger, Urech, Widmer, Wirz.

Rupperswil

[1] In Weiss ein blauer Schrägrechtsbalken. – Herkunft: Siegel des Gilg von Rubiswile, 1334. [2] 1173 Rubeswile, 1317 Rubiswile. [3] Robischwil; Robischwiler (Übername: Chröpfler, Chröscher). [4] Berner, Diggelmann, Fricker, Hediger, Richner, Zobrist.

Schafisheim

[1] In Rot ein schreitendes weisses Schaf. – Herkunft: Wappen der angeblichen Herren von Schafisheim, 17. Jh. (Herren von Hallwil). [2] um 1250 Scafusa. [3] Schofisse; Schofisser. [4] Baumann, Berner, Bolliger, Brütel (eingewanderte Hugenotten), Fehlmann, Hausmann, Richner, Rüetschi, Schaffner, Suter, Urech, Widmer, Wildi.

Seengen

[1] In Weiss ein schwarzer Adler. – Herkunft: Wappen der Herren von Seengen, 14./15. Jh. [2] 9. Jh. Seynga, 1184 Seingen, 1312 Sengen. [3] Seenge; Seenger. [4] Bohler, Bruder, Engel, Fehlmann, Fischer, Hächler, Häfeli, Häusermann, Hauri, Hegnauer, Hoffmann, Holliger, Läubli, Liechti, Lindenmann, Meier, Neeser, Nussberger, Rufli, Sandmeier, Schilling, Siegrist, Studler, Suter, Thut, Wacker.

Seon

[1] In Weiss drei rote Sturmhüte (2, 1). – Herkunft: Wappen der Aarauer Familie von Seon, z. B. Siegel des Johans von Seon, 1344. [2] 9. Jh. Sewa, Seaun, 1241 Sewon, 1270 Seon, 1898 Eingemeindung von Retterswil. [3] Seen; Seener. [4] Ammann, Döbeli, Dössegger, Dössekel, Fehlmann, Fischer, Gloor, Gruner, Häfeli, Hauri, Huggenberger, Lüscher, Müller, Rupp, Schmid, Suter, Urech, Walti, Widmer, Zeller.

Staufen

[1] In Rot drei (2, 1) gelbe Becher (Staufe). – Brisüre (Farbänderung) des Wappens der schwäbischen Herren von Staufen. [2] 1101 Stoufen, 1306 Stuopfen. [3] Staufe; Staufner. [4] Friederich, Furter, Härdi, Rodel, Rohr, Sandmeier, Weber.

Bezirk Muri

Abtwil

[1] In Blau die gelbe Krümme eines Abtstabes mit wehendem weissem Velum (Schweisstuch) an gelbem Anhänger und mit gelben Quasten. – Herkunft: Emblem des hl. Germanus, Abt von Grandval; Kirchenpatron zu Abtwil. [2] [um 1160 Apwil], 1303 Abwile. [3] Apel; Apcler. [4] Balmer, Doggwiler, Marti, Rüttimann, Stokker.

Aristau

[1] In Rot über gewölbtem grünem Boden weisser Turm mit drei Zinnen, begleitet von zwei weissen sechsstrahligen Sternen. – Hergeleitet vom Wappen der ehemaligen Twingherren von Aristau, den Rittern von Barro (Baar). [2] 1153 Arnestowo, 1285 Arnstouwe. 1816 als Gesamtgemeinde gebildet aus den Ortschaften Holzhof, Birri, Schwettihof, Althäusern, Bühlmühle, Gizlen und Kapf. [3] Arischtau; Arischtauer. [4] Bachmann, Frey, Gilg, Hausherr, Kretz, Küng, Laubacher, Meier, Melliger, Rast, Rey, Sennrich, Stäger, Staubli, Stierli, Stöckli, Strebel, Wicki.

Auw

[1] In Weiss eine ausgerissene grüne Linde mit fünf grünen Blättern. [2] 9. Jh. Ouwa, 1306

Owe. [3] Auw; Auwer. [4] Amhof, Brunner, Bütler, Burkard, Huwiler, K(C)onrad, Rebsamen, Rosenberg, Sennrich, Villiger, Weber.

Beinwil/Freiamt

[1] In Gelb eine ausgerissene grüne Linde mit fünf Blättern. [2] 1153 Beinwſlare, 1306 Beinwile. Seit 1899 Gesamtgemeinde der vorher selbständigen Ortsbürgerschaften Beinwil, Wiggwil (1179 Wicwſlare), Winterschwil, (Winteswile 1189), Brunnwil (um 1160 Brunwile), Wallenschwil (um 1160 Waleswſlare). [3] Beuel; Beueler. [4] Bucher, Bütler, Burkart, Eichholzer, Gisler, Huwyler, Jenni, Kaufmann, Kretz, Kreyenbühl, Küng, Laubacher, Melliger, Nietlispach, Perret, Rosenberg, Sachs, Suter, Villiger, Winiger.

Benzenschwil

[1] In Blau ein aus dem linken Schildrand wachsender Arm mit gelbem Ärmel und weisser Manschette, in der fleischfarbenen Hand einen weissen Bohrer mit gelbem Griff haltend. Herkunft: Siegel des Amtes Merenschwand, das seit 1394 zu Luzern gehörte. Der Bohrer ist Attribut des hl. Leodegar, Kirchenpatron zu Luzern. [2] 1189 Penziswile. [3] Bänzschwil; Bänzischwiler (Übername: Benzingütterli). [4] Brun, Bühlmann, Feer, Klausner, Räber, Vollenweider.

Besenbüren

[1] In Gelb auf leichtgewölbtem grünem Boden grünbelaube Birke mit weissem Stamm, beseitet von je einer roten Moosbeerblüte mit grünem beblättertem Stengel. – Birke und Moosbeere sind typische Vertreter der Pflanzenwelt im Bünzer Moos. [2] [um 1160 Besenbuirren], 1306 Bessenbuirron (Büron = Haus, also Haus des Besso). [3] Bäsibüre; Bäsibürer (Übername: Büsibäre). [4] Brun, Etterli, Huber, Keusch, Laubacher, Moser, Schriber.

Bettwil

[1] In Weiss auf grünem Dreiberg drei grüne Tannen mit roten Stämmen. [2] 9. Jh. Petiwſlare (Weiler des Peto). [3] Bepmel; Bepmeler. [4] Breitenstein, Brunner, Büchler, Gauch, Joho, Meyer, Moos, Wyss.

Boswil

[1] In Blau ein gelber Halbmond mit Gesicht, nach rechts gewendet. – Hergeleitet vom Wappen der Herren von Boswil. [2] [ca. 820 Bozwila], 924 Pozwila. [3] Bosmel; Bosmeler. [4] Ammann, Berger, End, Hildbrand, Hilfiker, Huber, Keller, Keusch, Mäder, Meier, Müller, Notter, Stöckli, Werder.

Bünzen

[1] In Weiss eine grüne ausgerissene Buche über gewelltem blauem Fluss (Bünz). [2] 1259 Bunzina, 1306 Buintznach. 1940 Eingemeindung von Waldhäusern. [3] Bönze; Bönzer. [4] Abt, Ammann, Huwyler, Kuhn, Meyer, Müller, Oswald, Wiederkehr, Winiger.

Buttwil

[1] In Rot eine weisse Muschel mit durchbohrten Flügeln. – Die Muschel ist das Pilgerabzeichen für die Wallfahrer nach San Diago (St. Jakobus) di Compostela in Spanien. St. Jakobus der Ältere ist Kapellenpatron zu Buttwil. [2] [um 1160 Butwile], ca. 1273 Butwile. [3] Butel; Buteler. [4] Frey, Güntert, Huwiler, Melliger, Rey, Strebel.

Dietwil

[1] Geteilt von Weiss mit schwarzem Mauerankerkreuz und von Blau. – Herkunft: Nach dem Wappen der Herren von Eschenbach (aus unbekannten Gründen, Argovia Bd. 84, 1972, Dr. J.-J. Siegrist). [2] 1236 Tuetwile, 1306 Tuetwile. [3] Dietel; Dieteler. [4] Burkart (verschiedene Schreibweise), Huwiler, Köpfli, Marti, Meier, Schmid, Steiner, Suter.

Geltwil

[1] In Rot über grünem Dreiberg eine gelbe Gelte, überhöht von einem gelben Batzen. – Doppelsinnige volksetymologische Deutung des Ortsnamens: Gelte = Zuber, Batzen = Geld. [2] [um 1160 Geltwile], 1273 Geltwile. [3] Gältel; Gälteler. [4] Fischer, Rey, Senn.

Kallern

[1] In Blau zwei gekreuzte weisse Schlüssel, im Schildhaupt begleitet von weissem Nagel. – Herkunft: Nach dem Wappen im Hause Keller,

einem ehemaligen Klosterhof in Unterniesen-
berg (Schlüssel = Symbol der Keller). [2] 1306
Kaltherren, Kalchherren? Kallern besteht aus
den Weilern Kallern, Bugler, Hinterbüel, Un-
ter-, Hinter- und Oberniesenberg sowie aus den
Höfen Unter- und Oberhöll, Husmatten, Bad-
hof. [3] Challere; Challerer. [4] Keller, Nietlis-
bach.

Merenschwand

[1] In Blau auf leichtgewölbtem grünem Boden
ein weisser, gelbbewehrter, nach rechts gewende-
ter Schwan mit geschlossenen Flügeln, den vor-
gestreckten Schnabel über zwei schwarze Rohrkolben mit grünen Stengeln haltend. – Herkunft: Siegel des Ritters Hartmann von Huna-
berg, 1363, der den Meierhof in Merenschwand
besass. [2] [um 1160 Meriswanden], 1263 Meris-
wandon. Merenschwand, Benzenschwil und
Mühlau kauften sich 1394 von allen Herr-
schaftspflichten los und unterstellten sich der
Stadt Luzern. 1803 kam das Amt Merenschwand
durch Abtausch mit dem Amt Hitzkirch an den
Aargau. [3] Merischwand; Merischwander. [4]
Andermatt, Brun, Bühlmann, Burkart, Fischer,
Käppeli, Keusch, Leuthard, Räber, Weber,
Wey, Wicki, Wider.

Mühlau

[1] In Gelb über grünem Dreiberg ein halbes
schwarzes Mühlrad. [2] 1274 Mulnowe. Mühlau
war 1394 bis 1803 mit den Weilern Schoren und
Chestenberg dem Amt Merenschwand zugehörig und damit im Besitz der Stadt Luzern. [3]
Mülau; Mülauer (Übername: Mondsprützer).
[4] Bucher, Giger, Huwyler, Käppeli, Räber,
Stehli, Wey.

Muri

[1] In Rot eine weisse, schwarz gemauerte Mau-
er mit drei Zinnen. – Herkunft: Wappen des
Klosters Muri. [2] 9. Jh. Murahe, 1306 Mure.
1816 als Gesamtgemeinde gebildet aus den Ort-
schaften Wey, Söriken, Wili, Langenmatt,
Langdorf, Egg und Hasli. [3] Muri; Murianer.
[4] Brühlmann, Etterlin, Frey, Hobler, Konrad,
Küng, Laubacher, Lüthy, Meyer, Müller, Rey,
Schärer, Stierli, Stöckli, Strebel, Waltenspühl,
Winiger.

Oberrüti

[1] In Gelb eine gebogene schwarze Hirschstan-
ge mit kleeblattartigem «Grind». – Herkunft:
Vermutlich nach dem Wappen der ehemals zu-
gerischen Vogtei Rüthy, 1635, oder nach einer
Wappendarstellung im Gemeindearchiv Oberrüti (Reuthaue und Schaufel, quer darüber
Hirschgeweih). [2] 1270 Ruti, 14. Jh. Rüthy. [3]
Rüti; Rüter. [4] Adler, Leu, Meier, Müller, Suter, Villiger, Wiss.

Rottenschwil

[1] In Blau über drei weissen Wellen (Reuss) ein
weisser, stark geschuppter Hecht mit sechsstrah-
ligem gelbem Stern im Schildhaupt. [2] 1281
Rotolfswile, 1306 Rotoswile. [3] Rotteschwil;
Rotteschwiler. [4] Abt, Bürgisser, Füglistaller,
Grod, Hard, Hausherr, Hoppler, Kretz, Räber,
Rüttimann, Sax, Stöckli, Trottmann, Wellin-
ger, Wey, Winterhalder.

Sins

[1] In Weiss auf grünem Dreiberg drei rote Rosen (Meien) mit gelben Butzen, grünen Stengeln und grünen Blättern. – Anlehnung an das
Wappen der ehemaligen Gesamtgemeinde
Meienberg, deren Namen 1941 in Sins abgeän-
dert wurde. [2] 1236 Sins. Sins ist seit 1941 Gesamtgemeinde der Ortschaften Sins, Meienberg
(1247 Meigenberch), Alikon (9. Jh. Alahincho-
va), Aettenschwil (1179 Agetiswflare), Fenkrieden (1306 Venchrieden), Reussegg (1245 Riusec-
ca) und den Weilern Holderstock, Gerenschwil,
Winterhalden, Sinserhöfe. [3] Seis; Seiser. [4]
Arnet, Bircher, Böcklin, Burkart, Eigensatz,
Giger, Huwiler, Kaufmann, Köpfli, Leibacher,
Lieb, Mahler, Matter, Meier, Schlaufer, Schumacher, Stocker, Stuber, Suter, Troxler, Villiger, Von der Aa, Wiss, Wolfisberg, Zumbühl.

Waltenschwil

[1] In Blau eine rechtsgewendete gelbe Mondsichel (nach der Stumpfschen Chronik, 1548),
rechts begleitet von einem fünfzackigen weissen Stern (Büelisacher), links begleitet von drei
pfahlweis gestellten fünfzackigen weissen Sternen (Ober-, Mittel- und Unterdorf). [2] [um
1160 Waltesvil], 1210 Waltosvile, 1244 Wal-
toswile, ca. 1264 Walteswil. [3] Waltischwil;
Waltischwiler. [4] Burkard, Koch, Kretz,
Kuhn, Meier, Steimen, Steinmann, Wirth.

Bezirk Rheinfelden

Hellikon

[1] In Blau über grünem Dreiberg drei gelbe Spitzmorcheln. – Die Morcheln kommen in den Wäldern um Hellikon verhältnismässig häufig vor. [2] 1277 Hellincon. [3] Hellike; Helliker. [4] Brogli, Erni, Erny, Gersbach, Hasler, Herzog, Hürbin, Meier, Müller, Nussbaum, Schlienger, Waldmeier.

Kaiseraugst

[1] In Rot ein weisser, schwarz gemauerter römischer Wachtturm. – Hinweis auf die römische Siedlung Castellum Rauracense nahe bei Augusta Raurica. [2] 1./2. Jh. römischer Flusshafen der Colonia Augusta Raurica, 3./4. Jh. römisches Kastell, 752 Augusta; 1448 ging der östlich Ergolz/Violenbach liegende Teil von Augst an das Herzogtum Österreich über und erhielt den Namen Kaiseraugst. [3] Chaiseraugscht; Chaiseraugschter. [4] Bolinger, Künzli, Meier, Meyer, Natterer, Schauli, Schmid.

Magden

[1] In Weiss auf grünem Boden beblätterter Apfelbaum mit grünem Stamm und roten Früchten, beseitet von je einem Weinstock mit zwei blauen Trauben, zwei grünen Blättern und einem roten Rebstickel. [2] 804 in curte Magaduninse (fraglich, evtl. Magdenau), 1036 Mageton. [3] Magde; Magdener. [4] Adler, Bürgi, Dillier, Hahn, Holer, Kaiser, Kümmerli, Lützelschwab, Obrist, Reiniger, Roniger, Schneider, Schweizer, Spielmann, Stäubli, Stalder.

Möhlin

[1] In Rot eine gelbe Korngarbe, belegt mit einer blauen Sichel mit schwarzem Griff. [2] 794 Melina. [3] Mehli; Mehler. [4] Bodmer, Böni, Brogli, Delz, Fischler, Frank, Gremper, Herzog, Kaister, Kaufmann, Knoblauch, Kym, Mahrer, Meier, Metzger, Müller, Schib, Schmid, Soder, Soland, Stocker. Streiter, Urben, Urich, Waldmeier, Widin, Wirthlin, Wunderlin.

Mumpf

[1] In Grün ein weisser Wellenschrägbalken, begleitet von gelber Speerspitze und gelbem Ruder, beide schrägrechts gestellt wie der Wellenbalken. – Deutung: Wellenbalken = Rhein, Ruder = Schiffahrt, Speerspitze = Zeichen für den von Mumpf ausgegangenen fricktalisch-badischen Bauernaufstand 1612–1614, den sogenannten Rappenkrieg (Erhöhung des Umgeldes, d. h. einer Umsatzsteuer auf den Wein, die pro Mass einen Rappenpfennig betrug. [2] 1218 Mumpher, 1306 Nideren Muntphein. [3] Mumpf; Mumpfer. [4] Güntert, Hurt, Kaufmann, Schlienger, Waldmeier, Wunderlin.

Obermumpf

[1] In Gelb ein blaues Schwert mit schwarzem Knauf und ein blauer Schlüssel mit schwarzer Reide, kreuzweise gestellt. – Attribute der Kirchenpatrone St. Peter und Paul. [2] 1218 Mumpher, 1306 Oberen Muntphein. Das Wort Mumpf ist hergeleitet vom lateinischen ad montem firmum (beim mächtigen Berg) oder ad montem pedem (am Fuss des Berges). [3] Obermumpf; Obermumpfer. [4] Bernet, Dietwyler, Frei, Müller, Nussbaum, Stocker, Vogel.

Olsberg

[1] In Grün mit rot-weiss geschachtem Schildhaupt eine weisse stilisierte Rose mit weissem Butzen. – Schildhaupt und Rose weisen auf das ehemalige Zisterzienserinnenkloster Olsberg hin, das als Gottesgarten bezeichnet wurde. [2] 1236 Olsperc. [3] Olschberg; Olschberger. [4] Bürgi, Hodel.

Rheinfelden

[1] Fünfmal geteilt von Rot und Gelb; die roten Felder belegt mit je drei gelben sechsstrahligen Sternen. – Herkunft Rheinfelder Stadtsiegel, 1242 noch ohne Sterne, 1247 mit sechs Sternen, 1533 mit neun Sternen. [2] 1146 Rinvelt. [3] Ryfälde; Ryfälder. [4] Ammann, Bauer, Baumer, Becker, Böhler, Bröchin, Doser, Günther, Guthauser, Hohler, Kalenbach, Knapp, Lang, Müller, Nussbaumer, Rosenthaler, Schmid, Schwab, Senger, Waldmeier, Werner.

Schupfart

[1] In Weiss ein grünes Lindenblatt. – Das Lindenblatt ist das Zeichen des Homburger Vogtsamtes Frick, das auch für Schupfart Urkunden

ausgestellt hat. [2] 1259 Schuphart, 1306 Szup-
hart. [3] Schupfert; Schupferter. [4] Bruholz,
Erni, Freivogel, Hasler, Heiz, Hohler, Leubin,
Mathis, Müller, Rohrer, Ruflin.

Stein

[1] In Rot eine schrägrechts gestürzte weisse Fie-
del. – Herkunft: Wappen der Herren von Stein,
14. Jh. [2] 1187 Steine, 1281 Stein. [3] Schtei;
Schteiner. [4] Brogle, Hofmann, Köpfer.

Wallbach

[1] In Rot ein weisses Patriarchenkreuz, überhöht von einem weissen sechsstrahligen Stern.
[2] 1306 Walabuoch (für badisch Wallbach), ca.
1400 Walibach. [3] Wallbach; Wallbacher. [4]
Bitter, Bussinger, Dreyer, Gersbach, Herzog,
Kaufmann, Kim, Obrist, Probst, Wunderlin.

Wegenstetten

[1] In Rot eine weisse, schwarz gemauerte Mauer mit vier bewehrten Zinnen und Schiessschar-
ten. – Herkunft: Siegel des Hans von Wegenstetten, 1438. [2] 1306 Wegenstetten. [3] Wäge-
schtette; Wägeschtetter. [4] Ackermann, Brogle, Gass, Hasler, Herzog, Hohler, Hürbin,
Moosmann, Schreiber, Treier, Wendelspiess.

Zeiningen

[1] In Gelb auf grünem Dreiberg an braunem
Rebstecken grüner Rebstock mit vier blauen
Trauben und drei grünen Blättern. – Nach einem Wappen in der Dorfkirche. [2] 1224 Ceini-
gin, 1286 Zeginingen, 1319 Zeiningen. [3] Zei-
nige; Zeiniger. [4] Ammann, Brogli, Freier-
muth, Gasser, Gremper, Guthauser, Jeck, Kägi,
Kaufmann, Lang, Merz, Ness, Rotzler, Scharf,
Speiser, Tschudi, Urben, Widmer, Wolf, Wunderlin.

Zuzgen

[1] In Blau auf drei grünen Hügeln fünf grüne
Tannen, überhöht von einem gelben sechsstrahligen Stern. [2] 1296 Zutzkon, ca. 1325 Zuntz-
kon, 1390 Zuczchen. [3] Zuzge; Zuzger. [4]
Binkert, Frey, Hilpert, Hiltmann, Hohler, Hollinger, Hürbin, Reinle, Sacher.

Bezirk Zofingen

Aarburg

[1] In Gelb eine schwarze Burg mit schwarzem
Adler. [2] 1123 Areburc. [3] Arbig; Arbiger. [4]
Aerni, Bär, Bohnenblust, Fehlmann, Hofer,
Hofmann, Lüthi, Niggli, Reinli, Scheurmann,
Spiegelberg, Trächsel, Vollenweider, von
Wartburg, Wullschleger, Zimmerli.

Attelwil

[1] In Gelb schwarzer Adler mit roten Fängen. –
Deutung: Attelwil soll aus einem «Adelhof»
entstanden sein (?) [2] 1306 Attelwile. [3] Atte-
wiu; Attewiuer. [4] Baumann, Maurer, Morgenthaler.

Bottenwil

[1] In Rot weisse gemauerte Zinnenmauer mit
grüner Tanne. – Herkunft: Siegel der Herren
von Bottenstein, 1289. [2] 1189 Botanwile. [3]
Bottewiu; Bottewiler. [4] Bachmann, Basler,
Baumann, Dätwyler, Fretz, Graber, Hunziker,
Kaufmann, König, Wälti, Werfeli.

Brittnau

[1] In Rot ein weisser schräglinker Wellenbal-
ken über grünem Dreiberg. [2] 9. Jh. Pritinoua-
va, 1173 Brittenove. [3] Brittnou; Brittnouer.
[4] Aerni, Bader, Bienz, Buchmüller, Gerhard,
Graber, Gugelmann, Hofer, Kunz, Leibundgut,
Lerch, Lienhard, Moor, Ott, Plüss, Suter,
Tschamper, Urwyler, Wälchli, Widmer,
Wüest, Wullschleger, Zimmerli.

Kirchleerau

[1] In Blau auf grünem Boden eine weisse Kir-
che mit rotem Dach. [2] 1248 Lerowe, 1306
Kilchlerowe, 1357 Kilchlerouw. [3] Chilchlerb;
Chilchlerber. [4] Baumann, Baumberger, Hirt,
Humm, Hunziker, Müller.

Kölliken

[1] In Weiss auf grünem Dreiberg eine grüne
Tanne, die von einer schwarzen Bärentatze aus
dem linken Schildrand gehalten wird. – Die
Tanne weist auf die Flur «Tann» hin, die Bärentatze auf die Herrschaft Berns vor 1798. [2] 864
Cholinchove, 9. Jh. Cholinchova, 1184 Cholin-
chon. [3] Chölike; Chöliker. [4] Basler, Bos-

sard, Ernst, Häny, Hilfiker, Kern, Leuenberger, Lüscher, Mathys, Matter, Stamm, Suter, Vogel, Zehnder.

Moosleerau

[1] In Weiss ein grüner, mit weissem Fluss belegter Schildfuss, besetzt mit einem braunen Moosweih zwischen zwei schwarzen Rohrkolben an grünen, beblätterten Stengeln. [2] 1243 Moosleroova, 1248 Lerowe, 1306 Moslerowe. [3] Moslerb; Moslerber. [4] Häuselmann, Hunziker, Lüscher, Maurer, Schädeli.

Mühlethal

[1] Geteilt von Weiss und von Blau, bedeckt von einem Mühlrad in gewechselten Farben. [2] 1242 Mulintal, 1306 Muilital (Mülital). [3] Möwitau; Möwitauer (Suhrentaler Dialektfärbung). [4] Roth.

Murgenthal

[1] In Blau auf grünem Dreiberg drei weisse Kleeblätter, überhöht von weissem Tatzenkreuz. [2] 1255 Murgatun. Murgenthal gehörte bis 1803 mit Gadligen, Glashütten, Walliswil und Balzenwil zum bernischen Amt Aarwangen; seit 1803 mit der Gemeinde Ryken dem Bezirk Zofingen zugeteilt. 1900 wurden alle Ortschaften zur Gesamtgemeinde Murgenthal vereinigt. [3] Murgete (i dr Murgete); Murgethaler, Rikner, Glashüttler, Balzewiler, Walliswiler. [4] Ammann, Bärtschiger, Däster, Jäggi, Künzli, Lerch, Müller, Ott, Plüss, Roth, Ruf, Schär, Schärer, Siegrist, Zimmerli.

Oftringen

[1] In Blau drei liegende weisse Halbmonde. – Herkunft: Wappen der Herren von Ofteringen im badischen Wutachtal. [2] 9. Jh. Oferinga. [3] Oftrige; Oftriger. [4] Beriger, Braun, Dätwyler, Eich, Fischer, Gaberthüel, Graber, Hofacher, Hottiger, Kunz, Lang, Meyer, Müller, Muntwyler, Ruesch, Scheibler, Suter, Widmer, Woodtli, Wullschleger, Zimmerli.

Reitnau

[1] In Blau auf grünem Dreiberg ein weisser Reiher. [2] 1045 Reitinowa, 1173 Reitenowe (Meierhof des Klosters Schänis). [3] Reitnou;

Reitnouer. [4] Baumann, Brändli, Häfliger, Hauri, Hochuli, Hunziker, Keiser, Lämmli, Lehmann, Steiner.

Rothrist

[1] In Rot über grünem Dreiberg eine gewendete weisse Pflugschar, im Schildhaupt begleitet von zwei fünfstrahligen weissen Sternen. – Wappen von Niederwil, 19. Jh. [2] 1263 Rotris, 1279 Rotrise. Der Name Rothrist ist seit 1889 der offizielle Name für die bisherige Gemeinde Niederwil. Die Gesamtgemeinde Rothrist umfasst Niederwil (1306 Nider Wile), Oberwil (1306 Obern Wile), Rothrist, Gfill (1306 Geville), Säget (1304 Segode), Fleckenhausen (1300 Flekkenhusen). [3] Rotrischt; Rotrischter. [4] Bär, Braun, Bühler, Dätwyler, Hofer, Ingold, Jäggi, Klöti, Lüthi, Ruesch, Rüegger, Rykart, Schmitter, Siegrist, Stöckli, Wasmer, Weber, Woodtli, Wuffli, Wullschleger, Zimmerli.

Safenwil

[1] In Blau ein weisser Eberkopf, überhöht von einem sechsstrahligen gelben Stern. – Hergeleitet von der früheren Ortsbezeichnung Savenwil/Sauenwil. [2] 9. Jh. Sabenwlare, 1301 Savenwile. [3] Safewiu; Safewiler. [4] Berchtold, Diriwächter, Fischer, Hilfiker, Hochuli, Hüssy, Jent, Matter, Müller, Reck, Schärer, Scheurmann, Suter, Wilhelm, Zimmerli.

Staffelbach

[1] In Blau über zwei weissen Wellenbalken eine weisse gemauerte Brücke, überhöht von einem sechsstrahligen weissen Stern. – Deutung: Fluss und Brücke für Staffelbach, Stern für das 1900 eingemeindete Wittwil. [2] 1306 Staffelbach. [3] Stafubach; Stafubacher. [4] Aeschbach, Basler, Bolliger, Dätwyler, Fehlmann, Gugelmann, Hauri, Hübscher, Hunziker, Lüscher, Morgenthaler, Müller, Scheuzger, Wakker.

Strengelbach

[1] In Gelb blauer Schräglinksfluss. [2] 1306 Strengelbach. [3] Strängubach; Strängubacher. [4] Bachmann, Bär, Binder, Bühler, Hofer, Humm, Künzli, Meier, Tschamper, Vonäsch, Woodtli, Wullschleger, Zinniker.

Uerkheim

[1] In Weiss ein roter Querbalken, im Schildhaupt und Schildfuss je ein fünfstrahliger gelber Stern. [2] 9.Jh. Urtihun, 1159 Urtichun, 1306 Urtikon. [3] Örke; Örkner. [4] Bäni, Basler, Bolliger, Graber, Hürzeler, Klaus, Liechti, Lienhard, Lüscher, Nöthiger, Schenk, Stammbach, Wacker, Wilhelm.

Vordemwald

[1] In Weiss eine ausgerissene grüne Tanne, belegt mit einem roten V. [2] 1306 Vor dem Walde als Flurbezeichnung, als Siedlung der Dorfteil Bentzlingen. [3] Vorewaud; Vorewäuder. [4] Bär, Bühler, Dätwyler, Gasser, Hüssy, Lienhard, Mahler, Moor, Müller, Peyer, Plüss, Rüegger, Schärer, Schneeberger, Siegrist, Weber, Woodtli, Wuffli, Wullschleger, Zimmerli, Zimmerlin, Zürcher.

Wiliberg

[1] Geteilt von Weiss mit blauer Traube an grüner Rebe mit Blättern und von Blau mit halbem gelbem Mühlrad. – Deutung: Bezug auf die beiden Hauptgeschlechter in Wiliberg: Mühlrad – Müller, Traube – Lässer (früher Läser). [2] 1251 Wileberch, gleichzeitig auch Steckhof Bonhusen. [3] Wilibärg; Wilibärger. [4] Lässer, Müller.

Zofingen

[1] Dreimal geteilt von Rot und Weiss. – Herkunft: Wappen Österreichs, 14. Jh. [2] 1190 Zuovingen (Dorf), 1201 Zovingen (Stadt). [3] Zofige; Zofiger. [4] Bachmann, Bär, Blum, Bossard, Fischer, Friderich, Frikart, Frösch, Gross, Gysi, Häusermann, Haller, Hauri, Hool, Hürsch, Hunziker, Imhoof, Lehmann, Lienhard, Lüscher, Müller, Plüss, Ringier, Schauenberg, Scheurmann, Senn, Siegfried, Steinegger, Strähl, Suter, Sutermeister, Täschler, Widmer, Wullschleger, Zimmerli, Zimmerlin.

Bezirk Zurzach

Baldingen

[1] In Blau drei gelbe Lindenblätter, jedes mit gelbem Stiel und gelbem Zweig. [2] 1275 Baldingen. [3] Baldige; Baldiger. [4] Binder, Knecht, Kunz, Laube, Meyer.

Böbikon

[1] In Blau ein halbes weisses Mühlrad, überhöht von einem sechsstrahligen gelben Stern. – Herkunft: Wappen des Abtes Caspar I. zu St. Blasien, unter dem die Kapelle Böbikon 1565 renoviert wurde. [2] 1113 Bebikon. [3] Böbike; Böbiker. [4] Jetzer, Keller, Laube, Rohner, Strittmatter.

Böttstein

[1] Gelber Schild, zehnfach rot gegittert. – Herkunft: Wappen der Edlen von Böttstein, die 1087–1226 urkundlich erwähnt sind. [2] 1087 Botistein. 1816 von Leuggern abgetrennt. Eingemeindet: Eien, Kleindöttingen. [3] Bötschte; Bötschtemer. [4] Erne, Frei, Gäng, Häfeli, Haus, Hauser, Kalt, Rennhard, Rub, Sutter, Vögeli, Wacker.

Döttingen

[1] Geteilt und zweimal gespalten von Gelb und Schwarz. – Herkunft: Wappen der aus dem Bodenseegebiet stammenden Herren von Tettingen, die im untern Aaretal begütert waren. [2] 1239 Tettingen. [3] Döttige; Döttiger. [4] Bachmann, Brisacher, Bugmann, Keller, Knecht, Küssenberger, Läber, Lang, Merke, Mittler, Pfyffer, Richard, Ringele, Schifferle, Senn, Stappung, Zehnder, Zimmermann.

Endingen

[1] Gespalten von Weiss mit halber roter Lilie am Spalt und von Gelb. – Herkunft: Wappen der Herren von Endingen aus dem Oberbadischen Geschlechterbuch von Kindler von Knobloch. [2] 792 Entingas (?), 1150 Endingin, 1306 Obern Endingen. [3] Ändige; Ändiger. [4] Bächli, Blum, Hediger, Keller, Mathis, Meier, Schmid, Spuler, Steigmeier, Weibel, Werder.

Fisibach

[1] In Blau ein gelber Balken, belegt mit drei blauen, rotbewehrten Bachstelzen. – Herkunft:

Wappen der Herren von Schwarzwasserstelz,
die 1174–1330 bezeugt sind und deren Burg im
Rhein stand. [2] 1050 Fusibach, 1254 Viusibach.
[3] Fisibach; Fisibacher. [4] Baumgartner,
Burkhardt, Meier, Willi, Zimmermann.

Full-Reuenthal

[1] In Gelb auf grünem Boden eine schwarze
Grundwasserpumpe mit waagrechtem schwar-
zem Schwengel und schwarzem Trog. [2] 1306
Wulne (Full), Ruwental. Selbständige politi-
sche Gemeinde seit 1832 durch Abtrennung von
Ober-Leibstadt. 1902 Eingemeindung des Wei-
lers Jüppen, der von Leuggern abgetrennt wur-
de. [3] Full; Fuller. Reulete; Reuleter. [4] Graf,
Hess, Keller, Lüthi, Oberle, Rhinisperger,
Schmid, Speckert.

Kaiserstuhl

[1] Vom rechten Schildrand aus fünfmal geständert von Blau und Rot. – Herkunft: Wappen der
Herren von Kaiserstuhl, 12./13. Jh. [2] 1243 Keisirsstuol, 1244 Kaisirstuol. [3] Chaiserstuel;
Chaiserstueler. [4] Gösi, Stengele, Widmer.

Klingnau

[1] In Rot eine schwarze gelbgefütterte und ver-
zierte Bischofsinful (Mitra), unten beseitet von
zwei sechsstrahligen gelben Sternen. – Herkunft: Stadtsiegel von Klingnau 1300 und 1320.
[2] 1239 Clingenowe (Stadtgründung durch
Ulrich von Klingnau). [3] Chlingnau; Chling-
nauer. [4] Bürli, Eggspühler, Frey, Frick, Häfeli, Hägeli, Heer, Höchli, Kappeler, Keller, Lan-
dös, Maurer, Pfister, Reindle, Schleuniger,
Steigmeier, Vogel, Wagner, Wengi, Wyss.

Koblenz

[1] In Gelb ein blauer Wellenbalken mit einer
Einmündung vom rechten Schildfuss her (Rhein
und Aare); auf dem waagrechten Wellenbalken
ein schwarzer Weidling mit schräggelegtem
schwarzem Ruder (Schiffahrt, Stüdler von Koblenz). [2] 1265 Cobilz, 1269 Copoltis, 1306
Koboltz. Der Name Koblenz leitet sich her vom
lat. confluens (Zusammenfluss). [3] Choblenz;
Chobletzer. [4] Binkert, Blum, Gassler, Kalt,
Meier, Müller, Schweri, Wink, Winkler.

Leibstadt

[1] In Rot ein weiss-schwarz geteilter Schrägrechtsbalken. – Herkunft: Wappen der Freien
von Bernau. [2] ca. 1260 Leibesleit, 1275 Lebis-
leit, 1306 Leibesleib, 1311 Leibesleit. 1866 wurden Oberleibstadt (Bezirk Zurzach) und Unter-
leibstadt (Bezirk Laufenburg) zur Gemeinde
Leibstadt vereinigt. [3] Leubschlet; Leubschle-
ter. [4] Baumgartner, Benz, Binkert, Blülle,
Brutsche, Ebner, Eckert, Erne, Gärtner, Grenacher, Kalt, Knecht, Kramer, Lerf, Meier, Ret-
tich, Schilling, Steinacher, Tütsch, Vetter,
Vögele, Zimmermann.

Lengnau

[1] In Rot auf grünem Boden ein schreitendes
weisses Pferd. – Vermutlich nach dem Wirts-
hausschild zum «Rössli», das 1806–1824 im Besit-
ze des Gemeindeammanns von Lengnau war
(Kaspar Josef Bucher). [2] 1113 Lenginanch,
1135 Lengenanc, 1390 Lengnow. [3] Längnau;
Längnauer. [4] Angst, Baldinger, Boo, Bucher,
Burger, Ehrismann, Jeggli, Jetzer, Kloter,
Köferli, Laube, Meier, Meyer, Müller, Rohner,
Schmid, Suter, Widmer.

Leuggern

[1] In Rot ein durchgehendes weisses Malteserkreuz mit weissem Kreisring. – Malteserkreuz
weist auf Johanniterkommende Leuggern hin,
die um 1250 gegründet wurde und bis 1806 bestand. [2] 1231 Luitgern, 1239 Lutegern. Bis
1816 Grossgemeinde (Kirchspiel Leuggern),
bestehend aus: Böttstein, Eien, Kleindöttigen,
Fehrental, Schlatt, Etzwil, Hagenfirst, Hettenschwil, Leuggern, Gippingen, Reuenthal, Jüppen, Full, Oberleibstadt. Heute gehören noch zu
Leuggern: Gippingen, Felsenau, Hettenschwil,
Hagenfirst, Etzwil, Schlatt, Fehrental. [3] Lüg-
gere; Lüggerer. [4] Bader, Binkert, Eckert,
Erne, Frei, Fuchs, Hauser, Henkel, Kalt, Keller,
Knecht, Meier, Meisel, Obrist, Schmid, Schwere, Stefani, Vetter, Vögele, Vogel, Vogelbacher,
Weber.

Mellikon

[1] In Rot eine weisse, aufrecht gestellte Pflugschar. [2] 1113 Meliken. [3] Melike; Meliker.
[4] Jäger, Knecht.

Rekingen

[1] Geteilt von Gelb mit schwarzem R und von Blau mit halbem gelbem Mühlrad. [2] 1379 Rekkung. [3] Rekige; Rekiger. [4] Baldinger, Frey, Herzog, Kappeler, Spühler.

Rietheim

[1] In Blau eine gestürzte weisse Pflugschar. [2] 1239 Riethein. [3] Riete; Rietheimer. [4] Bühler, Frei, Gross, Rudolf.

Rümikon

[1] In Blau ein weisser Fisch (Salm) zwischen drei (1, 2) sechsstrahligen weissen Sternen. [2] 1300 Ruminchon. [3] Rümike; Rümiker. [4] Fischer.

Schneisingen

[1] In Blau über hohem grünem Dreiberg zwei sechsstrahlige gelbe Sterne. [2] 1120 Sneisanc. [3] Schneisige; Schneisiger. [4] Bucher, Graf, Grünenfelder, Knecht, Lehmann, Meier, Rohner, Schwitter, Wenzinger, Widmer.

Siglistorf

[1] In Blau auf grünem Dreiberg ein nach links gekehrter steigender gelber Hirsch. – Herkunft: Wappen des Klosters St. Blasien, das in Siglistorf begütert war. [2] 1113 Siglistorf. [3] Seglischdorf; Seglischdorfer. [4] Bamberger, Betschmann, Ehrensperger, Moor, Mühlefluh, Schuhmacher, Willi.

Tegerfelden

[1] In Blau mit einem von Rot und Weiss geschachten Schildrand ein weisser Adler. – Herkunft: Wappen der Freien von Tegerfelden (Tischgrab im Kloster Wettingen). [2] 1113 Tegervelt, 1176 Tegiruelt. [3] Tägerfälde; Tägerfälder. [4] Anner, Birrer, Deppeler, Hauenstein, Mühlebach, Müller, Schmid, Wetter, Zandel, Zöbel.

Unterendingen

[1] Gespalten von Blau mit halber weisser Lilie am Spalt und von Rot. – Herkunft: Wappen der Herren von Endingen, deren Schloss (Weiherhaus) im Gemeindebann Unterendingen stand. Siehe auch Endingen! [2] 1150 Endingin, 1306 Nider Endingen. Siehe auch unter Endingen! [3] Nederändige; Nederändiger. [4] Hauenstein, Kunz.

Wislikofen

[1] In Blau auf grünem gewölbtem Boden ein steigender weisser Löwe. – Herkunft: Wappen der früheren Propstei des Klosters St. Blasien in Wislikofen. [2] 1107 Wiscilinchoven. [3] Wislike; Wisliker. [4] Locher, Moor, Rohner, Spuhler, Schweri, Wenzinger.

Zurzach

[1] In Weiss der schwarze gotische Buchstabe Z. – Nach dem Gemeindesiegel 1612. (Das Bezirkswappen weist auch das Z auf, ist jedoch gespalten von Weiss und von Grün.) [2] ca. 700 Urtzache, ca. 830 Zuriaca. [3] Zurzach (Zorzi); Zurzacher. [4] Attenhofer, Baldinger, Bollet, Burkhardt, Frey, Gessler, Gross, Hauser, Kappeler, Keller, Köferle, Rudolf, Schaufelbühl, Schmid, Schutz, Waldkirch, Welti.

Die Gemeinden in Zahlen

Gemeinde	erste urkundliche Erwähnung	Höhe ü. M. m	Fläche ha	Wald- bestand 1978/ha	Ein- wohner 1850	Ein- wohner 1978	Steuer- fuss 1978/%
Bezirk Aarau							
Aarau	1248	385	894	251	4657	15926	115
Biberstein	1315	391	409	174	761	716	135
Buchs	ca. 1250	383	536	241	935	6189	115
Densbüren	14. Jahrh.	481	1251	511	1167	633	140
Erlinsbach	1173	430	986	487	930	2819	125
Gränichen	1184	411	1723	926	3038	5176	130
Hirschthal	9. Jahrh.	442	353	170	581	916	140
Küttigen	1036	410	1191	496	1847	4059	125
Muhen	1045	433	702	276	1288	2434	135
Oberentfelden	965	416	717	290	1379	5753	130
Rohr	1036	375	340	114	389	2208	130
Suhr	1045	399	1061	437	1422	7292	110
Unterentfelden	965	417	237	78	699	3107	117
Bezirk Baden							
Baden	1040	385	1326	715	3159	13478	125
Bellikon	12. Jahrh.	597	496	139	440	854	130
Bergdietikon	1840	586	592	156	491	1416	120
Birmenstorf	1146	382	754	248	992	1359	130
Ennetbaden	ca. 1250	359	210	81	451	2631	121
Fislisbach	1184	426	505	148	685	3769	130
Freienwil	1247	465	393	149	506	508	140
Gebenstorf	ca. 1250	375	565	191	1796	3430	130
Killwangen	ca. 1234	429	243	112	182	937	120
Künten	ca. 1160	425	472	126	609	1063	130
Mägenwil	9. Jahrh.	423	347	103	511	873	140
Mellingen	1045	352	494	142	746	3180	135
Neuenhof	1393	403	538	245	394	7177	135
Niederrohrdorf	1159	437	333	90	1646	2271	130
Oberehrendingen	982	461	409	76	553	1557	130
Oberrohrdorf	1159	493	427	155	–	2738	115
Obersiggenthal	ca. 1306	395	836	326	1183	7343	115
Remetschwil	1190	530	385	80	–	753	145
Spreitenbach	1111	421	860	251	669	6558	125
Stetten	ca. 1160	383	441	118	498	953	135

Gemeinde	erste urkundliche Erwähnung	Höhe ü. M. m	Fläche ha	Waldbestand 1978/ha	Einwohner 1850	Einwohner 1978	Steuerfuss 1978/%
Turgi	1884	340	155	52	–	2595	125
Unterehrendingen	1040	443	332	72	440	955	135
Untersiggenthal	833	375	828	329	989	4083	125
Wettingen	1227	408	1058	372	1610	18464	125
Wohlenschwil	9.Jahrh.	374	438	133	817	738	135
Würenlingen	828	372	937	447	1130	2655	115
Würenlos	870	415	904	274	1047	3130	125

Bezirk Bremgarten

Gemeinde	erste urkundliche Erwähnung	Höhe ü. M. m	Fläche ha	Waldbestand 1978/ha	Einwohner 1850	Einwohner 1978	Steuerfuss 1978/%
Arni-Islisberg	1246	577	505	105	432	717	120/135
Berikon	1153	556	533	162	549	1932	140
Bremgarten	ca. 1160	381	801	443	1307	4717	125
Büttikon	9.Jahrh.	498	282	85	273	495	145
Dottikon	ca. 1160	414	388	75	713	2422	130
Eggenwil	1159	383	243	41	281	423	140
Fischbach-Göslikon	ca. 1160	380	307	64	569	604	140
Hägglingen	1036	472	779	235	1535	1651	140
Hermetschwil-St.	1159	406	342	87	346	442	140
Hilfikon	9.Jahrh.	487	172	32	159	184	140
Jonen	1243	401	570	149	788	842	130
Niederwil	9.Jahrh.	405	615	173	978	1343	135
Oberlunkhofen	ca. 860	442	325	76	490	692	125
Oberwil	1040	542	535	138	734	1008	130
Rudolfstetten-Fr	1190	494	495	113	434	3146	121
Sarmenstorf	1173	534	831	229	1240	1474	130
Tägerig	1189	393	323	116	990	906	141
Uezwil	1306	532	245	65	331	299	135
Unterlunkhofen	ca. 860	394	448	105	442	391	140
Villmergen	ca. 1250	437	1027	350	1594	4064	135
Widen	1356	541	262	33	342	2168	110
Wohlen	ca. 1160	421	1244	342	2909	11558	130
Zufikon	ca. 1160	406	477	108	589	2227	121

Bezirk Brugg

Gemeinde	erste urkundliche Erwähnung	Höhe ü. M. m	Fläche ha	Waldbestand 1978/ha	Einwohner 1850	Einwohner 1978	Steuerfuss 1978/%
Auenstein	1212	376	567	233	752	1157	130
Birr	1270	405	507	169	498	2851	130
Birrhard	1254	390	303	88	365	371	140

Gemeinde	erste urkundliche Erwähnung	Höhe ü. M. m	Fläche ha	Wald-bestand 1978/ha	Ein-wohner 1850	Ein-wohner 1978	Steuer-fuss 1978/%
Bözen	1284	407	396	73	539	400	140
Brugg	1164	352	573	136	1581	8839	110
Effingen	1306	432	684	245	504	401	140
Elfingen	1259	457	421	200	265	181	140
Gallenkirch	15. Jahrh.	565	137	11	109	81	140
Habsburg	1108	468	223	127	176	226	130
Hausen	1254	380	321	151	576	1541	135
Hottwil	1150	415	418	93	324	168	140
Linn	1306	567	255	67	171	96	140
Lupfig	1273	399	513	121	736	878	120
Mandach	1218	489	554	131	504	298	130
Mönthal	ca. 1273	479	396	96	515	283	140
Mülligen	1256	363	315	104	397	483	125
Oberbözberg	1189	540	548	186	–	317	140
Oberflachs	1301	401	338	109	512	429	135
Remigen	1064	394	787	411	690	628	140
Riniken	1253	387	459	263	338	1206	130
Rüfenach	1247	374	417	163	370	458	140
Scherz	1240	408	331	107	346	450	140
Schinznach-Bad	ca. 1160	364	193	78	210	998	105
Schinznach-Dorf	1189	383	891	373	1334	1204	140
Stilli	1453	333	57	14	392	483	135
Thalheim	1064	451	999	321	1117	558	140
Umiken	1306	355	72	21	216	901	125
Unterbözberg	1189	474	620	193	1060	608	130
Veltheim	ca. 1250	374	524	185	637	985	135
Villigen	1247	367	1064	522	733	890	140
Villnachern	1141	362	572	206	504	993	135
Windisch	1. Jahrh.	357	489	106	1287	6906	125
Bezirk Kulm							
Beinwil a. S.	ca. 1045	521	386	58	1544	2390	115
Birrwil	1185	560	349	82	972	881	130
Burg	1751	622	94	11	463	1012	121
Dürrenäsch	9. Jahrh.	562	590	198	1112	1044	115
Gontenschwil	1173	531	974	224	2297	2053	141
Holziken	1361	443	287	106	343	948	130

Gemeinde	erste urkundliche Erwähnung	Höhe ü. M. m	Fläche ha	Waldbestand 1978/ha	Einwohner 1850	Einwohner 1978	Steuerfuss 1978/%
Leimbach	1306	520	115	38	224	354	115
Leutwil	1273	613	372	127	790	546	130
Menziken	1045	544	638	128	1921	4608	130
Oberkulm	1045	476	941	313	1784	1794	140
Reinach	1045	528	948	240	2846	5764	135
Schlossrued	ca. 1160	509	725	190	1000	825	140
Schmiedrued	ca. 1160	566	865	212	1526	917	140
Schöftland	1254	461	628	246	1243	2750	135
Teufenthal	1173	453	357	140	666	1566	140
Unterkulm	1045	466	888	317	1730	2673	135
Zetzwil	1173	522	581	197	1226	923	140

Bezirk Laufenburg

Gemeinde	erste urkundliche Erwähnung	Höhe ü. M. m	Fläche ha	Waldbestand 1978/ha	Einwohner 1850	Einwohner 1978	Steuerfuss 1978/%
Eiken	1254	330	708	196	837	1207	140
Etzgen	1425	336	328	150	315	328	130
Frick	1064	346	998	249	1112	3003	133
Gansingen	1240	382	877	291	1053	779	140
Gipf-Oberfrick	1259	369	1018	380	1050	1475	135
Herznach	1097	413	626	107	898	833	140
Hornussen	1296	382	725	204	766	631	140
Ittenthal	1297	404	349	150	265	206	140
Kaisten	1311	335	1424	542	1189	1623	140
Laufenburg	1207	315	228	71	699	1824	121
Mettau	1254	347	329	153	387	244	140
Münchwilen	1306	342	246	69	227	602	121
Oberhof	1802	472	824	288	626	447	145
Oberhofen	1832	364	315	123	297	280	140
Oeschgen	1234	342	432	63	604	637	145
Schwaderloch	ca. 1325	321	275	105	388	498	130
Sisseln	ca. 1450	294	252	37	367	705	100
Sulz	1390	381	1221	543	1125	1009	145
Ueken	1406	399	512	158	319	363	145
Wil	ca. 1325	381	778	192	739	573	150
Wittnau	1259	411	1121	545	939	794	140
Wölflinswil	1288	437	952	250	739	745	140
Zeihen	1337	445	684	224	457	735	140

Gemeinde	erste urkundliche Erwähnung	Höhe ü. M. m	Fläche ha	Waldbestand 1978/ha	Einwohner 1850	Einwohner 1978	Steuerfuss 1978/%
Bezirk Lenzburg							
Ammerswil	9. Jahrh.	452	319	173	295	341	140
Boniswil	1275	477	241	17	695	922	140
Brunegg	1273	427	156	38	277	339	140
Dintikon	9. Jahrh.	448	373	151	673	837	140
Egliswil	9. Jahrh.	470	629	234	1146	717	140
Fahrwangen	831	546	401	100	782	1216	130
Hallwil	1167	475	217	20	428	545	140
Hendschiken	ca. 1160	412	352	84	571	699	130
Holderbank	1259	365	230	92	281	767	110
Hunzenschwil	ca. 1160	402	326	81	747	1955	130
Lenzburg	ca. 1077	405	1131	548	1957	7468	125
Meisterschwanden	1173	502	424	70	1020	1625	120
Möriken-Wildegg	1242	387	662	220	821	2872	121
Niederlenz	9. Jahrh.	377	330	85	779	3289	130
Othmarsingen	1189	397	478	197	1134	1709	130
Rupperswil	1173	373	621	208	993	2756	121
Schafisheim	1250	419	639	255	1068	1639	140
Seengen	9. Jahrh.	471	972	306	1528	1589	130
Seon	9. Jahrh.	445	961	240	1609	3655	130
Staufen	1101	421	356	108	758	1982	130
Bezirk Muri							
Abtwil	ca. 1160	536	414	80	393	328	150
Aristau	1153	390	864	107	937	655	140
Auw	9. Jahrh.	489	858	192	881	1064	145
Beinwil-Freiamt	1153	572	1121	178	871	737	145
Benzenschwil	1189	459	246	67	324	426	140
Besenbüren	ca. 1160	455	239	46	417	308	150
Bettwil	9. Jahrh.	688	426	90	421	406	145
Boswil	ca. 820	457	1178	226	1249	1976	140
Bünzen	1259	441	579	158	574	698	140
Buttwil	ca. 1160	641	460	94	551	514	150
Dietwil	1236	433	550	82	794	677	150
Geltwil	ca. 1160	681	327	37	207	148	150
Kallern	1306	515	267	28	329	216	150
Merenschwand	ca. 1160	396	1105	98	1212	1466	140

Gemeinde	erste urkundliche Erwähnung	Höhe ü. M. m	Fläche ha	Wald- bestand 1978/ha	Ein- wohner 1850	Ein- wohner 1978	Steuer- fuss 1978/%
Mühlau	1274	396	552	68	347	662	140
Muri	9. Jahrh.	479	1232	224	1966	4712	140
Oberrüti	1270	421	538	77	539	501	150
Rottenschwil	1281	387	450	80	518	322	145
Sins	1236	410	2033	377	1788	2681	140
Waltenschwil	ca. 1160	427	452	80	684	1163	140

Bezirk Rheinfelden

Hellikon	1277	423	707	195	681	590	150
Kaiseraugst	1./2. Jahrh.	269	489	144	405	1938	100
Magden	1036	330	1102	435	1075	2053	121
Möhlin	0794	312	1864	652	1940	6438	121
Mumpf	1218	287	315	126	448	868	130
Obermumpf	1218	377	507	127	508	773	130
Olsberg	1236	377	461	272	248	232	110
Rheinfelden	1146	274	1612	787	1910	8349	110
Schupfart	1259	448	707	176	530	512	140
Stein	1187	299	283	51	375	1742	121
Wallbach	1306	288	455	125	638	1071	121
Wegenstetten	1306	441	718	188	755	663	140
Zeiningen	1224	342	1149	466	983	1344	135
Zuzgen	1296	382	840	263	775	569	140

Bezirk Zofingen

Aarburg	1123	402	441	131	1700	5457	130
Attelwil	1306	501	219	72	282	266	140
Bottenwil	1189	493	510	200	960	679	140
Brittnau	9. Jahrh.	454	1367	455	2249	2793	135
Kirchleerau	1248	512	436	209	688	705	130
Kölliken	864	430	888	367	1782	3301	130
Moosleerau	1243	509	388	121	646	629	140
Mühlethal	1242	539	146	47	392	514	135
Murgenthal	1255	412	1862	1153	1517	2524	140
Oftringen	9. Jahrh.	422	1286	412	2584	8764	130
Reitnau	1045	524	579	188	1082	901	140
Rothrist	1263	411	1185	363	2620	5948	125
Safenwil	9. Jahrh.	483	599	256	1200	2591	130

Gemeinde	erste urkundliche Erwähnung	Höhe ü. M. m	Fläche ha	Wald- bestand 1978/ha	Ein- wohner 1850	Ein- wohner 1978	Steuer- fuss 1978/%
Staffelbach	1306	488	894	325	1354	803	140
Strengelbach	1306	445	603	260	1284	3860	130
Uerkheim	9.Jahrh.	455	709	255	1310	1165	150
Vordemwald	1306	513	1014	571	1143	1477	145
Wiliberg	1251	651	117	20	197	128	150
Zofingen	1190	439	962	458	3559	8787	105

Bezirk Zurzach

Gemeinde	erste urkundliche Erwähnung	Höhe ü. M. m	Fläche ha	Wald- bestand 1978/ha	Ein- wohner 1850	Ein- wohner 1978	Steuer- fuss 1978/%
Baldingen	1275	548	284	76	336	166	150
Böbikon	1113	444	260	81	269	140	150
Böttstein	1087	356	752	198	629	2781	121
Döttingen	1239	328	688	214	1098	3242	121
Endingen	792	383	845	361	1941	1409	130
Fisibach	1050	378	573	251	404	311	140
Full-Reuenthal	1306	315	482	89	442	684	140
Kaiserstuhl	1243	347	32	1	448	388	140
Klingnau	1239	328	659	210	1300	2389	130
Koblenz	1265	319	407	101	709	1463	135
Leibstadt	ca. 1260	347	639	191	911	1111	125
Lengnau	1113	415	1262	446	1761	1694	140
Leuggern	1231	332	1374	364	1193	1648	140
Mellikon	1113	357	273	103	199	197	140
Rekingen	1379	338	310	150	348	833	121
Rietheim	1239	331	392	129	439	418	140
Rümikon	1300	343	292	113	269	173	130
Schneisingen	1120	493	829	321	623	955	140
Siglistorf	1113	444	556	253	394	315	140
Tegerfelden	1113	364	719	281	757	669	130
Unterendingen	1150	387	349	122	254	164	130
Wislikofen	1107	394	366	111	291	286	140
Zurzach	ca. 700	341	654	264	948	3175	121

1. Zahl: Gemeindewappen, 2. Zahl: Blasonierung, erste schriftliche Erwähnung, Mundartname, schon im Jahre 1800 erwähnte und heute noch in der Heimatgemeinde vorkommende Bürgergeschlechter.

A

Aarau	273/300
Aarburg	295/319
Abtwil	291/315
Ammerswil	289/313
Aristau	291/315
Arni-Islisberg	278/304
Attelwil	295/319
Auenstein	281/306
Auw	291/315

B

Baden	275/301
Baldingen	297/321
Beinwil/Freiamt	291/316
Beinwil am See	284/309
Bellikon	275/301
Benzenschwil	291/316
Bergdietikon	275/301
Berikon	278/304
Besenbüren	291/316
Bettwil	291/316
Biberstein	273/300
Birmenstorf	275/301
Birr	281/307
Birrhard	281/307
Birrwil	284/309
Böbikon	297/321
Böttstein	297/321
Bözen	281/307
Boniswil	289/313
Boswil	291/316
Bottenwil	295/319
Bremgarten	278/304
Brittnau	295/319
Brugg	281/307
Brunegg	289/314
Buchs	273/300
Bünzen	292/316
Büttikon	278/304
Burg	284/309
Buttwil	292/316

D

Densbüren	273/300
Dietwil	292/316
Dintikon	289/314
Döttingen	297/321
Dottikon	278/304
Dürrenäsch	284/309

E

Effingen	281/307
Eggenwil	278/305
Egliswil	289/314
Eiken	286/311
Elfingen	281/307
Endingen	297/321
Ennetbaden	275/302
Erlinsbach	273/300
Etzgen	286/311

F

Fahrwangen	289/314
Fischbach-Göslikon	278/305
Fisibach	297/321
Fislisbach	275/302
Freienwil	275/302
Frick	286/311
Full-Reuenthal	297/322

G

Gallenkirch	281/307
Gansingen	286/311
Gebenstorf	275/302
Geltwil	292/316
Gipf-Oberfrick	286/311
Gontenschwil	284/310
Gränichen	273/300

H

Habsburg	282/307
Hägglingen	278/305
Hallwil	289/314

(Spalte 3)

Hausen	282/307
Hellikon	293/318
Hendschiken	289/314
Hermetschwil-Staffeln	279/305
Herznach	286/311
Hilfikon	279/305
Hirschthal	273/300
Holderbank	290/314
Holziken	284/310
Hornussen	286/312
Hottwil	282/307
Hunzenschwil	290/314

I, J

Jonen	279/305
Ittenthal	286/312

K

Kaiseraugst	293/318
Kaiserstuhl	297/322
Kaisten	287/312
Kallern	292/316
Killwangen	276/302
Kirchleerau	295/319
Klingnau	298/322
Koblenz	298/322
Kölliken	295/319
Künten	276/302
Küttigen	273/300

L

Laufenburg	287/312
Leibstadt	298/322
Leimbach	284/310
Lengnau	298/322
Lenzburg	290/314
Leuggern	298/322
Leutwil	284/310
Linn	282/307
Lupfig	282/307

M

Mägenwil	276/302
Magden	293/318
Mandach	282/307
Meisterschwanden	290/314
Mellikon	298/322
Mellingen	276/302
Menziken	285/310
Merenschwand	292/317
Mettau	287/312
Möhlin	293/318
Mönthal	282/308
Möriken-Wildegg	290/314
Moosleerau	295/320
Mühlau	292/317
Mühlethal	295/320
Mülligen	282/308
Münchwilen	287/312
Muhen	274/301
Mumpf	293/318
Murgenthal	296/320
Muri	292/317

N

Neuenhof	276/302
Niederlenz	290/315
Niederrohrdorf	276/302
Niederwil	279/305

O

Oberbözberg	282/308
Oberehrendingen	276/302
Oberentfelden	274/301
Oberflachs	282/308
Oberhof	287/312
Oberhofen	287/312
Oberkulm	285/310
Oberlunkhofen	279/305
Obermumpf	293/318
Oberrohrdorf	276/303
Oberrüti	292/317
Obersiggenthal	276/303
Oberwil	279/305
Oeschgen	287/312
Oftringen	296/320
Olsberg	293/318
Othmarsingen	290/315

R

Reinach	285/310
Reitnau	296/320
Rekingen	298/323
Remetschwil	276/303
Remigen	282/308
Rheinfelden	293/318
Rietheim	298/323
Riniken	282/308
Rohr	274/301
Rothrist	296/320
Rottenschwil	292/317
Rudolfstetten-Friedlisberg	279/305
Rüfenach	283/308
Rümikon	298/323
Rupperswil	290/315

S

Safenwil	296/320
Sarmenstorf	279/306
Schafisheim	290/315
Scherz	283/308
Schinznach-Bad	283/308
Schinznach-Dorf	283/308
Schlossrued	285/310
Schmiedrued	285/310
Schneisingen	298/323
Schöftland	285/310
Schupfart	294/318
Schwaderloch	287/313
Seengen	290/315
Seon	290/315
Siglistorf	298/323
Sins	292/317
Sisseln	287/313
Spreitenbach	276/303
Staffelbach	296/320
Staufen	290/315
Stein	294/319
Stetten	276/303
Stilli	283/308
Strengelbach	296/320
Suhr	274/301
Sulz	287/313

T

Tägerig	279/306
Tegerfelden	298/323
Teufenthal	285/311

U

Thalheim	283/309
Turgi	277/303

Ueken	287/313
Uerkheim	296/321
Uezwil	279/306
Umiken	283/309
Unterbözberg	283/309
Unterehrendingen	277/303
Unterendingen	299/323
Unterentfelden	274/301
Unterkulm	285/311
Unterlunkhofen	279/306
Untersiggenthal	277/303

V

Veltheim	283/309
Villigen	283/309
Villmergen	279/306
Villnachern	283/309
Vordemwald	296/321

W

Wallbach	294/319
Waltenschwil	292/317
Wegenstetten	294/319
Wettingen	277/304
Widen	280/306
Wil	287/313
Wiliberg	296/321
Windisch	283/309
Wislikofen	299/323
Wittnau	288/313
Wölflinswil	288/313
Wohlen	280/306
Wohlenschwil	277/304
Würenlingen	277/304
Würenlos	277/304

Z

Zeihen	288/313
Zeiningen	294/319
Zetzwil	285/311
Zofingen	296/321
Zufikon	280/306
Zurzach	299/323
Zuzgen	294/319

Schlussbetrachtung

Im Jubiläumsjahr 1978 ist wieder viel die Rede davon: Der Kanton Aargau ist seinerzeit am Verhandlungstisch geschaffen worden, er wurde aus geschichtlich, kulturell und konfessionell völlig verschieden gewachsenen Bestandteilen zusammengesetzt. Der neue Kanton war ein unnatürliches Gebilde, eine Zwangsgemeinschaft. Ist er dies bis zu einem gewissen Grade auch heute noch? Lassen sich nicht immer wieder Ereignisse und Erscheinungen im Kanton gerade damit erklären, dass der Aargau eben «erkünstelt» worden ist? Fehlt nicht nach wie vor der alle Kantonsteile umfassende Kitt? Fühlt sich bei uns der Bürger nicht zuerst als Angehöriger einer Gemeinde oder Region, als Aarauer, Badener, Zofinger oder als Fricktaler, Oberwynentaler, Freiämter usw., in zweiter Linie als Schweizer und erst zuletzt als Aargauer? Anderseits: Dieses Gebilde hat trotz ungünstigen Voraussetzungen nun bereits 175 Jahre lang gehalten, und die Gegenfrage drängt sich auf: Liesse sich heute überhaupt ein Teil des Aargaus abtrennen, ohne dass gleich der ganze Kanton in erheblichem Masse an Substanz verlieren würde? Ist der Zusammenhalt also nicht vielmehr sehr bemerkenswert, vor allem wenn man in Rechnung stellt, dass der Kanton ja noch nicht einmal drei durchschnittliche Menschenleben alt ist? Ein «Fall Jura» scheint bei uns dann doch wieder völlig undenkbar zu sein. Ist im Laufe der Jahre eben doch ein aargauisches Staatsbewusstsein entstanden?

Die Einheit des Kantons wird heute nicht mehr in Frage gestellt. Kantonale Einheitspolitik wird allerdings in bescheidenem Masse betrieben. Das war in den ersten Jahrzehnten des neugeschaffenen Kantons anders. Der junge Aargau gab sich ein einheitliches Recht, schuf einheitliche Lehrpläne und Lehrmittel für seine Jugend, eine einzige Kantonsschule, ein einziges Seminar; ja, die in mancher Hinsicht übertrieben gleichmacherische Politik wollte nicht einmal vor der Religion haltmachen, womit spätere konfessionelle Konflikte bereits vorgezeichnet wurden. Der Wille der Bewohner der verschiedenen Kantonsgegenden, ihre Eigenständigkeit zu bewahren, lebte jedenfalls fort, und heute steht der Regionalismus erneut in hoher Blüte, was uns immer wieder teuer zu stehen kommt; man denke etwa an die Entwicklung im Spital-, Schul- oder Strassenbauwesen! Zweifellos lässt sich diese Absage an eine zentralistische Politik in vielen Bereichen überzeugend begründen; ob sie aber im gesamtaargauischen Interesse liegt?

Der Regionalismus ist allerdings beileibe nicht nur im Kanton Aargau ausgeprägt. Um so schwerer wiegt die Tatsache, dass bei uns kein Zentrum die andern Regionen erdrückt, wie dies in andern Kantonen der Fall ist; alle Gebiete unseres Kantons haben ihre Chancen, der Begriff «Hinterland» ist uns weitgehend fremd! Das ausgesprochene Nebeneinander ist für den Aargau charakteristisch, prägt ihn zur viel zitierten «Schweiz im Kleinen», zum «Kanton des Ausgleichs», zum «Kanton der Mitte» – auch landschaftlich: Mittelland- und Jura-, See- und Flussregionen lösen sich ab, Wohn- und Industriezonen wechseln mit Landwirtschaftsgebieten, in denen da die Milchwirtschaft, dort der Getreide- oder der Obstanbau im Vordergrund stehen. Unverkennbar eigenständige «Menschenschläge», alte Bauten und Kunstschätze, Burgen und Klöster, Brauchtümer, Mundarten oder etwa Bauernhaustypen lassen auf unterschiedliche Herkunft, auf unterschiedliche Einflussbereiche schliessen; die Religionen spielen dabei eine bedeutende, nicht zu verleugnende Rolle. Das ist keine spektakuläre Vielfalt, etwa im Stile des Kantons Bern: keine Bergbauern und Bundesbeamten, Hochgebirgseen und Wolkenkratzer, Einöden und Touristenzentren. Aber es ist eine Vielfalt im Alltäglichen, im stillen.

An Geburtstagen spricht man Glückwünsche, Wünsche aus. Sicher gibt es viele Leute, die dem Aargau bei Anlass seines 175. Geburtages wünschen möchten, er werde in Zukunft etwas mehr von Neuerungswillen beseelt sein. Sie träumen wohl auch davon, der Aargau möge sich, wie seinerzeit in seinen Gründungsjahren und in den Jahren danach, als der junge Kanton als Geburtshelfer eines modernen schweizerischen Staatswesens wirkte, wieder etwas revolutionärer, progressiver gebärden. Etwas mehr Pioniergeist, mehr Spritzigkeit könnte zweifellos nicht schaden. Allein, wie weit man dabei gehen mag, das ist – dies sei zugegeben, letztlich eine Frage der politischen Einstellung. Wer «in» sein will – wenigstens nach aussen –, gibt sich «progressiv», was nach landläufiger Meinung bisher gleichgesetzt wurde mit einem Bekenntnis zur Zukunft, zur dynamischen Entwicklung. Der Basler Nationalrat Peter Dürrenmatt hat Anfang 1978 in einem Zeitungsartikel die Fragwürdigkeit solcher (vor allem in der politischen Diskussion

geführten) Worte wie «progressiv» dargelegt. Warnen heute nicht gerade progressiv sein Wollende vor dem unbegrenzten Glauben an den technischen und wissenschaftlichen Fortschritt? Ist demnach nicht eher progressiv, wer die Dinge nicht einfach bedenkenlos vorantreiben will, sondern sich die Erhaltung des Bestehenden, die Sicherung der «Lebensqualität» (auch dieser Begriff heute leider ein Schlagwort) zum Ziele setzt? Wie progressiv, also fortschrittlich nimmt sich der Aargau in dieser Hinsicht aus?

Vergegenwärtigen wir uns: Flächenmässig steht der Kanton Aargau im gesamtschweizerischen Vergleich im zehnten, bevölkerungsmässig jedoch bereits im vierten Rang. Die Beschäftigtenzahl macht ihn gar zum drittgrössten Industriekanton. Ein Grossteil der in der Schweiz benötigten Energie stammt aus aargauischen Wasser- und Kernkraftwerken. Verschiedene Forschungszentren, insbesondere auf dem Gebiete der Kernspaltung und der Kernenergie, befinden sich im Aargau. Unser Kanton ist also, jedenfalls auf dem industriellen Sektor, ein durchaus «moderner» Kanton.

Auf dem politischen oder kulturellen Sektor hingegen gehört der Aargau nicht zu den Zugpferden unter den Kantonen. Geistige Höhenflüge sind dem Aargauervolk (wenn man überhaupt diesen verallgemeinernden Ausdruck gebrauchen darf) eher fremd. Die Ausnahme, der vorübergehende Ausbruch (Zeit zwischen 1798 und 1848), bestätigt die Regel. Zu lange waren die Aargauer, dieses ehemalige Volk der Kleinbauern und Kleinbürger, Untertanen und Diener verschiedener Herren.

Selten gehen grosse Impulse vom Aargau aus. Anregungen, Anreize auf verschiedensten Gebieten erhält der Aargauer vielmehr in den nahen Zentren der umliegenden Kantone. Aber Hand aufs Herz: Wer kehrt nicht, nachdem er einen Tag lang in einer sogenannten Grossstadt Terminen nachgeeilt und Tram gefahren ist, Auto parkiert, Lärm ausgestanden und den Hemdkragen verschwitzt hat, wieder gerne in den Aargau zurück? Wohlverstanden, nicht in eine heile Welt zurück, sondern in einen Kanton, der die Probleme des Verkehrs, der Immissionen usw. selbstverständlich ebenso kennt – aber eben doch noch nicht in dieser Massierung. Hier ist oder wirkt die Welt noch weitgehend überschaubar, massvoll; Charles Tschopp spricht vom «ordentlichen», eben gerade nicht vom «ausserordentlichen» Charakter des Aargauers, und er meint damit auch den Kanton.

Wie empfindet der «Mittelbetrieb» Aargau diese Situation zwischen den «Grossbetrieben»? Ist wegzuleugnen, dass wir uns zwischen den Grossen eingeengt, durch ihre weit in den Aargau hineindrängenden Siedlungsballungen bedroht fühlen, unsern Kanton anderseits als Durchfahrtsland auf den grossen Nord-Süd- und West-Ost-Transversalen abgestempelt sehen? Manövrieren wir uns aber nicht gerade mit dieser selbstquälerischen Sturheit in den bekannten aargauischen Minderwertigkeitskomplex hinein, drängen wir uns nicht geradezu in die Rolle eines Zweitklasskantons? – Warum sehen wir nicht gerade in dieser Puffersituation unsere Stärke, holen damit Pluspunkte heraus und prägen unser Image: Ein Kanton wohl ohne eigene Mitte, aber ein Kanton der Mitte, der Aargau als Ausgleich, als bescheidene Insel im Strom oft falscher Betriebsamkeit? Der Aargau als Landschaft, in der die Rückbesinnung auf echte Lebenswerte noch eher möglich ist als anderswo; der sich im Jubiläumsjahr das Ziel setzt, ein «Kanton der Lebensqualität» zu werden? Der Aargau als Kanton, in dem Verinnerlichung und Fortschritt sich nicht ausschliessen, sich im Gegenteil zusammenfinden – womit wir wieder beim Vermittlerkanton Aargau, bei der «Argovia mediatrix» wären.

15. April 1978   *Ulrich Weber*

Wie dieses Buch entstanden ist

Im Auftrage des Kantonalen Lehrmittelverlags Aarau verfassten Max Schibli, Aarau, und Josef Geissmann, Wettingen, heimatkundliche Handreichungen für die Lehrer der Mittelstufe, also der 3. bis 5. Klasse. Diese mehrere hundert Ringbuchseiten umfassenden, bebilderten Lehrmittel, deren Zusammenstellung und Vorbereitung einige Jahre beansprucht hatte, sind auf ein grosses Echo gestossen. In der Meinung, eine solch wertvolle Handreichung gehöre eigentlich nicht nur aufs Lehrerpult, sondern sei wert, eine Aargauer Heimatkunde «für jedermann» zu werden, beauftragte der Verlag Aargauer Tagblatt im Einverständnis mit dem Kantonalen Lehrmittelverlag und den beiden Autoren Redaktor Dr. Ulrich Weber, Aarau, mit der Bearbeitung der drei Ringbücher. Dieser hat, in enger Tuchfühlung mit den Herren Schibli und Geissmann, aus der Fülle des in den Ringbüchern vorliegenden Materials das Wesentliche zusammengefasst, bearbeitet und mit zusätzlichen Sachinformationen ergänzt. Aus den Ringbüchern wurden viele Illustrationen übernommen. Vom Kapitel «Die Gemeindewappen des Kantons Aargau», für das Max Schibli (Text) und Wilfried Hochuli (Zeichnungen) verantwortlich zeichnen, ist im Frühjahr 1978 ein Separatdruck erschienen.

Literaturverzeichnis

Das vorliegende Buch stützt sich auf die drei Heimatkunde-Ringbücher von Max Schibli und Josef Geissmann und wie diese Vorlagen wiederum auf die nachstehend angeführten Quellen. Im weiteren wurden Dokumentationen der Kantonalen Verwaltung sowie Publikationen aus dem Archiv der Redaktion des Aargauer Tagblatts beigezogen. Das folgende Verzeichnis erhebt keinen Anspruch auf Vollständigkeit. Interessierte Leser werden auf das sehr umfangreiche Literaturverzeichnis, insbesondere auch auf die Zusammenstellung der Sagen, in den drei Ringbüchern verwiesen.

Heimatkunde – Literatur zum Kanton Aargau

Verschiedene Autoren.
- 150 Jahre Kanton Aargau im Lichte der Zahlen. Aarau. 1954.
- Aargau, Natur und Erforschung. Aarau. 1953.
- Aargau, Mensch und Landschaft in Schrifttum und Malerei. Aarau. 1959.
- Meine Heimat. Aargauer Jungbürgerbuch. Aarau. 1949.
- Der Aargau baut. Aarau. 1966 und 1968.
- Kanton Aargau. Biographisches Lexikon 1803–1957. Aarau. 1958.
- Lebensbilder aus dem Aargau 1803–1953. Aarau. 1953.
- Avanti-Bildband «Kanton Aargau». 1976.
- Informationen zur Heimatkunde des Kantons Aargau (Gemeinden). 13 Originalbände. Kantonsbibliothek Aarau. 1974.
- Erbe und Auftrag. Kath. Volksverein. Baden. 1953.
- Unser Aargau. Jubiläumsschrift 150 Jahre Aargau. Aarau. 1953.
Regierungsrat des Kantons Aargau, Spitalkonzeption 1972, Energiekonzeption 1975, Agrarpolitisches Leitbild 1976, Regierungsprogramm 1977–1981.
Erziehungsdepartement des Kantons Aargau, Aargauer Schulen. 1977.
Aargauische Industrie- und Handelskammer, Beiträge zur Wirtschaft des Kantons Aargau, 1977.
Statistisches Amt Aarau. Verschiedene Statistiken, z. B. Volkszählung 1970. Bevölkerungsbewegung 1974, Motorfahrzeugstatistik 1958–1973, Schulstatistik 1974, Baustatistik 1974, Volkszählung 1970 Erwerb und Beruf. Aargauer Zahlen 1977.
Bärtschi, Der Kanton Aargau. Anhang zum Lehrbuch für staatsbürgerlichen Unterricht an höheren Mittelschulen. Basel. 1973.
Bircher Silvio, Aargauer Politik – heute und morgen. Aarau 1974.
Blaser, Bauernhausformen im Kanton Aargau. Aarau. 1974.

Blattner, Über die Mundarten des Kantons Aargau. Brugg. 1890.
Bodmer-Gassner, Frauen aus dem Aargau. Aarau 1964.
Bosch, Die Burgen und Schlösser des Kantons Aargau. Aarau. 1949.
Bronner, Der Kanton Aargau. Historisch, geographisch, statistisch geschildert. 2 Bde. St. Gallen, Bern. 1844.
Dürst, Rittertum. Aarau. 1960.
Egli, Der Aargau – erlebte Landschaft. Aarau. 1966.
Elsasser, Der Aargau einst. Photographien aus der guten alten Zeit. Aarau. 1974.
Erismann, Heiliges Erbe. Bilder aus der Kirchengeschichte der Heimat für das reformierte Aargauervolk. Aarau. 1953.
Eschenmoser, Aargauer Skizzen. Zürich. 1977.
Felder, Aargauische Kunstdenkmäler. Aarau. 1968.
Felder, Das Aargauer Strohhaus. Bern. 1961.
Hauswirth, Burgen und Schlösser der Schweiz. Band «Aargau». Kreuzlingen. 1957.
Howald, Die Dreifelderwirtschaft im Kanton Aargau. Bern. 1927.
Hunziker, Aargauer Wörterbuch in der Lautform der Leerauer Mundart. Aarau. 1877.
Keller, Staatsbürgerkunde. Aarau. 1953.
Kessler, Bedrohte Natur. Aarau. 1969.
Kim, Der Aargau – Kanton der Zukunft. Aarau. 1966.
Kim/Krättli, Mitten in der Schweiz. 15 Ansichten über den Aargau. Aarau. 1971.
Kirchgraber/Allemann, Aargau. Bildband. Aarau. 1967.
Krättli/Boesch/Geissberger/Reck, Unser Aargau. Ein Schweizer Kanton zwischen gestern und morgen. Chance und Aufgabe. Aarau. 1966.
Lombard/Nabholz/Trümpy, Geologischer Führer der Schweiz. Heft 6: Basel–Zürich. 1967.
Merz, Burgen und Wehrbauten des Kantons Aargau. 3 Bde. Aarau. 1905–1929.
Merz, Das Bürgerhaus im Kanton Aargau. Zürich. 1924.
Müller, Abriss über die Geschichte der Kartographie im Gebiet des Kantons Aargau. Frick. 1953.
Müller, Der Aargau. Seine politische, Rechts-, Kultur- und Sitten-Geschichte. 2 Bde. Zürich, Aarau. 1870/71.
Müller, Reben und Wein im Aargau. 1977.
Rey, Die Entwicklung der Industrie im Kanton Aargau. Aarau. 1937.
Schibli/Geissmann, Heimatkunde des Kantons Aargau. Aarau. 1977.
Schibli/Hochuli, Die Gemeindewappen des Kantons Aargau. Aarau. 1978.
Schmid, Aargau. Pro Helvetia-Band. Bern. 1946.
Studer, Der Einfluss der Industrialisierung auf die Kulturlandschaft des aargauischen Mittellandes. Zürich. 1939.
Tschopp, Der Aargau. Eine Landeskunde. Aarau. 1968.
Tschopp, Aargau. Bd. 14 der Reihe «Die Kantone der Schweiz». Genf. 1973.
Villiger, Aargauische Heimatkunde. 4 Bändchen: Von der Lägern zum Heitersberg. Vom grünen Rhein ins Stauden-

land. Durchs Surbtal an die Aare. Von der Aare zum Bözberg. Aarau. 1936–1956.
Vosseler, Der Aargauer Jura. Aarau. 1928.
Wälti, Aargau. Bd. 10 der Reihe «Die Schweiz in Lebensbildern». Aarau. 1953.
Zimmerli, Tragt Sorge zur Natur. Aarau. 1970.
Zschokke, Geschichte des Aargaus. Aarau. 1903.

Die Kunstdenkmäler des Kantons Aargau (Birkhäuser, Basel):
Band I: Die Bezirke Aarau, Kulm, Zofingen. Von Michael Stettler. 1948.
Band II: Die Bezirke Brugg, Lenzburg. Von Michael Stettler und Emil Maurer. 1953.
Band III: Das Kloster Königsfelden. Von Emil Maurer. 1954.
Band IV: Der Bezirk Bremgarten. Von Peter Felder. 1967.
Band V: Der Bezirk Muri. Von Georg Germann. 1967.
Band VI: Der Bezirk Baden. 1. Teil: Baden, Ennetbaden, obere Reusstalgemeinden. Von Peter Hoegger. 1976.

Aargauische Heimatgeschichte (Sauerländer, Aarau, 1930 ff.):
Hartmann/Bosch, Erdgeschichtliche Landeskunde–Urgeschichte.
Laur-Belart, Römerzeit.
Speidel, Beim Deutschen Reich.
Mittler, Kirche und Klöster.

Geschichte des Kantons Aargau 1803 bis 1953:
Band I: Halder, 1803 bis 1830. Aarau. 1953.
Band II: Stähelin, 1830 bis 1885. Baden. 1978.
Band III: Gautschi, 1885 bis 1953. Baden. 1978.

Aargauer Bezirkschroniken (Bosch, Zürich):
Ammann, Bezirk Aarau. 1945.
Nussberger/Boner, Bezirk Aarau. 1965.
Mittler/Lüthi, Bezirk Baden. 1947.
Nussberger/Müller, Edelmann/Binkert/Stalder, Bezirke Baden. Zurzach, Laufenburg, Rheinfelden. 1969.
Ammann/Senti, Bezirke Brugg, Rheinfelden, Laufenburg, Zurzach. 1948.
Nussberger, Bezirke Brugg, Bremgarten, Muri. 1968.
Strebel, Das Freiamt. 1946.
Ammann/Bosch, Braun/Buhofer, Bezirke Lenzburg und Kulm. 1947.
Nussberger, Bezirke Lenzburg und Kulm. 1966.
Boner/Kaufmann, Bezirk Zofingen. 1967.

Periodika, Neujahrsblätter, Kalender:
Argovia – Jahresschriften der Historischen Gesellschaft des Kantons Aargau (seit 1860).
Mitteilungen der Aargauischen Naturforschenden Gesellschaft (seit 1863).
Heimatkunde aus dem Seetal (seit 1926), Vom Jura zum Schwarzwald (seit 1926, einzelne Jahrgänge früher). Unsere Heimat (Histor. Gesellschaft Wohlen und Umgebung, seit 1927), Heimatkunde des Wiggertales (seit 1942). Jahresberichte der Vereinigung für Heimatkunde des Suhrentals (seit 1934), der Historischen Vereinigung Wynental (seit 1927) und der Historischen Vereinigung des Bezirks Zurzach (seit 1946).

Neujahrsblätter: Brugg (seit 1899, einzelne Jahrgänge früher), Aarau (seit 1910). Zofingen (seit 1919), Baden (seit 1925), Lenzburg (seit 1930), Rheinfelden (seit 1945), Möriken-Wildegg (seit 1946), Bremgarten (seit 1962), Aarburg (seit 1971).
Freiämter Kalender (Wohlen, seit 1924).
Euse Kaländer (Schöftland, seit 1953).

Kartenwerke:
Schülerkarte des Kantons Aargau, 1:100000. 1972.
Schulwandkarte des Kantons Aargau, 1:40000. 1957.
Kulturkarte des Kantons Aargau, 1 : 100000. 1975.
Wanderkarte des Kantons Aargau, 1 : 50000. 1963.
Burgenkarte der Schweiz. Blätter 1 und 2. 1 : 200000. 1976.
Historische Karte der Schweiz, 1 : 500000. 1977.
Geologische Karte der Schweiz, 1 : 500000. 1972.
Hydrogeologische Karte der Schweiz. Blatt Bözberg–Beromünster, 1 : 100000. 1972.
Landeskarte der Schweiz, 1 : 25000, Blätter Rheinfelden, Laufenburg, Zurzach, Eglisau, Sissach, Frick, Baden, Bülach, Hauenstein, Aarau, Wohlen, Zürich, Murgenthal, Schöftland, Hitzkirch, Albis, Langenthal, Sursee, Hochdorf, Zug; 1 : 50000 Blätter Liestal, Baden, Olten, Zürich, Willisau, Rotkreuz; 1 : 100000 Blätter Bözberg, Beromünster, Basel–Luzern.

Sagen aus dem Aargau:

Attenhofer, Sagen und Bräuche aus einem alten Marktflecken. 1961.
Attenhofer, Sagen und Spukgeschichten rings um das Schloss Lenzburg. 1970.
Büchli, Schweizer Sagen. Aarau. 1971.
Englert-Faye, Us der Gschichtetrucke. Bern. 1951.
Freiämter Kalender 1947, 1956, 1958, 1975.
Fricker, Volkssagen aus dem Fricktal. Frick. 1935–1937.
Halder, Aus einem alten Nest. 1923.
Herzog, Schweizersagen. Aarau. 1913.
Jenny, Sagen aus dem Wiggertal. 1934.
Rochholz, Schweizersagen aus dem Aargau. 2 Bde. Aarau. 1856.
Unsere Heimat 1938, Historische Gesellschaft Freiamt.

Gemeindewappen/Familiennamen:

Walther Merz, Siegel und Wappen des Adels und der Städte des Kantons Aargau. Aarau. 1907.
Walther Merz, Die Gemeindewappen des Kantons Aargau. Aarau. 1915.
Nold Halder, Die Gemeindewappen des Kantons Aargau. In «Jahrbuch des Standes Aargau». 1953–1957.
Georg Boner, Gemeindewappen der Bezirke Baden (1972), Brugg (1970), Zofingen (1968). Neujahrsblätter.
Hermann J. Welti, Die Gemeindewappen des Bezirks Zurzach. Jahresschrift Nr. 11 der Historischen Vereinigung des Bezirks Zurzach. 1972/73.
D. L. Galbreath, Handbüchlein der Heraldik. Lausanne. 1930.
W. Leonhard, Das grosse Buch der Wappenkunst. München. 1976.

Robert Oehler, Familiennamenbuch der Schweiz. Zürich. 1940. 2 Bände.
Eidg. Statistisches Amt, Familiennamenbuch der Schweiz. Zürich. 1968–1971. 6 Bände.

Zum Kapitel «Das Aaretal»

Aarau und Umgebung:
Boner/Lüthi/Edlin, Geschichte der Stadt Aarau. Aarau. 1978.
Ammann, Alt-Aarau. Aarau. 1944.
Erismann, Aarau. Reihe «Schweizer Heimatbücher». Bern. 1960.
Erismann, 700 Jahre Aarau. Geschichtliche Bilder aus Aaraus Vergangenheit. Aarau. 1948.
Erismann, Die Aarauer Stadtkirche. Die Aarebrücken, Das Rathaus zu Aarau.
Elsasser/Erismann, Das alte Aarau. Photoband. Aarau. 1970.
Versch. Autoren, Aarau, Geist und Antlitz der Stadt. Genf. 1959.
Versch. Autoren, Aarau – Porträt einer Stadt. Bildband. Aarau. 1972.
Banholzer, 150 Jahre Gemeinde Rohr 1810–1960.
Boner, Erlinsbach. Ein Rückblick in die Vergangenheit. 1973.
Byland, Alt-Buchs. 1960.
Byland, Alt-Gränichen. 1965.
Lüthi, Suhr im Wandel der Zeiten. 1968.
Lüthi, Küttigen, Geschichte einer Vorortsgemeinde. 1975.
Versch. Autoren, 1000 Jahre Entfelden. 1965.
Banholzer, Geschichte der Stadt Brugg im 15. und 16. Jahrhundert. Aarau. 1961.
Bolliger, Aarburg: Festung, Stadt und Amt. Einwohner und Ortsbürgergemeinde Aarburg. 1970.
Boner, Holderbank. 1961.
Boner/Kohler, Oberbözberg im Wandel der Zeiten. 1972.
Boner/Oehler, Rothrist, mein Dorf. Gemeinde Rothrist. 1959.
Disteli, Aarburg. Ein Beitrag zur Geographie einer Schweizer Stadt.
Frauenlob, Brugg. Schweizer Heimatbuch Nr. 163. Bern. 1972.
Gerber, Chronik von Schinznach Dorf. 1975.
Guggenheim/Grünberg, Verschiedene Schriften zur Geschichte und Volkskunde der Juden in der Schweiz.
Heinemann, Bad Schinznach.
Heitz, Aarburg. Reihe Schweizer Heimatbücher. Bern. 1965.
Keller, 100 Jahre Unterbözberg. 1972.
Laur-Belart, Aus der Geschichte des Dorfes Effingen. 1966.
Leder, Aus der Geschichte des Dorfes Oberflachs. 1963.
Meier, Geschichte von Würenlingen. Gemeinderat Würenlingen. 1968.
Mittler, Geschichte der Stadt Klingnau 1239–1939. Aarau. 1947.
Obrist, Geschichte der Gemeinde Riniken. 1974.
Schneider, Von Vindonissa zu Windisch. 1970.
Siegrist/Pfister, Rupperswil. 3 Bände. 1966–1971.
Steiner, Geschichte von Hunzenschwil.

Weldler-Steinberg, Geschichte der Juden in der Schweiz. 2 Bände. Zürich. 1970.
Widmer/Weber, Brugg und seine Region. Aarau. 1977.
Wiedemer, Archäologische Beiträge zur Geschichte der Gegend nördlich Brugg (in Festschrift Reinhold Bosch). Brugg. 1963.
van Wingen, Beiträge zur Geologie und Hydrologie des Geissberges bei Villigen. Aarau. 1923.
Wullschleger, Geschichte der Gemeinde Vordemwald. Gemeinderat Vordemwald. 1968.
Versch. Autoren, Brugg. Bilder aus seiner Vergangenheit und Gegenwart. Brugg. 1944.
Zentenarschrift Königsfelden 1872–1972.

Zum Kapitel «Von der Wigger bis zur Bünz»

Ammann, Die Froburger und ihre Städtegründungen. Festschrift Nabholz. Zürich. 1934.
Attenhofer, Lenzburg. Schweiz. Heimatbuch Nr. 139.
Boner/Dätwyler, Chronik der Gemeinde Staffelbach. 1958.
Bosch, Seengen am Hallwilersee. 1938.
Bosch, Aus der Vergangenheit von Seon. 1934.
Bosch/Siegrist, Schloss Hallwil (Führer). 1955.
Buchmüller, Brittnau. 1968.
Eich, Oftringen einst und jetzt. 1957.
Erismann, Wie das Suhren- und Wynental zu ihren Bahnen kamen. Aarau. 1954.
Fehr, Geschichte der Gemeinde Strengelbach. 1960.
Fischer, Das Kirchspiel Rued im Wandel der Jahrhunderte. 1927.
Graf, Geschichte der Stadt Zofingen. 1884.
Halder/Weber, Lenzburg. Bildband. Aarau. 1974.
Hilfiker, Safenwil, Kirchen- und Dorfgeschichte. 1966.
Hunziker, Von Reitinowa 1045 bis Reitnau 1950.
Keller, Birrwil, eine heimatkundliche Darstellung. 1963.
Kolb, 700 Jahre Kirche Ammerswil. 1275–1975.
Lüthy, Dorfgeschichte von Moosleerau.
Maurer, Stadt Zofingen. 1960. Rathaus Zofingen. 1970. (Kunstführer.)
Maurer, Schloss und Herrschaft Rued. 1939.
Merz, Die Anfänge Zofingens. 1913.
Müller, Die letzte Eiszeit im Suhrental. 1960.
Müller, Die Entwicklung der Wälder im Suhrental und die gegenwärtige Flora. 1966.
Schenkel, 900 Jahre Staufberg. 1942.
Schenkel, Niederlenz. 1945.
Schenkel, Schafisheim. 1948.
Schreyger, Aus der Geschichte der Gemeinde Schöftland. 1969.
Sidler/Weber, Seetal – Hallwilersee. Mosaik einer Landschaft. Bildband. Aarau. 1976.
Siegrist, u. a., Lenzburg. 1972.
Siegrist, Geschichte der Herrschaft von Hallwil. Argovia Bd. 64.
Siegrist, Lenzburg im Mittelalter und im 16. Jahrhundert. Aarau. 1955.
Siegrist, Zofingen. Reihe «Schweizer Heimatbücher». 1973.
Steiner, Kulm. 1975.

Steiner, Reinach, Geschichte eines Aargauerdorfes. 1964.
Versch. Autoren, Planen und Denken im Wynental. Aarau 1966.
Walti, Heimatkunde von Dürrenäsch. 1926.
Versch. Autoren, Schloss Lenzburg. Aarg. Heimatführer. 1972.
Versch. Autoren, Dintikon gestern – heute – morgen. 1972.
Zimmerlin, Zofingen, Stift und Stadt im Mittelalter. 1928.

Zum Kapitel «Das Reusstal und das obere Bünztal»

Amschwand, Das Kloster Muri, Sarnen. 1965.
Anderes, Glasmalerei im Kreuzgang Muri. Bern. 1974.
Baur, Geschichte von Sarmenstorf. 1942.
Brun, Hägglingen. 1965.
Bürgisser, Geschichte der Stadt Bremgarten. Argovia 1938.
Bürgisser/Felder, Bremgarten. Heimatführer. 1959.
Bürgisser, Jonen. 1967.
Dubler/Siegrist, Wohlen. Geschichte von Recht, Wirtschaft und Bevölkerung. Aarau. 1975.
Hauser, Geschichte von Künten. 1949.
Huber, Dorfgeschichte von Lupfig.
Kretz/Gallati, Waltenschwil im Wandel der Zeiten. 1971.
Liebenau, Die Stadt Mellingen. Argovia Bd. 14.
Meier, Geschichte von Tägerig. 1915.
Rodel, Von den Anfängen der Freiämter Strohindustrie. Unsere Heimat. 1950.
Rohner, Aus der Kirchengeschichte von Sins 1245–1945.
Rohr, Mellingen im Mittelalter. Aarau. 1948.
Schneider, 700 Jahre Mülligen, 1273–1973.
Siegenthaler, 700 Jahre Birr-Lupfig, 1270–1970.
Siegrist, Boswil im Mittelalter. 1952.
Stöckli, Hermetschwil. Ein Dorf jubiliert. 1159–1959.
Stöckli, 700 Jahre Pfarrei Oberrüti. 1968.
Strebel, Die Benediktinerabtei Muri. Winterthur. 1967.

Zum Kapitel «Das Limmattal»

Baden, ein Photobuch mit Einleitung (Baden-Verlag).
BBC, 75 Jahre Brown Boveri, ein Jubiläumsbuch. 1966.
Boner, Geschichte der Gemeinde Untersiggenthal (Ortsbürgergemeinde Untersiggenthal).
Haberbosch, Die Juralandschaft in der Umgebung von Baden. 1956.
Haller, Chronik von Turgi. 1934.
Haller, Zur Geographie der Region Zürich und Baden. Zürich. 1957.
Kulturkommission Spreitenbach, Entdecke Spreitenbach. 1973.
Mächler, Baden. Schweiz. Heimatbuch Nr. 67.
Mittler, Geschichte der Stadt Baden. Bände I und II. Aarau. 1962/1965.

Müller, Ennetbaden – eine Monographie. Ennetbaden. 1968.
Rinderknecht, Baden (Buchdruckerei Wanner).
Würenlos 870–1970, Festschrift.
Versch. Autoren, Wettingen-Dorf – Kloster – Stadt Baden (Baden-Verlag).

Zum Kapitel «Das Rheintal/Fricktal»

Ammann, Die Zurzachermessen im Mittelalter. Argovia Bd. 48.
Attenhofer, Vom Marktflecken Zurzach und seinen berühmten Messen. In «Die Schweiz in Lebensbildern», Bd. 10. 1953.
Attenhofer, Zurzach. Reihe «Schweizer Heimatbücher», Bd. 180. 1976.
Reinle, Die heilige Verena von Zurzach. Basel. 1948.
Schib, Zur ältesten Geschichte Kaiserstuhls. Aarau. 1937.
Spühler, Dorfchronik von Rekingen.
Erni/Probst, Zurzach. Bern. 1972.
Ackermann, Bilder zur Heimatgeschichte von Wegenstetten. 1958.
Amsler, Die alten Eisenindustrien des Fricktales. 1935.
Boner, Der Fricktaler Kirchenbesitz des Stiftes Säckingen. In Festschrift Karl Schib. Thayngen. 1968.
Disler, Geologie des Bezirks Rheinfelden. 1931.
Fehlmann, Die Eisenlagerstätten der Schweiz. Aarau. 1937.
Fricker, 750 Jahre Laufenburg. Festspiel. 1957.
Fricker, Kaisten, ein geschichtlicher Abriss. 1972.
Frey, Aus der Geschichte der aargauischen Nordwestecke. 1953.
Höchle, 250 Jahre Marktrecht Frick. 1951.
Hugger, Lebensverhältnisse und Lebensweise der Chemiearbeiter im mittleren Fricktal. 1976.
Jehle, Geschichte der Gemeinde Mumpf. 1971.
Kläui u. a., Kaiserstuhl. Heimatführer. 1955.
Kuprecht, Beiträge zur Heimatkunde von Oeschgen. 1969–1971.
Liebetrau, Rheinfelden. Reihe «Schweizer Heimatbücher». 1952.
Reinle u.a., Dorfgeschichte von Stein. 1965.
Rohrer, Über Sisseln und die alte Zeit.
Rohrer, Heimatkunde von Münchwilen. 1961.
Rohrer, Geschichtliches über Eiken. 1972.
Schib, Geschichte der Stadt Laufenburg. Aarau. 1951.
Schib, Geschichte des Dorfes Möhlin. Thayngen. 1959.
Schib, Geschichte der Stadt Rheinfelden. Rheinfelden. 1961.
Schib/Maurer, Laufenburg. Reihe Aargauer Heimatführer. 1957.
Senti, Vogtei und Gemeinde Frick. 1948.
Stalder, Vorderösterreich, Schicksal und Ende, 1792–1803.
Versch. Autoren, Geschichte von Kaiseraugst. Liestal. 1962.
Versch. Autoren, Unser Sulztal, seine Menschen und seine Geschichte. 1954.